KB180419

임화와 신남철

임화와 신남철

경성제대와 신문학사의 관련 양상

김 윤 식

역락

1940년대 32세 임화

1953년 44세의 임화

경성제국대학

1974. 5. 7. 동아일보. 유진오, 편편야화.

서론으로서의 앞말

『자본론』을 비켜간 파우스트들

「신문학사의 방법」은 어떻게 씌어졌던가.

임화의 「신문학사의 방법」은 획기적 사건이다. 그것은 그의 시집 『현해탄』(1938)을 넘어섰을 뿐 아니라 평론집 『문학의 논리』(1940)까지도 저만큼 물리치고도 남는다. 문예학(문학의 과학)이자 문학의 사회학인 까닭이기에 그러하다. 시인이자 비평가인 임화에게 이 영역에 눈뜨게 한 것은 다름 아닌 경성제국대학(1926)이었다. 제국 일본이 여섯 번째로 세운 경성제대는 비록 타이페이(臺北)제대보다 2년 앞서 식민지에 세운 첫 번째 고등 교육기관이지만, 또 민립대학을 잠재우기 위한 정치적 의도가 있기도 했지만, 그 자체가 지(知)의 근대적 제도의 교육 기관이 관여하는 영역을 두고 일반적으로 말해 과학(학문)이라 했던 만큼 경성제대의 성립은 이 원칙에서 벗어날 수 없었다고 보는 것이 자연스럽다. 그것은 경성제대가 사라질 때(1945)까지의 19년간의 성취과정에서 여실히 증명된 터이기도 하다.

이 경성제대의 과학이 신문학사에 개입했음도 그 성취과정의 하나가 아닐 수 없다. 구체적으로 그것은 철학과의 신남철에 의해 1935년에 제기되었고, 이에 대해 제일 민감히 반응한 것이 임화였다. 그도 그럴 것이 임화에겐 카프 전주사건(1934~35)의 윤리적 부담과 함께 신문학사에 대한 외부간섭으로 간주했던 까닭이다. 한갓 청소년 수준의 신남철이 30년에 걸쳐 이룩한 신문학사에 대한 무턱댄 개입은 임화의 안목에서는 일종의 내정간섭이 아닐 수 없었다. 그것은 『자본론』 쪽이 아니라 『파우스트』 쪽이었다. 아무도 『자본론』을 과학으로 읽지 않았던 증거이다. 그럼에도 이에 대한 임화의 불만은 참아내기 어려운 그 무엇이기도 했다. 그 무엇이란 바로 신남철로 표상되는 지적 체계가 거기 있다고 믿었던 까닭이다. 단번에 임화는 이를 '속학 서생'이라 매도했지만, 그것은 개인 신남철에 국한된 것일 뿐 그렇다고 해서 지적 체계의 근대적 제도의 힘이 무너질 이치가 없었다. 임화의 고민은 그 다음에 왔고 뿐만 아니라 그 고민은 지속적으로 유지되었다. 보성중학 중퇴생인 임화의 자존심과 열등감은 그를 한 단계 높은 곳으로 성숙시켰는데 그 증거가 「신문학사의 방법」(1940)이다.

한편으로 그는 『개설 신문학사론』을 집필하면서 방법론 부재의 자료검토에 빠졌으나, 거기에서 벗어나야 한다는 자각에 이르지 않으면 안 되었다. 곧, 문예학에로 나아감으로써 방법론의 자각에 이른 것이다. 방법론이란 새삼 무엇인가. 최소한 그것은 지적 체계와 무관한 것이 아니었다. 그 체계란 단연 헤겔적이 아닐 수 없었다. 미네르바의 부엉이로 표상되는 것, 사태가 완료되었을 때 비로소 방법론의 수립이 가능하다는 것. 임화가 도달한 방법론은 이로써 비로소 가능한 것이었다. 문제발견형인 신남철과 다른 이른바 체계 건설형이 그것. 신문학사, 그것은 40년쯤으로 완결된 것이었다. 이것이 식민지 상황 속에서의 신문학사의 운명이었다. 이는 변증법이기는 해도 관상적(觀想的) 변증법의 소산이었다. 이 사실을 통렬히 임화에게 가르쳐준 것은 해방공간(1945~48)이었다. 변증법은 행위적이어야 한다는 것, 변증법은 절대적이어야 한다는 것, 『자본론』 쪽이 아니라 성급한 『파우스트』 쪽이어야 한다는 것, 그것이 해방 공간의 요구사항이었다.

이 역사 앞에서 임화의 방법론은 실로 무용했다. 경성제대 쪽에 자문을 구하지 않으면 안 될 처지에 놓인 것이다. 박치우, 신남철에게 앞서 허리를 굽혀 방향성을 찾고자 몸부림쳤다. 이번엔 법문학부의 법과 쪽의 최용달 노선에 재빨리 앞장섰고, '부르주아 민주주의 노선'을 안은 채 월북(1947)했고, 6·25를 맞았고 처형되었다(1953).

문제는 이 부르주아 민주주의 노선에 있었는지도 모른다. 문제는 또 역사 쪽에 있었는지도 모른다. 문제는 또 다른 곳에 있었는지도 모른다. 그중에서도 우리가 손쉽게 추측할 수 있는 것이 있다면 과연 그것은 무엇인가. 우리에게 그것은 '문학'이 아닐 수 없다. 정확히는 '신문학사'이다. 신문학사 50년의 무게란 아무리 허술해도 경성제대의 무게 19년보다는 월등히 깊고 유연한 것이었다. 임화, 그가 이 사실을 깨달았을 때 그의 죽음이 왔다. 그의 죽음은 문학으로써 비문학적인 어떤 것과도 타협할 수 없었음의 구체적 증거인 이유가 여기에서 온다. 이것이 그가 '너 어느 곳에 있느냐'라고 속삭인 이유, 곧 문학으로써 문학 아닌 것에 대한 통렬한 복수극이었던 이유이다.

끝으로 필자는 졸저 『한국 근대사상사 연구(1)』(일지사, 1984)과 『최재서의 '국민문학'과 사토 기요시 교수』(역락, 2009) 등의 저서를 이 자리에 적어두고 싶다. 전자는 도남 조윤제와 최재서, 후자는 최재서와 사토 기요시 교수의 관련성을 다룬 것이지만 경성제대 법문학부를 그 중심부에 둔 것이었다. 이로써 경성제국대학에 대한 세 번째 시도가 가까스로 이루어진 셈이다.

2011. 1. 24. 김윤식

차 례

제2부

제3부

제4부

부 록

제1부

제1장 경성제대와 조선어 상용 청소년들의 글쓰기

－신남철의 경우

(1) 『문우』와 『청량』

일제가 식민지 조선에 세운 고등교육기관이 경성제국대학이다. 고등학교가 없는 조선인지라 그에 준하는 예과(1924년 2년제, 후에 3년제로 개편)를 거쳐 본과인 경성제대가 개교한 것은 1926년 5월이었다. 제도적으로 제국대학령에 의거해 출발한지라 의학부를 제외한다면 법과와 문과를 합친 법문학부로 구성돼 있었다(법학부, 문학부 등이 독립된 곳은 동경제대와 경도제대 두 곳뿐이었다). 이 법문학부의 편제라든가 교수요원 등의 존립방식은 제국대학령에 의거한 것이지만, 그 구체적인 변모양상과 인적구성의 문제점들은 당연히도 경성제대스런 면을 갖추고 있었다(김윤식, 『최재서의 '국민문학'과 사토 기요시 교수』, 역락, 2009). 그 중에서도 주목되는 것의 하나는 조선인 학생층의 의식구조상에서의 문학적 편향성 또는 <문학적 현상>이다.

여기서 문학적 편향성이라 했을 때의 <문학적>이란 당대의 에피스테메에 관련된 것으로 글쓰기 곧 문자행위에 정신의 상위적인 것을 도

모하는 지향성 일반을 가리킴이다. 문학적이라 했을 때 그것은 지(知)의 총칭일 수 있는 근거는 어디에서 오는 것일까. 이 물음이야말로 경성제대의 성립 시기인 1920년대 전체의 지적 상황과 무관하지 않다.

경성제대를 문제삼을 경우 제일 먼저 논점으로 부각되는 것이 이 제도와 조선인학생의 관련성이다. 초대 예과부장 小田省吾의 표현대로 조선인 학생과 일본인 학생의 구별을 조선어 상용인과 일어 상용인이라 불렀음에 일단 주목할 것이다(유진오, 「편편야화」, 동아일보, 1927. 4. 3.). 법문학부 속의 조선어 상용인이란 새삼 무엇일까.

第二表　京城帝国大学の状況(1926—1941年)

年度	学部	教員数			学生数				
		朝鮮人	日本人	計*	朝鮮人Ⓐ	$\frac{A \times 100}{C}$(%)	日本人Ⓑ	$\frac{B \times 100}{C}$(%)	計Ⓒ
一九二六年	法文学部	3	28 (5)	33 (5)	33	39.3	51	60.7	84
	医学部	2	22 (4)	24 (4)	14	21.2	52	78.8	66
	計	5	50	57	47	31.3	103	68.7	150
	予科	1(1)	19 (3)	20 (5)	103	30.5	235	69.5	338
一九三〇年	法文学部	13(2)	88(13)	103(16)	87	38.8	137	61.2	224
	医学部	52	216 (4)	268 (4)	98	33.1	198	66.9	296
	計	65	304	371	185	35.6	335	64.4	520
	予科	1	21 (3)	23 (4)	86	28.5	216	71.5	302
一九三五年	法文学部	—(1)	61 (6)	63 (9)	102	43.0	135	57.0	237
	医学部	2	51 (5)	53 (5)	71	23.1	236	76.9	307
	計	2	112	116	173	31.8	371	68.2	544
	予科	—	23(12)	25(14)	112	36.2	197	63.8	309
一九四一年	法文学部	—	49 (2)	49 (6)	126	44.7	156	55.3	282
	医学部	1(1)	55 (2)	56 (3)	162	41.6	227	58.4	389
	理工学部	—	36 (5)	36 (5)	16	41.0	23	59.0	39
	計	1	140	141	304	42.8	406	57.2	710
	予科	—	36(15)	38(15)	216	35.4	395	64.6	611

(備考)　1. * 朝鮮人以外の外国人を含む.
2. 教員中(　)内は兼任教員数を示す.
3. 1930年の教員数は教員および職員の合計数.
資料出所: 朝鮮総督府学務局『朝鮮諸学校一覧』各年版による.

〈阿部洋, 「일본 통치 아래 조선의 고등교육」(『사상』, 1971. 7) 수록 도표〉

이 물음의 지향성은 제도로서의 대학(知의 보편성)과 원초적이자 또 생명적 · 운명적 · 조선적인 것, 논리적 · 지적인 것과 생리적 · 원시적인 것의 대립이 전제되지 않을 수 없다. 민족 차별을 염려한 이러한 호칭이 상기시키는 것이 저절로 지와 원시성 지의 선명한 도식이라 할 것이다. 법문학부를 통틀어 조선어 상용인 학생층이 독자적으로 문우회를 조직, '文友'(1924)라는 잡지를 만들고, 그 연장선상에서 『신흥』(1929~1937)이 솟아올랐음은 이런 곡절과 결코 무관하지 않다.

> 「<文友會>는 명칭은 무슨 학생 간의 동호단체 같지만 사실은 조선인 학생 전체를 망라한 조선인 학생회였다. 학생회에서는 일본말로 <淸凉> 이라는 잡지를 냈지만 文友會에서는 우리말 <文友>라는 잡지를 냈다.」 (유진오, 「편편야화」, 동아일보, 1974. 3. 20.)

예과에 입학한 조선학생들은 실상 고등학교제에 준하는 것이라 교양주의 교육이 원칙이었다. 이 교양주의의 지적 분위기가 바로 당대의 글쓰기였다. 앞에서 암시한대로 논리적 지적 담론을 담당한 것이 제도 속의 대학이며 그것은 보편성을 지향한 것이라면, 여기에 한 발을 들여놓고 거기에 젖줄을 대면서도 조선인으로서의 원시성이 『문우』(1925~29)를 낳았다. 따라서 『문우』란 일어로 강행되는 예과 기관지 『청량』과 마주보는 것이 아니면 안 되었다. 유진오(전체 수석입학생)와 법과 지망생(B계열) 이효석을 비롯 이재학 염정권 강신철 박동일 최재서 등이 그러한 부류에 속했다. 『청량』(창간호, 1925)에 유진오의 「두견에 부치는 노래」, 「등잔이 깨뜨려진다면」(번역) 및 시조(번역)를 위시 에세이 「뮤즈를 찾아서」(『청량』 2호) 창작시 「달과 별과」(제3호), 이효석의 「사라진 아이」(역), 「겨울의 시장」, 「겨울식탁」 등의 시(제2호), 「6월의 아침」, 「하나의 미소」 등(제4호)이 『청량』에 실림과 동시에 『문우』는 그 본래의 성격을 상대적으로 강화하고 있었다.

비매품 『문우』(연 2회, 1925년)의 발행소는 경성대학 예과 문우회로 되어 있거니와 제4호(편집겸 발행인 이강국)의 경우 그 목차를 보면 수필, 시, 소설, 논설 등으로 구성되어 있어 다소 산만한 감이 없지 않으나 그만큼 자유분방함이 감지된다. 그 자유분방함이란 모국어인 조선어 자체의 자유로움에서 말미암은 것이자 동시에 논리적이자 규칙적인 제도권과의 맞섬으로 설명될 성질의 것이다.

> 「다감하신 여러 형에게서는 새로운 감격 새로운 비약이 많을 테지요. 민중이 기대하는 대조선 문학의 건설의 슬로간이 멀지 않아 청량 원두에서 우렁차게 일어날 줄로 믿습니다. 반드시 나고야 말을 새싹은 우리 <문우>에서 움돋을 것입니다.」(제5호 편집후기)

당대 지의 영역에서 제도로서의 대학이 지향하는 『청량』과 원시적 생리적 측면이 지배하는 『문우』와의 관계는 서로 상극하면서도 상보적인 분리불능의 이중성으로써 정리될 수 있다. 글쓰기 곧 문학적 글쓰기가 그것이다. 교육으로서의 공용어인 일어와 모국어로서의 생활어인 조선어, 논리적 과학적 언어와 비논리적 생리적 조선어의 이중어 속에 놓여 갈피를 잡지 못하고 헤매는 조선어 상용어인 학생들의 모습이 거기 있었다. 그것은 논리와 생리, 공통어와 일상어의 미분화상태라 규정될 수 있는 만큼 경성제대 예과의 조선학생이란 소년기에 해당된다고 볼 것이다. 이 소년들이 자기의 방향성을 얻는 시기가 본과 개교였다. 본과란 구체적으로는 법학부와 문학부의 편제를 가리킴이다. 법학부라 하나, 실상은 법학과 사회과학(경제학)이 중심이었고, 문학부라 하나 이는 사학과 철학과 어문학과 등 文, 史, 哲을 가리킴이다.

소년들이 본과에 진입함이란 무엇인가. 청년기에 접어듦이 아닐 수 없다. 이미 퇴행할 수 없고 길이란 나아갈 앞길뿐이다. 그 앞길을 가리키는 나침반은 다음 세 가지뿐이었음에 주목할 것이다. (A) 보편어로서의 영독불어, (B) 교육공용어로서의 일어, (C) 생활어로서의 조선어가 그것들이다. (B)와 (C)란 어느 수준에서는 소년기에 감당한 것이었다. (A)야말로 청년기의 그들에겐 뚫고 나아갈 최대의 관건이었다. 경성제대 법문학부의 조선인 학생의 지향성이란 말을 바꾸면 보편어로서의 논리에 참획함에 있었다. 조선어를 생리적으로 안고서 보편어와 준보편어(공용어)인 일어 속을 오고가기에 총력을 쏟을 수밖에 없었다. 그 결과로 나타난 형태가 잡지 『신흥』(1929~1937)이었다. 이들에게 소년기의 무대가 『문우』, 『청량』이었다면 이에 대응되는 청년기의 무대는 『신흥』(조선어중심)과 『청구학총』(일어중심)이었다. 이러한 흐름을 <문학적 현상>이라는, 글쓰기의 큰 틀에서 살필 때 그다운 특질을 제일 표나게 드러낸 인물이 (A) 유진오와 이효석이라 할 수 있다(졸저, 『한일근대문학의 관련 양상신론』, 서울대출판부, 2001). (B) 그 한발 옆에 조윤제, 고정옥, 김태준, 김재철, 최재서 등이 있다면 그 중간항으로 (C) 신남철을 들 수 있다. (A)가 순수한 창작적 글쓰기로서의 <문학적인 현상>이라면 또 (B)가 논리적 수준에서의 그것이라면 (C)란 같은 철학전공의 박치우와는 달리 또 어떤 유형과도 달리 실로 규정하기 어려운 독특한 유형이라 할 것이다.

이 글은 신남철이 전개한 <문학적 형상>으로서의 특이한 유형의 탐구라는 점에서 신남철론이지만 다른 한편에서는 어쩌면 경성제대가 지닌 모종의 정신사적 체질의 한 측면의 해명이란 점에서 사상사적이라 할 것이다.

(2) 신남철의 이중어 글쓰기 엿보기

경성제대 문과 철학과의 제3회(윤태림, 김문경, 김택원, 권직주, 신남철, 서병섭, 정인택, 김종준, 이준하, 石本淸四郎, 田中一郎 등 11명) 졸업생 신남철의 졸업논문은, 「브렌타노의 표현적 대상과 의심의 관계에 대하여」이다. 졸업과 더불어 조수로 두해 근무하다 동아일보 기자직에 나아갔고, 훗날 모교 중앙고보에 재직했거니와 그가 맹렬히 『신흥』(경성제대 출신의 조선인 학술지)에 참가하고 종횡무진의 논지를 펼쳤음은 사상사적으로 중요한 사건이라 할 것이다(1931년도 문과 조수로는 김재철, 김태준, 조규선, 형영남, 최재서, 이재욱 등이며 1933년엔 박치우 등이었다. 경성제대 내부자료 등 사판에 의거). 그동안 그를 형성케 해온 공용어로서의 일어를 괄호에 넣고, 보편어로서의 서양어와 생리적 조선어를 막바로 결합하고자 시도한 몸부림으로 평가될 수 있기 때문이다. 이 몸부림이 사상사적 의의를 갖는 것은 그 성패에 있기에 앞서 몸부림의 강도에서 온다. 이를 추정하는 하나의 지표로 내세울 수 있는 것이 신남철, 박치수 등에 있어서는 <문학적인 현상>이었다. 여기서 굳이 <문학적 현상>이라 한 점에 한 번 더 주목할 필요가 있다. 그의 졸업논문 속에 그 씨앗이 숨어 있었던 것이다. 후설의 현상학에 실마리를 둔 신남철의 졸업논문이란 기술심리학의 브렌타노에서 출발한 후설과 이에 이어진 하이데거 사이의 사정거리 속에서 오고 감에서 성립되어 있다(신남철, 「현대철학의 Existenz에의 전향과 그것에서 생하는 당면과제」, 철학, 2호, 1934. 4, p.72). 박치우의 경우도 졸업논문 「니콜라이 하르트만의 존재론에 대하여」에서 보듯, 신칸트학파와는 달리 하이데거로 말해지는 존재론에서 출발했다. 후설이나 하르트만, 그리고 하이데거로 표상되는 이러한 독일 철학적 흐름이 경성제대의 철학교수들의 성향과 무관하지 않으며 또 그것들이 새로운 철학적 흐름 곧, 위기의 철학(Philosophie der Krisis)에 닿아 있음에서 단연 시대적이라 할 것이다(신남철, 위의 논문). 신남철이 마르크스주의 철학 쪽으로 기울어진 후에도 「인식, 신체 급 역사」(신흥, 1937. 1. 제9호)에서 보듯 후설의 현상학적 바탕이 인지된다. 두 해 후배인 박치우에 있어서도 「위기의 철학」(철학, 1934. 2. 제2호)에서 보듯 로고스적 방식과 파토스적 방식을 두고 후자에 무게중심을 두고 있다. 그것은 신남철의 감각(신체)에 대응되는 것으로 주체성에 무게중심을 둔 것이었다. 이를 두고, 다음과 같이 평가한 것은 핵심에 닿은 것이라 할 것이다.

> 「아마도 이러한 특징은 신남철 · 박치우의 개별적인 것이기보다 경성제국대학 철학과 철학 · 철학사 전공의 것이라고 보는 것이 타당할 듯하다. 박종홍의 졸업논문 대상이 하이데거라는 사실까지 고려에 넣는다면, 당시 경성제대 철학 · 철학적 전공의 학습 내용과 지향이 이러한 사실들로부터 어느 정도 드러나고 있다고 할 것이다. 그것은 곧, 브렌타노, 후설, 하르트만, 하이데거에 이르는 현상학적 흐름에 대응되는 것이라 할 수 있을 것이며 신남철, 박치우, 박종홍(선과생, 인용자) 등의 개별적인 선택 이전에 이미 존재하고 있는 일종의 프로그램이라고 할 수 있다.」
> (손정수, 「신남철, 박치우의 사상과 그 해석에 작용하는 경성제국대학이라는 장」, 한국학연구, 2005, 제14집, p.196)

<현상학적 흐름>이라 했거니와 그렇다면 대체 현상학이란 무엇인가. 후설 철학이 반세기가 지난 뒤에 메를로 퐁티는 지금도 이 물음이 계속되고 있다고 단언한 바 있다. 현상학이란 본질의 연구라고 말해지거니와 그 본질의 탐구란 그때그때의 인간과 세계의 사실성에 기초하여 규정되는 것인 만큼 완결된 하나의 체계일 수 없다. 그것은 한편으로는 인간과 세계를 이해하기 위해 자연적 태도의 단정들을 정지시키

는 초월론 철학이며 또 다른 한편 세계는 반성에 앞서 흔들리기 어려운 현존하고 있는 철학이다. 그 노력의 모두는 세계와의 소박한 접촉을 되살피고 결국은 그 접촉에 하나의 철학적 규약을 두고자 한다. 곧, 하나의 엄밀함으로서의 철학이고자 하는 야심이자 동시에 살아있는 시・공 또는 세계에 대한 보고서이기도 하다(메를로 퐁티, 「지각의 현상학」, 서두, 木田元, 「현상학」, 암파신서, p.5 재인용).

경성제국 대학 철학과의 학문적 흐름이 이러한 <현상학적 흐름>이라 할 때, 그것은 신체, 불안, 파토스적인 것 등에 근접한 것으로 볼 수도 있다. 이를 좀 더 일반적 표현으로 재규정한다면 <문학적 현상>이라 할 것이다. 이 점에서 제일 전형적인 경우로 신남철을 들 수 있다. 졸업 후 대학에서 조교생활을 하며, 『신흥』에, 역사철학에 몰두하던 1933년 봄의 시점에서도 신남철은 이렇게 주장하고 있음을 본다.

> 「그러나 나는 로댕의 생각하는 사람을 좋아한다. 생명과 기혼(氣魂)과 의지의 통일로서의 생각하는 사람을 좋아한다. 인생은 예술에 의하여 굳세게 살아가고 또 생활의 참된 의의를 체득한다. 나는 예술가도 되지 못한다. 그러나 나는 그것을 한편 구석에서 방관하며 또 그것을 향락하는 지향(志向)을 가지려고 한다. 여하한 사람이든지 나에게서 이것을 뺏지는 못할 것이다.」(「철학과 문학」, 조선일보, 1933. 3. 1.)

이러한 <현상학적 흐름>을 당시의 글쓰기의 장에서 볼 땐 압도적으로 <문학적 현상>이라 할 것이다. 신남철의 이러한 지향성은 아무도 뺏지 못할 것 곧 자기 고유의 권한이지만 동시에 시대적 흐름이 아닐 수 없다. 이것은 박치우의 파토소적인 것에 비유될 수 있다. 그러나 박치우에 있어 그것이 구체성 확보에서 말미암은 것이며 따라서 직선적 직접성이라면 신남철에 있어 그것은 단연 이중적이다. 취미로서의 <문학적 현상>이라 하기에는 너무도 강렬한 지향성으로 보이기 때문이다. 이 무렵 신남철은 <현상학적 흐름>에서 벗어나 조선어로 철학하는 세계 곧 『신흥』에 나아갔고, 또 그 철학적 사유의 핵심으로 마르크스주의에도 기웃거리고 있었다. <문학적 현상>이라 했을 때도 이 점을 전제했음은 물론이다. 「철학은 세계관이다. 이 세계관은 진정한 의미의 유물적 구조를 가질 때 철학적 과학이 되고 그리하여 통일적으로 세계를 인식한다.」(조선일보, 1933. 2. 25.)라고 했음이 이 사실을 새삼 말해준다. 철학자인 신남철이 전공인 철학을 향해 매진하면서도 문학을 버릴 수 없음을 선언했는데, 여기에서 다음 두 가지 의의를 읽어낼 수 있다.

문학을 당초부터 안고 자랐음이 그 하나. 이는 그의 소년기의 모습에서 생생히 드러난다. 그것은 후술할 『청량』, 『문우』에서의 그의 활동 검토에서 <무상감>, <시>, <투쟁>의 삼위일체로 드러난다.

(3) 신남철과 박치우

철학과의 신남철이 졸업과 더불어 마르크스주의에로 곁눈질을 한 경로에 대해서는 진작 갖가지 연구가 이루어졌다. 1931년도에 반복되어 씌어진 신남철의 이데올로기론에서 드러난 사적 일원론에서 그 실마리를 지적한 것(『신남철 저, 역사철학』, 해제. 김재현, 이제이 북, 2010)이 개괄적이다.

실상 이러한 이데올로기론은 해방 후에 간행된 『전환기의 이론』(1948) 제1부 제1장에 그대로 실려 있어 신남철의 양면성을 과시하고 있다.

> <아시아적 생산양식>이라는 것이 세계사 발전에 있어서 <고대적 아시아적 시대>를 취급한 것에 불외하고 아시아적, 고대적, 봉건적 근대부르주아적 생산양식은 사회의 경제적 구성의 계승적인 시대로서 생각할 수 있으리라 한다. 따라서 이 <아시아적 생산 양식>의 문제가 하등의 동양사회의 특수성을 강요한 것이 아니라 사회구성의 사실상의 특수성을 객관적으로 분석하는 방법론적 변용이라고 하기도 한다.
>
> 어떻든 동양과 서양이 세계사의 발전에 있어서 서로 이질성을 가질 수가 없다. 사회의 기초적인 부분으로서의 경제적 조직과 그 사상도 구극적으로 동양과 서양과가 구별되는 것이 아니다.(신남철, 「동양사상과 서양사상 양자는 과연 구분되는 것인가」, 동아일보, 1934. 3. 19)

신남철이 썼던 이 일원론적 역사관도 「식민지 말기의 제국 일본의 동양론의 담론장에서 자유로울 수 없었던 것처럼 보인다」(정종현, 「신남철과 '대학'제도의 안과 밖」 한국어문학연구, 2010, 제54집, p.406)라고 비판당할 수도 있지만 분명한 것은 그가 선 곳이 이데올로기와 문학적인 것의 양다리 걸치기에 있었음은 분명하다는 사실이다.

경성제대 철학과의 새 풍조인 <현상학적 흐름>을 잠시 시렁 위에 올려놓고 보편어인 헤겔 마르크스에로 귀환했다고도 볼 수 있는 현상이라 할 것이다. 그것은 역사해석 및 전개에 대한 명확성 또는 과학성에 대한 신념이라 할 수도 있다. 그러기에 신남철의 그다운 점은 이 신념이 투쟁 일변도가 아니었음에서 찾아진다. 그는 마르크스사상에서 투쟁의 목표를 세운 것 같이 보이지만 <시>에다 꼭 같은 무게를 올려놓음으로써 <무상감>을 가운데 둔 시와 투쟁의 이원론에 스스럼도 없이 나아가고 있었다.

「철학에는 명랑성이 없다. 철학적 과학으로서의 세계관－유물론은 보통의 의미에 있어서의 명랑성이 아니라 명확성을 가지고 있다. 그것은 논리적 명확성이다. 철학은 새삼스럽게 사회적 의도를 운위할 여유를 가지지 않았다. 철학은 변혁의 세계관설이나 끝으로 철학은 문체적 정미라는 것을 가질 수가 있다. 그러나 그것은 절대로 필요한 것이 아닐 것이다. 칸트나 헤겔의 문장은 실로 융성하다. 문학적으로 그것을 음미하는 이가 있다면 아마도 여러 가지로 그 불비를 찾아낼 것이다. 그러나 그들의 저 작은 철학에 있어서의 고전으로 움직이지 못할 지위를 가지고 있다. 이에 반해 딜타이의 저작은 문장에 있어서 퍽 유창하다. 철학에 있어서의 문학적인 작품이라 하겠다. […] 이 문학적 철학에 대하여 철학적 문학이란 것이 있을 수가 있다. 괴테의 파우스트라든가 니체의 제작품 또는 하이네의 산문 등은 이 부류에 집어넣을 수가 있다고 생각한다.」(「문학과 철학」 1933. 2. 26.)

그는 이에 앞서 「혁명 시인 하이네－이성과 낭만의 이원고와 철학」(동광, 1931. 11~12)에서 유독 하이네를 강조한 바 있다. 철학에는 <명랑성>이 없다고 했을 때 신남철은 문학예술이 지닌 명랑성을 전제하고 있었다고 볼 것이다. <명확성>으로서의 철학과 문학으로서의 <명랑성>을 지양하여 일원론으로 나아갈 지평을 신남철이 1933년의 시점에서 엿보고 있었다고 말해질 수도 있다. 그러나 이것은 <우울감－시－투쟁>의 3위일체의 단순화 또는 <명랑성－명확성－제3의 것>의 또 다른 삼위일체가 아닐 수 없다. 그렇지만 그 중심점에는 출발점인 경성제대 철학과의 고삐가 운명처럼 지워져 있었다. 철학자인 그는 그렇게 막바로 할 수 없었는데, 명확성으로서의 세계관(철학)이 먼저 그를 이끌어갔기 때문이다. 그것은 보편어인 독일철학도 아니고 공통어로 이루어진 일본 철학도 아닌 개별어(일상어)인 한국의 철학이 아니면 안 되었다. 명확성이란, 당대의 현실에서 오는 것인 만큼 당시의 조선적 현실은 이념과 아울러 실천이 요망되었는 바, 신남철 박치우에 있어 그것은 바로 근대로서의, 과학으로서의 또 유행으로서의 마르크스주의였고 그 무대가 「신흥」이었다. 그러나 이들에 있어 보편어, 공통어, 한국어의 삼각형의 균형감각에서 공통어에 대한 탈피의욕이 너무 컸던 것에 비례하여 보편어로서의 헤겔이나 마르크스주의 또 현상학에 기울어졌다고 볼 것이다. 곧, 보편어로 조선적 현실을 명확성으로 파악고자 했다. 식민지적 현실의 실상 파악 및 그 타개책으로의 실천면이 바로 세계관으로서의 명확성이었다. 이때 주목되는 것은 보편어에서 한발자국도 벗어나지 않았다는 점이다. 그렇다고 공통어에서 자유로울 수도 없었다. (김재현, 「한국에서 근대적 학문으로서 철학의 형성과 그 특징」 시대와 철학, 2007. 제18권 3호, p.209)

「이러한 이중성은 전통 유학과의 관계에서도 그대로 드러난다. 전통 유학이 한국어로 사유될 수 있는 영역이지만 그것이 식민지 현실과 세계사적 시선에서 볼 때 단절을 여지없이 가져왔기 때문이다.」 (이병수, 「1930년대 서양철학 수용에 나타난 철학 1세대의 철학함의 특징과 이론적 영향」 시대와 철학, 2006. 제17권 2호, p.100.)

여기까지 나아올 때 신남철의 이원론은 그 모습을 서서히 드러낸다. 명랑성에 대한 지향과 명확성에 대한 지향의 지양이 끝내 이루어지지 못한 형국을 빚는다고 볼 것이다. 보편어와 공통어의 모순성도 한국어와 전통유학의 모순성도 원리적으로는 이에서 말미암았다.

(4) 문학과 철학의 미분화 과정

명랑성으로의 문학과 명석성으로의 철학의 미분화 상태에 놓인 소년기의 신남철은 어떠했던가. 여기서 소년기란 경성제대 예과시대를 가리킴이거니와 구체적으로 그것은 예과 기관지 『청량』(공통어로서의 일어)과 조선어로 된 조선어 상용 학생만의 발표지 『문우』를 무대로 했을 때이다.

당연히도 공통어의 『청량』에 대한 조선어 상용 학생의 지향성은 글쓰기의 이중성에 있었다. 조선어를 모어로 하면서도 공통어로서의 일어 교육으로 무장된 이들에 있어 이 두 언어를 통어하는 것에 보편어(서구어)가 따로 있었던 만큼 일어나 조선어는 어느 수준에서 경쟁관계의 균형유지가 가능했을 터이나, 어느 편이냐 하면 공용어쪽이 준보편어인 만큼 보편어쪽으로 글쓰기의 중심이 향하고 있었다고 볼 것이다. 유진오 역의 「로버드 브릿지즈의 시에서」, 「두견에 부쳐」(워즈워드)(『청량』, 창간호, 1925. 5.), 이재학의 창작시 「시가의 구가」, 「우상찬미」(『청량』 2호, 1925. 12.), 이효석 역 「잃어버린 아이」(W.E. Yeats)(『청량』 2호), 이효석의 창작시 「겨울의 시장」, 「겨울의 식탁」, 「겨울의 숲」(『청량』 3호, 1926. 3.), 유진오의 시 「달과 별과」(『청량』 3호), 이효석의 「6월 아침 외 5편」(『청량』 4호, 1927. 1.), 최재서의 시 「공동욕장」(『청량』 5호, 1927. 4.), 최순문의 시 「어느 여름밤」(5호), 신남철의 시 「유방과 매미」(5호), 조용만의 시 「산길」(제6호, 1927. 12.), 김종무의 「잉크병에의 건배」(6호) 등에서 보듯, 보편어 번역에서 진입하여 점차 자기 식의 감정 표현에로 향하고 있었다. 최재서의 「공동욕장」과 나란히 실린 신남철의 시는 전자의 관념적 분위기와는 달리 매우 분방하고도 낙천적 풍경 묘사로 차 있는 작품으로, 그 자체의 <명랑성>이 넘쳐흐르고 있어 인상적이다. 공통어에 대한 신남철의 이 무렵의 위치를 어느 수준에서 엿볼 수 있다.

乳房と蟬

暮れ行く黄昏の靜けさは
砂漠のごと………
空に輝く星の蒼光は
若き鬪士の 戀に醉ふ眼ざしのごと………。

さゝやかな清き流れに沿うて
ポプラが三四本, 農家が一つ
美しいオアシスに
夕風はそよゞ吹いて來る。

仕事から遲く歸つて食事を濟ました家族,
母の豐滿な乳房は 尊き生を營んで居る。
かすかな燈は 吐息で舞ひ
若き亭主は背中の汗を兩手で拭ふ。

螢が草むらの中から飛び上つた。
蟬は安き睡りに入るまで求めて－啼き止まない。
生命の强き叫ひである, 眞なる生殖－新しき創造への歌である。
おゝ億ゞ劫はの行進よ, 止まめ戰ひよ!

靑新な朝の元氣－赤兒の泣く聲………
薄黃な夕暮の靑年の胸………
妻の乳房, 蟬の歌………
永遠の生命に宿る聖なる神秘よ。(『청량』 5호, 1928. 4, pp. 236-8)

『청량』의 지향성과는 달리 『문우』의 그것은 다분히 생리적인 것이다. 모국어가 지닌 생리적 측면의 글쓰기가 거기 공공연히 숨 쉬고 있었던 것이다. 한시를 비롯하여 수필, 시, 소설 등으로 잡연하게 구성된 『문우』에서 제일 돋보이는 것이 보편어지향성의 제일인자 유진오의 존재이다. 창작 소설 「여름밤」(제4호 1927. 2.)이 이를 잘 말해 주고 있다. 아직도 창작이중어글쓰기(bilingual creative writing)에까지 나아가기 이전에 씌어진 「여름밤」(1926. 12. 21. 탈고)은 홀어미 밑에서 보통학교를 겨우 나와 행랑살이하는 청년 M이 요행히도 은행의 고용인이 되었고, 그로 인해 야시장 구경에 나섰고, 거기서 본 여자를 찾아갔다가 허탕 친 내용을 중심으로 구성된 이 소설은 순진한 조선청년과 <여름의 경성-환락의 도시>의 대조를 통해 시대풍속을 그린 것이지만, 미숙한 탓으로 구성이나 묘사에 힘이 부친 것이었다. 유진오의 문단 데뷔작 「스리」(조선지광, 1927. 5.)의 앞 단계를 「여름밤」이 보여준 것이었다. 여기서 주목되는 것은 『문우』에서 비로소 이런 발표마당이 소년들 앞에 펼쳐졌다는 사실이다. 당연히도 소년 신남철도 이러한 궤도에서 벗어나지 않았다. 신남철의 창작 소설 「된장」(『문우』 제4호)은 선배 유진오의 「여름밤」과 나란히 실린 것임에 주목할 것이다.

「무더운 여름의 어느 날이었다. 순호는 불볕이 나려쪼이는 거리를 걷고 있었다. 다 찢어지고 땀이 배어서 고약한 냄새가 물신물신 나는 학생복 아래바지와 보기에도 거북하고 홋홋한 무명 적삼에 왼쪽에만 달린 커다란 호주머니에는 무엇인지 통통하게 넣고 다 떨어진 짚신을 질질 끌며 남대문을 향하여 걷고 있었다.」

이렇게 서두를 삼은 「된장」은 무더위 속 남대문에 잠든 중늙이, 무명치마의 떡 파는 아기엄마, 막노동자, 인력거군, 거지떼를 관찰하면서 주인공 순호의 입에서 이런 노랫가락이 무의식적으로 흘러나왔다.

「현실의 외침은 무섭더라
이십세기의 거리에는 동력의 산물이 춤추더라
거개의 집단이 지나는 곳에
신비한 자연은 퇴색하고
고역살이 사람들의 핼식한 눈은

생기를 잃고 끔벅끔벅하더라

중초막 입은 옛 세상을 보지 못한 사람들이
밤낮으로 부르짖는 것은
<선언>-<투쟁>
죽은 뒤의 세상은 불모이니
<선언>-<투쟁>
훌륭한 인생의 참여자들아
맛있는 저녁밥을 먹어보았느냐」 (p.98)

20세기의 이러한 숨막히는 현실에서 자아를 찾고 사랑과 해방에로 나아가고자 계급투쟁을 꿈꾸는 청년 순호는 시방 절망에 빠져 죽음을 앞두고 있다. 한편 두 달만에 동지인 선주가 순호를 찾아갔을 때 병든 순호는 헛소리만 하고 있는 형편이었다. 3살 위인 23세의 선주는 고향을 떠나 함께 서울에 올라와 이년간 헤매왔으나 이제 더 이상 살아갈 힘이 없었다.

「아, 순호, 순호. 박명한 우리들은 인제는 영원히 떨어지는가 봐. 순호. 아무쪼록 우리가 처음에 굳게 맺은 언약을 끝끝내 성취하고 말게. 나는 퍽 괴로워 참으로 못 견디게 어디 좀 이 현실과 싸우지 못하고 사라짐을 생각하니 몹시도 괴로워. 나는 참 괴로워! 그러나 운명. 나는 영원히 이 곳에서 자취를 감추고 만다. 순호, 순호! 순호…」 (p.101)

구체적인 투쟁방법도 상황파악도 없이 그냥 막연한 계급투쟁론이 엿보이거니와 바로 이곳에 소년기 신남철의 심정고백이 잘 드러나 있다. 선주가 죽고 이태원 묘원에 묻힌 뒤에도 순호는 매일 묘지를 찾았고, 버릇처럼 그 자리에서 선주가 남긴 편지를 꺼내어 읽었다. 그 편지는

<죽음과 삶>에 대한 장대한 철학이론으로 일관되어 있다. 가난한 자가 득실거리는 현실에서 계급투쟁으로 나아가야 한다는 실천적 면은 실로 막연한 <무의식>이고 실상 소년 신남철에겐 철학지망생다운 <삶과 죽음>의 일반론의 표출이라 할 것이다.

> 「내가 말하는 <죽음과 삶>에 대한 두 가지 의견을 들었을 것이지. 하무렛트는 <죽음과 삶>을 다 같이 악으로 보았음이다. 삶도 고통, 죽음도 고통. 그러나 죽음은 삶의 고통에서 영원히 해방되는 것으로 생각했습니다. [···] 다른 한가지의 의견은 사도 파우로의 것이었읍니다. 삶도 축복 죽음도 축복, 두 가지가 다 가능한 것이니 어떤 것을 취하여야 더 좋을까 그는 주저하였습니다. 그러나 나는 하무레트의 의견이나 파우로의 생각이나 어느 것이나 수긍할 수 없습니다.」(p.103)

그 이유가 장황히 개진되거니와, 선주 사후 한 달 뒤의 어느 날, 막벌이 노동판에서 순호는 굶어 죽어가는 노인을 발견, 자기의 신발인 고무신을 팔아서 먹이를 구하고자 한다. 이때 어떤 어린 아이가 자기의 양식인 된장 한 덩어리를 내놓는다. 이것이라도 먹이자고.

그로부터 넉 달 뒤. 무섭게 추운 겨울 순호는 「가뻔한 마음으로 놓여진 새가 넓은 들판을 자유롭게 날듯이 기쁨을 금치 못하며 하얼빈 정거장에 내리었다」. 이어서 시 「놓인 새」를 읊음으로써 소설 「된장」이 마무리된다.

> 노래하며 나르는
> 너 놓인 새야
> 그립던 너의 곳으로
> 한숨에 날어가는구나

너는 이제부터 놓인 몸이다
오래 동안 갇히었다 놓인 네 몸이
반가운 새 세상을 내려다 볼 때
아! 감격의 눈물 너는 지저귀도다

놓인 새야 너는
구만척 높은 산에
보금자리 칠 수 있고
황량한 넓은 들을 끝까지 날 수 있다

한갓 소년기의 습작에 지나지 않는 「된장」인지라 그 소설적 성취를 따질 처지는 못 된다. 그러나 제일 난감한 것은 시적인 것과 산문적인 것, 공상과 현실의 분리에 있다. 현실이라든가 산문적인 것으로 상정된 것이 사회의 부조리로서의 자본주의의 속성이다. 빈부의 차, 노동자의 비인간적 위치 등이다. 이것은 당시 지식인이 가졌던 일반적 편향성으로 문단에서 신경향파로 나타났다. 유진오의 「스리」, 「오월의 구직자」 이효석의 「노령근해」 등도 이러한 경향에 속한다. 그러나 지식인이고 또 가진 자 측에 선 제국대학 출신의 이들에겐 한갓 <동반자적 처지>에 시종할 수밖에 없었다. 일종의 사회적 정의랄까 역사적 흐름에 대한 추상적 관념적 편향성이었다. 「된장」에서도 막연하게 이 점이 한쪽 기둥을 이루고 있다면 다른 한쪽 기둥은, 생명력에 대한 막연한 해방감이다. <놓인 새>가 이를 잘 말해주고 있다. 그러나 이 시적 상상력도 실로 막연하기는 노동자 문제의 그것과 한 치도 다르지 않다. 서울을 떠나, 자유의 천지 하얼빈으로 간 순호란 실상 지도 앞에서 러시아로 항해하는 공상을 다룬 이효석의 「노령근해」(1931)와 그 발상법상에서는 공통점을 갖고 있다. 그러나 소년기 신남철에게는 시대성으로서의 위의 두 기둥 외에 그다운 또 다른 보이지 않는 기둥이 있었다. 죽음에 대한 사유가 그것이다. 죽은 선주의 유서에 적힌 <죽음과 삶>에 대한 철학적 사유를 두고 작가 신남철은 작품 끝에다 이렇게 적었다. 「죽음과 삶에 대하여서는 더 쓰고 싶었으나 이 소설에는 그것이 본의가 아님으로 그만 두었다」라고. 이는 죽음과 삶에 대해 철학적 사유를 펼쳐 보이고 싶었던 소년기 신남철의 그다운 목소리라 할 것이다.

「된장」이 발표된 지 9개월 후에 신남철은 『문우』(5호)에 3편의 시를 실었다(어떤 경위인지는 알기 어려우나 목차에는 신남철의 「동무들아」가 삭제되었다고 적혀 있다). 삭제된 시 「동무들아」와는 관련 없이 위의 3편을 살펴본다면 이 무렵의 지향성을 엿볼 수 있다. 먼저 「현실의 노래」(2)를 들 것이다. 부제를 'Song of the often Road'라 하고 또 "이 소 시편을 Walt Whitman이 본다고 하면"으로 되어 있다.

여름—여름의한낮
赤熱의햇빛이 흘으는땅우에는
生淸과運命의 어지럼은交響樂이한창이다
타박타박한 鋪道—그 우를지나는 役夫의群團
機械의橫行—빛나는 電車線路
幻惑에찬거리—산듯한麥藁帽子
그곳은 人生의소리치는大道—삶의吐瀉物!

나물장사老婆 거지 新聞記者 남빛파라솔
陳列窓거울에빛이는 얼골—그얼골
代書所골목—六法全書의巢窟
예수장이한떼—禁酒號

……………………

…………………………

……………………………………

무섭게헤틀어진現實은 慾과愛 作用과反作用
四面狹擊을받어
밤낮으로 무겁은呼吸에허덕대인다

새빨간 쇠ㅅ물같이 여름해ㅅ발은
길바닥에輻射되여 빠지직소리를낸다
개는 응달에헐덕어리고
都市의血管에는 微風조차없다
瞳孔의交錯 印象派의處女 Face-poweder와땀………
오! 新鮮한만나 抱擁의노래가
陰影진커데인속에서 흘너나온다.

x x x

現實의눈알은 달어서빨갓코
幻像과缺乏에떠는 그肉體는
침침한그늘에서 헤매인다
어둡은感情은 眞理를눌으고
그이의慾情은 滿足을求하나
그햴식한눈알은 本能의주림에무섭기도하다.

巨重한現實!
生과思索 生과煩惱 生과慾求
이부대낌의事實이 「征服」과 「鬪爭」을낫케하였다
生의擴充 生의鬪爭………
現實의生活者에게새 建設을재촉한다

아! 마음것벋은大道를내다보라

久遠한營爲의行列에서
反逆의信者는 소리처외치네
반달리슴과새建設을!
죽엄만公理인現實에서
第二의 新軌道로추창해오라외치네!
二六, 七, 十一路上一瞥

민중시인 휘트만이 본다면 과연 무엇이라 할까. 스스로 묻고 있는 「현실의 노래」(2)에서 주목되는 것은 앞부분이 「된장」의 앞부분에 뒷부분이 「된장」의 뒷부분에 각각 대응되고 있음이다. 현실의 압도적인 힘에 밀려 막다른 골목에 닿고 죽어가는 빈민층이 전반부라면 하얼빈으로 탈출함으로써 <놓여진 새>가 되어 자유를 구가하는 「된장」의 관념성이 「현실의 노력」(2)에서는 구조상으로 대응되나 빈민층이 빠진 대신 거기에는 새로운 힘찬 전진의 세계가 펼쳐진다. 이 점에서 보면 소설적 처리와 시적 처리의 상이점이 드러났다고 할 것이다.

(5) 쇼펜하우어론

여기서부터 소년기 신남철은 제3의 길을 모색되지 않으면 안 되었는 바, 곧 시적인 것도 소설적인 길도 아닌 철학적인 길이 그것이다. 소년 신남철의 「Schopenhauer를 통해 깊이 본 무상감」(『청량』 5호, 1928. 5.)이 씌어진 것은 1928년 1월이었다. 1) 쇼펜하우의 생애와 그 성격, 2) 그의 철학의 개관 및 인생, 3) 무상감의 본질과 투쟁, 4) 생사와 자살, 5) 그의 세계관과 나, 등의 목차를 가진 이 장문의 일어 논문은 그 자신의 고백에 따르면 예과 2년 동안의 사색의 결과이며 또 예과를 졸업하는 현시점에 그가 품고 있는 사색의 총량이다.

> 「이상에서 말한 바와 같이 무상감을 가지고서 바로 평화와 안식을 얻고자 한다. 혹자는 평화와 투쟁과의 모순당착을 말할지 모르나 나에게는 그 모순의 있음에서 전체로서의 것에 대해 거리낌 없다고 여긴다. 그것은 <부분은 단지 서로 모인 것의 전체로 이루어진다>고 하는 것이 오류인 까닭이다. 그러나 부분은 그 속에 전체성을 머금고 있다고 말하는 것도 가능하므로 나는 이상과 같이 생각하고 있지만 성숙한 것이라고는 단언하지 않는다.(훗날 어떻게 전개하여 맺을까도 모르겠다. 지금의 나로서는…… 이 정도이다) 또 나는 사색도 말할 것 없고 학력도 문제되지 않을 정도로 얕고 좁다. 그러나 이 논문이 <청량의 두 해> 속에서 생겼다고 생각된 것이기에 애착과 감사의 느낌에 가득함을 말지 못하겠다. […] 내가 쇼펜하우어에 의해 얻은 것은 곧 그의 철학에 의해 주어진 것은 <무상감>과 <시>와, <투쟁>의 셋이다. 이 셋이 어떤 것이며 또 어떤 것을 가져왔는가는 내가 이 소론에서 쓸 수가 없다. 이것은 너무 보잘것없는 것을 말하여 지면을 넘기며 도 쉽사리 쓸 수 있는 것도 아닌 까닭이다. 나는 더욱 공부하지 않으면 안 된다. 그러나 쇼펜하우어에 대한 내 생각이 어떤 방향으로 나아갈 것인지는 지금의 나로서는 단언할 수 없다.」(『청량』 5호, pp.100-101.)

일반적으로 말해 베를린 대학 정교수인 헤겔과 맞섰다가, 여지없이 참패한 일개 사강사에 불과한 쇼펜하우어의 대작 「의지와 표상으로서의 세계」의 선 자리는, <무상감, 시, 투쟁>으로 볼 수도 있을까. 칸트의 <물자체>에 해당되는 <의지>란 실천의지가 아니라 맹목적 생명의지(니체의 권력의지)이며 이에 따르면 인간이 경험하는 세계란 <현상>에 불과하며 환상성, 주관성에 가까운 것이었다. 곧 무의미한 것이며 개체화된 그대로 죽는 운명에 속한다. 이 생명의지의 비참한 실태를 반영하는 표상은 곧 악몽이다. 독일 관념철학의 붕괴이후 나타날 비관적 환멸의 인생관인 바, 다음 두 가지 길이 가능해진다. 죽음의 품에 안겨 춤출 것인가 아니면 모순, 고민의 원천인 행복을 단념, 금욕과 환상 없는 생활에 임할 것인가. 이는 19세기 시민계급의 낙관론의 붕괴와 깊은 관련을 맺고 있기에 니체에 이어지는 것이기도 하다(쇼펜하우어, 「지성에 대하여」, 암파서점, 일역, 1961).

어째서 신남철은 철학의 정통파인 칸트나 헤겔에로 향하지 않고 유독 쇼펜하우어에로 향했을까. 그 이유는 범속하게 말해서 20년대 일본 철학계의 교과서적인 흐름과 무관하지 않다고 할 것이다. 헤겔철학도 따지고 보면 데카르트나 라이프니치 등과 같이 세계 및 인생의 가치를 긍정적인 것으로 본 낙천주의 편에 분류된다. 신을 믿지 않은 헤겔이지만 <모든 존재는 합리적이다>의 사고 위에 선 헤겔인 까닭이다. 이에 반해 비관주의 쪽에 쇼펜하우어가 섰다. 헤겔의 강의가 초만원을 이룬 반면 같은 대학에 선 쇼펜하우어에겐 청강생이 거의 없을 지경이었다. <세계는 나의 표상이다>와 <세계는 나의 의지이다>를 연결시킨 쇼펜하우어의 <표상과 의지>의 철학은 죽음과 무상감으로 요약된다. 그럼에도 쇼펜하우어에게 신남철이 본 것은 <희망의 빛남>이었다. 이 비주류적인 흐름에 신남철이 야기된 것은 그의 개인적 기질 이상의 것이며 절망과 희망이라는 이 모순이 현상학적 흐름에 접근된 철학계의 새로운 흐름과 무관하지 않았으리라.

「무궁하게 이상을 밀고 나가는 곳에 쾌감이 있다. 나로 하여금 만약 이상을 얻으면 다시 그것을 추구하기 위해 그것을 놓아버린다. 곧 이상을 추구하여 포착하면 그것으로 만사는 끝난다. 이상을 추구하는 그 <과정>이야말로 위대한 힘이다. 투쟁의 시(詩)다. 이 투쟁의 시를 얻기 위해 나는 강하게 싸울 준비를 하지 않으면 안 된다.」(『청량』 5호, p.87)

대학 예과에서 철학전공자로 나선 신남철이 예과를 마칠 때까지 그의 정신적 수준 및 도달점은 스스로 요약했듯 <무상감>, <시>, <투쟁>이었음에 주목할 것이다. 여기서 주목되는 것은 이 삼위일체론이 『청량』에서는 시로 표출되었고, 『문우』에서는 시와 소설 「된장」으로 표출되었다는 사실이다. 『청량』, 『문우』의 저러한 글쓰기를 신남철만이 스스로 분석하고 정리할 수 있었다는 점이야말로 그의 쇼펜하우어론이 갖는 의의이자 철학전공의 자질의 발로라 할 것이다.

그러나 더욱 중요한 것이 따로 있는데, <무상감>, <시>, <투쟁>의 삼위일체론의 지속성이 아닐 수 없다. 신남철이 학부에 나아간 것은 1928년이었다. 대학 3년간 철학과에서의 그의 관심은 졸업논문에서 보듯, <현상학적인 것>이었다. 구식 고전철학에 대한 하이데거의 새로운 반동은 단연 매력적이었을 터이다. 칸트나 헤겔의 빈틈없는 인식론적 체계와는 통용하기 어려운 현상학적, 실존적 탐색이란 쇼펜하우어적인 무상감에 젖은 바 있는 신남철에 있어 친근성을 가져왔다고 보는 것이 자연스럽다.

시의 경우도 사정은 같다. <시적인 것>으로 표상되는 이러한 현상은, 신남철의 일생에서 벗어난 바 없었다. 문학에 대한 관심이 이를 잘 말해준다. 수시로 그는 문단을 향해 발언했고, 이 때문에 임화, 이태준 등의 반론에 부딪히곤 했다.

그러나 신남철의 일생에 있어 문제적 지속성은 <투쟁>에서 찾아진다. 해방공간에서 마르크스철학에 힘을 기울이며 역사철학을 세우고 또 이를 실천하고자 했던 식민지의 청년 신남철에 있어 이 <투쟁>이야말로 최대의 보물이자 추진점이었다.

이 삼위일체론에 철학자 신남철의 본질이 깃들어 있다고 보는 것은 이런 관점에서이다. 그러나 오직 실천일변도의 또 다른 철학과 출신 박치우와 구별되는 것도 바로 이 점에서 온다.

(6) 신문학사에의 폭력적 개입－문제발견형의 형식

철학자 신남철이 문단에 직접적으로 그리고 폭력적으로 개입한 것은 「최근조선문학사로의 변천」(신동아, 1935. 9.)이다. 압도적으로 개입했음이란 부제 「'신경향파'의 대두와 그 내면적 관련에 대한 한 개의 소묘」에서 선연하고도 남는다.

<신경향파>란 무엇인가. 카프문학의 총칭인 신경향파만큼 한국근대문학사에서 자각적 현상 곧 이데올로기적 자각에 바탕한 문학은 일찍이 없었다. 뿐만 아니라 신경향파란, 세계사를 양분하는 것으로 단연 국제적 시대적 문맥에 닿은 것이어서 개인적 취향이나 자생적 민족적 성향과는 차원이 다른 것이기도 했다. 이러한 이데올로기적 경험을 식민지 조선의 작가들이 했다는 사실은 아무리 강조되어도 지나침이 없다. 카프라는 조직체의 출현을 가능케 한 것이 이를 증거한다. 신문학사 초유의 예술가의 집단이었던 카프(1925~35) 집단이 해체된 것은 1935년 5월이었다. 당시의 표현으로 하면 「객관적 정세의 악화」로 말미암은 것으로 그 제1차 카프검거사건(1931. 재건공산당사건)으로 외형상 막을 내린 이데올로기적 운동은 일단락을 지었다(판결은 1935. 12. 9, 박영

희 이하 19인 전원 전향).

신남철의 이 논문은 공식적으로 카프가 해체되었으나 아직도 전주사건공판이 이루어지기 전에 씌어졌음에 주목할 것이다. 카프가 해체된지 4개월이 지났고, 전주사건의 최후공판이 있기 4개월 전에 씌어진 신남철의 이 논문은 서두에서 보듯 한 운동의 종언에 대한 정리의 성격을 띤 것으로 그 운동에 대한 역사적 평가를 겨냥한 것이었다. 말을 바꾸면, <문제발견형> 발상에 해당된다.

> 「일정 개인이 자기자신을 응시하여 반성하는 단계에 이르게 되었다는 것은 그의 일생을 통하여 한 개의 커다란 사실이 아니면 아니 된다. 왜 그러냐 하면 모든 개인 인간이 자기자신을 반성한다는 객관화의 작용을 할 수 있다는 것은 그의 부단한 교양적 향상의 인간적 노력을 경한 뒤가 아니면 아니 되는 때문이다. 그러므로 일정 개인에 있어서 이 자기자신에 관한 반성의 작용이 생하자마자 그의 생활태도에는 질적 전환이 생하는 것이다. 나는 이것을 개인 인간에 있어서의 변증법적 계기로 간주하고자 하는 바이다. 이 계기는 개인인간이 자기를 반성하여 가족, 우인, 사회, 자연-환경과의 관계를 인식하는 최초의 계단인 동시에 대단히 중요한 것이다. 인간은 이러한 계기에 의하여 자기자신을 사회적 인간-계급적 인간에까지 자각하여 가는 것이다.」(p.6)

카프 해체를 두고 새로운 반성의 계기를 삼아야 한다는 논리전개에서 신남철이 내세운 것은 일종의 변증법이었다. 안지히(an sich)에서 퓨어(für sich) 그리고 안・운트・퓨어 지히(an und für sich)에 이르는 변증법적 계기란, 양적 증대 및 질적 비약에는 시공적인 일정한 계수적(計數的)인 표준이 있는 것이 아니라 그때그때의 온갖 객관적인 사정과 주관적 상태 여하에 의하여 급박히 또는 천천히 이루어지는 것인 만큼 이 점을 반성함이 중요하다고 전제한 다음 신남철은 막바로 조선의 신문학사에로 향했다.

「조선의 문학사-더욱 최근의 소위 <신문학> 발생 이후의 문학사를 뒤적거려본다고 할 것 같으면 우리는 상술한 바와 같은 개인인간의 반성 자각의 과정을 아주 범례적으로 간취할 수가 있다고 생각한다. <조선의 신극운동과 신소설운동에 있어서 누구보다도 선각이었고, 선구이었던 이인직>(김태준, 조선소설사)을 뒤이어 이해조 등을 거쳐 소위 <발아기를 독담한>(동상)다는 이광수에 이르는 사이는 말하자면 조선인이 자기를 개인인간으로 또는 사회적으로 자각해가는 한 개의 과도기적 시기이었다고 할 수 있으리라.」(p.7)

여기까지는 김태준의 『조선소설사』에서 옮겨온 것이지만, 문제는 신남철의 이광수 류의 문학에 대한 이데올로기적 비판에서 왔다. 이광수의 「무정」, 「개척자」 등이 <진보적 경향적 요소>를 상당한 수준에서 갖추고 있었지만 그것은 끝내 개인인간의 생활개선의 영역을 탈피하지 못했는데 당시의 사회적 <계급분화의 개인주의적 상인적(商人的), 유물주의적 표현>에 불과했기에 조만간 새로운 세력의 성장과 함께 대두한 신경향파문학과 대립하게 된 것이다. 이 경우 신남철은 <아주 자연적인 이로(理路)>라고 보았다. 왜냐면 그것은 각기 그 사회적 지반을 달리한 것이었기 때문이다. 그렇다면 그 지반이란 무엇을 가리킴인가. 신남철의 선 자리는 이 점에서 너무도 단세포적이고 도식적이었다. 「사회의 이대 화해할 수 없는 모순적인 그룹에 의해 특질을 주어지는 그러한 것」이고 보고 있음이다. <화해할 수 없는 모순적인 그룹>이란 곧 개인의식과 계급의식을 가진 그룹의 특질이란 이광수 문학과 신경향파 문학 그것에 각각 대응된다. 이 경우 신경향파문학이란 김팔봉의 주장대로 계급적 자각이기에 앞서 막연한 개인적 반항에 지나지 않았다(김팔봉, 「프로문학의 현수준」, 신동아, 1934. 2.). 그 기간이 약 10여 년에 걸쳤다. 그 동안 두 계급의 대립 항쟁의 이데올로기적 표현의 문학적 현상이 신경향파로 나타났다. 신남철에 있어 논리전개의 출발점은 어디까지나 물질적 토대에서 출발하여 상부구조 이데올로기인 문학을 설명하는 극히 초보적 도식적인 그러기에 실로 초보적 사회학도의 유물론적 변증법의 이해수준에 섰다는 점이다.

「그러면 왜 이 소위 <신경향파>의 출현이 역사적인 특질을 가지고 있는 것이었던가? 이 신경향파라고 하는 것은 비상히 유치한 수법, 졸렬한 취재, 미숙한 문장, 초보적인 자각적 의식을 가지고 시를 쓰고 소설을 지었음에도 불구하고 그것이 이광수 등의 개인적 상인적(商人的) 문학작품 보다 낫다는 것은 그 수법, 그 문장, 그 취재에 있어서 아니라 사회적인 소위 <목적의식적> 개조운동과의 연관과에 있어서 우위를 가졌다는 것이다. 이 점에 대하여 논자는 문학적 작품 그것과 개조운동과는 별개의 것이 아니냐고 말할는지 모른다. 물론 양자는 이를 별것으로 구분할 수가 있다. 그러나 모순적 그룹간의 항쟁이 바야흐로 개시된 때에 있어서 문학작품을 평가하는 리흐트 슈눌(준승)(Richtschur, 먹줄 곧 기준－인용자)이 신흥하는 그룹의 역사적인 임무에 의하여 규정되는 것은 아주 자연일 뿐 아니라 또한 필연적인 것이기도 한 것이다. 이것은 신흥하는 그룹의 이론적 무기로서의 과학 급 과학성의 우위가 재래의 전통적 이론 급 <과학>에 대하여 주장하는 것과 동일한 이치에 속하는 것이다.

환언하면 신흥과학 급 그 방법은 구래의 과학 급 그 방법보다 우월하다는 이론과 일치하는 것이다. 나는 이곳에서 이러한 과학론의 아・베・체를 이야기할 한가를 가지고 있지 않으나 이 신흥과학의 우위성과 동일한 정도로 이 신경향파라는 것의 사회적 우위성을 주장할 수 있는 것이었다. 이 점에 있어서 박영희의 「사냥개」, 「지옥순례」 최서해의 「기아와 살육」, 「홍염」 등은 문학적 작품으로서의 결함에도 불구하고 유의의한 것이었다.」(pp.7~8)

신남철의 신문학사에 대한 이러한 발언은 청년기의 발성이며 또 의욕에 넘치는 것이기도 했다. 누가 요청하지도 않는데, 불쑥 끼어드는 일종의 객기에 다른 아닌 까닭이다. 경성제대 영문과 출신인 이종수의 「신문학 발생이후의 조선문학」과 더불어 발표된 신남철의 이 논문은 3인자의 상식적인 이해수준과는 비할 바 없을 정도로 문제제기적이긴 해도, 그것이 청년기의 의욕에 찬 행위임엔 변함이 없지만 이는 또 앞에서 살펴보았듯 소년기부터 그가 품었던 <무상감−시−투쟁>의 결과물의 하나이기도 했다. 이러한 문학편향성으로서의 신남철의 기질적 개성은 유진오, 이효석, 조용만, 조벽암 등에서 보듯 막바로 창작에로 나아가지 않은 점에서도 찾을 수 있다. 그러한 창작에 몰입하기엔 <무상감−시−투쟁>의 삼위일체론의 균형감각이 우선했던 것으로 설명될 수 있다. 이 삼위일체론에서 <투쟁>이 갖는 의의란, 창작에로 고삐 풀려 달려가는 <시>를 견제했음에서 찾아진다. 투쟁 그것은 두 가지 길밖에 없는데 하나는 논리이며, 다른 하나는 실천인 바 전자에 신남철이 섰다면 후자에 박치우가 서 있었다.

(7) 일원론이냐 이원론이냐−체계건설형의 장면

신남철의 신문학사에의 개입에 대해 가장 불쾌하게 받아들인 쪽은 당연히도 신경향파를 이끌어온 주체쪽이었다. 신남철의 저러한 염치없는 제3자적 무책임한 개입이 얼마나 카프문학쪽에서 충격적이었는가는 임화의 장대하고도 혼신의 힘을 기울인 논문 「조선신문학사론서설」(조선중앙일보, 1935. 10. 9~11. 13.)에 역연하다. <이인직으로부터 최서해까지>라는 부제를 가진 이 논문의 서두에 놓여있는 것이 바로 시대적 위기의식이었음에 유의할 것이다.

「오늘날에 있어 우리 조선문학사상(朝鮮文學史上)의 모든 사실에 대하여 엄밀한 과학적 평가를 내리고 그 복잡다단한 역사적 발전의 전노정(全路程) 가운데서 일관한 객관적 법칙성을 찾아내어 한 개의 정확한 체계적 묘사를 만든다는 것은 실로 곤란한 사업이면서도 또한 가장 존귀한 일의 하나가 아니면 아니 된다.

그러나 지금 이 문학사적 노력의 가치와 의의에 관하여 오늘날에 있어서란 한 개 특별한 시대적 관심을 가지고 이야기하게 됨은 이 오늘날이란 시기가 가지고 있는 바 제 내용이, 그 가치와 결과하는 바 의의를 다른 여하한 시기보다도 실로 고유의 것을 만들기 때문이다.법칙성을 찾아내어 한 개의 정확한 체계적 묘사를 만든다는 것은 실로 곤란한 사업이면서도 또한 가장 존귀한 일의 하나가 아니면 안 된다.」(제1회)

이러한 위기의식은 바로 전주사건과 맞물려 있음에 주목할 것이다. 어떤 이유에서인지 불확실하나, 카프2차 검거에서 서기장인 임화는 빠져 있었다(김윤식, 『임화연구』, 제14장, 문학사상사, 1989). 카프진영 내에서는 생쥐같이 빠져나갔다느니, 마산으로 내려가 새장가를 가고 신혼에 비단옷을 입고 안방에 앉아 호사를 하고 있다는 소문까지 돌았다(백철, 『진리와 현실』, 박영사, 1975, p.425).

임화자신도 이 논문의 말미에 <올해, 10월 마산. 병석에서>라고 적었거니와 아직도 카프사건의 공판이 이루어지기 전이었기에 카프문학 운동의 처지에서 보면 한 치의 앞도 보이지 않는 위기상황이라 느꼈을 터이다. 감옥 밖에서 요양하고 있는 서기장 임화의 처지에서 보면 최선을 다해 신경향파 문학에다 역사적 의의를 부여할 의무가 있었고 또 윤리적 감각까지 동원하지 않으면 안 되었을 터이다. 그 전제조건이 위기감으로 표상되었다.

그렇다면 임화가 문단 외부세력의 안이한 개입에 대해 형언할 수 없는 방어의식은 증오심을 동반한 것이 아니면 안 되었다. 그렇다면 임화가 갖고 있는 누구도 범접할 수 없는 최대의 보물이랄까 무기란 무엇이었을까.

> 「이곳에 가장 육체적인 절박성을 가지고 만인의 가슴에 전해지는 사실은 우리 조선문학이란 […] 생활과 함께 있다는 것, 다시 말하면 조선의 문학적 성쇠의 운명과 불가분의 관계하에 서 있다는 사실의 일층의 확인이 아니면 아니 된다. 이 압력이란 오늘날에 와서는 여하히 두터운 피부가 신경체계의 작용을 무디게 하던 인간의 피부이라고 용이히 감각할만한 노골적이고 강렬한 형태를 가지고 작용하고 있다. […] 따라서 문학적 위기의 극복은 또 생활적 위기의 타개 그것과 한 장소 한 시기에서 수행될 것이며 문학상의 위기현상이란 한 개의 정직한 반영에 불과하다.」
> (제1회)

생활=문학의 원칙. 곧 생활과 문학의 일원론이 그것이다.

적어도 조선의 신문학이란 이인직에서 최서해에 또 이기영에 이르기까지 30여 년의 연륜을 가졌다고 할 수 있다. 사람의 일생으로 치면 한 세대에 해당되며 사회적 문단적 연륜으로 치면 3개의 세대 감각을 이루는 단위가 아닐 수 없다. 이에 비해 경성제대 출신들의 연륜이란 어떠할까. 소년기를 지나 이제 겨우 사회적 무대에 접어든 청년기에 지나지 않는다. 이른바 책상물림의 수준이라 할 것이다. 그것은 어디까지나 교과서적 관념성으로 무장한 일종의 객기라고 평가될 수도 있었다. 문제는 임화의 처지에서 보면, 그러한 신남철의 개입이 하필 카프문학이 송두리째 전주감옥에서 영어되어 있을 때에 이루어졌는가에서 왔다.

경성제대 출신의 청년인 책상물림과 30년을 지탱해온 어른 급의 신문학과의 대결양상이란 무엇인가. 이 물음은 (후술하겠지만) 해방공간에서 두 세력의 역전관계에서 평가될 성질의 것이 아닐 수 없다.

외부세력에서 신문학사를 방어하기 위해 임화가 가진 최대의 그리고 가장 자신 있는 무기는 앞에서 보인 바와 같이 문학=생활 일원론이었다. 「현실생활의 역사적 운동의 조류 위에서 자기 스스로를 전방으로 이끌 통일된 예술적 X(정)치(治)적인 실X(천)의 절박한 육체적 필요만이 문학사적 제 문제를 정당히 취급하고 또 평가할 수 있다.」(제2회)에서 주목되는 것은 앞에서 전제된 그대로 <육체적>이라는 규정에 모두 수렴되는 성질의 것이다. 육체적으로 표상되는 신문학의 실천자인 임화의 처지에서 보면 생활과는 동떨어진 한갓 외부세력, 국외자의 지나지 않는 이의, 임화의 표현으로 하면 「문학적 실천의 복잡한 과정 위에 과학적 조명을 던질려는 하등의 적극적 열의도 없는 아카데미안의 무미건조한 해석적 분석」은 실로 용인할 수 없었다. 더구나 그 <아카데미안>이 경성제대 법문학부의 책상물림들이고 보면 더욱 곤란한 사안이 아닐 수 없었다. 겨우 보성고보 중퇴생인 임화에 있어서 최대의 무기는 육체 곧 신문학사의 실천자였음에서 왔다. 이는 누구도 부정할 수 없는 사실 자체가 아닐 수 없다. 이러한 실천자, 생활해온 문학담당자로서의 임화의 시선에 비친 아케데안들의 입각점은 어떠했던가. 여기서 아케데

안들이란 김종수 신남철을 가리킴이자 동시에 신남철이 기대어 인용하고 있는 김팔봉을 가리킴이기도 했다.

제일 먼저 임화는 앞에서 인용한 바 있는 신남철의 이광수 비판에서 출발한다. 이광수 문학이 표현이나 구성상 신경향파보다 우수하나, 그것은 조만간 대두할 신경향파문학의 서투른 작품보다 못하다는 신남철의 견해란, 임화가 보기엔 갈 데 없는 <이원론>이 아닐 수 없다. 곧 사적 유물론의 본질을 제대로 파악하지 못했음에서 연유되었다는 것이다.

「이것(신남철의 논법)은 보다 평이한 말로 바꾸면 신경향파문학이란 대체로 문예, 예술적으로는 이광수 기타의 부르주아적 문학에 비하여 뒤떨어지면서도[1] 그것이 후자보다 우월하다는 유일한 근거는 그들이 '소위 목적의식적 개조운동'과 연결되는 '초보적인 자각의식'을 그 내용으로 하였기 때문이라는 의미이다.

즉 세계관상의 진화에 대하여 예술적 발전은 상부(相符)치 않았다는 것, 다시 말하면 우위적 발전적 상태에 있는 것은 사상상의 현상뿐이고 예술상으로는 퇴화되었다는 말이다. 이것은 곧 누구의 눈에도 명료한 것과 같이 문화사상에 있어 세계관적 과정과 예술적 과정의 내적 관련을 설명치 않고 문학적 발전상에 있어 사상과 예술성을 만리(萬里)의 장성(長城)을 가지고 분리하는 이론이다.

이 분석이 고의의 독단적 판단이 아님을 이야기하는 것보다 근본적인 견해는 상기의 인용 중에 표시된 씨의 이른바 '초보적인 목적의식'과 '목적의식적 개조운동과의 관련'이란 전일적(全一的) 내용의 개념을 두 개 상이한 것으로 취급한 역사 이해의 방법으로부터 유래한다.」(제5회)

임화의 사적 유물론의 해석이 옳으냐, 신남철의 그것이 옳으냐를 판

1) 원문에는 '뒤떠러져지면서도'로 되어 있으나 '뒤떨어지면서도'나 '뒤떨어져 있으면서도'라는 현재식 표기로 바꾸는 것이 적당하여 '뒤떨어지면서도'로 바꾸었다.

단하는 길은 그 논리전개상에서 육체적 실천, 이른바 이론과 실천의 전일적(全一的) 일원론의 평가에 달려 있는 사안이었다. 임화의 사적 유물론의 이해수준은 아래와 같은 일원론이었다.

사적유물론이란 한개 관념형태로서의 <자각의식>의 <초보성>을 <목적의식적 개조운동> 그 자체의 <초보성>으로부터 연역하고, 후자가 가진 현실적 <초보성>의 정신적 반영으로 그것으로 말미암아 제약된 필연성의 결과로서 파악하는 것이라면 이 일점은 역사상의 현실적 토대와 그 상부구조와의 내적 관련에 대한 것이어서 가장 과학적인 것이라 할 수 있다. 신남철의 논문은 이 <내적 관련>에 대한 그릇된 토대 위에 서 있다는 것으로 된다. 그 결과 신남철의 논문은 그가 내적 필연성을 강조했음에도 불구하고 결과적으로 자각의식과 목적의식적 개조운동을 분리하는 이론 곧 이원론에 빠졌다는 것이다. 이것은 신남철의 하나의 <우발적 현상>이 아니라 논문 전체의 방향성이라 보았다. 그 실례로 임화는 먼저 신남철의 논문이 이광수→신경향파의 종적 파악에 빠져 횡적인 관련성을 무시함으로써 <내적 관련성>의 진정한 유물변증법에 미치지 못한 것으로 보았다. 그 결과 신경향파문학의 역사적 내적 관련성의 설명을 결했다는 것이다. 체계건설형으로서의 횡적 관련성의 과제가 여기에서 온다.

(8) 불쾌감의 근거와 체계건설형의 지평 엿보임

신남철의 이원론적 문학사 이해가 가진 추상성 및 현실인식의 부정확성 및 무시를 앞에 두고, 임화는 어떻게 이에 대해 대응해야 했을까.

첫째 임화는 신남철의 이원론을 격파하기 위해 일원론으로 나가야 했다. 이 경우 일원론이란 추상적으로 말해 <생활=실천>이었고, 구체적으로는 <육체적 절박성> 또는 <인간의 피부적 감각>이라 규정했다.

둘째 사적 유물론에 대한 한층 깊이 있는 <내적 관련성>의 제시였다. 신남철이 미처 다루지 못한 횡적 변증법이 임화가 제일 자신있게 할 수 있는 영역이었다. <이광수→신경향파>의 세대적 종적 파악에 몰두한 나머지 신남철이 미처 다루지 못한 <횡적 관련성>이야말로 임화가 이후에 맡아서 전개한 신문학사의 전과정에서 제일 빛나는 부분이었다.

「춘원의 문학이 갖는 경향성의 불처저함은 조선 부르주아지의 행동적 불처저성과 병존하는 것이나 그 사상이 문학적 표현을 얻은 시기가 상기한 바와 같이 아직 그들의 계급이 다소간이나마 행동적 조류 가운데 섰을 때 미리 자기를 제한하였다는 의미에서 그 진보성의 심히 <적음>을 지적할 수 있는 것이다. 그렇지 않고 현재와 같이 전혀 그들이 행동의 권외, 혹은 대립자의 입장으로 전락하였을 때는 경향성이나 진보성이란 문제로부터 성립하지 않는다.」(제9회)

이만한 안목으로 임화는 <횡적 관련성>을 뚜렷이 제시했는 바, <박영희적 관념성>과 <최서해적 체험성>의 일원론적 파악이 그것이다. 박영희의 <시적 소설>과 최서해의 <소설적 소설>이란 따로 분리될 수 없다는 임화의 논지는 다음에서 선명하다.

「신경향파 문학은 그 예술성에서가 아니라 그 사상내용에서만 과거의 문학에 대하여 우월하였다는 이원론인 모든 평가는 완전히 사실과 부합하지 않는 한 개 추상적 허상이며 […] 이러한 모든 종류의 기도는 필연적으로 (잃은 것은 예술이요 얻은 것은 이데올로기이다)라는 유명한 박

영희적 멘쉐비즘과 일치하고 또 그의 사상적 발상지가 아니면 안 된다.」(최종회)

셋째 이를 계기로 하여 임화는 마침내 본격적으로 신문학사 집필에 나섰다는 점이다. 『개설 신문학사』(조선일보, 1939. 9. 1~10. 31. 인문평론, 1940. 11.~41. 4.) 나아가 「신문학사의 방법」(1940)이라는, 수준 높은 방법론의 모색에까지 이르게 된다. 말을 바꾸면 <문제발견형>인 비평가 임화가 바야흐로 <체계건설형>인 문학사가로 변신하는 장면이었다. 이미 조선문학이 암흑기로 나아가는 시기인 만큼 문학사적 정리에 대한 열정이 뜨거웠던 것으로 볼 것이다. 앞의 지평이 보이지 않을 때 비로소 과거에 대한 과학성이 선명할 수도 있기 때문인데 이 점에서 볼 때 임화의 활동은 단순한 평론가의 수준을 넘어서고도 남는다. 이 무렵의 임화에 있어 신남철이야말로 고마운 존재로 보였을지 모른다. 그 의 문학사 정리의 계기를 신남철이 만들어 주었다고 볼 수 있기 때문이다.

그러나 정작 1935년도의 신남철의 문단에 대한 청하지도 않는 개입이란 신남철 자신으로 말로하면 이러한 수준이었다. 곧, <문제발견형>의 범주인 것이다.

「이것은 나의 호의도 악의도 아무것도 아니요. 당시의 일반적인 정세에서 귀납된 객관적인 판단인가 한다. 피등에게 호의든 악의든지 가지기에는 나는 너무도 국외자이다. 그러나 나로 하여금 이곳에서 잠시 문학사가가 되기를 허한다고 하면 나는 전후의 제 사정과 그 사적 방법론의 엄숙성의 이름 밑에서 이렇게 말하는 것을 주저하지 않으리라.」(신동아, p.11)

임화의 이에 대한 최종적 비판은 불쾌감 그것으로 요약될 수 있다.

「우리들이 보는 바는 한 개의 속학 서생의 이원론적인 사관에 의하여 재단된 비참한 죽은 역사의 형해뿐이어서 하등의 <높은 교양>도 <엄정한 과학적 태도>도 발견할 수는 없는 것이다. 그리하여 우리들은 이러한 이원론적인 프리체적 상대주의로부터 끝까지 신경향파 문학과 그의 계승자인 신흥문학 10년의 역사를 지키려는 자이며 동시에 이러한 평가 밑에서 현재의 문학을 발전시키 나가려는 것을 다시금 명언하는 자이다.」(완결, 제25회)

임화에 있어 1935년이 갖는 위기의식을 염두에 둔다면 어째서 신남철을 <한개의 속학(俗學)서생(書生)의 이원론자>로 몰아붙였는가를 이해하기에 무리가 있다. 1935년이란 앞에서 이미 지적했듯 카프의 거의 전원이 전주감옥에서 1년 반 동안 복역 중이었고 거기에서 제외된 임화로서는 모종의 윤리적 위기감에서 자유로운 수 없었다. 신문학사에 대한 대논문에 전력을 기울이지 않을 수 없는 이유였다. 곧 지평상실의 <체계건설형>에 빠지고 만 것이다. 실상 1935년도의 카프문학은 유진오의 「김강사와 T교수」 단 한편으로 대표시킬 수밖에 없는 형편이었다. 이 1935년도를 임화는 신문학사에 대한 변호로 힘껏 채우지 않으면 안 되었다.

그리고 그것이 가능했던 것은 무엇보다 생활=실천=문학의 일원론을 내세운 임화의 생리적 조건에서 온 것이기도 했지만 다른 시각에서 보면 임화쪽이 승리하게 정해져 있었다고도 볼 것이다. 곧, 신남철로 대표되는 경성제대 출신들이 책상에서 겨우 물러난 청년기에 속한다는 점이다. 이에 비해 임화가 선 자리는 이인직(1906)에서 계산해도 무려

30년의 나이를 가진 장년급의 연륜을 가졌던 것이다. 그렇다면 문제점은 어디에서 오는가. 문학이 그동안 독자적 길을 홀로 걸어왔지만 지금부터는 경성제대를 비롯한 외부 세력의 시선에서 자유롭지 않는 형편에 놓였음이다. 문학과 철학, 문학과 역사 통틀어 문학/정치로 요약되는 상황에서 문학이 자유로울 수 없다는 것은 적어도 일제 식민지 하에서는 결코 피해갈 수 없는 지상과제로 되어 있었던 까닭이다. 이 점이 해방공간(1945~48)에서 확연히 드러났는 바, 신남철, 박치우의 논지 아래 임화도 두 손 들고 복속할 수밖에 없었다. 이러한 역사속의 정치/문학의 관련성이 해방공간에 다시 일원론/이원론의 수렁 속에 빠져들지 않으면 안 되었다.

제2장 잠언을 저작(咀嚼)하는 글쓰기 방식으로서의 철학과 문학

(1) 철학자가 작가에게 달갑지 않은 시비를 걸다

<높은 교양>, <엄정한 과학적 태도>이기는커녕 한갓 <속학 서생>의 신문학사에 대한 개입에 대해 정작 어른급이자 실천적 주체인 임화의 혹독한 비판을 면치 못한 신남철의 놀라운 점은 한편의 반론도 쓴 바 없음이 아닐 수 없다. 더욱 놀라운 것은 이번에도 아무도 묻거나 요청하지도 않는 문단을 향해 <어떤 작가에게 주는 편지>라는 부제를 단 「고민의 정신과 현대」(동아일보, 1937. 8. 3~7)를 썼음이 아닐 수 없다.

여기에서 말하는 어떤 작가란 구체적으로는 구인회의 상허 이태준이었다. 쓰러진 카프문학에 알게 모르게 뒷발질을 하는 형식으로 등장한 구인회의 좌장격인 이태준(조용만, 「구인회 만들 무렵」, 정음사, 1984, p.66)의 1937년 무렵의 문단적 위상이란 「가마귀」(1936), 「손거부」(1935), 「복덕방」(1937), 「장마」(1936) 등으로 <조선적 단편 작가로서 일가>를 이루었다고 평가되었다(최재서, 「단편작가로서의 이태준」, 『조광』, 1937. 11. 『문

학과 지성』 수록, 1938, p.175). 동시에 또 그 한계점도 지적되었는 바, 「현대인이 즐겨하는 사상적 고민이 없고 생활적 의욕이 없고 사회적 관심이 없고 그 외에도 없는 것이 많다」는 것이 그것들이다. 이태준이 즐겨 택한 소재란 사라져가는 전시대적 조선의 인간상이며 그것을 미학의 수준으로 끌어올렸던 것이다. 그러나 거기에는 최재서가 지적한 바와 같이 <사상적 고민>이 결해 있었음도 사실이 아닐 수 없었다. 이러한 지적은 이태준 단편의 완성도와 그 인기가 높을수록 요망되는 것으로 신문학이래 미학적 수준의 측면에서 최고의 작가라 할 수 있는 이태준을 상대로 할 만한 것이기도 했다. 또한 노련한 최재서이기에 작가에게 <사상적 고민>을 함부로 주문할 수 없음을 동시에 알고 있었다. 「여기서 작가에 대하여 그 세계관을 깨뜨려 보라는 권고는 누구나 할 수 있는 일이다. 그러나 <작가기질론>을 말하는 이 작가로서 그런 혁명적 곡예가 가능하리라고 믿지 않는다.(p.180)고 했음이 그것이다.

신남철 역시 <누구나 할 수 있는 일>을 했는 바 그 방식의 특이성을 다음과 같이 지적할 수 있다.

첫째, 시기상으로는 최재서의 글에 비해 두 달이나 먼저였다. 이 사실은 그만큼 국외자인 철학서생 신남철이 카프가 사라지고 순수문학이 판을 치는 문단에 지속적인 관심을 쏟고 있었던 증거가 아닐 수 없다. 그것은 <문학적 현상>에 대한 생리적 관심이 아닐 수 없다.

둘째, 독특한 스타일 곧 이인칭 편지형식을 취했다는 점이다.

> 「나의 이 글은 부제한 바와 같이 반드시 어떤 특정한 인물을 목표로 하고 쓰는 글만은 아니다. 일반적으로 누구나가 보아도 좋다고 생각한다. 아니 누구나가 다 읽고 생각하여 주기를 바라는 글이다. 그러나 또한 내가 이 글을 쓰는 까닭은 어떤 특정한 작가를 대상으로 하여 있다고 해도

좋다. 그것은 이 글의 내용이 어떤 특정한 인간을 예상하여서만 이해할 수 있는 것이 간간이 있는 것이니까. 그러므로 내가 <君>이라고 이인칭을 사용하는 것도 반드시 부제에서 말하는 어떤 작가를 숙친한 교분으로써 대하는 호칭도 아니고 또 그 작가 이외의 많은 이 글을 읽어줄 사람에게 대하여 내가 내 자신을 스스로 높게 가지고 말하는 무례도 아니다. 오직 나 이외의 어떤 범위의 사람들을 총칭하는 그러면서도 무언지도 모르게 친애하는 마음을 가지고 부르는 대명사에 불과하다. 위선 이것을 나는 모두에서 말하여 둔다.」(동아일보, 1937. 8. 3.)

이인칭 편지형식이란 새삼 무엇인가. 이 물음은 어째서 정식 평론으로 하지 않고 개인적 감정이 과도하게 노출되는 편지 형식을 택하지 않으면 안 되었을까란 물음에 이어질 성질의 것이거니와, 이 글이 중요한 것은 바로 이러한 양다리걸치기식의 신남철식 기질론에로 이어짐에 그 의의가 있지 정작 이태준론은 부차적이라 할 것이다.

신남철이 정식 논문으로 문단에 관여했지만 <속학 서생> 수준에서 나아간 것이 아니었음은 앞에서 이미 보았거니와, 이번엔 <속학 서생>의 위치에서 한발 내려와 <친구>의 자리에 서고자 했다. 이 글이 발표된 후 정작 비판당한 이태준이 불쾌하긴 해도 그를 <속학 서생>이라 매도할 수 없었던 이유이기도 하다. <친구여!>라고 하는 <서생> 앞에 아무리 선배라도 더 이상 어쩔 수 없었다고 볼 것이다. 신남철의 <기질적 문제>가 그를 구출한 형국이었다. <우울감↔시↔투쟁>의 3위일체의 노출이 이 글의 감추어진 창작동기이다.

신남철은 제1신(信)에서 헬렌 켈러와 니체를 들면서, 이태준에게 역사적 고민이 없는 것을 두고 이렇게 비판했다.

「근은 생을 통찰하는 점에 있어서 누구보다도 못하지 않았다. 그러나 군은 역사적 고뇌—세계감정을 간취하기에까지 이르지 못하고 있는 듯하다. 이것은 군을 위하여 불행한 일이다. […] 세계감정을, 문화를 통찰하는 예지를 가져야 한다.」(1937. 8. 3.)

흡사 소학생에게 대선배가 점잖게 타이르는 훈계식 언사로 신남철은 「삼중고의 세계」라는 이름의 제 일신을 삼았다.

제이신 「반정(返呈)하는 초조감」은 이태준이 자기를 비판한 모 비평가에 반론을 편 속 좁은 짓을 따진 것이다(이태준, 「평론태도에 대하여—평필의 초조성」, 동아일보, 1937. 6. 27을 가리킴). 여기에서도 신남철의 문체랄까 글쓰기의 삼위일체적 성격이 분명하다.

「군은 이것을 얼른 알아듣지 못하였을지도 모른다. 왜 그러냐 하면 군은 밤귀가 빨르고 또 어떤 때에는 너무도 신경질적으로 조그마한 문구에 경기하는 갓난아이같이 팔팔 뛰는 민첩은 가지면서도 가장 중대한 이 사실에 대하여는 밤귀가 밝지 못하고 또 눈치도 볼 줄 모르는 까닭이다.」(8.4.)

제3신 「지성을 딛고 넘음」에 와서야 비로소 이 편지의 수신자로 지목된 작가가 이태준임을 온몸으로 드러내었다.

「군! 나치도 아니고 쏘치도 아닌(weder nazi noch sozi) 군의 냉정한 자아완성과 추구의 행정이 하마 무슨 암초에 부딪히지나 아니하고 쓰는 나의 이 편지를 군은 볼쾌한 생각을 가지고 읽을는지 모른다. 물론 그것도 좋다. 나는 그것을 조금도 싫어하지 않는다. 군의 단편집에 나타난 군의 사상이 벌써 지난날의 한 비명(碑銘)이라고 하면 그보다 더 반가운 데가 어디 있으랴. 아까도 말하였거니와 현대의 이 위대한 전환적 판국에 처하여 그저 순수(!) 예술의 성(聖) 된(!) 일로를 밟고 있는 그 일 자체가 벌써 <반>(反)이라는 전도를 관(冠)한 그 무엇이라는 것을 군은 자각하여야 한다.」(8.5.)

이것은 누가보아도 지나친 인격모독이 아닐 수 없다. 하물며 신문학사 30년의 작가에 대한 소년기 철학도의 글이니 더욱 그렇다.

제4신 「자기 추구의 실체」. 여기에서는 이태준의 지론인 개인주의 곧, <대중을 향하기 전에 먼저 자기자신을 찾자>라는 신념을 지드의 「소련기행」과 대비시켜 비판했다. 자기추구의 달인 지드의 개인주의도 따지고 보면 자기망각의 일종일 수 있다는 것이다. 요컨대, 신남철이 말하고자 하는 것은 상식 중의 상식인, 자기의 체질에 맞게 자기추구에 나아가 창작하는 것은 상관없으나 사회, 역사적 인식에 닿지 않으면 큰 작가로 성장할 수 없다는 것으로 정리된다.

제5신은 「현대와 니체」로 되어 있어, 신남철의 관심이 당대의 담론인 니체에 깊이 경도되었음을 새삼 드러낸 점에서 의미 있는 부분이다. 제1신에서도 언급된 니체를 신남철은 이 무렵 어떤 점에서 세계사 인식의 기초로 삼았을까. 이 물음은 신남철이 어째서 이 편지를 썼는가를 알아보는 지름길이다. 실상 신남철이 말하고자 한 것은 이태준론도 한국의 문학론도 아니고 니체론이었음이 드러났기 때문이다. 니체만큼 오늘날 찬반론 속에 휩싸인 사상가란 없다는 전제하에서 신남철은 우선 파시스트들이 니체를 내세우고 있는 이유를 지적했다. (1) 사회운동에 대한 맹렬한 독설을 농한 것, (2) 인간불평등관, (3) 권력의지에 있어서의 지배력, 파괴력, (4) 전쟁찬미론 등이 잘못 인식된 측면이며(니체가 전쟁찬미론이라고 했으나 그가 말한 전쟁이란 호전적 태도, 화약냄새 없고 육체가 찢어지는 고통 따위 없는 전쟁을 가리킴이지만 신남철은 거기까지 미치지 않았다. G.F. 니콜라이, 「전쟁의 생리학」에 의거) 그것도 따지고 보면 생명의지에 다름 아니었다. 정작 니체 사상의 긍정적 측면이란 무엇인가.

「그것은 그가 <생의 부정의 부정>을 고조한 것, 그러고 불안, 고민의 의식에 너무도 강렬하게 부대낌을 받고 그것을 초극하였다는 것. <육체의 모멸자>(verachterdes Leibes)를 모멸하여 지자(智者)로서의 육체, 창조하는 정신으로서의 육체를 자각하였다는 것, 희랍고전연구에 대한 불후의 업적 등 여러 가지의 <산 것>을 우리에게 보여주고 있다는 것을 정당하게 구별해 볼 줄 알아야겠다.

군! 그런데 내가 군에게 하는 이 긴 편지에 있어서 특히 니체를 군에게 소개하는 이유는 니체에 있어서의 고민의 정신을 배워서 군의 사상적으로 고갈해 있는 사색을 들축이라는 권고에 있는 것이다. 그래서 혹 군이 니체를 씹지 않고 그냥 생키면 어찌하나 하는 기우에서 그를 보는 법을 아쉰 대로 대충 몇 마디 한 것뿐이다.」(8.7.)

이처럼 니체타령이란 그러니까 이태준을 향해서이기보다 실상 신남철 자신을 향한 것에 다름 아니었다. 쇼펜하우어 → 니체의 노선, 이태준을 빙자한 신남철의 이 무렵의 이러한 정신상태란 어떠했을까.

「군! 군은 아직 고민의 정신을 체득하고 있지 않다! 또 풍만한 환희의 정신도 미득(味得)하고 있지 않지나 않은가. 「초엽」(草葉)속의 <대도(大道)의 시>를 읽었겠지? 군은 니체와 같이 쇼펜하우어를 읽고 공애(共哀)하여야 하며 포이에르바하를 배워 공락하여야 한다. 그 속에서 사상의 양식을 얻어 현대를 응시하라! 고뇌는 현대 지식인의 특징이며 니체를 기웃거리게 하는 채찍이기도 하다.」(8.7.)

여기에 나오는 「초엽」이란 W.휘트만의 시집을 가리킴이거니와 이는 소년기 신남철이 『문우』(제5)에 발표된 3편의 시를 상기시킴에 모자람이 없다. 이 소시편을 「Walt Whiteman이 본다고 하면」이라고 했음이 이 사정에 관여된다. 민중시인 휘트만과 「혁명시인 하이네」(1931)는 소년기에서 청년기에 그대로 이어진 것이었다. 쇼펜하우어로 말하면 『청량』(5호)에 장문의 논문을 쓰게끔 한 바로 그것이다. <우울함－시－투쟁>의 삼위일체의 두 영역이 이로써 확보되었다. 그렇다면 <투쟁>이란 어디서 오는가. 포이에르바하에서 온다고 그는 말했거니와 여기에 주목할 것은 이 물질주의를 내세워 정작 마르크스의 사적 유물론을 지시하고 있었다고 볼 것이다. 1937년이라면, 마르크스 사상을 표면화할 수 없었고 심지어 <계급>이란 말도 저널리즘에서 기피한 상태였다(「최근 조선문학사조의 변천」에서는 계급 대신 <그룹>이라 적었다).

<어떤 작가에게 주는 편지>인 「고민의 정신과 현대」란 「복덕방」의 작가 이태준에게 준 것이기에 앞서 실상은 거듭 말하지만 신남철 자신에로 향한 것이었다. 곧, 철학자인 자기가 시방 니체와 더불어 고민하고 있다는 심정고백서의 일종이었다. 문제는 그러한 심정고백의 방식이 과연 온당했는가의 여부에서 왔다. 이태준의 반론 또는 문단의 반론이 즉각 나올 수밖에 없었음이 그 증거이다.

「최근 비평가와 작가 간에 여러 가지 반목적인 저기압이 떠돌고 있다.」는 전제하에 『조광』(1937. 9.)은 「작가와 비평가의 변」을 실었다. 먼저 작가 측에 이태준을 내세웠다. 기자의 질문에 대한 이태준의 「<인격존중> 비평을 대망」에서 보인 태도는 다음 두 가지로 정리된다.

첫째, 신남철의 글은 <인격모독>에 기인했다는 것.

「전일 내가 귀보에 엣세이 비슷한 글을 썼는 바 신남철씨가 그것을 오독하고 동아지상에 평을 하셨더군. 그래서 내가 표지상에 답변한 일이 있는데 어쨌서든 평을 한다고 무서울 것이 없습니다. 정당한 평이면 얼마든지 있어야 하고 또는 있지 아니하면 아니 되겠지요.」(『조광』, 1937. 9. p.59)

이로 볼진댄 이태준이 자기변호에 임했음을 알 수 있는데, 오독을 했음에 대한 비판이었던 만큼 귀기우릴 것이 못됨을 알 수 있다. 그 이면에는, 반론 「<인격존중> 비판을 대망」(『조광』, 1937. 9.)에서 잘 드러나 있다. <오독>이란 핑계였음이 드러났다.

둘째, 철학에 대한 거부반응 또는 자기방어본능을 들 수 있다.

「혹 고집이라고 할는지는 모르지만 문학에 있어서는 몰라도 문예(文藝)에 있어서는 철학(사상)적이라는 이보다 예술적이 되어야 한다는 태도는 언제나 변치 않을 것입니다.」(동, p.57)

여기에는, 한동안 카프문학의 지도적 비평원리 및 창작 방법론에 숨도 제대로 못 쉴 정도로 당했던 순수문학자의 무의식적 반응이 깔려 있음은 물론이다. 신남철의 반응은 어떠했을까. 중앙중학교사인 신남철을 찾아간 기자의 질문에 대해 <문예시론의 변천>을 쓴 이후 문단의 주의를 끌게 한 모양이나 평론가가 아님을 전제한 마당에서 어째서 이태준의 반론에 대답하지 않았는가를 이렇게 털어놓았다. 저어기 수세적 반성적 목소리라 할 것이다.

「나는 동아에 그 글을 쓸 때에 이씨에게는 호의적이오, 간담적으로 썼었고 또는 이씨의 말을 보족하는 의미에서 쓴 것인데 이태준 씨가 오해

하셨두군요. 아마 자기도취라는 말에 노한 모양입니다. 이씨는 작가로서 대중을 향하기 전 자기를 찾자고 주장하였는데 나로서는 그의 말을 부인하는 것은 아니나 한 걸음 더 나아가 그것을 초월하여 대중을 감동시키자는 것이 내 주장이었습니다. 씨는 모파상의 말까지 꺼내었습니다만 나는 그의 말을 좀 더 반박하려 하였으나 병도 나고 또는 그럴 필요도 없는 듯하여 그만 두었습니다.」(pp.51~52)

반론을 포기했음이 잘 드러나 있다. 병을 핑계 삼아 자신의 오만한 이태준론에 대한 자숙의 뜻으로 읽힐 수 있다. 이태준이 주장한 것은 「인격존중 비판을 대망」(『조광』, 1937. 9.)이었던 까닭이다.

이상의 논쟁이 갖는 문학사적 의의는 무엇일까. 순수문학이 전문단을 장악한 1937년 전후란, 안정기이기는커녕 <불안> 그것이 아니면 안 되었다. 막강한 카프문학의 지평이 사라진 공백기에 전면적으로 노출되자 오히려 그것이 불안사상을 불러들였든 형국이었다. 뭔가 절대적 거점이 있어야 함에 익숙해진 분위기다. 거점이 사라지고 텅 빈 상태가 벌어진 상황이었다. 이런 상황은 순수문학쪽에도 대타의식화(對他義識化)의 상대를 잃어 긴장력을 잃기 마련이었다. 이런 곳에서 나온 이태준의 반론이란 그자체가 무의미하기 쉬웠다. 이념, 사상, 세계관 대신 인격존중론 곧, 30세 어른 대접론인 까닭이다. 그러므로 문학론을 떠난 인정론에 떨어졌다. 이에 대한 답변도 문학이념과는 무관한 공허한 것일 수 밖에 없었다. 그렇지만 중요한 것은 이전의 카프문학이 문학자체의 처지에서 볼 땐 외부세력이듯 신남철의 철학적 사상적 개입도 그 성질상 같은 것이었다. 외부세력 개입이란 측면에서 보면 마르크스도 니체도 동일한 범주에 속하는 것이었다. 신남철이란 존재 하나가 카프가 사라진 빈자리가 니체의 수사학을 걸친 채 서 있었다고 볼 것이다. 요컨대

이점에서 신남철은 다름 아닌 임화의 대명사였던 셈이다.

(2) 문학의 명랑성, 철학의 명확성

신문학 30년의 연륜을 가진 임화와 막 10년의 나이를 가진 신남철(경성제대, 1926년 개교)의 극적인 만남이 1937년을 전후로 하여 이루어졌다고 했지만, 이는 물론 큰 흐름에서의 논의에 지나지 않는다. 정작 임화도 신남철도 사상이나 철학을 목숨을 걸 만큼 확고히 갖지 못했음에서 볼 때 특히 그러하다.

1937년 전후의 시점에서 중앙중학 교사 신남철의 문학에 대한 관심은 이러한 것이었다. 「쓴다면 브란데스나 부르크하르트 같은 사람들 같이 문예사를 연구하고 그 시대의 문예와 인심을 엿보고 싶습니다. 작품평은 하고 싶지 않어요.」(『조광』, 1937. 9, p.52)라고 했거니와, 요컨대 문예비평가가 아닌 <문예작품을 연구하는 학도>로 자처하고 있었다. 그러한 태도 표명이 이번엔 「문학과 사상성의 문제」(조선일보, 1938. 5. 15.~21.)로 나타났다.

이 글의 특징은 특정 작가론도 작품론도 아님에서 찾아진다. 문학과 사상성의 관련양상이란 점에서 신남철다운 글이며 또 그가 문단에 개입하는 방식의 글이기도 했다. 거듭 말하지만, 이러한 사상성과 문학의 관련성은 카프문학 시절의 중심과제였음을 상기할 필요가 있다. 객관적 정세 악화로 카프가 사라진 마당인 만큼 처음부터 끝까지 창작방법론, 세계관 및 유물변증법의 논란이 그대로 문학 위에 강요된 그 중압에서 형언할 수 없이 시달리던 문단이 그 반동으로 구인회, 3·4문학 등의 신감각적 방향으로 혹은 순수문학으로 나아감이란, 일종의 해방감, 청신감이기도 했지만 그것은 잘 따져 보면 일종의 공허감, 상실감이었을 수도 있었다.

「여기서 우리는 그저 막연하게 비평의 혼란이니 저조이니 또는 거기에 대한 비난이니 하였지마는 이 비평이라는 것은 결코 그저 막연한 의미에서의 비평일반을 일컬음이 아니요 실상은 프롤레타리아 문학비평이란 말과 동일한 의미를 가진 것이니 어떠한 역사적 문화기이든지 그 초기에는 항상 비평이 선행하듯이 프롤레타리아 문학운동도 그 대두가 비평에서 시작한 것으로서 옛것에 대한 비판의 정신은 곧 새것 그 자신의 존재이유이며 또한 새로운 비평의 기준은 항상 옛것의 그것의 그것보다 더 과학적이므로 실로 근래에 이르러 울연족생한 기타의 문학비평은 거의가 다 어떠한 의미에서든지 프롤레타리아문학론의 부연이었고 또한 강설인 동시에 이러한 경향은 우리 평단을 독점하고 있었던 때문이다. 그러나 우리가 일찍이 비평이라 불러온 것이 거의가 다 주관적 인상비평에 지나지 못하는데 비해서 마치 새로운 철학이 과학의 과학으로서 선언하듯이 신흥문학비평(프롤레타리아문학비평)이 문학의 과학으로서 출발한 것, 다시 말하면 신흥문학비평이 항상 객관적인 과학적 견지를 떠나지 않았다는 것은 어떠한 의미에서든지 우습게 알 수 없는 일이라고 아니할 수 없을 것이다.」(이원조, 「비평의 잠식」, 조선일보, 1934. 11. 6.~11., 이원조문학평론집, 「오늘의 문학과 문학의 오늘」, 형설출판사, pp.54~55)

카프문학이 가졌던 그 막강한 과학성이란, 따지고 보면 문단 외부에서 개입한 것이었다. 문단 쪽에세 원해서이기보다는 세계사적 강압에 의지한 것이지만, 이 강력한 손님을 문단이 결코 외면할 수 없었던 것은 그 과학성에 말미암았다. 이 대단한 과학성이 가진 허점이랄까 허위의식(이데올로기성)이 낱낱이 밝혀진 연후에 그것이 후퇴하거나 물리쳐졌다면 사정은 크게 달라졌을 것이다. 가령 「역사와 계급의식」(1923)에서 젊은 루카치가 주체성(계급의식)을 내세움으로써 과학성의 한계를 폭로한 경우를 들 수 있다. 유물론에 의거하면 자본주의는 그 자체의 모순성으로 말미암아 필연적으로 붕괴하게 되어 있다. 만일 이것이 과학성이라면 누구나 가만히 기다리기만 하면 될 것이다. 「공상에서 과학으로!」라고 마르크스·엥겔스가 주장한 진의가 이러하다면 특히 그렇다. 그러나 칸트의 딜레마이자 헤겔 이후의 독일 관념론 특유의 안티노미란 바로 주체성에 관여되어 있었다. 인식이 행위에로 나아가는 바로 그 계기가 주체성 곧 자유의 문제이다. 자본주의가 자기모순에 의해 절로 붕괴된다면 인간은 무엇을 해야 할까. 주체적 실천의 영역은 어떻게 되는가. 루카치가 내세운 것은 바로 <귀속되는 계급의식>이었다.

「계급의식이란 계급을 형성하는 개인들이 생각한다든가 느낀다든가 하는 바를 총합한 것도 평균한 것도 아니다. 그럼에도 불구하고 총체성으로서의 계급의 역사적으로 의미 있는 행위는 궁극적으로 이 의식에 의해 규정되는 것이지 개인의 사고 등에 의해 규정되는 것은 아니다. 또한 그것은 오직 이 계급의식에 의거해야만 인식될 수 있다.」(루카치, 「역사와 계급의식」, 박정호 외역, 거름, 1992, pp.113~4)

과학에 대해 개인의 주체성(자유)의 대립에서 이 둘을 동시에 수용함이란 독일관념론의 딜레마에 다름 아니었다. 주체적인 실천 곧 자유의 문제를 떠날 수 없다는 것, 그것은 인간의 인식이 행위에로 나아가는 계기에 다름 아니었다. 젊은 루카치가 돌파하고자 한 계급의식이란 이를 가리킴이었다.

이 주체성의 과제 곧, 객관성으로의 과학과 인간의 자유의 과제를 경성제대 철학과는 논의할 수준에 있지 않았다. 문단에서도 사정은 같았다. 마르크스의 사상 검토와 그 이해에 온 힘을 쏟아도 오히려 역부족이었을 것이다. 식민지 출신의 청소년기에 속하는 신남철, 박치우 등도 사정은 같았다고 할 것이다. 마르크스주의논의가 봉쇄된 마당에서 그들이 나아갈 길은 독일 관념론의 진수에로 파고들든가, 그렇지 않으면 단지 현상유지의 눈치보기에 나아갈 뿐이었다. 가장 학구적인 박치우의 이런 고백이 저간의 사태를 잘 말해주고 있다.

> 「원래 <철학이란 무엇이냐>라는 문제는 그 본질로 보아 다뭇 철학함에 있어서만 철학을 통하여서만 풀 수 있는 그러한 문제이기 때문입니다. 나는 그렇기 때문에 언제 해결될지도 모를 이러한 한가한 문제에 얽매여 있는 것 보담은 이것보다는 몇 갑절이나 중하고도 긴급한 문제부터 처리해 나가는 것이 가장 정당한 길이라고 생각하게 된 것입니다. 이로써 나는 철학이란 무엇이냐라는 문제는 잠깐 유보하기로 하고 우선 <철학은 오늘, 이 땅, 우리에게 있어서 마땅히 무엇이어야만하는 것인가>라는 문제부터 시작하였던 것입니다.」(박치우, 「아카데킥 철학을 나오며」, 『조광』, 1936. 1, p.140)

박치우가 여기서 강조한 것은 <지금, 여기, 우리>의 역사적 처지에 대한 구체적 자각을 가리킴이거니와 또 그것은 저절로 <심장>(염통)으로 표상화되어 있다. 아카데미시즘을 떠난 이러한 <염통론>의 일방적 강조라는 점에선 박치우와는 달리 신남철의 경우는 다분히 문학적이었다. <우울증—시—투쟁>의 삼위일체론에서 그는 결코 벗어나지 못한 것으로 볼 것이다.

그럼에도 불구하고 신남철의 문단 개입이 갖는 의의가 평가될 수 있었던 것은 카프문학의 공백을 매우고 있었음에서 찾아질 성질의 것이다. 이 공백기를 채우기 위한 갖가지 이론이나 사조들이 밀려왔다. 이원조의 포즈론, 백철의 휴머니즘론, 이헌구의 행동주의론, 기타 불안 사조 등이 이에 해당되지만 어느 것도 마르크스사상의 그 견고한 과학에 비견할 바가 못 되었다. 이러한 막연함 속에서도 신남철의 존재가 제일 견고해 보였다. 그 자신 유물변증법 위에 선 듯한 몸짓조차 연출한 신남철이고 보면 그가 설사 <미의식>을 염치도 없이 논의하더라도 그것을 사상성으로 간주하고 있었던 까닭이다. 요컨대 이빨 빠진 유물론자의 목소리가 거기 있었다.

「문학과 사상성의 문제」는 6회에 걸친 평론으로 (1)「창작활동과 미의식」, (2)「시각 없는 미」, (3)「작가의 감각과 예지」, (4)「작가와 세계관에 대하여」, (5)「작가와 윤리문제」 등으로 항목화되어 있지만 <사상의 미>라는 말로 요약된다.

> 「비상히 명민한 예지적 사상 속에는 무엇인지 모를 한 개의 엑스(X)가 매장되어 있다고 볼 수 있으니 나는 그것을 <사상의 미>라고 이름 지으려 한다. 이 사상의 미를 자기자신 속에 체득하고 있는 작가야말로 참으로 위대한 작가이며 위대한 문학적 세계관을 가진 작가라고 할 수가 있다. 현대에 있어서 이러쿵저러쿵의 가치평가는 그만두고 오직 최고의 예지적 사상미의 체득자는 지드라고 말할 수 있지 않을까 생각한다.」(1938. 5. 20.)

<사상의 미>란 <인격의 미>, <교양의 미> 등에 준하는 신남철식의 규정이다. 매우 상식적인 이러한 용어를 내세워 그가 주장한 것은 무엇이었을까. 「예술가가 특히 미에의 추구가 강렬하다는 이유 때문에 경험적 체험에 있어서 불근신해도 좋다는 결론은 나오지 않는다. 전인

적 활동이라는 것은 가치측도의 의존근거라고 생각한다.」(5. 21.)에서 보듯 <사상의 미>를 대전제로 하고 있음이 뚜렷하다. 이것은 저 이태준이 언급한 「문학에 있어서는 몰라도 문예에 있어서는 철학(사상)적이라는 이보다는 예술적이 되어야 한다는 태도는 언제나 변치 않는다.」(『조광』, 1937. 9, p.59)에 대한 나름대로의 응답이라 할 것이다.

(3) 잠언을 저작(咀爵)하는 인간형

일제가 중일전쟁(1937. 7.)을 일으켰고, 창씨개명(총독부 제령 19호·20호, 1940. 2.)을 강요했고, 「동아일보」, 「조선일보」 등 민간신문을 폐간(1940. 8.)시켰고 이른바 국민정신총동원연맹(1940. 8.)을 결성 전시체제로 돌입한 시기의 앞과 뒤로 하여 신남철의 내면풍경은 어떠했을까. 이를 엿볼 수 있는 곳은 「전환기의 인간」(인문평론, 1940. 3.), 「문학의 영역」(매일신보, 1940. 11. 27~29), 「유진오저 '화상보' 서평」(인문평론, 1941. 4.), 「동양정신의 특색」(『조광』, 1942. 5.), 「자유주의의 종언」(매일신보, 1942. 7. 1.~4.) 등에서이다.

「신질서와 인간문제」를 특집으로 한 「인문평론」은, 「문장」(이태준)과 쌍을 이루는 신문 없는 시대의 발표지였음은 모두가 아는 일이거니와 또한 전자가 경성제대 출신의 영문학도 최재서의 기획출자에 의했음도 모두가 아는 일이다. 또한 「문장」이 전통지향적 고전적 시적인 성격을 띤 편집태도임에 비해 「인문평론」은 산문적이자 사상적 문화적 성격을 띤 것이었다. 또 전자가 과연 민족주의적 색채를 띠었음에 비해 후자는 세계성을 향해 열려 있었다. <황국신민의 서>를 속표지에 단 「인문평론」의 특집 「신질서와 인간문제」에서 신남철과 김오성의 논문이 제시되었거니와, 그 취지는 이러했다.

「왕조명(친일 중국 내각수반-인용자)씨를 중심으로 하는 지나(支那)의 신정권은 제반 모든 준비가 완료되어 불일간 화평조약이 공표되기까지에 이르렀다 하니 국민이 오랫동안 번망하여 오던 동양신질서의 건설도 머지않아 이목을 갖추게 되었다. 이 위대한 창조의 전야를 당하여 우리가 인간문제를 생각하는 것은 과연 우원한 일일까?

과거에 있어 인류는 역사상 중대한 전환기를 만날 때마다 자기 자신을 반성하고 주위를 관찰하고 역사를 회고하고 그리하여 그 진로를 사색하였던 것이다. 결국 역사는 이것을 인간의 입장에서 본다면 시험과 실패를 거듭하는 동안 차차 완성의 역에 도달하는 일종의 착오법적 과정이라고 생각할 수 있다. 이리하여 역사적 전환기마다 일견 우운한 듯 보이는 인간문제가 가장 절실한 문제로서 사상가와 철학자의 프로그람에 올랐던 것이다(이것은 다음에 실리는 신남철 씨와 김오성 씨의 논문이 친절하게도 가르쳐주고 있다.(p.2)).

중일전쟁 삼 년째 접어든 마당을 전환기로 보고 이에 대처하는 인간문제를 논의한다는 것 자체가 이미 사상사의 과제가 아닐 수 없다. 문학에서 사상성을 문제 삼기에 주된 관심을 가져온 신남철이 나설 수 있는 제일 적절한 자리가 바야흐로 마련된 형국이었다. 천도교와 마르크스사상의 결합모색에 상당한 역량을 가진 김오성의 경우도 사정은 같았다. 그러나 무엇보다 놓쳐서는 안 될 것은 이러한 자리를 마련한 주간 최재서의 존재감이다. 이 자리를 마련하는 마당에서 그는 (1) 국민으로서 국가에 충성을 다할 것, (2) 동양인으로 신동아건설에 공헌할 것, (3) 세계인으로서 인류문화에 기여할 것을 내걸었다. 신남철, 김오성의 발언이란 따지고 보면 최재서의 손아귀에 든 한갓 논객의 그것임에 지나지 않았음이 잘 드러났다. 그렇다면 최재서란 무엇인가. 이 물음의 답은 「국민문학」(1941~1945)지에서 비로소 판독될 성질의 것이다. 「국민문학」지란, 경성제대 법문학부의 적극적 뒷받침 없이는 이루어질 수 없는 것이었다(김윤식, 『최재서의 <국민문학>과 사토 기요시 교수』, 역락, 2009). 문학평론가인 주지주의 이론가 최재서의 위치란 이미 문학의 범주를 현저히 넘어선 자리에 올라와 있었다. 문학을 내세워 그는 전환기를 헤쳐 나갈 이론수립에 몸을 던졌던 것인데, 그를 뒷받침해준 것은 모교 경성제대 법무학부 교수진이었다. 그러기에 최재서는 이미 개인 최재서일 수 없었다. 동우회사건 계류 중 전전긍긍하던 이광수와는 달리 또 경성제대 출신의 과잉 황도파 현영섭과는 달리 최재서는 학구적인 면에서 당당했던 것이다. 그에게 주어진 과제는 국민되기, 동양인되기 그리고 세계인되기에 있었고 여기에 동원된 신남철이나 김오성은 또 이 세 가지 과제에 대한 같은 고민을 풀고자 시도했다.

「전환기의 인간」에서 신남철이 내세운 이론은 서양의 중세에서 시작, 문예부흥기를 거쳐 근대에 이른 과정을 정리하고, 오늘날에 있어 근대의 인간상의 한계를 드러내고자 했다. 신남철은 우선 안정기의 인간상과 과도기의 인간상을 나누고 그 차이를 철학적으로 비교 검토함에서 출발하여 제3의 인간성을 오늘에 해당되는 인간상으로 보고자 했다.

헤겔적 인간상이 안정기의 것이라면 그러므로 주체적 인간상이라면 고민과 회의하는 <필연적 악>으로서의 민중형이상학의 쇼펜하우어를 변혁기의 인간상으로 내세운 다음, <잠언을 저작하는 인간>을 오늘의 인간상으로 제시했다. 그런데, 자세히 살펴보면 제3의 인간형이란 바로 제이의 변혁기의 인간상의 연장선상에 있음이 드러난다.

「<필연적 악>으로서의 민중형이상학(폴크메타피직-쇼펜하우어)이 출현하게 되었다. 이 민중형이상학이라고 하는 것은 민중이기 때문에 통속적인 일상세계에 시사적 담화를 내포하고 형이상학이기 때문에 일정한 논리적 계보를 찾으려고 하는 지식적 흥미의 모색을 나타내는 것이다. 현대의 대다수의 교육 있는 인간은 이 민중형이상학자들이다. 그들은 민중이기 때문에 지배되고 교육되고 격려되며 형이상학자이기 때문에 회의하고 고민하는 것이다. 민중으로서 추종하고 신뢰하면 좋다고 생각하면서도 그 반면에 그들은 형이상학자로서 신화를 이야기하고 역설을 끌어내며 <연이나>(Aber)와 <혹은>(Oder)이라는 접속사로써 그들의 정신적 동요를 함축 있게 표시한다. 그리하여 그들은 운명의 검은 심연에 부닥뜨린 전율을 느끼기도 하는 것이다. 이 민중형이상학은 위대한 전환기로서의 현대의 필연적 악인 운명인 것이다. 현대의 운명은 무서운 것이요 결코 헤겔에 있어서와 같이 친근한 것은 아니라 할 것이다.」(p.13)

전형기의 인간상이 이러한 쇼펜하우어의 민중형이상학에 해당되는 것이라면 여기에서 한발 나아간 것이 1940년에 접어든 오늘날에 인간상에 해당되는 바, 그것은 다른 유형일 수 없고 민중형이상학의 심화에 지나지 않는다고 신남철은 주장했다. 곧, 「우정도 없고 도의도 공덕도 다 내버리고 자기의 동물적 생존의 호화로운 완전을 위하여 배반과 도피와 망각을 다반사로 여기고 있음도 우리가 일상 목도하는 바다. 이것이 현대의 민중형이상학적 인간의 성격」(p.18)이라 본 것이다. <창백한 인텔리>라 불리던 인간들이 이 범주에 흡수되었다는 것, 그리고 창백한 인텔리의 자기분열이 제3의 인간형을 낳는데 <잠언을 저작하는 인간>이 이에 해당한다. 주체적 인간, 객관적 인간, 민중형이상학 그리고 잠언을 저작하는 인간 등의 3가지 인간형에서 볼 때, 주체적·능산적(能産的) 인간상과 잠언을 저작하는 인간상으로 대별되고 말았는데 왜냐하면 창백한 인텔리의 인간상은 이미 소멸해 버렸기 때문이다. 그렇기에 <신화냐> <전체냐> 그리고 <진정한 사실>이냐의 선택 앞에서 어느 쪽을 택할 것인가는 작가의 자유 결정에 맡길 수밖에 없다고 신남철은 결론지었다.

그렇다면 정작 신남철 자신은 어느 편이었던가. 전체냐, 신화냐, 또는 진실한 사실이냐의 세 가지 길 중에 신남철 자신의 선 자리가 <민중형이상학>쪽에 기울어져 있음을 알게 모르게 드러내었다. 헤겔적 주체적 <전체>쪽이 아니라 쇼펜하우어적인 민중형이상쪽이라는 것인데 이는 그의 무의식 속엔 신화쪽을 향하는 어떤 지향성이 들어 있었음을 짐작케 한다. 그렇지만 신화가 심연을 알기에 이 운명적 사실을 자각한 마당에서라면 제3의 유형이 요망되었다고 볼 것이다. 그 신화로서의 민중형이상학이 한층 철저화된 것을 내세울 수밖에 없었다. 이를 두고 <잠언을 저작하는 인간>이라 불렀다. 창백한 인텔리가 해체되어 민중형이상학으로 통합된 것이야말로 신남철이 본 이 전환기의 참된 인간상으로 되는 셈이다.

이 민중형이상학에 확고히 서고자 한 점에서 보면 신남철은 최재서의 생각과는 완전히 빗나간 것이었다. 헤겔적 능산적 주체성에 선 최재서의 처지에서 보면 민중형이상학은 물론 거기에서 한발 나아간 <잠언을 저작하는 인간상>이란 역방향에 서는 것이었다. 이 순간 비로소 신남철은 자기의 입지를 나름대로 굳힌 것이라 할 것이다.

이 논문에 대한 애착의 강도는 해방공간에서 새삼 확인되어 인상적이다. 해방공간에서 신남철은 그의 전공분야에 대한 저서로 「역사철학」(1948)을 내었거니와 이 본격논문의 변형이라 할 시사적 글모음인 「전환기의 이론」(1948)도 펴냈다. 후자의 제3부 제1장 「전환기의 인간」은 제목 그대로 「인문평론」(1940. 3.)에 실렸던 것이다. 1940년 「인문평론」에서 내세운 <잠언을 저작하는 인간>에 대한 상세한 설명을 해방공간에서 그는 또다시 본격적으로 드러낼 수 있었다. (1) 주체적 인간, (2) 민중형이상학적 인간(객체적 인간), (3) 잠언을 저작하는 인간으로 3분할 때 오늘의 인간형으로 상정되는 것이 (3)이라고 1940년에 신남철은 주장했다. 그럼에도 불구하고 이 중요한 인간형에 대한 어떤 설명이나 해설도 하지 않았거나 못했다고 볼 것이다. 해방공간에 와서 비로소 신남철은 이 문제를 정면으로 다시 다루지 않으면 안 되었다.

> 「진보적 인간과 민중형이상학적 인간으로 편성된 인텔리가 전 세대에 있어서의 성격과 사유를 변개하였을 것은 가장 자연스러운 일이겠으나 제3의 <잠언을 저작하는 인간>의 부류 속으로 들어온 인텔리만은 그 관념형태에 있어서 대차가 없는 것이 또한 특징을 이루고 있다. 전 세대에 있어서의 인텔리의 면모를 대부분 보지하고 있는 부류는 이 잠언을 저작하는 인간이다. 그러나 왜제가 패퇴한 뒤 우리의 자유민주통일 독립을 위한 정치적 실천에 있어서 이 제3의 <잠언을 저작하는 인간>은 거의 전부가 제일의 <확신하는 주체적 인간> 속으로 개편되었다(밑줄－인용자). 그러나 그 속에는 약간의 실무적인 보신형과 불이적(不移的)인 반동형 이외에는 거의 다 세계사적 진리의 감각에 예민한 능동적 선구적 주체적 인간유형에 속한다는 것은 군말이 필요하지 않을 것이다.」(백양당, p.195, 밑줄은 원문대로)

일제말기에 있어 가능한 조선인의 인간상이란 (1) 확신하는 주체적 인간도 아니며, (2)민중형이상학적 인간도 아니고, (3) 잠언을 저작하는 인간이었다. 해방공간에서는 극소수를 빼면 거의 모두가 (3)이 되었다고 신남철은 보았다. 곧 헤겔적인 의미의 능산적 인간이 되어야 할 해방공간인데, 그럼에도 불구하고 신남철은 <잠언을 저작하는 인간>에 크게 매달렸음이 판명된다.

「그러면 이 잠언을 저작하는 인간은 어떠한 인간인가」 이렇게 스스로 물은 뒤 신남철은 해방공간에 와서도 이 문제를 다시 복창했다.

> 「잠언이라고 하면 물론 그것은 원래 구약성서 중 솔로몬의 어록이라고 하여 전하여지는 것이다. 그러나 이곳에서 나는 그것을 의미하는 것이 아니라 <이론상 실천상 또는 신앙상 역사적 경험에 의하여 무상의 권위를 가지게 된 준칙, 명제, 또는 공리를 의미한다>는 일반적 견해를 나는 그대로 채용한다. 이러한 잠언을 저작하는 것이니 여러 가지의 맛이 날 것이다. 울쿠고 불궈하며 잘 소화가 될까 어떨까를 생각하여 씹을 것이다. 여러 가지 반성과 회고와 음미로써 자기의 처신할 준비와 방법을 생각할 것이다. 그러므로 그의 행위는 그 역사적으로 확증된 준칙에서 벗어나지 않으려고 할 것이요, <따라서> 명철보신하는 가장 무난한 생활태도를 견지하려고 할 것이다. 위선 잠언을 저작하는 인간형태의 제일의 징표는 좌고우면하면서 <명철보신한다>는 것이다.」(pp.195~6)

<명철보신>, <양지양능(良知良能)>, <명랑한 희망>의 3대 특징으로 요약되는 이 인간형의 대표는 스페인 철학자 우나무노라고 신남철은 주장했다. <명철보신>하면서도 <양지양능>하고 <명랑한 희망>을 잃지 않는 인간 곧 고민하는 인간형이 일제말기에 살아갈 인간형이었다. 회의하고, 투쟁하며 고민하는 인간, 명철보신하는 인간, 또 명랑한 희망을 동시에 가진 인간으로 일제말기를 사는 방법이란 구체적으로 어떠해야 할까. 절망하면서도 희망을 잃지 않는 이러한 인간인 신남철의 일제 말기의 행동은 어떻게 나타났던가. 그것은 그가 발표한 이 무렵의 글들에서 확인가능하다.

신남철의 평론 「문학의 영역」(매일신보, 1940. 11. 27~29)을 일단 분석해볼 필요가 있다. 「신체제－문학의 해석은 이렇다」라는 큰 제목 아래 씌어진 이 글은 이른바 <신체제>를 어떻게 이해, 수용할 것인가를 대전제로 한 것이다. 이를 잠언적을 저작하는 인간의 처지에서 해석할 수밖에 없었다. 이른바 명철보신하기, 양지양능, 명랑한 희망으로 해석하기여야 했을 터이다. 신남철은 신체제에 임하는 태도를 문학쪽에서 살피고자 했다. 어째서 문학쪽에 다시 개입해 들어 왔는가. 누가 외부인인 신남철을 문학쪽으로 끌어들였는가는 물을 것도 없이 신남철식 삼위일체의 소산인 것이다. 그렇다면 신체제를 어떻게 해석할까.

「눈앞에 전개하는 가지가지의 사태를 옳고 바르게 보고 그것에 대한 처지와 장래에 대한 구체적인 방책을 세우자면 대개 다음과 같은 세 가지 계단이 필요하지 않을까 한다. 즉, 첫째로 우리의 앞에 전개되는 역사적인 진상이 말미암아 온 바가 어떠하냐 하는 것이다. 그 현존재의 경향과 되어 있는 모양이 어떠하며 그 속에 묻혀서 그것과 한가지로 움치고 뛰지도 못하게 붙들려 있는 우리들의 <역사적 신체>의 지위가 어떠하냐 하는 것에 대한 속임 없는 통찰과 분석이 필요한 것이다. 이것이 없이는 아무러한 결적인 태도도 표명할 수 없을 것이오 또 그 결정적인 태도, 결의에서 오는 아무러한 행위도 마련할 수 없을 것이다. 그러므로 이 <역사적인 현재>에 대한 객관적인 본질 통찰과 그 추이과정의 분석에서 꼼짝할 수 없는 일개의 법칙을 발견함이 없이 아무 정견도 없는 행위는 자기자신을 그르칠 것은 두말할 것 없고 나아가서는…」(11. 27.)

둘째로 역사적인 현재와 그 속에 묻혀서 그것과 더불어 얽히고 있는 자기의 <역사적인 신체>의 방위를 자각하여 할일을 결정하는 이른바 <역사적 인식>이 불가피하다는 것. 이 역사적 인식이라는 것은 어디까지나 객관적인 동시에 자기의 전생명을 건 주체적 인식이라야 한다는 것. 셋째로 역사적 인식은 어디까지 합리적인 것이어야 하며 따라서 생명의 근원과 맞부닥뜨리는 결단으로서의 <역사적 실천>이어야 한다는 것. 역사적 신체, 역사적 인식, 역사적 실천의 세 가지를 전제조건으로 하여 신남철은 신체제를 해석할 것을 <문학의 영역>에다 제시했다. 실상 위의 3가지는 신체제라는 한 개의 행위에 대한 반응인 만큼 이를 어떠한 <창조적 실천>에로 전개해야 할까는 각자의 몫이라고 그는 주장했다. 곧 철학자의 몫은 위의 3가지 방법론을 제시함에 있다면 문학자는 이 방법론에 따라 창작을 할 수밖에 없다는 것. 본격문학이란 정치적 직접성에서 벗어나 간접화된 작품성으로 임해야 한다는 이 당위론에서 신남철은 더 나아가지 않았다. 이 당위론에서 주목되는 것은 그 자신이 강요에서가 아니라 자발적으로 썼다는 점이며, 또 하나는 그가 주장한 <명철보신>으로서의 <잠언을 저작하는 인간>을 염두에 두었음이다. <명철보신>이야말로 철학적 사색의 포기에 다름 아닐 터이다. <사색일기>라 제명을 단 「형극의 관(冠)」(인문평론, 1940. 10.)에서 신남철이 머리에 내 건 것은 <위선 살자. 그리고 난 뒤에 사상(思想)하자>와 <진리는 이겨라, 그리고 지구는 멸망하라>의 두 기둥이었다. <그날 그날의 엑스타시스>라고 부제까지 단 이 일기란 사색 포기에 다름 아니었다. 「인문평론」이 지식인의 고뇌를 다루기 위해 서인식을 앞세워 설정한 <사색일기>란이 신남철에 와서는 한갓 잡담으로 전락될 수밖에 없었다. 그의 말대로 <우선 살자>였던 것이다.

「전환기의 인간」을 쓴 지 두 해 뒤에 발표한 「동양정신의 특색」(『조광』, 1942. 5)도 <동양사상 특집>에 응한 것이며 <한 개의 동양에의 반성>이란 부제를 달고 있다. 이 논문에서 신남철은 마르크스의 아시아적 침체성에 기초하여 그 단점을 지적한 다음 이러한 자신도 없는 결론을 내놓았다.

> 「이 침체성(아시아적－인용자)이라는 것은 결코 결점이 아니라 도리어 장점이 되었다고 하는 것을 잊어서는 아니 된다. 그러면 동양적 특수성의 지반으로서의 정체성과 그것에서 연유하는 전체에의 몰입・합일성은 현대에 있어서 어떠한 의의를 갖느냐가 당연히 문제되어 오지 않아서는 아니 될 것이다. 그러나 이것은 나의 이 논고 이외의 과제가 되므로 <동양정신의 특색>이라고 하는 주어진 문제의 해답은 이것으로써 위선 만족하기로 한다.」(p.183)

<잠언을 저작하는 인간>으로서의 신남철의 명철보신론이 한층 구체화된 것이 <사변기념문화논문>이란 큰 기획 아래 씌어진 「자유주의의 종언」(매일신보, 1942. 7. 1.~4.)이다.

일찍이 임화는 독일공군의 런던 폭격을 지켜보면서 「서구문화의 종언」(매일신보, 1940. 1. 6.)을 쓴 바 있다. 「여태까지의 서구문화를 형성했던 기초인 인간적 합일의 양식(樣式)이 시민적 양식에 불과하였다면 그 대신 전쟁의 결과 인간적 합일의 다른 양식이 발견된다면 문화는 다시 구출될 수도 있지 않을까」라고 임화는 예측하였지만 거기에는 망설임이 동반되어 있었다. 신남철의 경우는 대동아전쟁 6년째인 시대적 절박감도 있었지만 아주 단호한 주장에까지 나아갔음을 볼 수 있어, 잠언을 저작하는 인간상의 적극적 측면을 드러냈다. 개인주의를 기초로 하는 서구 자유주의가 종언을 고하고 이에 대치될 새로운 인간상이란 <국가목적에 자기의 전생명을 통일시키려하는 우수한 비판하는 개인>이어야 한다는 경도제대의 다나베 하지메(田邊元)의 견해에 동의하고 있다.

국가를 절대적 우위로 하는 조건 없이 개인의 자유란 있을 수 없다는 것, 이를 철학적으로 해명하기란 관점에 다른 것이어야 얼마든지 가능하겠지만 정작 <사변기념 문화논문>의 성격상 이 논문이 겨냥한 곳은 당연히도 대동아전쟁이 가져올 세계사적 성격에서 오게 마련이다. 이 점에서 신남철은 서인식 인정식 등 좌파지식인들의 대동아전쟁관에 대한 태도와 어느 점에서 일치하고 있다.

첫째, 이번 전쟁은 자유주의 국가인 영·미의 식민주의를 아세아가 물리침에 있다는 것. 둘째는 이 점이 중요한데, 아시아적 침체(마르크스)를 이 전쟁을 통해 극복한다는 것. 사상 미증유의 거대한 전쟁이야말로 중국 4천년의 민족생활이 근본적으로 개선될 것임에 그 최대의 의의를 갖는다고 신남철이 결론지었을 때 그는 인정식의 식민지근대화론에 접근된 것이어서 서인식의 원칙론과는 일정한 거리를 둔 것이다.」(米谷匡史, 「Asia/Japan」, 岩書波店, 2006, 조관자, 「식민지 조선, 제국일본의 문화연환」, 有志舍, 2007, 제3부) 그렇기는 하나, 명철보신하는 신남철의 이러한 방식에서 감지되는 것은 철학이 갖는 추상성의 요령 또는 위장술이다. 문학이라면, 이러한 소리를 펼치기 어려운데 구체성이 요망되기 때문이다. 철학이기에 저 높은 지붕위에서 장대로 별을 따는 일(유진오 표현)도 가능했을 터이다. 문학과 철학에 양다리 걸치기로 일관했던 신남철이 문학쪽을 떼버리는 계기가 여기에서 왔다. 일찍이 신남철은, 문학에는 <명랑성>이 있고 철학에는 <명석성>이 있음을 두고 곧 제3의 지대를 표나게 내세운 바 있고 또 <우울감－시－투쟁>의 삼위일체성을 내세운 바도 있다. 이를 통틀어 비로소 <잠언을 저작하는 인간>이 되는 셈이다. 곧 그것은 <명랑성－명석성－제3의 노선> 또는 <우울감－시－투쟁>의 다른 이름이었다.

해방공간에 와서야 비로소 신남철은 자기가 세운 도식을 솔로몬의 어록으로 표현할 수 있었고, 이로써 일제말기를 살아온 지식인으로서의 자기처세술을 드러낸 형국이었다. 그렇다면 해방공간에서는 <잠언을 저작하는 인간>은 어떻게 또 변신해야 할까.

(4) 제2의 전환기의 인간상

<전환기의 인간>이란 무엇이었던가. 8·15해방 이전, 그것도 일제말기 군국 파시즘이 극도에 이른 시기에서 살아야 했던 인간이었다. 명철보신, 양지양능, 명랑한 희망을 겨냥한 인간 곧 <잠언을 저작하는 인간>이어야 했다. 신남철 자신을 포함한 많은 지식인들이 그렇게 함으로써 전환기를 살아 넘겼다. 신체제 하에서의 「문학의 영역」을 썼고, 동양정신의 결점이 바로 장점일 수도 있다는 논리의 직전에까지 와서 딱 멈춘 신남철도, 「문화인이란 최저의 저항선에서 이보 퇴각 일보 전진하면서도 싸우는 것이 임무」라고 본 임화도 사정은 마찬가지라 할 것이다. 곧, <무엇을 어떻게 썼느냐>가 임무라는 것, 「좀 힘들어지니까 또 옷, 밥이 나오는 일도 아니니까 쑥 들어가 팔짱을 끼고 앉았는 것이 드높은 문화인의 정신이었다고 생각하는 데는 나는 반대」라고 전제한 임화는 문인들의 자기비판의 자리에서 「내 마음 속 어느 한 구퉁이에 강잉히 숨어 있는 생명욕이 승리한 일본과 타협하고 싶지 않았던가?」(「인민예술」, 창간호, 1946. 2, p.44)라는 발언을 했거니와 이 역시 잠언을 저작하는 태도가 아닐 수 없다. 해방공간에 임해 신남철은 물론 <전환기의 인간>에서 여지없이 벗어났음을 이렇게 발언했다.

「이것은 파시즘의 대두와 그 멸망에 이르기까지의 시기에 있어서의 인간형태에 대한 고찰이다. 그러나 인민적인 민주세계를 건설하려는 현금의 완전 해방을 위한 투쟁의 시대에 있어서도 그 원리는 그대로 적합하는 것이라고 생각한다. <지금・이곳>의 지식계급의 향방에 대하여 우리는 심절(深切)한 주의를 게을리하여서는 아니될 것이다. 국토를 반분한 단정(單政)을 세우고 민족을 분열시켜 토벌을 주장하는 일부 정치가의 반과학적 언동에 대하여 이 아고니아(고민의 원말－인용자)의 지식계급이 어떻게 처신하여야 할 것인가는 자명한 일이 아니다.」(「전환기의 이론」, pp.198~199)

「역사 철학」과 함께 「전환기의 이론」이 거의 동시에 나왔거니와 전자가 원리적 학구적인 것이라면 후자는 현실에 대한 그 원리의 적용으로 볼 수 있다. 「역사철학」이 간행되었을 때 유진오는 재빨리 서평을 쓴 바 있다. 수록된 7편 중 3편이 「신흥」에 발표되었음에 대한 감회가 서평 집필의 첫 번째 동기였다. 경성제대 출신 조선인 중심의 종합 학술지인 「신흥」인 만큼 경성제대에 한발을 딛고, 다른 한발은 조선 현실 쪽에 딛는 첫무대가 「신흥」이었던 만큼 유진오는 이 감회를 먼저 적었다. 「경성제대 법문학부 조선인 동창회에서 발행하던 말하자면 일 교우회 잡지」인 「신흥」이란 「청춘의 정열을 경주해서 그것을 통해 학문건설」에 나아간 것인 까닭이다. 신남철의 경우 이 무렵 이미 <변증법적 유물론>의 위에서 세운 체계였다. 유진오의 논점이 강조된 곳은 <변증법적 유물론>에 있지 않고, 사색적인 견고한 논리의 구축에서 왔다.

「8・15 이후 지금 우리는 이론 없는 해동의 폭풍 속에서 3년이란 세월을 고민해 왔다. 그러나 행동 없는 이론이 공허한 것과 마찬가지로 이론 없는 행동은 맹목인 것이다. 맹목으로는 우리는 자주독립국가의 건설이라는 역사적 과업을 수행할 수 없다.」(동아일보, 1948. 4. 10.)라고 본 점에서 유물변증법을 굳게 물리치는 처지에 선 유진오의 학구성이 뚜렷하다. 유진오의 처지에서 보면 헤겔식 절대정신의 자기발전을 사회가 물질적 제 관계를 대치하는 것만으로는 민주주의적 인민의 철학이 될 수 없다는 것으로 된다. 헤겔식 절대주의란 인민의 이론이기에 앞서 <독재>의 이론인 까닭이다.

신남철 자신은 「역사철학」에서 역사·사회적인 인간이 그때그때의 <지금과 이곳>에 있어서 어떻게 누구를 위하여 무엇을 할 것인가를 원리적으로 제시했다고 자부하고, 이를 구체적으로 논한 것이 「전환기의 이론」이라는 대전제하에서 제1부문은 사회과학편 제2부문은 교육문제편 제3부는 휴머니즘편으로 구성했다. 그러나 기본적으로는 해방공간 3년간을 <지금·여기>로 보고, 이 시기를 한마디로 <전환기>라 했음을 알아낼 수 있다.

일제 말기, 파시즘이 창궐하던 시기란 신남철에게 무엇이었던가. 바로 <전환기>였다. 그는 이 전환기를 살아가는 인간상을 명철보신 곧 <잠언을 저작하는 인간>이어야 함을 내세웠다. 그런데 해방공간 3년째에 와서도 그러한가. <그렇다!>라고 그는 조심스럽게 승인하고 있었다. 「그러나 인민적인 민주세계를 건설하려는 현금의 완전해방을 위한 투쟁의 시대에 있어서도 그 원리는 그대로 적합하는 것이라고 생각한다.」(p.198)라고 신남철이 말했을 때 그 아래에는 <단정>이 가로놓여 있었다. 남한단독정부안(1947. 11.)에 이어 김구의 단정반대 남북협상제의(1948. 3.) 또한 김구의 방북(1948. 4.)에 이어 제헌국회선거(1948. 5.) 대한민국 수립(1948. 8. 15.)에 이르는 과정이 1948년도의 <지금·여기>의 역사적 현실이었다. 신남철의 「전환기의 이론」이 씌어진 것은 1948

년 4월이었고 간행된 것은 그 한 달 뒤였다. 이 <지금・여기>에서는 일제 말기의 <지금・여기>의 처세술이 그대로 요망된다고 신남철은 주장했다. 곧 남한의 단독정부가 성립된 상황이란 철학자인 신남철로서는 일제말기 파시즘 상황과 동일한 것으로 보여 마지않았다. 그가 월북하고 백남훈학파에 들고 김일성대학 철학과에 흡수되었음은 <잠언을 저작하는 인간>에서 벗어나 <결단을 요구하는 인간>으로 나아갔음을 가리킴이라할 것이다. 그렇다면 「전환기의 이론」이 놓인 문제점은 어디에 찾아야 할까. 신남철의 이 저작 제목에 유의한다면 8・15에서 남한 단독정부수립까지 이른바 해방공간 3년을 가리킴이다. 이 3년이 전환기라 할 때 그 근거는 어디에서 왔는가. 이 물음에 대해 신남철은 다음과 같이 <전환기>를 <전형기>라 재규정했음에 주목할 것이다.

「전환기는 말하자면 한 역사적 사회가 다른 역사적 사회로 과도하는 시기 즉 간투기(間投期)이다. 이 시기는 정히 필연적으로 저쪽으로 옮겨 만드는 주체적 실천의 시기−중간에 투척되어 있는 전형기(transformationsperiod)이므로 인간이 어떻게 무엇을 해야 하느냐는 다른 안정된 시기에 비하여 두드러지게 중요한 것이다. 그러면 그 실천의 주체자인 인간은 어떠한 것이냐. 그것은 추상적인 인간일반이 아니라 정치적 경제적인 인간이요 민족적인 인간인 것이다. 즉, 역사・사회적인 인간인 것이다. 민족적으로 계보를 이어서 역사적으로 형성된 인간인 것이며 정치적인 제도 속에서 경제적으로 생산을 위하여 노동하며 사회적으로 생존해온 인간인 것이다. 이러한 인간이 역사적 사회가 비약하는 간투과정 속에서 어떻게 발랄한 청년성을 유지하여 창조적 지성의 자유를 주장할 수 있느냐 하는 것은 <저쪽>의 새 사회에로 모든 질곡을 타피하고 <옮겨 만드는> 실천에 있어서 중요한 요건이 되지 않으면 아니 될 것은 두말할 필요가 없는 일이다.」(pp.4~5)

<전환기>라 했으나 그 구체적인 내실은 <전형기>임이 잘 드러나 있다. <이쪽>에서 <저쪽>으로 옮겨 창조하는 것, 그런 옮김의 창조성이 그 내실이다. <지금·여기>가 신남철에겐 남한이었고 그 단독정부였다. 이를 넘어서 <저쪽·여기>에로 나아갈 시기를 두고 <전형기>라 했다. 큰 틀에서 보면 <전환기>이지만 해방공간에서 그것은 전형기인 바 그것은 창조성으로 정리된다. 새로운 창조의 주체를 신남철은 <청년성>이라는 <역사적 인간신체>의 관점에서 규정했다.

그러나 이러한 전형기로서의 가치창조의 청년성을 가로 막는 것이 <지금·여기>의 단독정부수립이었다. 이쪽(남한)의 <지금·여기>를 포기하는 길, 이곳을 떠나는 길밖에 길이 없다고 판단되면 어쩨야 할까. 월북하는 길밖에 다른 방도가 없었을 터이다(신남철의 월북전후의 장면은 정종현, 「신남철과 대학제도의 안과 밖」, 한국어문학연구, 2010, 제54집). 이 순간 <역사적 인간 신체>로서의 <지금·여기>에서의 <청년성>은 나이를 잃게 된다. 그것은 다시 <소년기>로 퇴행하든가 아니면 <노인성>에로 될 수밖에 없었다. 그도 그럴 것이 그가 간 <저쪽>은 이미 획일적 전체성, 완벽성, 완결성으로서의 유물변증법의 세계였던 까닭이다.

제2부

제1장 신문학사의 방법론에 이른 과정
-임화의 대응방식

(1) 임화의 윤리감각

시인이자 비평가이며 또한 카프의 서기장을 역임한 임화의 윤리적 위기감과 외부인 신남철의 신문학사에의 개입은 분리시켜 논의하기 어렵다. 1935년 임화에 있어서는 형언할 수 없는 심리적 수압을 견디지 않으면 안 될 상황이었음에 주목하지 않을 수 없다. 이른바 카프문인 거의 전원이 전주감옥에 수감되어 바야흐로 기소 직전에 놓였음에 주목할 때 정작 카프의 대표자격으로 자타가 공인하는 임화가 빠졌던 것은 엄연한 객관적 사실이 아닐 수 없다.

「팔봉이 끌려내려 왔다가 일 개월도 못되어 석방되어 올라간 일에 대해서도 이야기가 많았다. 총독부의 기관지 <매일신보>의 사회부장을 하고 있었으니 석방되는 것이 당연하다느니 아니 그 이상의 무슨 비밀이 있다느니 하는 이야기들이 유치장 안에 꾸준히 떠들고 있었다. 그 중에서도 특히 임화가 끌려오지 않은 데 대해서 이야기가 많았다. 참으로 임화는 여러 가지의 재주를 가지고 있는 사람이었다. 임화는 자기 신변이 위급해질 때는 일부러 졸도를 하는 조화를 부렸다. 그때만 해도 일경들이 임화를 검거해 가지고 경성역까지 나왔는데 역전에서 갑자기 쓰러져 졸도를 했기 때문에 연행을 하지 못하고 역전에 있는 세브란스병원에 입원을 시키고 경관만 전주로 내려왔다는 것이다. 그 밖에도 임화에 대한 이야기가 많았다. 더구나 카프사건이 있는 동안에 그는 전처인 이귀례와 이혼을 하고 마산에 가서 이현욱과 결혼을 하여 편안히 지낸다는 이야기 등, 많은 뜬소문을 낳고 있었다. 어쨌든 이 카프사건에 서기장인 임화가 빠졌다는 것은 세상의 의혹을 살만한 일이었다.」(백철, 『문학자서전－진리와 현실』, 박영사, 1975, p.313)

임화와 인간적인 면에서 제일 가까웠던 백철의 이 기록은 신남철을 <속학 서생>이라 혹평하여 물리치고자 한 대논문 「조선신문학사론서설」의 결말 부분과 맞물려 기묘한 느낌을 자아내기에 모자람이 없다. 곧 <乙亥十日 馬山 病>라고 적어 마지않았다. 전처 이귀례는 카프동경지부장이자 「무산자」의 발행자 이북만의 누이였고, 재혼의 이현욱은 카프 동경지부 중앙위원 이상조의 누이며 훗날 필명 지하련으로 소설가로 데뷔(백철 추천)하여 단편집 『도정』을 남겼고, 임화와 함께 월북한 인물이다(김윤식, 『임화연구』, 문학사상사, 1989).

카프 문사 거의 전원이 욕중(1934. 7~1936. 12)에 있는 이 거대한 문학사적 공백기를 채운 것은 경성제대 법문학부 출신의 유진오였음도 기묘한 느낌을 물리치기 어렵다. 유진오의 「김강사와 T교수」(신동아, 1935. 1, 재수록, 삼천리 1935. 3.)의 위상은 이 점에서 크게 강조될 성질의 것이다. 일본의 대학에서 계급사상을 깊이 공부하고 귀국한 수재인 조선인 김 씨가 모전문학교에 취직은 되었으나, 학생시절의 사상활동으로 일인 T교수의 협박 앞에 전전긍긍하는 모습을 그린 이 소설은 카프 전주사건의 의미를 높은 수준에서 대변한 밀도를 지닌 유일한 작품이었다. 이로써 카프문학의 공백기는 어느 수준에서 극복된 것으로 평가될 수 있다. 바로 여기에서 임화의 윤리적 문제가 제기된다. 서기장 임화가 할 수 있는 것이란 무엇인가. 시인 임화는 시를 쓸 수 없었는데, 왜냐면 시란 이 경우 정치였기 때문이다. 문인 임화는 소설을 쓸 수 없었는데 왜냐면 그는 소설가가 아니었기 때문이다. 비평가 임화는 비평을 쓸 수 없었는데 비평 곧 정치였기 때문이다. 아무리 돌아보아도 나아갈 지평은 보이지 않았다. 이 절체절명의 위기에서 임화를 구출한 사건이 일어났다. 곧, 신남철의 신문학사에의 개입이 그것이다. 이 순간 임화의 머릿속에 번개처럼 스친 것이 바로 신문학사의 방법론 모색이었다.

시인도 작가도 비평가일 수도 없는 임화에 있어 시도 비평도 작품도 아닌, 논리가 꽉 찬 장면에 부딪쳤을 때 가능한 것은 마르크스의 『자본론』의 저류에 흐르는 바로 그 유연성, <자유>의 개념과 흡사한 것이었다. 관념변증법도 유물변증법도 아닌 제3의 변증법, 곧 행위변증법 또는 현실변증법이 그것이다. 도무지 어떤 사전 계획이나 명확한 두뇌의 조작으로도 불가능한 장면, 앞뒤 좌우가 꽉 막혔을 때에야 비로소 가능한 행위변증법이 임화를 구출했던 것이다.

「사고 스스로 죽어서 새롭게 조금씩 부활하여 가는 것과 같이 현실도 현실자체가 꽉 막혀 그 현실 사이에 끼어버린 우리 스스로가 절망에 조금씩 젖어 스스로를 방기함으로써 현실의 자기돌파에 요구되는 바탕(그릇)이 되는 것이다. 현실의 원리인 절대의 전환이라든가 절대무라든가 하는 것은 매개자에 자기스스로를 바치는 것에 의해 새로이 전개되는 것이라 여기지 않으면 안 된다. 이것은 이른바 유물론적으로 곧, 마르크스의 말대로 우리들 뇌수 속에서 만들어지고 우리들 뇌수에 번역됨으로써 관념화되는 물질이라는 것의 운동으로는 포착되지 않는 것이다. 왜냐면 현실도 사유도 자기부정적으로 앞길이 꽉 막혀 전회하는 것이 우리들 자신의 행위를 매개로함에 의해 그 행위에 있어 현실과 사유는 서로 전환적으로 마주 합해지고 그 사이에 뚜렷한 선을 그을 수 없다. 관념에 완전히 독립되어 대립하는 물질이란 이러한 현실을 치환할 수 없기 때문이다.」(田辺元철학선(Ⅲ), 岩波文庫, p.200)

이것이 마르크스가 『자본론』의 저류를 설명함에 『파우스트』를 내세운 이유가 아닐 수 없다. 태초에 있었던 것은 logos도 언어도 아니고 행위였던 것. 그것은 앞뒤 전후좌우가 꽉 막혔을 때 취하는 몸부림이기에 우연성이자 자유를 머금지 않을 수 없는 것이다. 시인으로도 비평자로서도 나아갈 지평이 꽉 막힌 1935년이었다. 전주 감옥의 일년 반의 옥살이란 관념론일 수도 유물론일 수도 없는 것. 앞뒤, 좌우가 꽉 막힌 현상이 현실로 거기 버티고 있었다. 임화에 있어 행위란, 자유 곧 우연성의 개입이 유일한 타개책이었다. 그런데 그것은 임화의 내부에서 올 성질이 아니었다. 우연성, 자유란 따라서 외부에서 일방적으로 주어졌다. 문학사라는 이름의 전례 없는 사건성이 이에 해당된다. 신남철의 신문학 개입은 개인 신남철과는 전혀 무관하다. 단지 철학도의 손과 발을 빌린 우연성의 방문이었던 것이다. 문학사란 무엇인가. 「혈의 누」(1906), 「해에게서 소년에게」(1908) 이래 이 나라 신문학은 단 한번도 <신문학사>라는 이름을 진지하게 그러니까 본격적으로 들은 적도 본 적도 없었다. 1935년을 전후해 나이 30세에 이른 이 땅의 신문학인데도 어째서 단 한번도 <문학사>의 절대적 개념을 떠올 수 없었던가. 절대적 개념으로서의 신문학사를 떠올리지 않았음이란 새삼 무엇인가. 그것은 헤겔적 의미와 무관하지 않다. <이성적인 것은 현실적이며 현실적인 것은 이성적이다>(『법철학』 서문)라는 명제는 겉으로 보기엔 상호반전적인 양의성에 의해 많은 의혹을 낳기에 알맞았다. 명제의 전반부가 현상타파의 혁신적 의견의 표명으로 들림에 대해 후반부는 현실긍정의 보수적 의견의 표명으로 들리기 때문이다. 그러나 헤겔의 의도는 무엇이었을까. 그런 뜻이 아니라 현실을 지배하는 이성적 법칙을 개념적으로 파악해야 한다는 것이었다(中村雄二, 『문제군』, 岩波新書, 1988, p.110).

풀이해서 말해 헤겔은 어떤 인간적 역사적 복잡성에 대해서도 도전하여 어떤 현실의 불투명성에 대해서도 고도화된 이성에 의해 해명하고자 할 때 뚫고 나가고자 하다가 꽉 막혀 철저화된 이성과 꽉 막혀 철저화된 현실이 서로 접근하여 서로가 반전함을 겨냥한 것이었다. 이 점에 비추어 보면 개념적 파악이란 절대적인 것을 전제로 한 것이 아닐 수 없다. 그동안 이 나라 신문학사는 한 번도 그것이 절대적인 것, 개념화된 것으로 인식된 바 없었다. 적어도 신남철의 「최근 조선문학사조의 변천」(1935) 이전까지는 그러했다. 신남철이라는 외부, 더구나 헤겔을 원어로 가르치는 경성제대 철학과 출신의 신문학에의 개입은 신문학사를 개념적 존재로 파악하게끔 강요했다고 볼 것이다. 이 강요사상 앞에 가장 먼저 또 본격적으로 충격을 받은 것은 오직 임화 한사람뿐이었다. 김팔봉의 「10년간 조선문예변천과정」(조선일보, 1929, 1~2), 「조선문학의 현단계」(신동아, 1935. 1) 등이 없지는 않으나 그것은 어디까지나 내부의 파열음 같은 것이기에 임화의 처지에서 보면 상식적 수준에 지나지 않았지만 신남철의 경우는 사정이 크게 달랐다. 이른바 타자의 개입이었다. 그것은 이성적인 것이 현실적이요 현실적인 것이 이성적임을 강요하는 사안이었다. 실상 전주 사건으로 카프전체가 철저히 막혔음에 주목할 것이다. 나아갈 문학의 현실적 지평이란 철저히 막혔고 여기에다 헤겔의 관념론이 엄습해 왔다. 이 타자에 맞서기 위한 임화의 방법은 필사적일 수밖에 없었다. 그 방법론은 무엇이었던가. 이 물음에 천금의 무게가 실려 있었다. 임화, 그는 그 방법론을 자각적으로 깨치지 않으면 안 되었는데, 바로 헤겔의 <이성>=<개념>의 도입이 그것이다.

타자란 무엇인가. 이 물음은 이성만이 말할 수 있는 것이 아닐 수 없다. 아무리 이성이 철저해도 현실의 저 철저한 불투명성을 깡그리 극복할 수 없지만 이 이성 없이는 현실의 불투명에 대한 인식이 나올 이치가 없다. 그 이성의 몫이란 현실을 개념화하는 길이 아닐 수 없다. 헤겔의 이성이 임화에게 가르친 것은 이성의 자각이었다. 임화에 있어 또 김팔봉에 있어 신문학이란 또 이광수나 김동인에 있어 신문학이란 개념의 일종이긴 해도 자각적인 것이 아니어서 일종의 현실에 가까운 대상에 지나지 않았다. 공기를 의식하지 못하듯 그동안 신문학은 의식의 대상이기에 앞서 삶의 대상이자 현실자체에 가까운 것이었다. 날 때부터 몸에 갖춘 기관이거나 피부와 같은 것이어서 도무지 자각할 필요도 없는 자연현상에 다름 아니었다. 그러한 신문학이 1935년을 전후해서 돌연 타자로 군림했다면 어떠했을까. 임화가 받은 충격은 실로 난처할 정도를 넘어 거의 절망적이었던 것으로 추측된다. 신남철을 두고 <속학서생>이라 혹평할 정도로 비판한 그 반응이 이 사실을 뒷받침해 준다.

신남철을 통해 헤겔이 임화에게 가르쳐 준 것은 다름 아닌 신문학의 개념화(체계건설화)의 길이었다. 입은 옷이거나 피부와 같은 현실의 신문학의 길이 전주사건으로 철저히 막힌 마당에 헤겔은 임화에게 신문학의 개념화를 물었다. 신문학의 개념화란 일차적으로 이성의 소관이라는 것, 그것의 철저화는 현실의 길이 막혔을 때 비로소 가능해진다는 것(상호 전환) 신문학의 개념화란 필연적으로 신문학사를 대전제로 한다는 것으로 정리될 수 있다. 앞장에서 유독 전주사건에서 제외된 카프 서기장의 윤리적 반응이 신남철의 공격으로 나아간 측면을 검토했지만, 그것은 본질적인 측면과는 일정한 거리가 있다. 그러한 윤리적 측면보다 한층 높은 수준의 논리가 따로 있기 때문이다. 헤겔이 말하는 이성, 그리고 현실 또 <이성적인 것>과 <현실적인 것>의 상호 반전의 변증법이야말로 의식적이든 무의식적이든 임화를 사로잡았던 것이다. 신남철을 두고 <속학 서생>이라 매도한 때로부터 무려 5년의 세월이 요망될 정도로 서서히 또 그만큼 본격적으로 그것이 찾아왔음이 이 사실을 한 번 더 시사해 놓고 있다.

본격적으로 임화가 신문학사를 골똘히 도모하고 이를 연재한 것은 다음과 같다.

(A) 『개설 신문학사』(조선일보, 1939. 9. 2.~10. 31. 총 43회)
(B) 「신문학사」(조선일보, 1939. 12. 8.~12. 27. 총 11회)
(C) 「속 신문학사」(조선일보 1940. 2. 2.~5. 10. 총 48회)
(D) 「개설 조선신문학사」(인문평론, 1940. 11.~41. 4. 총 4회)

이러한 1년 8월에 걸쳐 발표된 신문학사의 정식 명칭은 <개설 조선신문학사>로 되어 있다. 논의에 앞서 두 가지 점을 먼저 지적할 필요가 있다.

첫째, <개설>이라 했다는 점. 이를 연재하면서 <개설>에 대한 자기의 견해를 이렇게 밝혀 놓았다.

「여기에서 나는 신문학의 기술적 통사」(記述的 通史)를 기도하고 있지 않다. 불과 30년의 단기간이라 하지마는 그 사이에는 세기의 변천이 하나 들어 있고, 서구문학사의 기백 년 간에 필적할 내용이 또한 그 속엔 포함되어 있다. […] 이러한 역사적 시간의 단축은 이식문화사(移植文化史)의 한 특징이거니와 동시에 그 문화내용의 조잡과 혼란은 필수의 결과로 연구자에게 막대한 곤란을 맛보게 하는 것이다. 더욱이 조선 신문학사의 30년이란 시일은 동양문화권 내의 일 지방이 처음으로 서구문화에 접촉하고 그것을 이식한 기간의 전부요, 또한 그 기간 동안에 서구문화상 중대한 추이를 아울러 체험하였던 만큼 복잡성은 이중으로 배가되어 있다. 더욱이 이 복잡성을 면하기 어려울 만한 상태로 인도하는 또 하나의 사실로 우리는 정치사정의 중대변화를 특기하지 아니할 수 없다. 즉 30년간의 단시일을 두고 두 개의 전연 상이한 정치상태가 갈라놓고 있는 것이다. […] 앞으로 많은 연구자의 인내와 노력과 그리고 부단한 정진에 의하여 비로소 이러한 복잡성은 천명되어 단순화되고 난관은 극복될 것이다.」(조선일보, 1939. 9. 2.)

비서구 속의 근대화만 해도 난감한데, 일제식민지라는 처지가 가져온 또 다른 복잡성의 이중화가 가져온 난점이 저토록 걷잡을 수 없는 판이기에 통사(通史)란 씌어질 수 없다고 임화가 말했을 때 그는 이미 시인도 비평가도 아니고 문학사가의 자리로 옮겨가고 있었다. 통사란 개별 연구 가령 신시사, 신소설사, 신비평사 등이 또 작가론, 작품론, 사조론 등등이 이루어진 연후에야 씌어질 수 있는 법이다. 신문학사를 쓰기에는 그러니까 통사로서의 신문학사의 집필은 먼 훗날의 일이 아닐 수 없고 보면 지금 할 수 있는 가능한 일은 무엇일까. <개설>이 그 정답이다. 곧, 통사의 기술을 위한 준비단계로 착수한 것이 『개설 신문학사』로 되는 셈이다.

둘째, 연구자로 되었다는 점. 이러한 초보적 사실을 가르쳐준 쪽이 헤겔이었다. 개념화의 법칙이 이에 해당된다. 불투명한 현실을 개념으로 전위시킴이 변증법이며 학문이기에 이를 자각했을 때 임화는 벌써 시인도 비평가도 아닌 문학사가 곧 체계건설형 <연구자>였던 것이다.

연구자란 새삼 무엇인가. 자료를 수집 분석하고 이를 종합(토대로)하여 현실을 개념화하는 힘이 학문의 첫걸음이다. 「역사의 영역에 있어 전연 그 아마추어인 필자가 대담한 기도를 시험함은 훌륭한 일 권의 통사를 열망하는 단순한 염원에서이다」라고 임화가 말했을 때 그는 이미 연구자로 전환되어 있었다. 이 연구자에 있어 최소한 갖추어야 할 조건이란 무엇인가. 이는 곧, 역사연구의 필수조건에로 향하기 마련인 바 <법칙>의 발견이 그것이다.

「역사적 개괄이 또한 역사적 투시력을 낳고 거기서 일관된 법칙이 발견되어 비로소 기술(記述)이 가능하게 된다. 그 기술 가운데 그 역사의 고유한 과정과 발전이 표현된다」라고 한 임화의 이 목소리는 바로 헤겔의 것이 아닐 수 없다. 역사의 법칙성, 그것은 곧 현실의 불투명성을 극복하는 학문적 방법이며 이를 개념화라 할 것이다.

그렇다면 연구자 임화는 그러한 법칙성을 발견했을까. 이 물음이야말로 임화의 한계이자 신문학사 자체의 한계가 아니면 안 되었다. 『개설 신문학사』는 끝내 거기에 머물러 한발자국 나아갈 수 없음이 그 증거이다. 신문학사의 <통사>가 씌어진 것은, 정작 해방공간의 백철의 「조선문학사조사 상, 하」(1947~8)를 기다려야했다(김윤식, 『백철연구』, 소명출판사, 2008). 그 이유는 무엇일까. 헤겔식으로 말해 역사의 법칙성 발견에 임화가 이르지 못했음이 그 참이유였다. 실상 『개설 신문학사』는 신소설, 그것도 신소설 중 이해조의 「구의산」, 「춘외춘」 등의 언저리를 맴돌다 끝내 중단되고 말았던 것이다. 무엇보다 임화가 직면한 난점은 역사의 발전법칙에 관한 것이었다. 그는 남은 혼신의 힘으로 이 역사의 발전 법칙을 찾아나서지 않으면 안 되었다. 이 점에서 「신문학사의 방법론」(동아일보, 1940. 1. 13.~20)은 방법론에 대한 유례없는 고민의 노출이라 할 것이다. 그러나 딱하게도 그는 이 방법론 탐색에 몰두한 나머지 스스로의 입지를 잃지 않으면 안 되었다. 몰두하면 할수록 그는 방법론 앞에 순사할 수밖에 없었다. 헤겔의 원서가 그에겐 없음과 이는 결코 무관하지 않다.

(2) 시인, 비평가에서 연구자 되기

해협의 낭만을 읊던 「현해탄」(1938)의 시인이자 작품의 잉여적 가치에 주목하며 유물변증법적 창작방법론에서 한발 내려앉은 왕년의 카프 서기장 임화가 신문학사를 객관적 대상으로 바라보기 위해서는 「현해탄」의 낭만도 변증법적 창작방법도 일단 시렁위에 올려 놓지 않으면 안 되었다. 왜냐면, 신문학사를 대상으로 바라볼 때 그것은 연구의 객관적 대상으로 변질되기 때문이다. 시도 비평도 버리고 연구에 임하기, 시인도 비평가도 아닌 연구자로 되기가 아니면 안 되었다. 거기에는 엄청난 대가의 지불이 요망되었다. 신문학사란, 따지고 보면 광물이나 동식물과는 달리 임화에 있어서는 그가 전력을 기울여 살아온 체험의 현장이자 자기가 그 속에 포함되어 그것을 형성해온 몸의 일부가 아니었던가. 따라서 엄밀히 말해 대상인식이 불가능한 존재가 아닐 수 없었다. 신문학사 속에 임화 자신이 들어있었던 만큼 이를 객관화함이란 바로 자기 자신의 객관화하기이며 따라서 자기의 일부 또는 거의 전부를 포기하지 않으면 안 되었다. 여기에는 위험이 따르지 않을 수 없는 바, 자기를 송두리째 잃을 가능성이 있기에 그러하다. 자기를 포기하기와 자기를 지키기의 강도에 의해 비로소 가능성의 길이 열릴 성질의 상황이었다. 다시 한 번 헤겔의 『법철학』(서문)의 논법의 비유가 요망되는 장면이 거기 벌어져 있었다고 볼 것이다. 이성적인 것이 현실적이며 현실적인 것이 이성적이라는 명제. 역사적 복잡성, 이 현실의 불투명성에 대한 고도화된 이성에 의해 해명하고자 할 때 돌파하는 철저화된 이성과 철저화된, 돌파하는 현실이 접근하여 상호 반전하는 장면에 이르기야말로 임화의 길이었다. 그러나 임화는 이 명제를 수행하기엔 역부족이었다. 시인으로서 비평가로서의 임화는 그 둘을 가지고 신문학사를 바라보아야 마땅했을 터이다. 그것이 그에겐 현실이었던 까닭이다. 이 순간 신문학사는 객관적 대상으로, 곧 개념의 형태로 군림하여 임화를 내려다보고 있을 터이다. 임화의 현실의 철저성과 대상으로서의 신문학사의 철저성이 서로 접근되어 반전하기에 이르렀을 때 비로소 신문학사는 긴장을 동반한 개념화가 가능해질 터였다.

불행히도 임화에겐 그러한 능력에까지는 미칠 수 없었다. 그것은 임화의 개인적 총명성과는 별개의 문제였다. 신문학사쪽의 복잡성도 문제적이었다. 어느 쪽도 철저화되어 돌파해나갈 수 없었다.

세 가지 이유를 들 수 있다. 하나는, 신문학사도 임화도 현실과 이성의 과제에 대해 비자각적이었음을 들 것이다. 신문학사도 처음으로 자기존재를 인식했고, 임화쪽도 사정은 꼭 같았다. 현실도 이성도 자기를 철저화할 이유를 알지 못할 때, 양쪽이 함께 엉거주춤한 상태에 떨어지지 않을 수 없었다. 다른 하나는, 이 점이 중요한데, 신문학사를 향한 외부의 개입이라는 점. 외부라 했거니와 이는 처음으로 신문학사쪽이 인식한 타자였다. 이인직, 육당 이래 30년간 전개해온 신문학사란 실상 사(史)가 아니라 그냥 방목상태의 초목과 같았다. 누가 심은 것도 아니지만 누가 의도적으로 구상하고 편제하고 다듬은 것이 아니었다. 바람에 실려 온 민들레 씨앗이 척박한 땅에 이식되어 가까스로 뿌리를 내리고 또 거기에서 가냘픈 꽃이 피어나듯 그것은 자연 그것이고 따라서 생리적인 현상의 일종이었다. 여기에 외부의 눈길이 주어졌는데, 그 외부의 눈길이 문제적인 것이었다. 원어로 헤겔을 읽는 외부 곧 문화자본인 경성제대 철학과였던 것이다. 이 순간 신문학사는 스스로를 객관화하지 않으면 안 될 처지에 불가피하게 놓이고 만 것이다. 이 외부의 도전을 통해 비로소 자기의 존재를 인식한 신문학사는 대체 어떻게 해야 할까. 이 문제는 다음 셋째 번 과제와 맞물리게 되었음에 주목할 것이다. 신문학사가 자기를 자각했을 때 나아갈 지평이 보이지 않았음에 이 과제가 관여된다. 중일전쟁(1937)을 고비로 하여 일제 통치기구는 신체제에 돌입하고 치안유지법의 강화, 사상통제의 강도를 높였을 뿐 아니라, 바야흐로 창씨개명(1940. 2.), 동아, 조선 등 민간인 신문폐간(1940. 8. 10.)을 눈앞에 둔 상황이었다. 신문학사가 나아갈 지평은 떠오르지 않았다. 이때 신문학사는 거대한 실체로 임화 앞에 군림했다. 있는 것이라곤 신문학사뿐이라는 사실, 그것만이 기댈 수 있는 구체적인 대상이 아니면 안 되었다. 이 과거지향성의 개념화야말로 임화를 안심케 했고 드디어 그를 정착케 했다. 그것은 현실을 완전히 차단함으로써 가까스로 얻어지는 방법론이었다. 이 순간 임화는 시인도 비평가도 아니고 그냥 한 인간, 그러니까 백치의 인간에 지나지 않았다. 다시 한 번 육당이 바닷가로 소년을 내몰았던 그 소년의 자리에 임화는 섰다. 일찍이 헤겔은 이런 정황을 미네르바의 부엉이신세라 한 바 있다.

「더욱이 세계가 어떻게 있어야 하는가 하는 교훈에 관하여 한마디 한다면 그러한 교훈을 줌에 있어서는 원래 철학의 도래는 항상 너무나 늦은 감이 있다. 세계의 사상으로서 철학은 현실이 그 형성과정을 완료하고 스스로를 완성하고 난 후에 비로소 나타난다. 이것은 개념이 가르치고 있으나, 역사도 또한 필연적으로 가리키고 있는 바와 같이 현실의 성숙 속에서 비로소 관념적인 것은 실제적인 것에 대하여 나타나고 전자가 후자의 현실계를 그 실체에 있어서 파악하여 이것을 하나의 지적 왕국의 형태로 구축하는 것이다. 철학이 그 이론의 회색에 회색을 겹쳐 그릴 때 이미 생의 모습은 노후해 버리는 것이며, 회색을 색칠하는 데 회색을 가지고 바르더라도 생의 모습은 젊어지지 않으며 오로지 인식될 뿐이다. 미네르바의 부엉이는 황혼이 짙어지자 비로소 날기 시작한다.」(『법 · 철학』, 박영사, 1976, pp.48~9)

「파우스트」 제 일부의 서재에서 악마 메피스토펠레스가 대학생 앞에 나서서 일체의 이론은 회색이고, 생명의 황금나무만이 초록이라 갈파한 바로 그 장면을 헤겔이 시방 학생 임화 앞에서 설교하고 있는 장면이라 할 것이다.

신문학사, 그것은 황혼기이며 회색으로 규정되는 세계, 곧 죽은 세계가 아닐 수 없다. 생명의 황금나무만이 초록이기에 그럴 수밖에 도리가 없다. 「현해탄」의 시인이며 물논쟁으로 김남천을 혹독하게 몰아세우던 비평가 임화야말로 현실의 황금나무로 표상되는 초록의 세계였다. 태초에 그야말로 있었던 것은 logos도 말씀도 아니고, 행동 바로 그것이었다. 문학=행동이 그것이다. 문학이란, 글쓰기란 <행동>의 다른 명칭이었다. 현실을 인간하기에 앞서 개조, 변혁, 혁명하기가 먼저 있었다. 그것은 「파우스트」의 저자의 처지에서 말해 악마의 몫이었다. 카프문학을 주도하며 「네거리의 순이」(1929)를 외치던 임화는 이 행동의 세계, 악마가 관여하는 세계 속에서 눈부신 초록이었다. 그의 세계 속에는 앞으로 나아가기, 역사에의 개입, 전개만 있었고, 따라서 신문학사 따위란 존재조차 하지 않았다. 인식의 대상일 수 없는 신문학사이기에 그럴 수 밖에 없었다. 이러한 초록의 세계에 제동을 걸고, 회색의 세계가 따로 있음을 가르쳐준 것이 다름 아닌 경성제대 철학과였다.

회색으로서의 신문학사란 새삼 무엇인가. 이 물음에 응해오는 것이 <개념>의 세계이다. 사물이 그 형성과정을 끝내고 결과물로 남았을 때 비로소 그 본래의 모습이 파악될 수 있다. 본래의 실체를 파악하기 위해서는 악마의 도움이 요망되는 바, 현실에 눈을 감는 일이 그것이요, 생명의 황금나무에서 끊임없이 멀어지기가 아닐 수 없다.

신문학사 그것은 그 결과 어떻게 되었을까. 시체 또는 이미 성장을 정지한 한 개의 완성체가 아니면 안 되었다. 더 이상 어떻게 해볼 수 없는 그런 객관적 대상물로 저만치 놓여 있었다. 신문학사 그것은 바위와 같은 존재였다. 이 신문학사를 대상으로 나선 임화는 연구자의 처지에 놓이지 않으면 안 되었다. 연구자가 되기 위해서는 방법론의 모색이 불가피했다. 이 방법론을 아무도 임화에게 가르쳐주지 않았다. 스스로 이 방법론을 탐색해야 했다. 임화의 고민의 총량은 바로 이 방법론 모색에서 왔던 것. 바로 여기에 임화의 불멸의 위대성이 있었다고 평가된다. 그가 악전고투 끝에 이른 방법론은 과연 어떠했을까. 그것을 그는 어떤 경로로 돌파해 나갔으며 또 성과는 어떠했을까. 이 물음 속에 임화와 신문학사의 무게가 동시에 실려 있었다고 볼 것이다.

(3) 방법론 이전의 모색기

임화가 신문학사에 임했을 때 맨 먼저 부딪힌 것은 신문학이란 말이

<어느 때 누구의 창안으로 씌어지기 시작했는지는 알 수 없다>는 점이었다. 그것은 바람에 실려 온 민들레 씨앗이 척박한 땅에 이식되어 잡초처럼 자랐음에 대한 은유에 다름 아니었다. 이 민들레 씨앗의 정체를 따진다면, <근대 서구적인 의미의 문학>이며 이를 이식한 장본인으로 가까스로 육당, 춘원의 이름을 들 수 있을 뿐이었다(조선일보, 1939. 9. 7.).

임화가 신문학사를 연구의 대상으로 임했을 때 이것만큼 절망적이자 난처한 것은 달리 없었다. 도대체 족보를 따질 수 없는 아득함이었다. 그는 기를 쓰고 『개설 신문학사』를 쓰는 한편, 그 방법론을 스스로 모색하지 않을 수 없었다. 그것의 최종적 결과물로 정리된 것이 「신문학사의 방법론」(1940. 1.)이었다. 이 둘은 분리시켜 논의할 수 없는 바, 개설을 쓰면서 체득한 방법론인 까닭이다. 무엇보다 먼저 임화는 붓을 들어 개설이나 신문학사를 집필해야 했다. 자료를 모으고 이를 관철하는 역사적 법칙을 모색해야 했다. 그 역사적 법칙이란 카프 서기장인 그가 가졌던 계급주의 사상과는 전혀 별개임을 알아차리지 않으면 안 되었는 바, <근대>라는 세계사의 커다란 법칙이 거기 군림하고 있었던 것이다. 그는 이 사실을 누구에게 배운 것이 아니라 그가 모은 자료 속에서 저절로 왔다. 임화 『개설 신문학사』는 방대한 분량인데 그 이유는 그가 모은 자료의 방대함에 비례한다. 임화가 모은 자료의 성격에 주목할 것이다. 그 자료수집의 방향성은 근대라는 이름의 역사발전의 법칙성에 의거한, 그것의 제도화에 다름 아니었다. 문학도 그 제도의 일환에 지나지 않은 것이었다. 이러한 임화의 모색은 경성제대 조선어문학과 출신의 졸업논문격인 김태준의 『조선소설사』(1930)나 김재철의 『조선연극사』(1931) 등과는 천양지차가 있었다. 아무런 방법론도 없이 조선소설사에 임한 김태준의 경우 신문학사편은 스스로 밝힌 바와 같이 「월

탄, 팔봉, 제씨의 구논문을 참작하여 그대로 섭용하며 이에 관해서는 1928년 8월, 9월에 조선일보에 연재된 김동인 씨의 <근대소설고>라는 논문도 있지마는 수중에 없음으로 참고하지 못하였다.」(동아일보, 1931. 2. 17.)라고 할 정도에 지나지 않았고, 김재철의 경우는 고대 연극의 자료 찾기를 제일목표로 삼았던 것이다(동아일보, 1931. 4. 15.). 이에 비할 때 임화의 『개설 신문학사』의 자료수집과 그것의 방향성은 <근대>라는 제도적 산물의 성립근거에 있었고, 그것을 통해 방법론(개념화)을 동시에 시도한 것이었다. 『개설 신문학사』(1934. 9~1941. 4)과 「신문학사의 방법론」(1940. 1.)이 상호보완적 또는 상호전환의 관계에 있었음은 이를 가리킴이다. 한 번 더 헤겔을 떠올릴 수 있는 장면이라 할 것이다. 이성적인 것은 현실적이고 현실적인 것은 이성적이라는 것이 모르는 사이에 실현되고 있었기 때문이다. 자료를 통한 현실적인 것에의 막다른 골목에 닿았을 때와 이성을 통한 개념화의 막다른 골목에 닿았을 때 비로소 상호 전위가 가능한 법이기에 이성적인 것은 현실적이 아닐 수 없고 그 역도 진이 아닐 수 없다. 신문학사라는 불투명하기 짝이 없는 이 현실은 개념화로 투명화되지 않으면 안 되었기에 그것은 그러하다. 『개설 신문학사』와 「신문학사의 방법론」을 동시에 바라보기, 그것이 이른바 방법론의 성립을 가능케 한 근본 동인이었다. 『개설 신문학사』의 전체 구성을 보이면 아래와 같다.

순서－본 논문의 한계
제1장 서론
1. 신문학의 어의와 내용
2. 우리 신문학사의 특수성
3. 일반 조선문학사와 신문학사

제2장 신문학의 태반

1. 물질적 배경
   (1) 자주적 근대화조건의 결여
   (2) 조선의 개국 지연
   (3) 근대화의 제1과정
   (4) 근대화의 제2과정
   (5) 근대화의 제3과정
   (6) 개국의 영향과 갑오개혁
2. 정신적 준비
   (1) 금압 하의 실학
   (2) 자주의 정신과 개화사상
   (3) 신문화의 이식과 발전
      (a) 신교육의 발흥과 그 공헌
      (b) 저널리즘의 발생과 성장
      (c) 성서번역과 언문 운동

제3장 신문학의 태생

1. 과도기의 문학
2. 정치소설과 번역문학
3. 신시의 선구로서의 창가
4. 신소설의 출현과 유행
   (1) 신소설의 의의와 가치
   (2) 작가와 작품의 연구
      (a) 이인직과 그의 작품
      (b) 이해조와 그의 작품

목차에 드러난 바와 같이 『개설 신문학사』는 이해조부분의 중반에서 중단된다. 이 연구에서 연구자 임화가 제일 공들인 곳은 제3장이다. 그 중에서도 (3) 「신문화의 이식과 발전」에 그의 독창성이 있으며 제일 큰

성과를 거둔 것은 (a) 「이인직과 그의 작품」이다. 실상 『개설 신문학사』는 제3장 「신문학의 태생」을 위한 포석에 다름 아니었다. 신문학의 태생이 가능했던 것은 근본적으로는 일본의 정치소설과 그 번역에서 비로소 가능했음을 핵심으로 삼았음이 판명된다. 임화에 있어 시 장르나 희곡 장르 따위란 안중에 없음이 그 한 증거이기도 하다. 신문학사판 임화에 있어서는 문학사 이전에 먼저 문화사이며 문화사 이전에 <근대> 자체였던 증좌였던 까닭이다. 임화가 얼마나 신소설에 주목하고 여기에서 신문학사의 성립 근거와 자존심을 걸었는가는 이인직의 평가에서 확인되고도 남는 사안이다.

> 「<은세계>는 <혈의 누>와 더불어 조선소설사상 구소설의 양식과 권선징악적 모티브에서 해방된 최초의 작품들로서 그 중에서도 <은세계>는 걸작의 이름에 해당되는 소설이다. [⋯] 이 소설에 이르러 비로소 가정소설의 양식이나 계모소설의 유형 등의 전통적인 문학적 규범의 영향은 완전에 가깝게 종식되고 사회현실을 전면적으로 반영하고 그것으로서 객관소설을 건축하려는 의도가 비로소 치열하게 표현되었다. [⋯] 바꿔 말하면 새시대의 임무는 아직 건설적인 데 있는 것보다 아직도 파괴적인 데 즉 건설을 위한 기초를 닦는 데 있었기 때문이다. 그런 때문에 <은세계> 가운데 있는 여러 가지 사건과 여러 가지 문제가 섞여 있었음에 불구하고 작가는 구사회의 폭로라는 데 초점을 설정하고 구사회에 대한 증오라는 곳으로 작가의 감정은 일관된 것이다. 이것은 신소설시대에 있어 사회를 일관하고 있는 시대정신의 하나라고 할 수 있는 것이며, 동시에 모든 테마를 한 곳으로 귀일케 하는 시대의 커다란 정신적 제약이라고 볼 수 있는 것이다.」(조선일보, 1940. 2. 27.)

「은세계」에서 비로소 임화는 <시대정신>이라는 대법칙의 발견에 접했음을 감격적으로 서술한 위 대목은 『개설 신문학사』의 과학적 성립

근거에 해당되었다. 그동안 어둠 속에 파묻혀 야담이거나 촌로들의 오락수준으로 치부되었던 보석이 바야흐로 대낮 속으로 등장케 한 장본인이 바로 임화였다. 「은세계」가 몽매 속에 헤매는 임화를 구출했고 「은세계」 역시 임화에 의해 구출된 것이었다. 이것이 헤겔이 말하는 개념화의 전형적 사례가 아닐 수 없다.

『개설 신문학사』 전편에서 「은세계」 분석만큼 임화의 열정이 송두리째 드러난 것이 없음은 두말할 것 없다. 이른바 강원도 최병도의 존재에 대한 탐구가 그것이다.

「은세계」는 이인직 개인의 작품이지만 동시에 그것이 당시 평민 상후의 세계관의 가능의 최대치를 담은 '최병두타령'을 수용함으로써 비로소 달성된 것임을 염두에 둘 필요가 있다.

> 「경금은 강릉에서 부촌으로 이름난 동네라, 산두메 사는 사람들이 제가 부지런하여 손톱 발톱이 닳도록 땅이나 뜯어먹고 사는데 푼돈 모아 양돈되고 양돈 모아 쾌돈 되고 송아지 길러 큰 소되고 박토 긁어 옥토 만들어 그렇게 모은 재물로 부자된 사람이 여럿이라. 그 동네 최본평 집이 있는데 동네 사람들의 말이 "저 집은 소문 없는 부자라. 최본평의 내외가 억척으로 벌어서 생일이 되어도 고기한 점 아니 사먹고 모으기만 하는 집이라. 불과 몇 해 동안에 형세가 비교적 늘었다. 우리도 그 집 같이 부지런히 모아 보자" 하며 남들이 부러워하고 본받으려 하는 사람이 많은 터이라.」(「은세계」, 아세아문화사, pp.2~3)

재산 모으기에 온갖 힘을 기울인 점에서 보면 최 씨는 양반이자 동시에 평민 상층부에 속한다. 그 돈으로 개화파 김옥균을 사모하고 그 이념에 따르고자 최병도는 지방 수령 정감사로 대표되는 구정치인에 의해 혹독한 죽음에 이르는 과정을 민중의 시선에서 그린 점에서 명목상 양반으로 나이 40에 관비 유학으로 일본에서 정치공부를 한 이인직 자신의 정치적 개혁의지와 맞물려 있었던 것이다(김윤식, 「정치소설의 결여형태로서의 신소설」, 한국현대문학사, 서울대출판부, 1992). 정치공부를 위해 유학간 이인직이 배운 것은 일본의 '정치소설'이라는 특이한 소설형식이었으나 그가 귀국한 조선은 국권상실에 직면한 형편이었고 따라서 정당정치의 대변으로서의 정치소설의 기술은 무용지물이 되고 말았지만 그렇다고 해서 일본 「도신문」(都新聞) 견습기자였던 이인직으로서는 주인공 최병도를 가까스로 패배한 개혁자 김옥균 숭배자로 규정하고 김옥균모양 개혁의 패배자로 다룰 수밖에 없었다. 이 천추의 원한을 문학적으로 수습한 것이 민요 '최병두타령'이었다. 「은세계」 전반부는 '최병두타령'의 울림으로 말미암아, 임화도 인용한 바 있는 「춘향전」 속의 암행어사의 시 「金樽美酒」의 문맥에까지 뻗칠 수조차 있었다. 정치소설을 공부한 이인직의 개혁의지란 결국은 '최병두타령'쪽으로 기울면서 그 산문적 성격이 결여된 대신 시적 울림으로 변질되고 만 것이다. 「은세계」(하)는 원통히 죽은 최병두의 아들과 딸이 아비 원수를 갚기 위해 미국유학을 떠났다가 귀국하는 것으로 처리되었을 때 이미 거기엔 산문적 성격은 물론 시적 울림조차 잃고 말았다. 그 대신 이인직은 「귀의 성」 「치악산」 등에서 보듯 미신타파라든가 신교육 등의 구소설이 지닌 풍속성의 타파라는 비정치적 풍속 세태 개화에 기울어지고 말았는데 이는 국권상실과 맞물린 결과라 할 것이다. 임화는 「은세계」가 하층양반 및 농민의 시대적 요구의 반영이란 점에서 또 그 반영의 방식이 민요라는 묘사의 생생한 점에서 가치가 있음을 지적했지만 그것이 행동으로 옮겨질 수 없는 이유에 대해서는 막연하게 처리하고 말았다. 행동을 통일하고 집단행동으로 나서고자 하는 김진사의 아들을 최병도가 나서서 저지함에서 비극이 시작된다. 이인직도 이 한계를 잘 알고 있었던 까닭이다. 김옥균과 개화당의 개혁의지의 실패와 최병도의 실패가 마주보고 있게끔 설정한 곳에 작가의 정치적 감각이 여실하긴 해도 구식 정치적 세력을 변혁시키기엔 역부족이었다. 그 구식 정치의 변혁이 타파된 것은 외부세력 곧 일제에 의해서였다. 이에 민감히 반응한 것도 이인직이었음은 너무나 당연하다. 러일전쟁에 통역관으로 진출한 이인직이 「만세보」 사장을 거쳐 유학계를 장악하여 친일세력의 거두로 된 사실이 이를 말해주고 있다. 한편 외세에 의해 몰락한 구세력은 외세와 결탁함으로써 여전히 건재할 수 있었음도 역사적 사실이 잘 말해주고 있다. 만일 소설이 이런 것까지를 사정거리에 넣는다면 그 이데올로기의 무게로 말미암아 성립 불가능한 상태에 놓일 것이다. 임화도 이 사실을 알고 있었다. 오락적 측면의 도입이 그것이다. 이인직의 다음 차례를 잇는 이해조의 등장이 이에 해당된다. 이 순간 임화는 『개설 신문학사』를 더 이상 이어갈 수 없었다. 그 이유를 임화는 간접적으로 암시했다.

「신소설이란 것을 우리는 누누이 말해 오거니와 낡은 형식에 새 정신을 담는 문학이라 규정해 왔는데 신소설에 있어서 통속성의 대두 내지 등장이란 현상은 이 신소설의 근본성격 위에서 먼저 이해될 필요가 있다. 통속성의 대두 내지 등장이란 말은 다른 각도에서 보면 문학적 발전의 정돈 내지는 퇴보 즉 문화의 속화를 의미한다. 고쳐 말하면 문학이 독자를 지도하는 입장을 방기하는 것이다. 그러므로 통속성은 독자를 추종하는 것이라고 말한 것이다.」(인문평론, 1941. 4, pp.32~3)

임화는 이해조를 이렇게 논의하는 도중에 붓을 던지고야 말았는데 이는 연재지 「인문평론」의 종간과 맞물려 있기에 앞서 더 이상 논의할 의의를 상실했음에서 왔다고 볼 것이다.

이상에 보아왔듯 『개설 신문학사』는 임화의 신문학사 연구의 연습장에 다름 아니었음이 판명된다. 그로 하여금 이러한 연습실로 이끌어들인 직접적 계기를 마련해 준 것이 바로 막대한 문화자본인 경성제대 철학과쪽이었다. 신남철은 다만 그것의 한 가지 대명사에 지나지 않았다. 신남철을 <속학 서생>으로 규정한 카프 서기장 임화의 나이는 30세쯤 이었다. 이 나이식으로 계산하면 신남철은 갓 태어난 한두 살잡이에 지나지 않았다. 또 비유컨대 청소년과 장년의 거리를 갖고 있었다. 카프 서기장의 자리에서 벗어난 임화(카프해산은 1935. 5. 21. 실무자 김남천에 의해 해산계 제출. 김팔봉 문학전집(2), p.520)에 있어 문학이란 <독자를 지도함>이 대전제로 놓여 있었다. 이 대전제를 끌고 「개설신문사」 속을 종횡무진 헤매다 보니 이인직만이 가까스로 그 이름에 부합하는 것이었다. 그럼에도 불구하고 임화는 신소설이라는 커다란 시대적 산물에 온몸으로 부딪쳐 나갔다. 왜냐면 그에겐 커다란 각오와 서 있었던 것이다. 대체 신문학사란 무엇인가. 이인직 이래 나이 30년쯤 된 신문학사의 마지막 단계에 이른바 그가 서기장으로 군림한 카프문학이 있지 않았던가. 신문학사란 그러니까 카프문학의 조상이요, 정식의 부계(父系)가 아닐 수 없었다. 이를 외부 쪽에서 간섭해 왔을 때 제일 큰 충격은 바로 임화에게로 왔다. 임화의 자존심은 심히 짓밟힐 데로 짓밟혔는데 그것은 신남철을 <속학 서생>이라 일갈함으로써 해결될 문제가 아니었다. 문제는 오히려 임화쪽의 무지 곧 자기족보에 대한 무관심 및 무지쪽에서 왔던 것이다. 자기 족보도 모르고 설쳤던 자신을 이제 본격적으로 반성하는 데 있어 무엇보다 먼저 스스로 겸허해져야 했다. 시인도 비평가도 아닌 연구자의 자리에로 내려앉지 않으면 안 되었다. 그것은 물론 쉬운 것일 수 없었는데 문학의 지도성(사명감)이 특히 그러했다. 그렇지만 최선을 다해 그는 이것조차 물리치고자 노력하지 않으면 연구자의 자리에 설 수 없었다. 자료의 현장 속을 들어가 그 속을 헤매지 않으면 결코 연구자일 수가 없고 보면, 그 자료 속에서 익사하는 방식과 거기에서 벗어나는 방식이 가려지게 마련이다. 먼저 임화는 자료 속을 헤매며 오랫동안 갈팡질팡했다. 이인직을 비롯한 신소설 자료 속에서 익사하기 직전까지 내몰렸음을 『개설 신문학사』의 방대함이 잘 말해놓고 있다. 그 헤맴에서 그를 구출한 것은 「은세계」였다. 임화는 「은세계」의 다각적 분석, 자료 검토, 그리고 구소설 「춘향전」과 면밀히 비교함으로써 신소설의 위대성이 곧 문학의 위대성(지도성)임을 어느 수준에서 깨쳤던 것이다. 그것은 곧 신문학사란 시대성을 반영하는 <법칙성>의 발견에 있었다. 문학사가 하나의 엄연한 학문(과학)일 수 있는 명분이 바로 이 법칙성의 발견이었고, 임화의 문학사가로의 탄생이 이로써 드디어 가능했다. 이 장면은 일종의 문학사적 장관이자 임화의 특출함이 아닐 수 없다. 그 법칙성은 그의 「신문학사의 방법론」에서 햇빛에 드러났는 바 이는 신문학사의 방법론이자 동시에 문학이 객관적 학문의 대상이며 정신사의 일종임을 보여준 의의 깊은 사례라 하지 않을 수 없다.

제2장 조선적 근대와 서양의 장르

(1) 환경으로서의 현해탄

『개설 신문학사』와 「신문학사의 방법론」은 나란히 가고 있었다. 전자를 기술하는 과정에서 후자가 발견되었다. 또 그것이 전자를 새롭게 규정했다. 그것은 일종의 변증법적 과정을 형성하며 정밀도를 갖추어갔는데, 벌써 이 자체가 일종의 방법론적 과정이라 규정될 수 있었다.

구체적인 집필이란 자료더미 속에서의 헤매기의 연속에 다름 아니지만 거기에는 모종의 법칙성이 아니고는 건너뛸 수 없는 복병이 반드시 있기 마련이라는 사실, 바로 여기에 문학사의 존재이유랄까 성립 조건이 잠복해 있었다. 구체적으로 말해 임화가 『개설 신문학사』 집필 과정에서 마주친 균열로서의 법칙성이란 이인직의 「은세계」였다. 이 소설에 이르러 비로소 가정소설 양식이나 계몽소설의 유형 등 고대소설의 문학적 규범의 영향에서 '완전에 가깝게 종식되고' '사회 현실을 전면적으로 반영'하고 그것으로써 객관소설을 구축하려는 의도가 치열하게 표현되었다고 임화가 파악했을 때 대체 이 균열이랄까 새로움은 어떻게 설명할 수 있을까. 방법론의 발견은 불가피한 장면이 아닐 수 없었다. 임화가 발견한 방법을 구체적으로 보이면 아래와 같거니와 이것은 그 일정한 시대적 한계에도 불구하고 최초의 방법론적 모색이란 점에 멈추지 않고 문예학이 도달할 수 있는 바의 한국적 특징에서 도출되었다는 점에서 평가될 수 있는 성질의 것이다. 이른바 <이식문학사>라는 거역할 수 없는 신문학사의 법칙성이 이에 해당된다.

임화의 「신문학사의 방법론」은 (一) 대상 (二) 토대 (三) 환경 (四) 전통 (五) 양식 (六) 정신 등 6항목으로 정리되었다.

(一) 대상

임화는 첫줄에 이렇게 썼다.

> 신문학사의 무엇이 조선의 근대문학이냐 하면 물론 근대정신을 내용으로 하고 서구문학의 장르를 형식으로 한 조선의 문학이다. (동아일보, 1940. 1. 13.)

'물론'이란 부사에 우선 주목할 것이다. 두말할 것 없이, 그러니까 너무나 당연히도 <신문학=조선의 근대문학>의 등식이 거기 있었다. 동시에 <조선의 근대문학=근대정신을 내용으로 하고 서구 문학의 장르를 형식으로 한 조선의 문학>이 아닐 수 없다. 너무도 당연한 일이기에 말하기도 쑥스러울 정도임을 임화는 방법론의 첫줄에서 내걸었다.

<신문학=조선의 근대문학>이라 했을 때 절대적인 것은 바로 '근대'가 아닐 수 없다. 대체 그가 말하는 근대란 구체적으로 어떤 것이었을까. 매우 딱하게도 그는 이에 대한 인식의 부족을 크게 드러낸 형국이었다. 근대란 그에게는 매우 피상적으로 인식되었는데 근대를 그 성립

사에서 보지 않고 흡사 당대 혹은 현재상태의 세계사로 치부하고 있었다. 시민계급(부르주아계급)이 전개한 근대란 두루 아는 바 프랑스혁명(1789)을 고비로 하여 (A) 국민국가(nation-state)의 탄생과 이를 뒷받침한 (B) 자본제 생산 방식(mode of capitalist production)에 의해 성취된 사회·역사전개였다. 그것은 (B)에 의한 내재적 발전(과학)으로 측정되는 것이어서 이를 유물변증법이라 부른다. 내재적 발전을 전제로 한 것이기에 과학이 아닐 수 없으며 또 그렇기에 보편성을 갖추는 것이 아닐 수 없다. 국민국가와 자본제 생산양식이란 샴쌍생아여서 이를 어떤 식으로도 분리시켜 논의할 성질이 아니다. 국민국가를 문제 삼지 않고 자본제 생산양식만을 따로 논의함이란 일종의 결여형태가 아닐 수 없다. 임화가 신소설, 그것도 이해조의 논의에서 중단한 이유도 이와 무관하지 않을 것이다. 조선에 있어서의 자본제 생산양식 곧 근대의 맹아의 있고 없음이 식민지사관의 근거로 작동되었음을 알 힘이 임화에겐 당초부터 결여되어 있었다. 근대를 비판적으로 바라볼 안목이 없었던 이유도 이와 무관하지 않다. 제국주의자들이 만들어낸 식민지사관에 스스로 침윤되었음을 자각할 정도에 이르지 못한 임화의 근대인식의 한계는 방법론 첫줄에서 드러낸 형국이었다. 해방 후의 남북의 연구진들이 식민지사관 극복(자본제 생산양식의 맹아 찾기)에 그토록 골몰한 사실을 염두에 둘 때 더욱 이 점이 아쉽게 확인되어 마지않는다(김용섭의 『조선후기 농업경제사 연구』(1970), 북한의 광산조직연구 등).

또 하나의 '물론'에서도 사정은 마찬가지다. 문학을 내용과 형식으로 나눈 점은 그렇다 치더라도 <내용=근대정신>, <형식=서구문학의 장르>라 했을 때는 많은 논의가 자동적으로 규정되었다. 근대정신이란 과연 무엇일까. 이 경우 근대란 또 정신이란 어떻게 규정될 성질의 것일까. 그것은 유물변증법과 어떤 관련 하에 있는 것일까. 이런 물음만 해도 매우 벅찬 것이지만, 이를 나름대로 구제한 것이 형식조건이라 할 것이다. 곧 서구문학의 장르가 그것이다. 이 경우 서구문학의 장르란, 고정 불변의 개념이 아니라 돈키호테 이후, 부르주아 계급이 발견하고 키워낸 소설, 시, 희곡, 평론(에세이) 등을 가리킴이다. 「춘향전」이나 시조 또는 탈춤과는 다른 서양문학의 장르라야 한다는 것. 임화 역시 여러 가지 전통적 조선의 문학형식에 대한 보조선을 쳐놓고 있긴 해도, 서양문학 장르가 아니면 신문학사의 대상일 수 없다는 이 단호한 제일 명제는 신문학이 전통문학과는 별개의 것이라는 사실을 드러냄에 가장 확실한 사안이었다. <조선의 문학=신문학>이란 근대정신과 서구문학 장르만을 가리킴이라면 이는 전통단절, 외부의 개입의 전면적 수용이 아닐 수 없다.

이러한 임화의 출발점 앞엔 저도 미처 인식하지 못한 결정적 함정이 늪처럼 가로 놓여 있었다. 식민지 사관의 늪이 그것이다. 외부의 개입 곧, 이광수의 표현으로 하면 문학이란 Literature의 번역이라는 것, 그것은 하늘의 씨앗이 지상에 잘못 떨어져 발아한 형국이었고, 육당의 표현으로 하면 백치인 소년을 바다 저편으로 내모는 형국이었다. 그 첫 번째 귀착지이자 결정적 귀착지가 바로 일본 제국이었음을 그리고 그것이 얼마나 의식을 결정짓고 말았는가를 미처 알아차리지 못한 것이다. 신소설에 있어서의 주인공의 미국유학이 그 뒤로는 일본으로 안착되면서 마침내 일본화된 서양의 문학 장르가 실로 무비판적으로 이 땅에 이식된 것이었다. 오히려 일본화된 서양문학 장르의 풍요로움이 한층 안심시켜 준 덕분도 무시할 수 없다. 일본근대문학이란 그 자체가 고도의 특수한 세계문학의 반열에 놓였음을 염두에 둘 때 더욱 그러한 점을 실감케 한다(水村美苗, 『일본어가 망할 때』, 치쿠마서방, 2008, 篠田一士, 『20세기의 십대소설』, 신조사 문고, 1988). 설사 그렇더라도 일본근대문학의 이식사라는 식의 신문학사의 대로가 임화 앞에 알게 모르게 펼쳐졌다. 악명 높은 임화의 이식문학사론의 조짐이 이 신문사의 '대상'의 규정 속에 은밀히 잠복되어 있었다. 그렇긴 해도 시인 임화에겐 또 다른 조짐이 있긴 있었다. 문학사가가 아닌 시인이기에 가능한 조짐이 환각으로 저만치 신기루를 이루고 있긴 했다.

오오! 어느날,
먼 먼 앞의 어느날
우리들의 괴로운 역사와 더불어
그대들의 불행한 생애와 숨은 이름이
커다랗게 기록될 것을 나는 안다.
1890년대의
1920년대의
1930년대의
1940년대의
19XX년대의
……
모든 것이 과거로 돌아간
폐허의 거칠고 큰 비석 위
새벽별이 그대들의 이름을 비출 때,
현해탄의 물결은
우리들이 어려서
고기떼를 쫓던 실내처럼
그대들의 일생을
아름다운 전설 가운데 속삭이리라.
그러나 우리는 아직도

이 바다 높은 물결 위에 있다.
(『현해탄』, 동광당 서점, pp.223~225)

시인의 직관이 미래의 비전을 읊을 수 있지만 연구자로 주저앉아 과거의 자료 속에 파묻혀 눈멀고 귀멀은 임화에겐 이식문학사라는 모종의 법칙성의 징후에 온몸을 맡길 수밖에 없었다. 연구자의 소임에 가까이 갈수록 이 점이 의식되어마지 않았다.

(二) 토대

토대(Basis)란, 유물변증법에서는 상부구조에 대응되는 개념이거니와 "신문학은 새로운 사회경제적 기초 위에 형성된 정신문화의 한 형태다."라고 임화는 첫줄에 적었다. 물질적 토대 위에 정신문화(상부구조이데올로기)의 도식을 다시 세분한다면 어떠할까.

> 토대에의 관심은 단순히 사회사에 대한 배려라든가 혹은 문학과 사회와의 교섭에 대한 공식적인 연구가 아니라 시대정신의 역사란 것을 매개체로 택하게 된다.(1.14.)

'시대정신'이란 개념을 등장시킨 장면이다. 동시에 이 시대정신과는 별도의 '정신사'를 등장시켰다. 시대정신이 문화사 속의 관여사항이라면 정신사는 그보다 상위개념인 에스프리의 역사에 해당된다. 이렇게 세분하다 보니, 정작 물질적 개념인 토대의 의미가 희석되지 않으면 안 되었다. 이런 지경이면 굳이 토대라 할 필요가 없었을 터이다.

(三) 환경

임화의 방법론의 독창성이 통째로 드러난 대목이거니와 제일 먼저 고명한 『영문학사』의 저자 텐느의 문학사 방법론의 비판에서 출발한다. 텐느에 따르면 문학사란 종족(race), 시대(moment), 환경(milieu)으로 구성되거니와 임화의 환경은 이와는 다른 개념임을 깃발처럼 내세웠다. 텐느의 '환경'이란 임화의 방법론에 따르면 '토대' 속에 포섭된다.

> 사회적 혹은 국민적인 풍토라는 것은 곧 물질적 토대를 혹은 정신적 배경에 불외한다. 이러한 의미에서 우리가 사용하는 개념은 환경보다 훨씬 명백하다. 그러므로 환경이란 말을 우리는 토대와 배경에서 분리하여 한 나라의 문학을 위요하고 있는 여러 인접문학이란 의미로 쓰고자 한다. 즉 문학적 환경이다. 문화교류 내지는 문학적 교섭이란 것이 환경 가운데서 연구될 것이다. 이점은 따로 비교문학 혹은 문학사에 있어서의 비교적 방법으로 별개로 성립할 수도 있는 것이다.(1.16.)

환경이란 막 바로 비교문학을 뜻하는데, 여기가 임화의 고민과 안도가 교차하는 지점이자 동시에 그의 독창성이 뚜렷한 곳이기도 하다. 물질적 토대와도 별개이며 정신적 배경과도 분리된 이 특이한 환경 곧 신문학의 생성법칙의 으뜸 항목임을 임화는 간파하고 있었다. 이 점을 놓치면 임화의 신문학사는 힘을 잃을 뿐 아니라 사실에서도 크게 벗어나게 될 터이다. 그로 하여금 <이식문학사>라는 악명을 덮어씌운 다음 대목은 식민지사관 극복을 국가적 민족적 요청으로 삼았던 대한민국(1948. 8. 15.)과 북한(1948. 9. 9.)의 연구진의 고민사항이 아니면 안 되었다.

> 신문학이 서구적인 문학장르(구체적으로는 자유시와 현대소설)를 채용

하면서부터 형성되고 문학사의 모든 시대가 외국문학의 자극과 영향과 모방으로 일관되었다 하여 과언이 아닌 만큼 신문학사란 이식문화의 역사다. 그런만치 신문학사의 생성과 발전의 각 시대를 통하여 영향받은 제 외국문학의 연구는 어느 나라의 문학사상의 그러한 연구보다도 중요성을 띠는 것으로 그 길의 치밀한 연구는 곧 신문학의 태반의 내용을 밝히게 된다. 일례로 신문학의 출발점이라고 할 육당의 자유시와 춘원의 소설이 어떤 나라의 누구의 어느 작품의 영향을 받았는가를 밝히는 것은 신문학생성사의 요점을 해명하게 되는 것이다. 그들의 문학이 구조선의 문학 특히 과도기의 문학인 창가나 신소설에서 자기를 구별하기 위하여 필요한 것은 내지(內地)문학이었음은 주지의 일이다. 그러나 그 때 혹은 그 뒤의 신문학이 내지에서 배운 것은 왕년의 경향문학과 최근의 단편소설들을 제외하면 극소한 것이다. 그러면 직접으로 서구문학을 배웠느냐 하면 그렇지도 아니했다. 그점에 불구하고 신문학은 서구문학의 이식과 모방에서 자라났다. 여기에서 이 환경의 연구가 이미 특히 서구문학이 조선에 수입된 경로를 따로이 고구하게 된다. 외국문학을 소개한 역사라든가 번역문학의 역사라든가 특별히 관심되어야 한다. 여기서 우리가 봉착하는 것은 서구문학의 직접 연구보다도 일본문학 내지 명치 대정 문학사의 상세한 연구의 필요이다. 신문학이 서구문학을 배운 것을 일본을 통해 배웠기 때문이다. 또한 일본 문학이 그런 자신을 조선 문학 위에 넘겨준 것보다 서구 문학을 조선문학에게 주었다. 그것은 번역과 창작과 비평 등 세 가지 방법을 통해서 수행되었다.(1.16.)

언문일치가 '전혀' 일본의 것을 이식했고, 기타의 외국 번역도 사정은 거의 같고, 장차도 그러하리라고 임화는 진단했다. 임화의 이러한 주장을 한 시점에 주목할 것이다.

1930년 중반을 고비로 한 일본근대문학은 그 절정에 달했던 것으로 평가되었다. 메이지시대의 언문일치란, 문학의 문제가 아니라 근대국가 성립을 위한 절대적 조건이었고 그것이 출판이라는 자본제적 유통에 직결됨으로써 국가의 언어에 해당되는 것이었고(B.앤더슨, 『상상의 공동체』), 근대라는 균질적 공간의 인식에 결정적으로 기여한 것이 바로 소설이었다. 일본의 경우 국가어인 국어의 탄생은 제국 일본의 성립과 궤를 같이 하는 것이었고 그것의 힘의 근거는 서구어의 번역에서 마침내 달성된 것이었다. 이 국어로 만들어진 일본의 국민문학은 그 자체 유례없는 특이한 문학을 이루어냈다. 이 사실을 서구측에서 볼 때 자기들 서구의 진짜 문학에 비해 '하나의 주요한 문학(une litérature majeure)'이라 할 수 있었다(水村美苗, 『일본어가 망할 때』, p.95). 세계에서 유례가 없는 일본문학이란 서구문학에 거의 접근된 것이었고 이는 번역을 통해 이루어졌기에 그만큼 준(準)서구적인 것이었다. 이 특이한 일본국민문학이 그들이 흠모한 서구문학을 하나의 총체적인 것(체계화)의 인식에 이른 것이 1930년대 중반이었다. 산발적으로 수입된 서구문학이 그 총체성으로 인식될 만큼 철저했음과 나란히 하여 일본자신의 문학의 총체성에 이른 것도 바로 이 시기였다.

> 유럽문학과 근대일본문학의 관련에 있어 원리와 생리의 어긋남이라는 도저히 매울 수 없는 괴리는 양자가 서로서로 총체화된 1930년대를 고비로 하여 점점 드러났다. 그 내실의 세목의 크고 작음은 마음있는 문학자, 그리하여 독자 한사람 한사람의 뼈속까지 자극하기에 이르렀다.」(篠田一士, 『20세기의 십대소설』, 신조사 문고, p.35)

임화가 서 있는 자리는 일본의 근대문학이 원리로서의 서구문학의 총체성에 대한 인식과 생리로서의 일본문학의 총체성이 막상막하의 세력으로 대치되어 바야흐로 증폭되어 세계문학상에서 '하나의 주요한 문학'으로 군림한 형국이었다. 임화의 안목에 따르면 이러한 일본문학의 이식은 거의 결정적인 것이어서 논의의 여지가 없을 정도였다. 특히 "문학이론과 비평 및 평론은 최근까지 내지(일본)의 그것의 민속(敏速)한 이식으로 살아왔으며 앞으로도 막대한 영향을 받아갈 것이라고 믿는다."고 했을 때 정작 임화자신이 쓰고 있는 『개설 신문학사』도 그 사정거리 속의 산물임을 스스로 말해 놓았다고 할 것이다.

(四) 전통

이식문학사라 규정했을 때 어디에 이식되었는가를 문제 삼지 않을 수 없다. 물질적 토대와 정신적 배경에 이식 되는 바 이때 문제적인 것은 상호 교섭의 과정이다. 이를 설명함에 임화는 비교적 민첩한 편이었다.

> 문화교섭의 결과로 생겨나는 제3의 자(者)라는 것은 기실 그때의 문화담당자의 물질적 의욕의 방향을 좇게 된다. 그 의욕은 곧 그 땅의 사회경제적 퐁토다. 여기에서 유산은 더욱이 외래문화와 마주서는 데서 표현되는 상대적인 주관성에서도 떠나 순전한 여건의 하나인 유물(Überreste)로 돌아가고 과거의 고유의 문화는 다시 전통(traditional)으로 부활한다. (1.18.)

"문화담당자는 물질적 의욕을 좇는다."는 명제가 유물과 전통을 가르는 기준이라는 것, 이를 비유로 하면 신문학이 한문에서 벗어남이란 언문문화의 복귀이며, 또 이는 단지 언어로서의 언문문화에 그치지 않고 정신으로서의 언문문화로 살아가는 것을 가리킴인데 이를 전통이라 불렀다.

(五) 양식

여기서 양식(樣式)이란 시대성과 관련된 문학적 사항을 가리킴이다. 개개의 작품론도 작가론도 아니고 그 위에 군림하면 작가 및 작품에 작용하는 시대적 단위를 가리킴이다. 문예학에서는 이러한 것을 형식이라 부르지 않고 고전주의, 낭만주의 등으로 부른다. 그러므로 양식이란 시대의 양식인데 이는 그 시대인의 고유한 체험과 생활에서 형성된 시대정신이 자기의 시대를 표현하는 형식인 셈이다. 그런데 여기에서 임화는 문화 담당자가 "물질적 의욕을 좇는다."는 명제와는 별도로, <양식의 이식사>를 크게 내세웠다.

> 문학사는 외면적으로는 언제나 이 양식의 역사다. 모든 통속적 문화사가 이 양식의 역사를 기술하고 있다. 그러나 기실 정신의 역사의 형식에 지나지 않는다. 양식의 역사를 뚫고 들어가 저신의 역사를 발견하고 못하는 것이 언제나 과학적 문학사와 속류 문학사와의 분기점이다. 문학사는 예술사의 대상일 뿐 아니라 실로 사상사, 정신사의 대상이기도 하기 때문이다.(1.19.)

시대의 형식을 양식이라 부를 때 그 양식은 다시 말해 시대정신을 가리킴이라는 것, 바로 여기에 이식문학사로의 결정적 대목이 있었다. 이 중대한 문제를 임화는 놀랍게도 간략히 정리했다.

> 우리 신문학사에선 양식의 창안 대신에 양식의 수입으로 여러시대가 시작한 것은 주지의 일이나 새 양식의 수입은 새 정신의 이식임을 의미한다. 여러 가지 양식의 수입사는 그러므로 곧 여러 가지 정신의 이식사다. 문학사적 연구는 실상 이 연구가 결정적이다.(1.19.)

문학사=시대정신의 역사라는 도식이야말로 임화의 이식문학사론의 핵심이었음이 잘 드러나 있다. 문제는 '정신'에 귀착된다.

(六) 정신

"정신은 비평에 있어서와 같이 문학사의 최후의 목적이고 도달점이다."라고 임화는 이 항목의 첫줄을 삼았다. 딜타이류의 정신과학(Geisteswissenschaft)를 임화는 최종적으로 내세웠는데 이 경우 정신사란, 유기체설에 근거한 경성제대 출신 조윤제의 국문학사의 방법론과는 질적으로 다른 것이다(김윤식, 『한국근대문학사상연구(1)』, 1984).

작품 → 작가 → 양식 → 정신의 순서로 진행되는 문학사연구에서 문학사의 관여부분은 양식의 차원과 정신의 차원이라는 것. 양식의 차원이란 시대정신에 포섭된다는 것. 그러니까 이식문학사란 '정신의 이식사'로 귀착될 수밖에 없다. 따라서 이 양식 및 정신의 구조파악이 또다른 과제로 남게 된다. 이 남는 과제야말로 임화에겐 크게 역부족의 과제였다.

> 문학사는 무엇보다 이 모든 문학적 양식적 운동과 변천의 근원이 된 정신의 역사를 일관성에서 이해하는 일에 착수하지 아니하면 아니 된다. 무엇 때문에 시대를 따라 감수(感受)의 양식이나 사고의 방식 내지는 체계의 구조가 다른가? 또한 그렇게 서로 다른 구조를 가진 정신이 어떠한 동인으로 변천하였는가를 구명하지 아니하면 아니된다. 그것을 위하여는 역시 인접문화, 예하면 철학, 과학, 기타의 역사가 대단히 중요한 연구거점을 제공한다.(1.20.)

임화의 현재 위상은 이 대목에서 선명히 잴 수 있다. 아무런 방법론의 준비도 없이 『개설 신문학사』의 집필에 뛰어든 임화는 그 과정 속에서 방법론을 동시에 모색하지 않으면 안 되었다. 이 장면이란 기적과도 같은 하나의 장관이 아니면 안 되었다. 정치한 방법론으로 무장한 연후에 신문사 집필에 나아가야 했을 터이며 그랬더라면 그의 신문학사는 괴물이 되었거나 허황한 자기도취의 산물이었거나 유물론으로 일관되었거나 일방적 기형에 전락했거나 좌우간 일정한 방법론의 산물에 지나지 않을 것이며 따라서 남의 이론의 적용에 그치고 말았을 것이다. 이에 비해 임화는 적어도 모든 것을 백지 위에서 출발했고, 자료 수집과 그 독법에서 스스로 방법론을 모색했던 것이다. 설사 그것이 아무리 엉성하고 논리적 일관성에 미달했더라도 자기의 독창적 산물임에는 틀림없다. 『개설 신문학사』와 「신문학사의 방법론」은 그러기에 몸이 한데 붙은 샴쌍생아다. 바로 이 지점이 '정신'이었다.

그러나 임화는 이 '정신'의 정체 앞에 난감해 하지 않으면 안 되었다. 그 정체를 도무지 알 수 없었던 것이다. 『개설 신문학사』와 「신문학사의 방법론」의 몸을 샴쌍생아로 만든 장본인이 바로 '정신'이었던 것이다. 이 유령과도 같은 '정신'을 따로 떼어내는 일, 그 따로 떼어난 '정신'을 구명하는 일이란 임화에겐 너무도 막연한 사안이 아닐 수 없었다. 몸이 함께 붙은 『개설 신문학사』와 「신문학사의 방법론」을 분리시킬 수 없는 길은 그 장본인인 '정신'의 검토에로 향해야 했다. '정신'이 그 열쇠를 쥐고 있다고 믿었던 까닭이다. 그런데, 보라 그 과제는 임화의 소임을 아득히 넘어서는 것이었다. <철학, 과학 기타의 대단히 중요한 연구>가 아니면 불가능한 사안이었다. 고도의 외과의학의 시술이 아니고는 어림없는 바로 이 장면에서 임화는 길을 잃고 말았다. 철학, 과학 기타의 도움 없이 그는 일어설 기력이 조신된 상태였다. 『개설 신문학사』를 신소설 그 중에서도 이인직에 집중하고 이해조의 오락성 앞에서 무릎을 꿇고 만 것이 그 움직일 수 없는 증거이다. 그가 「신문학의 방법론」을 이렇게 결론짓고 만 것이 또한 움직일 수 없는 증거가 아닐 수 없다.

> 우리가 커다란 시대의 단일한 정신을 문제삼는다는 것은 결국 커다란 시대의 단일한 양식이 존재하기 때문이다. 이것은 양식의 사회학이라고도 할 법칙을 우리가 세울 수 있기 때문이다. 이러한 점에서 문학사는 실로 문예학과 연결되어 있으며 또한 일반 사상사 가운데 문학사연구가 중요한 좌석을 차지하게 되는 것이다. 신문학사가 되나 안 되나 추구해야 할 문제는 대략 이러한 몇 가지의 것이다.(1.20.)

'되나 안 되나'의 표현에 주목할 것이다. 이것은 임화의 자포자기의 표명이 아닐 수 없다. '되나 안 되나' 신문학사는 씌어져야 한다는 것이 아니라 '되나 안 되나' 신문학사는 이런 저런 것을 추구한 연후에야 가능한 영역임을 마침내 임화는 자각하고 있었다. 이 도달점은 매우 소중한데 스스로의 역부족 앞에 무릎을 꾼 것이었기 때문이다. 철학, 과학, 기타의 이론을 향해 익사 직전의 임화는 SOS를 외치고 있는 형국이었다. 그렇다면 임화의 「신문학사의 방법론」의 독창성은 어디에서 찾아야 할까. 앞에서 자세히 검토했듯 악명높은 <이식문학사>야말로 임화의 독창성이자 자기 정직성이라 할 수 있다. 이를 도식으로 보이면 이러하다.

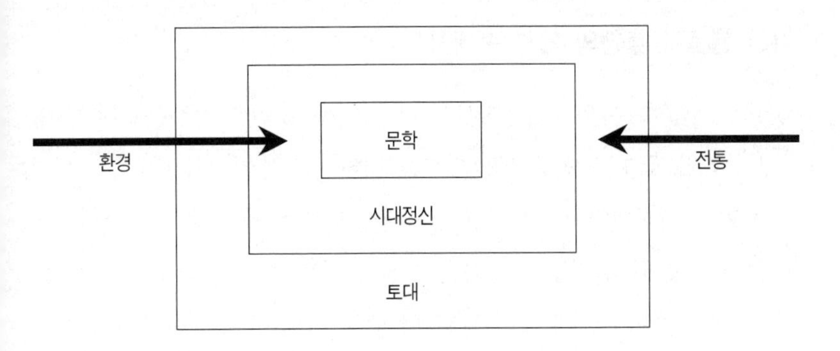

환경이야말로 임화의 독창성인 바 이는 일본 근대문학을 막바로 가리킴이다. 이러한 도식을 좀더 전문적으로 발전시킨 사상(사건성), 역사(개념), 텍스트(작품)의 관계로 본 경우와 비교해 보면 임화적 <환경>의 위상의 특이성이 선명해진다. 작품 중심주의가 그것이다. 장르를 통째로 <형식>으로 본 임화인 만큼 당연한 결과라 할 것이다.

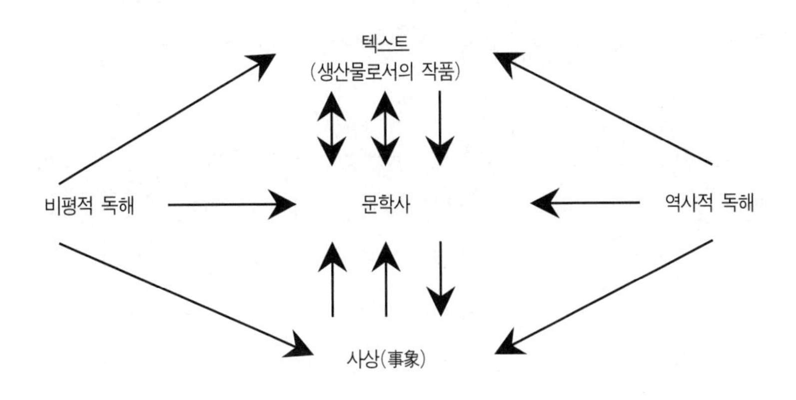

(클라망 모와산, 「문학사」, 쿠세주 문고, 일역판 白水社, 1996, p.17)

(2) 행운과 불행의 운명 속에서

『개설 신문학사』와 「신문학사의 방법론」에 몰두한 임화는 신소설 앞에서 무릎을 꿇고 말았음을 앞에서 상세히 검토했거니와 이미 그 시기는 1940의 시점이었다. 그는 당면한 현실에 대해 한 치의 앞도 내다 볼 수 없었는데, 이 전망부재란 따지고 보면 한편으로는 더 없는 축복 또는 행운이자 다른 한 편에서 보면 더 없는 불행이자 고통이 아니면 안 되었다. 이러한 행운과 불행은 따지고 보면 몸이 함께 붙은 샴쌍생아의 모습이기도 했다. 문단상에서 최초의 조직체인 카프의 최후 서기장이며 『현해탄』의 낭만주의에 침윤된 열정적 시인인 임화로서는, 창씨개명을 한 달 앞에 둔 1940년 1월의 시점 앞에서 마침내 전망부재에 닿고 말았다. 노래할 수도 없었음은 물론 주장할 수도 없었다. 노래할 대상도 주장할 논점도 없을 때 제일 잘 할 수 있는 것은 과연 무엇일까. 붓을 꺾는 일이란 물론 생각할 수 없다. 원리적으로 그런 짓은 문인으로서는 불가능하다. 문인이란 운명적으로 그러니까 어떤 상황 아래서도 글쓰기에서 벗어날 수 없다. 이 대원칙에서 벗어날 때 그는 본래적으로 문인일 수 없다. 이것은 곡식이나 땔 나무와는 전혀 별개의 차원 곧, 체질적이자 정신적인 과제에 속한 사안인 때문이다. 그렇다면 어떻게 하든 붓을 놓지 말아야 한다. 진정한 문인이라면 이 과제를 결코 피할 수 없다.

이러한 운명적 사실 앞에 선 임화에게 결정적 계기를 안겨준 것이 신남철이었다. 엄격히 말해 경성제국대학의 아카데미시즘이었다. 경성제대의 아카데미시즘이 임화를 향해 도전해온 형국이었다. 이 사실만큼 확실하고도 운명적인 것은 따로 없었다. 헤겔을 원어로 읽는 아카데미시즘만큼 부러운 것이 임화에겐 따로 없었는데 그것은 그가 보성중학 중퇴생이라는 학력 콤플렉스와는 별로 관련이 없다. 문제는 인류사에 대한 전망에 있었다. 근대, 바로 그것의 정체파악에 있었던 것이다. 칸트, 헤겔, 포이어바흐, 크로포트킨, 그리고 마르크스 또 나아가 레닌, 루나찰스키, 누시노프 등의 이론을 원문으로 읽어내는 능력도 없이 어찌 감히 인류사의 전망에 참여할 수 있겠는가. 경성제국 대학의 아카데미시즘은 적어도 외관상 그것이 가능한 곳이었다. 그 적자의 하나인 신남철이 신문학사를 향해 도전해 왔을 때 직감적으로 임화는 자신에 대한 도전임을 깨쳐마지 않았다. 곧 임화의 본래적 야성(野性)이 되살아날 수 있는 계기였다. 임화에 있어 이것이야말로 그를 늪에서 구출해준 운명이자 행운이 아니면 안 되었다. 직감적으로 임화는 이 운명의 미소와 마주쳤다. 그러나 너무도 그 도전이 낯설어 한동안 당황했음도 사실이 아닐 수 없었다. 이 아카데미시즘을 두고 임화는 한갓 '속학서생'이라 맞받아쳤다. '높은 교양'도 '엄정한 과학적 태도'도 '풍부한 문헌'도 발견할 수 없는 이 경성제대 아카데미시즘을 한칼에 내리쳤다. 그러나 과연 그러했을까. 이 물음은 따지고 보면 임화 자신에게로 향하고 있었다. 일단 외부의 공격에서 신문학을 방어함이 목적이었다면 어느 수준에서 성공했다고 볼 수 있었다. 카프문학이야말로 신문학의 정통노선이며 현 단계의 신문학의 달성된 수준임을 믿어 의심치 않은 카프 전서기장이자 비평가인 임화의 처지에서 볼 때 신남철의 개입자체를 용인할 수 없었다. 신문학을 일으키고 또 지키기 위해 얼마나 악전고투하며 지금껏 버티어 왔던가. 카프의 제1차 검거사건을 비롯하여 지금(1935년 현재)도 전주감옥에서 투쟁하고 있는 동지들을 염두에 둘 때 임화의 결의엔 윤리감각조차 개재되어 있었다. 문제는 그 다음에 왔다. '속학 서생'이라고 외부개입을 매도하여 물리치고자 한 것까지는 성공했으나 그 다음 차례를 임화는 감당할 수 없었다. 경성제대의 아카데미시즘을 두고 '높은 교양'도 '엄정한 과학적 태도'도 '풍부한 문헌'도 없다고 매도했고, 또 그것은 적어도 신남철의 글에서는 거의 확인할 수 없는 것임도 사실이고 따라서 '속학 서생'에 지나지 않는다고 논단한 것까지는 가능했겠지만, 문제는 그 다음 차례에서 왔다. 곧, 임화 자신이 '높은 교양', '엄정한 과학적 태도', '풍부한 문헌'으로 무장하지 않고는 결코 신남철을 방법론상으로 막아낼 수 없었다. 적어도 임화는 경성제대의 아카데미시즘의 수준에서 그가 살아온 신문학을 바라보지 않으면 안 될 계기에 직면한 것이었다.

낭만적 체질의 시인이자 월평 수준의 정론적 비평을 일삼던 보성중학 중퇴생인 카프 서기장 임화의 입장에서 보면 저 경성제대 아카데미시즘이란 실로 아득한 것이 아닐 수 없었다. 그렇지만 이젠 헤겔을 원어로 읽는 태산과 같은 아카데미즘과 맞서지 않으면 안 될 운명에 놓이게 된 것이다. 감히 운명이라 했거니와 그것은 전심전력을 기울이어야 하는 사안이었던 까닭이다. 달걀로 바위를 치는 일이 임화 앞에 펼쳐졌고 또 그것은 물러설 수 없는 막다른 골목이기도 했다. 방법은 단하나, 정면돌파가 그것이다. 그 방법론은 그가 신남철을 향해 내던진 (A) 높은 교양, (B) 엄정한 과학적 태도, (C) 풍부한 문헌이 부메랑이 되어 자신을 향해 돌아오고 있었다. 이 부메랑에 순사(殉死)하는 길 외에 다른 방도는 따로 없었다.

제일 먼저 할 일은 시를 포기하는 길이었다. 현해탄의 물결은 언제나 거칠게 또 잔잔히 놓여 있을 뿐, 그가 읊지 않아도 상관없다고 생각하지 않으면 안 되었다. 월평을 비롯한 문단의 진로 및 교통정리에 관해서도 포기하지 않으면 안 되었다.

시인의 몫에서 멀어지기, 이것이야말로 임화를 구출한 행운의 포인트였다. 왜냐면 신체제 앞에서 시를 쓰지 않아도 되었기에 그러하다. 위대한 낭만적 시인이자 카프시인 임화의 열정이 신체제적 시국 앞에 전면적으로 노출될 경우 그에겐 두 길뿐이었을 터이다. 감옥행이거나 붓을 꺾고 침묵하는 길이거나 아니면 시국에 영합하는 친일 시인이 되는 길뿐. 신남철의 존재로 말미암아 임화는 이런 위험에서 가까스로 벗어날 수 있는 행운이 주어졌다. 마찬가지로 비평가의 몫에서도 멀어질 수 있었다. 시국 비판 혹은 시국 영합에서 어정대지 않아도 더구나 침묵하지 않아도 되는 행운이 주어졌던 것. 그러나 문제는 그 다음에 왔다. 이 행운이란 동시에 엄청난 불행이자 구속사항이 아니면 안 되었다. 이로부터 임화는 보성중학 중퇴생에서 경성제대 철학과에로 스스로를 이끌어올리는, 거의 불가능에 가까운 사태 앞에 피할 수 없이 직면하지 않으면 안 되었다. 이 불가능에 가까운 사태야말로 임화가 짊어진 행운이자 불행이 아닐 수 없는데, 더욱 중요한 것은 이런 사태가 임화 개인의 과제를 초월함에서 왔다. 곧, 그것은 이 나라 신문학사의 행운이자 불행이라는 점이다. 시와 비평을 동시에 포기하고 (A) 높은 교양, (B) 엄정한 과학적 태도, (C) 풍부한 문헌을 획득하는 방도는 무엇인가. 이 물음에서 비로소 신문학사는 하나의 방법론 모색의 지평을 떠올리게 되었다. 그 결과 임화는 「신문학사의 방법론」(1940)에 이르렀는데, 신남철의 개입 이후 무려 5년의 세월이 요망된 시점이었다.

신문학사의 방법론이 아무리 엉성하거나 또는 독창적이거나 상관 없이 그 자체가 중요한 것은 그것이 방법론이었음에서 왔다. 방법론이란 체계 곧, '엄정한 과학적 태도'를 전제로 한 것이다. '높은 교양'이라든가 '풍부한 문헌'이란 이 '엄정한 과학적 태도'에 비하면 일종의 장식적인 것이지만, 방법론의 경우는 사정이 크게 달랐음에 주목할 것이다.

방법론이란 체계 곧 '과학'의 명분에 속하는 사안이었다. 임화가 난생 처음으로 마주친 과학이란 대체 무엇인가. 그것은 대학 그것도 제국대학의 전유물이 아니었던가. 이른바 학문이란 바로 과학(science)이란 정신조차도 과학이라 규정하여 정신과학(Geisteswissenschaft)이라는 영역을 성립시켰고, 가치영역조차 과학의 범주로 다루고자 하는 신칸트학파가 지배하는 곳이 이른바 대학이라는 곳이었다. 임화는 혼자 힘으로 이 과학을 획득해야 했다. 보성중학 중퇴생이 제국대학 아카데미시즘을 향해 발돋움한 아슬아슬한 장면이 「신문학사의 방법론」이기에 그만큼 모험적이자 아슬아슬한 묘기의 성격을 가진 것이었다. 요컨대 신남철이 문제발견형의 논자라면 임화는 체계건설형의 논자라 할 것이다.

제3부

제1장 해방공간에서의 임화
–제2차 대응방식

(1) 경성제대 아카데미시즘–최용달 노선

해방공간이란, 일제 말기를 겪어온 세대에 있어서는 제2의 전환기이다. 일제말기의 생존전략에 대해 신남철은 김오성과 더불어 문단을 향해 『전환기의 인간』을 썼다. <명철보신>, <양지양능>, <명랑한 희망>의 3대 특징을 내세운 신남철은 이를 <잠언을 저작하는 인간>이라 규정했다. 해방공간에서의 전환기에 대해 신남철은 어떤 처방을 내세웠던가. 이 물음에 먼저 응해 오는 것이 '간투기'(間投期)이다. 전환기가 넓은 뜻의 역사적 변환기를 가리킴이라면 해방공간의 그것은 일제말기와는 달리 간투기 곧 전형기(transformations periode)임을 신남철은 힘써 내세웠다. 한 역사적 사회가 다른 역사적 사회로 건너가는 과정을 두고 간투기라 했고 또 이를 전형기라 했을 땐 일제말기에서는 감히 상상도 할 수 없는 일이었다. 명철보신에 임할 수밖에 없었던 까닭이다. 그러나 해방공간에서는 사정이 크게 달랐다. 한 역사적 사회에서 다른 역사적 사회에로 전환하는 데 있어 주체적으로 참가하기. 그럼에서 그 새로운 역사적 사회의 '청사진 그리기'에 온힘을 기울이지 않으면 안 되었던 것이다. 간투기라고 하는 그 속에서 벌어지는 청사진 그리기에 전력을 기울이는 일이야말로 해방공간을 굳이 '전형기'라 부른 이유이다. 신남철은 이 간투기의 도안그리기의 구체성을 '신체'라 불렀다. 어떤 인간도 이미 구체적 인간임을 대전제로 할 때가 마침내 도래한 마당이기에 '신체'야말로 도안그리기의 출발점이 아닐 수 없다. 구체적 인간이란 먼저 정치적 경제적 인간이자 민족적인 인간인 만큼 신체조건을 떠날 수 없다는 인식이 해방공간의 도안그리기의 원점이거니와 이 신체를 신남철은 또 구체화하여 '청년성'이라 했다. 이미 '저쪽의 새로운 사회'가 전제되었던 신남철인지라, '지금, 여기'의 문제를 혁파하고 새로운 사회에로 옮겨가기 위한 창조적 지성이란 발랄한 '청년성'이 아니면 안 된다고 그는 보았다. '지금, 여기'가 단독정부수립을 눈앞에 둔 1948년도를 가리킴이라면, 나아갈 새로운 사회란 북쪽의 사회를 지칭함이겠지만 원리적으로 보아 신남철에겐 주체적인 인간형(헤겔)의 유물변증법(마르크스)을 가리킴이어서 이는 신남철에겐 선험적이라 할 만큼 정해진 것이었다. 1930년 초기 「신흥」에서 활동하던 시기의 이데올로기론에서 이미 확인된 사안이었다. 그러나 그 이데올로기가 독일 관념론의 수준에 이어진 것이라 살아 숨 쉬는 구체적 인간과는 일정한 거리가 있었다. 해방공간에서는 이를 걷어내는 일, 그것이 바로 '신체'이며, 또 그것도 '청년성'이라 규정되었다. 물론 신남철이 청년성이라 했을 땐 구식 민족주의자들과 구별하기 위해서였다. 누구나 정치적 경제적 인간이자 민족적 인간임엔 틀림없지만 정치 경제적 인간이 나아갈 방향성이 이미 결정된 마당이라면 민족적 인간의 구체성이 남는다. 전통지향성의 구민족주의자들의 반역사 사회적 지향성이란, 전형기를 방해하는 최대의 장애물이 아닐 수 없다. 그것은 노인의 사상 곧, 역사의 퇴행이자 유년기의 회귀 또는 반역사주의라 할 것이다.

전환기를 전형기라 재규정한 신남철의 이러한 신체로서의 청년성의 규정은 그가 두 가지 관점을 동시에 품고 있었음을 가리킴이다. 하나는 유물변증법을 내세운 점인데 이를 두고 장년성, 또는 성인성(成人性)이라 할 수 있다면 다른 하나는 청년성이다. 이 둘을 동시에 갖춘 신남철은 일변으로는 성인성을 원리적으로 내세우고 그 구체적 전개를 청년성으로 삼은 형국이었다.

임화가 선 자리는 어디쯤이었던가. 해방공간에서 임화의 위치를 재는 일은 신남철과 견주어 보는 것이며 그것이 제일 생산적 해석에로 이끌 수 있다. 문학사쪽에 철학이 함부로 개입하지 말라고 신남철을 강력히 비판한 것은 30년대 중반의 임화였다. '한 개의 속학서생'에 지나지 않는 신남철이 과학이란 칼을 휘둘러 문학사에 개입하는 것이란 있을 수도 없고 있어서도 안 된다고 임화는 보았던 까닭이다. 그만큼 문학이란, 임화에겐 대단한 것이며 또 객관적으로 보아서도 신소설(1906) 이래 30년의 역사를 가진 성년급의 연륜을 가진 것이었다. 이에 대해 경성제대 출신의 소년기를 갓 지나 아직 청소년기에 지나지 않는 '속학 서생'급인 신남철의 개입이란 용납되기 어렵다고 판단되었다. 그냥 둘 수 없는 이유 두 가지로 먼저 들 수 있다. 하나는, 카프에 대한 논의라는 점. 이는 정작 그것을 주도해 온 임화의 절대적 영역이었다. 이에 대한 문외한의 간섭은 용납될 수 없었다.

다른 하나는, 이 점이 미묘한데, 정작 그 역사적 주역인 카프 구성원이 임화와 김팔봉을 제외하고는 몽땅 전주감옥에 수감 중이었다는 사실이다. 여기에 대해 임화가 모종의 윤리적 감각을 자신에게 짐 지우지 않으면 안 되었을 것이다.

이러한 임화가 해방공간의 전환기에 와서는 어떤 방식으로 대응해야 했을까. 이 물음에 맨 먼저 응해오는 것이 '신체'에 대한 반응이다. 비유컨대 그는 이미 신체가 굳은 노인성에 놓여 있었는데, 그것은 자기의 주체성의 포기로 나타났다. 옛카프 시대로 퇴행함으로써 이를 증명해 좋은 형국이었다. 요컨대 노인성의 한국근대문학이 돌연 방향을 잃어 소년기, 청소년기인 구카프 시대에로 퇴행함을 보여주는 구체적 사례를 다음 장면에서 잠시 엿볼 수 있다.

> 해방을 맞이하던 날 내가 무엇이 어떻게 되는 것인지를 몰라 허둥허둥 거리를 헤매던 일은 그날 일기에 여실하게 나와 있다. […] 혹시 무슨 소식을 들을까 해서 찾아간 인촌(仁村)은 부재중이었고 다음 찾아간 보성전문에서는 몇몇 옛 동료들과 겨우 <잡담>만 하고 헤어졌을 뿐이었다. […] 그와는 대조적으로 좌익의 손은 빨랐다. 흥분을 이루지 않는 잠을 억지로 한잠 자고 깨자 8월 16일 새벽. 나는 임화군의 방문을 받았던 것이다. 임군은 그때 청량리에서 조금 더 나간 회기리인지 동문 동인리에 살고 있어서 시내에 볼 일이 있어 드나들 때면 가끔 내 집에 들러 잡담을 하다가 가곤 하던 터였다. 그와는 내가 '동반자작가'라 불리던 때부터 가까이 지내온 처지였고 좌익문학이 전면적으로 퇴조한 이후로는 그도 나와 같이 순수문학의 입장에서 활동해온 까닭에 문단관계로는 그 누구보다도 서로를 이해하고 친근하게 지내온 사이였던 것이다.
>
> 그날 아침 임화는 몹시 바쁜 태도로 현관을 들어서자마자 구두도 채 벗기 전에 <자, 인제 우리도 일을 해야지> 하였다. 해방조선의 새 문화운동을 위해 함께 나서자는 것이다.(유진오, 「편편야화」, 동아일보, 1974. 5. 4.)

어째서 임화는 제일 먼저 유진오를 찾아갔을까. 여기에는 상당한 설명이 따르지 않을 수 없다. 문인 대표급의 유진오이지만 동시에 무엇보다 경성제대 법문학부를 대표하는 존재라는 사실이다. 임화의 권유대로 유진오는 8월 16일 오후 한시에 계농연구소(桂農硏究所)에 갔다. 약학전문학교 교수 유봉석이 세운 생약연구소. 거기에서 유진오는 임화, 김태진을 만났고 현단계의 정치적 성격을 묻자 임화는 한마디로 '부르주아 민주주의 혁명'이라 했다. 이 순간 유진오는 "가슴을 내리쓸었다."고 표현했다. 당장에 '프롤레타리아 혁명' 단계라고 하지 않고 '부르주아 민주주의 혁명'이라 했음은 사유재산을 전제로 한 단계로 규정되기 때문이다. 그러나 신중한 지식인 유진오의 처지에서 보면 임화의 저러한 주장을 도무지 믿기 어려웠다. 설사 공산당(조선공산당)이 조직되어 있고 그 지도부에서 그렇게 정했다 하더라도 그 지도부의 핵심 분자가 누군지 또 언제 어떻게 변할지 모르는 판국인지라 '부르주아 민주주의 혁명'이라 한다고 하면 타협가능성이 없지도 않을 것이라 생각했다. 이러한 유진오의 판단을 송두리째 뒤엎은 사건이 바로 직후에 일어났다.

> 그러자 그 자리에 최용달(崔容達) 군이 나타났다. 문화운동의 최고책임자인 임화에게 지령을 내리는 사람이 결국 최용달 군이었던가. 나는 의외라는 생각과 당연하다는 생각이 동시에 들었다.(동아일보, 1974. 5. 4)

강원도 양양출신인 최용달이 경성제대 법문학부 법과를 나온 것은 1930년, 조수로 근무하고 보성전문 교수로 간 것은 1937년이었다(보성전문 법학과장은 유진오). 경성제대 출신으로 조직된 경제 연구소 및 조선사회사정 연구소를 유진오와 함께 해온 인물로 최용달(2회), 이강국(2회), 박문규(2회)를 들 수 있고 이들에 대해서는 누구보다 유진오가 잘 알고 있었다. 최용달이 부지런하고 의리 깊은 수재형이라면 이강국은 강직하고 조금은 공격적이었고 박문규는 온건한 대신 끈기 있는 인물이었다.

> 최용달군의 탐구하는 모습은 나와 비슷하나 나보다 끈기가 더 있을 뿐이었는데 이강국군은 언제나 공격적이어서 끈질긴 상대를 만나면 공격 앞에 자멸하는 수가 많았다. 박문규군은 또 그와 반대로 인절미같이 질기게 상대편의 공격을 받아 넘겨서 상대로 하여금 자멸케 하는 그러한 방식이었다.(동아일보, 1974. 3. 27.)

이 삼인행에서 유진오의 위상은 최용달과의 비교에서 드러났다고 볼 것이다. 해방공간에서의 유진오와 임화의 첫 대면이 8월 16일에 이루어졌다는 것, 거기서 유진오가 간파한 것은 임화의 몰주체성이었다. 임화는 유진오의 시선에서는 최용달의 하수인이자 노예였던 것이다. 최용달이 장년의 성인급 지도자라면 임화는 한갓 소년기의 순진무구함이었다. 이러한 비유가 반드시는 적절하다고 할 수 없긴 하나 「편편야화」란 제목 그대로 주관적 회고록의 일종인 까닭에 객관성에 문제가 없지 않음도 사실이다. 가령 8월 18일 임화 주도로 열린 문학자의 첫 만남인 이른바 원남동 모임에 백철, 이무영 등과 참가했다가 친일문사라는 이유로 물러난 바 있었던 일을 빼버린 것도 그러한 사례의 하나이다(백철 「문학자로서 나의 처세와 그 모랄」, 『신천지』, 1953. 11, p.198). 그렇기는 하나 경성제대 수제급이자 맏형격인 유진오의 회고록은 적어도 최용달 부분에서는 선명할 수밖에 없었다. 훗날 남로당 최고 이론분자이자 사회주의 국가건설의 중심인물인 최용달, 이강국, 박문규 등 옛 동지들과의 결별과 그 이유에 대한 예각적 모습이 선명하기 때문이다. 그런 사례의 하나로 8월 19일 직접 최용달을 찾아가 개인적인 면담을 한 사실을 들 수 있다. 정부조직에 몰두한 최용달에게 유진오는 자기의 복안을 말했다. 미국의 이승만, 중국의 임정도 조선독립동맹(연안)도 아직 오지 않았고 또 국내에서도 아직 혼란 상태인데 좀 더 기다려야 한다는 것. "그러나 그때 만일 내가 똑같은 말을 최용달 군 이외의 그편 쪽 다른 사람에게 하였더라면 당장에 나는 반동분자라고 타매 당했을지 모르는 일이다. 최 군이었기에 끝까지 귀를 기울여준 것으로 안다." 이러한 대전제가 깔려 있었다. 이 만남에서 오고간 대화는 인용해 볼 만하다.

(최용달) : 노선의 실질내용이 문제아닌가, 올바른 노선을 따라 올바른 일을 하면 그만이지 형식절차가 무슨 큰 문제인가.
(유진오) : 형식절차가 중요하다는 것이 아니라 사람의 생각은 사람마다 다르기 때문에 나는 하는 말이네.
(최용달) : 자네는 진리에 둘도 있고 셋도 있다고 생각하나. 우리가 진리를 따라 행동하는데 무슨 이론(異論)이 있을 수 있다는 건가.
(유진오) : 자네들이 진리라고 생각하는 것을 다른 사람들은 진리가 아니라고 생각한다면…
(최용달) : 진리를 진리가 아니라고 주장하는 사람은 몰락해 가는 수밖에 없지.(필자가 대화체로 구성했음, 1974. 5. 7.)

이 단호한 최용달의 태도를 두고 "그때처럼 무서운 얼굴을 본 적이 없다."고 유진오는 적었다. 이것이 마지막 장면이었거니와 그래도 아쉬움은 물리치기 어려웠는지 유진오는 사진 한 장을 공개했다. 1930년 초 유진오, 최용달, 김광진, 박문규, 최창규, 그리고 신남철 등 모습이 담긴 이 사진 중 최용달, 김광진, 박문규, 신남철 등은 월북했다. 이들 모두가 경성제대 법문학부에 뿌리를 둔 인물들이었음을 떠나면 많은 논의가 공허지기 쉽다. 유진오는 경성제대의 평가에 대해 세상이 소극적임

을 지적, 다음 두 가지를 들었다. 하나는 일제의 것이라는 점이며 다른 하나는 남로당(좌익)을 들었다(「紺碧遙かに－경성제국대학창립50주년 기념호」, 1974. 비매품, p.412). 카프 서기장이었고, 신남철을 두고 '속학 서생'이라 호통을 친 임화가 해방공간에서 최용달의 하수인 또는 부하의 신세로 전락되었음도 따지고 보면 문화자본(부르디외의 용어)인 경성제대 법문학의 힘과 무관하지 않다. 이 점은 최재서를 발행인으로 한 대형 일어 문예월간지 『국민문학』(1941~45)이 실상 경성제대문과의 뒷받침으로 가능했음에 엄밀히 대등된다(졸저, 『최재서의 '국민문학'과 사토 기요시 교수』, 역락, 2009).

(2) 신남철 · 박치우와 다시 마주치기

신남철로 대표되는 철학과 임화로 대표되는 문학의 관련성을 해방공간에서 재확인하는 작업은 문학사 쪽이 먼저 문제 삼아야할 중요한 사안이 아닐 수 없다. 무엇보다 문학사는 이인직 이래 30여년을 쌓아온 어른급이었다. 이에 비해 철학은 겨우 청소년급 수준에 비유될 수 있다. 신남철의 문학사에 대한 개입(1935)이 그 풋풋한 관념성이랄까 저돌성은 인정될지라도 문학사 쪽에서는 용납되기 어려운 만용에 지나지 않았다. 기질적으로 신남철은 문학이 지닌 '명랑성'과 철학이 지닌 '명석성'을 양팔에 갖고자 했다. 이 대단한 만용은 잘되면 三木三淸(미키 키요시) 모양 화려한 저널리즘의 물결을 탈 수 있지만 자칫하면 이도 저도 아닌 얼치기에 전락될 수도 있었다. 이 점에서 신남철은 시대성의 도움을 크게 받았다. 카프의 퇴조가 바로 그것이다.

객관적 정세의 악화로 카프가 해산되고 전주감옥에 수감되는 판국이었지만 세계사의 진행방향의 과학성 곧 역사철학의 내재적 발전론상에서 보면 일시적 현상이라 할 수도 있었다. 군국 파시즘체제(신체제) 밑에서도 문학이 가능했지만 그 문학은 역사철학의 과학상을 제거한 문학이 아니면 안 되었다.

문학이 사상성과 예술성(형상성)으로 이루어진다면 이중 후자만이 문학을 가리킴이었다. 카프문학의 경험을 철저히 겪은 한국 문학사의 처지에서 보면 예술성만이 문학이란 절름발이가 아닐 수 없었다. 이 급소를 충격한 것이 바로 철학쪽의 신남철이었다. 신남철의 문학사에의 개입은 <속학 서생>의 것이라 할지라도 문학쪽에서는 큰 의의를 갖는 것이 아닐 수 없었다. 문학쪽에서 요청한 바 없는데도 신남철이 문단에 바란다고 외치며 끼어드는 일이 가능했던 것은 카프문학 경험의 한국 문단이었음에서 비로소 설명된다. 해방공간은 이러한 사실을 극적으로 증명함에서 새삼 선명해졌다.

(3) 두 번째 철학의 개입 장면

문학사 쪽에서 철학의 개입을 엎드려 요청하는 역사적 전환기를 이름하여 해방공간이라 하겠거니와, 그 구체적 양상은 제1회 조선문학자대회(1946. 2. 8.~9. YMCA)에서 역사적으로 펼쳐졌다. 조선문학가동맹 주최의 이 대회의 정식명칭은 제1회 전국문학자대회이다.

> 일본의 패전후 7개월만인 1946년 2월 8일, 9일 양일간에 걸쳐 서울시에서 개최된 제1회 전국문학자대회는 조선문학 유사이래 처음으로 전국의 문학자가 일당에 모이어 자기의 과제를 검토한 회합으로서 분명히 역사상에 기록될 것이다. [···] 이번 대회는 일본제국주의의 패퇴와 세계민

주주의 승리가 조선의 문학에게 기여한 최조의 빛나는 성과로서 우리의 서로 명기하는 바이오 또 감사하는 바이다. 민주주의 세계의 승리만이 조선 문학의 전도에 자유와 발전을 약속한다는 산 증표를 우리는 이 대회에서 충분히 감지할 수 있었다.(조선문학가동맹 중앙집행위원회 서기국)

깃발로 선명하게 드러낸 것은 세계의 민주주의가 가져다준 빛나는 성과라는 것. 무엇보다도 '외부에서 주어진 것'임이 천명되어 있다. 민족해방의 주어졌음이 곧 문학 그것도 따라서 주어졌다는 것을 함의하고 있는 이런 표현은 한국문학이 근대무학 곧, 국민국가를 전제로 했음을 가리킴이 아닐 수 없다. 한국근대문학의 성립은 이 관점에 설 때 임시정부를 암묵적으로 승인한 위에서 성립된 것이었다. 일제의 통치부는 당초부터 행정 치안 교육 금융 교통 등의 제도와는 달리 문학제도만은 제외하고 있었던 것이다. 그 증거로 문인들의 조선어학회에 대한 전폭적 지지를 들 수 있다. 일제가 이 문학제도 조차 통치부에 편입시키고자 한 것이 악명 높은 <조선어학회 사건>(1942. 10. 1.)이었다(졸저, 『문학사의 새 영역』, 강, 2007). 이러한 문학사의 과정에서 뒤틀린 갖가지 과제들이 해방공간 일 년 동안 대혼란을 빚었는데 이를 해결하여 새로운 단계로 나아가기 위해서는 무엇보다 '외부'의 개입이 절대적이었다. 제2의 근대문학 곧 당면의 문학사적 과제가 구체적으로 어떠해야할 것인가를 모색하는 일이야 말로 이번 대회의 기획의도였으므로 이렇게 드러냈다.

이번 대회는 실로 신문학운동 개시이래의 전과정에 대한 하나의 결산인 동시에 8월 15일 이후의 문학적 제시험급 실천에 대한 하나의 총결산이었다. 이 결산은 일본제국주의지배의 잔재에 대한 청산일 뿐 아니라 조선의 근대문학 그 자체에 대한 청산이 되는 것이오 동시에 이로부터 건설된 조선문학의 성격급 방향에 대한 대담한 그러나 확실한 예견의 설정으로서 의의를 갖는 것이다.

서기국의 이러한 태도표명에서 주목되는 것은 '제로'상태에서 출발함을 가리킴이라 할 수 있다. 첫째는 저 이인직 · 육당 이래의 신문학사의 총부정이라는 것. 둘째는 8 · 15이후에서 지금까지 진행된 좌우익 대립 기타 갖가지의 과제들의 총부정이라는 것. 그동안 전개된 문학적 과제를 모조리 부정한 이 대담한 자기부정을 내세우고 이른바 '백지'위에서 새로운 문학의 밑그림을 그리겠다는 의도는 따지고 보면 본말의 전도가 아닐 수 없다. 이미 조선문학가동맹이 성립되었고 그 조직의 의도가 이러한 결정을 내렸다는 것은 그 자체 이 조직의 의도인 까닭이다. 당초 최초의 해방 후의 문인조직으로는 임화주도의 <조선문학건설본부>이었고 이 대동단결체를 표방한 조직에 맞서 과거의 카프직계인 한효 등의 예맹파가 대두했는바 이 두 단계가 계보상 좌파계인 까닭에 조선공산당 지도부의 개입이 불가피했다. 계급내의 내분으로 보였기 때문이다. 이 문제를 해결하기 위해 개입한 인물이 바로 김태준이었다. 경성제대 조선어문학과(제3회) 출신인 김태준은 『조선소설사』의 저자를 학구파이자 또한 박헌영 직계의 연안파였고 학술담당 총책이었다. 그의 주선에 의해 두 계보가 <조선문학동맹>으로 통합(1945. 11. 15)되었고 이 명성이 다시 <조선문학가동맹>으로 바뀐 것은 제1회 전국문학자대회 토론 석상에서였다(김윤식, 『해방공간의 문학사론』, 서울대 출판부, 1989). '제로 상태'라고 하고, 백지에다 미래의 문학사를 그리겠다는 것은 이 조선문학가동맹의 이데올로기의 그림이 아닐 수 없다. 그러기에 이에 맞서 내빈 김구, 조소앙, 안재홍 등을 모시고 김범보(김동리의 맏형)가 앞장선, 460여명에 이른 민족주의 진영의 전국문필가대회(1946. 3. 13. YMCA 강당)가 이루어졌던 것이다.

조선문학가동맹 주도의 전국문학자대회를 (B)라 하고 맞수 전조선문필가협회를 (A)라 할 때 이는 각각 조선공산당(남로당)과 한민당 등에 대응되며 남한 내에서의 대립양상이 되는 셈이다. 한편 북로당의 경우는 북조선 문학예술총동맹(1946. 3. 25.)이며 이를 (C)라 한다면 (A), (B), (C)의 위상이 뚜렷해질 수 있다. (A)란 남한단독정부, (C)는 북조선 정부이며 (B)는 형식상 그 중간에 낀 형국을 빚었다. 문제는, 남한에서의 (A), (B)의 갈등에서 왔다. 신남철이 저쪽(C)을 상정하고 이쪽 (A), (B)에서 저쪽(C)에로 옮겨가는 과도기로 해방공간을 규정하고 있음은(『전환기의 인간』) 논리구조 이전의 현실태이기도 하였다. 이론과 실천, 본점(本店)과 야점(夜店), 역사철학과 그 적용의 형태이기에 그만큼 직접성을 띤 것으로 평가될 수 있다. 그렇기에 전국문자대회(B)를 주도한 임화의 처지에서 보면 이 직접성이 갖고 있는 일원론이야말로 이원론으로 되어 있어 방향상실로 보이는 문학을 구출할 방도로 보여 마지않았다. '속학 서생' 격인 그러니까 겨우 청소년기에 접어든 경성제대의 학문이 이인직 이래 어른급에 이른 신문학을 향해 이러쿵저러쿵 개입해 들어왔을 때 그 신문학의 주도적 비평가인 임화로서는 가소롭게 보여 마지않았다. 헤겔의 사관이 부르주아계급의 문명 진보의 사고에 잘 적합했고 그것의 허점을 돌파하여 그 변증법을 바로 세우면서 나타난 마르크스사관도 역사의 필연의 발전에 의한 새로운 계급의 교대를 믿고 있었다. 요컨대 19세기의 합리주의적 역사관은 사회발전이라는 사고에 굳게 결합된 것으로 과거의 부정에 의한 장래의 설계로 향해 사람들을 이끌었다. 과거는 따라서 죽은 것. 단지 시간이 지나간 것이 아니라, 역사의 발전의 변증법에 따라 죽은 것이다. 전통이라는 애매한 말이란 무의미한 것. 이러한 경향은 사회가 계급의 가치를 자각하고 정치주의의 온상을 만들기에 모자람이 없었다. 사회개량주의자나 혁명가에겐 그 이상 좋은 사태는 일찍이 없었다. 그러나 예술가의 처지에서는 어떠할까. 낭만주의의 세례를 이미 겪은 문학 예술의 처지에서 보면 예술의 하는 일은 자기표현, 자기고백의 길에서 벗어날 수 없었다. 자기표현 자기고백이란 새삼 무엇인가. 카프 서기장이자 시인 임화는 이 사실을 본능적으로 알아차리고 있었다. 사람은 역사 속에서 살면서 역사와 함께 흐르면서 자기를 말하는 일을 얻었지만 역사발전을 보는 지점에 서면 자기를 잃게 마련이다. 임화는 이 사실을 모르는 사이에 체득하고 있었다. 그가 청년 신남철의 문단개입을 강하게 거부한 이유는 이런 깊은 곳에서 나왔다.

해방공간이란, 임화의 처지에서 보면 역사발전을 직접 목도하는 지점이었다. 이 장면서 문학자는 길을 잃게 마련이었다. 자기의 길을 잃음이란 자기 표현, 자기고백의 불가능을 가리킴이었다. 조선문학자대회란 깊이 따져보면 방향상실의 문학자의 심정고백서의 모임에 다름 아니었다. 더 자세히는 길 잃은 문학에 대한 외부세력에 구출신호를 보내기 위한 굿마당이었다.

그 외부세력의 주체가 경성제대 철학과였음에 주목할 것이다. 이 대회의 성격상 홍명희의 인사말을 비롯하여 여운영, 소련작가동맹, 조선과학원 조선공산당의 축사 및 연합국에 대한 감사결의문 등이 먼저 있었고 임화, 이원조 김남천 등의 문학에 대한 보고 연설이 잇달았다. 축사를 제하면 이 문학 측의 보고연설은 각 장르에 걸쳐 있었지만 그 성격상 과거에 대한 반성으로 일관되어 있었다. 이는 현재에 대한 공백상태의 고백에 다름 아니었다. 따라서 문학의 보고연설이란, 문학자체의 방향상실의 보고일 수밖에 없었다. 이 점에 그것은 정직함으로 평가될 수 있다. 달리 방도가 없었던 증거인 까닭이다.

이 보고 연설의 다음 차례에 놓인 것이 <특별보고>였음에 주목할 것이다. 박치우가 신남철이 이 부분을 맡았는데, 거듭 강조하건대 경성제대 철학과의 두 출중한 사상가들이었다. 이 중 신남철은 참석문인(2월 9일) 84명 중 이태준 다음으로 문인으로 등장하고 있었다(『건설기의 조선문학』, 백양당, 1946, p.217).

경성제대철학전공자와 해외파의 발표지 『철학』(제2호, 1934. 4.)에 박치우가 「위기의 철학」을 썼을 때, 같은 호에 신남철은 「현대철학의 Existenz에의 전향과 그것에서 생하는 당면의 과제」를 발표 한 바 있었다. 목사의 아들이자 빨치산으로 사살된(동아일보, 1945. 12. 4) 박치우는 이 논문에서 불안사상을 초극하기 위한 길을 확고히 제시했는데 "사물을 신명을 던져서 감하는 정열적 파악"(p.3)이라 규정하고 이 길을 매진하기 위해 철학계를 떠난다고 선언한 바 있었다.(「아카데에 철학을 나오며」, 『조광』, 1936. 1)

로고스에서 파토스에로 전환한 이 주제성이 그로 하여금 행동(빨치산 운동)으로 치닫게 한 근본원인이라면 이는 철학의 과제인가 개인의 기질적 문제일까. 왜냐면 이 주체성의 열정은 '철학 외적 관심'으로 볼 수 있기 때문이다(윤대석 · 윤미란 편, 『박치우 전집』, 인하대출판부, 2010). 한편 신남철은 다나베 하지메(田辺元)의 「종합과 초월」에 근거하여 현상학의 하이데거를 소개하고 그의 사상이 당파성을 띠고 있음에 대해 비판하고 있을 뿐이다. '위기에 있어서의 인간의 입장'이라 내세우더라도 '이데올로기의 당파성'에서 떠날 수 없다는 것, 따라서 하이데거의 사상이란 객관성이 없다는 것이라 주장했다. 하이데거에 대한 소개에 치중하면서 아무리 그래도 당파성에서 떠날 수 없다는 근거로 내세운 것이 "현금의 문화적 이론적 학문같이 당파인 것은 없다."(p.80)는 한마디로 수렴시킬 수 있을까. 박치우의 단호함에 비해 실로 불투명한 논법이 아닐 수 없다. 철학엔 명백성이 있지만 문학엔 명랑성이 있다고 믿는 신남철의 본 얼굴이 거기에 이미 드러났다고 할 것이다.

이 두 경성제대출신이 문학자 대회에서 특별보고를 했음이란 대체 어떤 의의를 갖는 것일까. 우선 신문학상에서 이 물음만큼 대사건은 없었다고 말해질 성질의 것이었다. 문학쪽이 외부 개입을 요청한 까닭이다. "나치스 독일과 파시스타 이태리 그리고 군국주의 일본의 타도만으로 세계사에 있어서의 파시즘의 종언을 기대함과 같음은 너무도 어리석은 낙천주의다."라고 서두를 삼은 「국수주의의 파시즘화의 위기와 문학자의 임무」에서 박치우는 「위기의 철학」(1934)을 그대로 반복하고 있음을 한눈에 알 수 있다. 1934년 시점에서 교서적 박치우는 이를 극복하는 길이 (1) 교섭적 파악, (2) 모순적 파악, (3) 행동적 실천적 파악을 기저로 한 '사물의 주체적 파악'(p.12)이라 했다. 해방공간에서도 요망되는 최상의 길임을 박치우는 강철 소리나는 문장으로 임하고 있었다.

먼저 그는 해방공간의 조선에서 파시즘의 위험이 있음을 두 가지로 들었다. 첫째 식민지에서 해방될 경우 대부분이 국수주의적 방향으로 치닫기 쉽다는 점. 둘째 후진사회에서의 정치투쟁은 폭력에 의한 파쇼적인 해결에 귀착되기 거의 10중 8·9라는 사실. 그렇다면 누가 정말로 파시스트인가. 그 대답은 간단명료하다. 우리들 사이에서 조선사람은 천손(天孫)이며 세계에 으뜸가는 민족이며 우리들과 문화가 덮어놓고 세계제일이라 말하는 자, 이에 기대어 정치적 야심을 가진 자. 요컨대 국수주의자에 다름 아니다. 그렇다면 문학자는 어떻게 대처해야 할까. "문학자가 제작은 뒷전으로 정치의 문제에 참여한다는 것은 문학하는 사람으로서의 문학자의 입장으로서는 소모적인 월경임에 틀림없다."는 전제 아래 박치우는 그러나 문학자의 일신상에 한 개의 '정치 문제'가 개입할 때는 사정이 다름을 내세웠다. 이 '정치 문제'에 한 사람의 인간의 입장에서 자기 방어, 자기주장에 나서지 않을 수 없다는 것. 이것은 권리가 아닐 수 없다. 그런데 이러한 성질의 '정치 문제'가 일국의 문화의 부침, 소장과 지대한 관계가 있을 경우는 어떻게 해야 할까. 단순히 일신상의 문제에서 떠나 국가, 민족의 문화의 옹호와 발전을 위해 용감히 전선에 나서야 한다는 것. 바로 지금이야말로 그런 시기에 해당된다는 것.

> 더구나 조선의 현실에 비추어 본다면 사태는 한결 더 간단해질 것이다. 왜냐하면 정치적으로만이 아니라 경제적으로 사회적으로 문화적으로 진정한 민주주의노선만 따라만 간다면 어떤 주의의 민주주의든간에 당연히 그리고 반드시 결국은 <근로민주민족전선>이라는 유일 최종의 노선에 합치고야 말 것은 필연적인 순서기 때문이다.(조선문학가동맹 발행, 『건설기의 조선문학』, 백양당, 1946, p.148)

문학자는 그러니까 "이들 속에 들어가 이들과 굳게 단결될 때에만 문학자는 문화조선을 파쇼적 위협에서 구출할 수 있을 가장 바르고 넓은 길"이라고 박치우는 결론지었다. 두 가지 점이 지적될 수 있다. 하나는 '정치 문제'가 우선순위로 제시되었다는 것. 다른 하나는 방향설정이 뚜렷하다는 점. 한편 신남철의 경우는 어떠했을까. 「민주주의와 휴머니즘」이라는 표제 밑에 신남철은 <조선사상문화의 당면정세와 그것의 금후의 방향에 대하여>라는 긴 부제를 달았다. 무엇보다 신남철은 사태파악을 전제조건으로 과학성을 내세웠다. 그것을 그는 귀납법이라 불렀고 이 방법에 의한 현실파악의 결과는 어떠했던가.

> 조선이 일본제국주의로부터 해방이 되었으나 북위 38도선을 경계로 하여 그 세계정책의 근본이념을 달리하는 미소양국에 의해 군사적으로 분단 점령되어 있으며 정치적으로 지배형태를 달리하고 있는 현실사태와 일본제국주의 잔재가 8월 15일 이후 다른 보호자를 마지하기 위해 급급하여 자주적 건국독립까지도 안중에 없는 듯이 보여지는 현재의 순간에 있어서 비약적으로 프롤레타리아혁명단계이라고 규정할 수 없음은 명약관화한 사실이라 하겠습니다. 세계사적 일환으로 국제무대에 등장한 조선, 남북으로 분단 전편되고 토지 문제에 있어서 봉건적인 소유관계가 그대로 남아있는 조선이라는 점으로부터 고찰하여 독립건설의 기본이론이 진보적 민주주의의 원칙에 서지 않으면 아니 되게 되었다는 것은 사태에 즉응하는 것이라고 하겠습니다.(p.150)

박치우와는 달리 과학에 입각한 신남철의 진단은 현단계란 '진보적 민주주의건설단계'로 규정되었는 바, 이는 조선공산당의 이른바 8월 테제 그대로였다. 사유재산을 인정하면서도 그것이 '진보적'이어야 하고 또 '민주주의적'이어야 한다는 것. 다르게는 '부르주아 민주주의 혁명'에 해당되는 것. 이 단계에서 문학자는 어떻게 대처해야 할까. 모택동의 「신민주주의」(1949)에 의거한 이 단계에서 신남철이 내세운 것이 바로 휴머니즘이었다. 좌우익의 대립으로 인한 소아병적 단계를 극복하는 길은 휴머니티에 근거한 휴머니즘이다. 신남철은 휴머니즘의 발생 성장에 대한 교과서적 고찰을 한 뒤 (1) 문학과 철학적 교양의 중시. (2) 한 개의 학설적 체계가 없는 역사적 전환기에 있어서 두 번 아닌 인간의 근원적 생의 감정이라는 것. (3) 이로써 현단계가 좌·우익 대립에 융통성을 가져올 수 있다는 것. (4) 특히 인간의 기미(機微)에 닿을 수 있다는 것. 요컨대 신남철은 휴머니즘이야 말로 전술적 굴신성을 가졌기에 막힌 대립을 뚫을 수 있다는 것. 여기에 소아병극복의 비밀이 스며 있음을 강조했다. 이를 신남철은 '혁명적 휴머니즘'이라 했다.

신남철의 이러한 전략전술로서의 휴머니즘이 지닌 비체성이야말로 그 연원을 찾아 올라가면 '우울감-시-투쟁' 또는 문학의 명랑성과 철학의 명백성에 닿을 수 있다. 그는 끝내 이 양다리 걸치기로서의 기질적 운명에서 벗어날 수 없었다. 로고스를 포기하고 파토스에 매진한 박치우와의 변별성도 이 이중성에서 온 것이다.

(4) 현실 직시와 방향 모색

외부의 개입을 자청한 문학자 임화의 이에 대한 반응은 어떠했을까. 문학자대회 보고서 첫 번째 작성자인 임화는 「조선민족문학건설의 기본과제에 관한 일반보고」라는 제목을 달았다. 그는 첫줄에 이렇게 표나게 '조선민족'을 내세웠다.

> 모든 영역에서 조선민족의 독자적 발전과 자유로운 성장을 저해하고 있던 일본제국주의의 붕괴는 문학의 영역에서도 독자적 발전과 자유로운 성장의 새로운 전진을 만들어내었다. 우리 민족의 모어로 표현되고 우리 민족의 사상, 감정을 내용으로 한 조선문학이 제국주의의 지배하에서 순조로이 발전할 수 없었음은 불가피한 일이었다. 생활을 지배하는 자는 문학을 하고 생활에서 예속된 민족은 문학에서도 예속되는 것이다.

(백양당, p.27)

서두에서 그는 '민족'이란 말을 무려 5번이나 되풀이해 놓았다. 그에 있어 조선의 신문학이란 어김없이 그리고 소극적이든 적극적이든 민족 단위의 문학이었음을 재확인한 것이 아닐 수 없다. 그러나 그 민족단위의 문학이 일본 제국주의로 말미암아 진정한 발전을 이루어낼 수 없음을 또한 전제로 한 것이었다. '일제하에서의 식민지 민족의 근대로서의 비약'으로 이 사정이 정리된다. 근대적 시민적 계급개혁의 과제를 해결하지 못한 상태에서 외래한 근대적 문학이 기계적으로 접합되었음이 신문학의 파행성을 빚었다. 시민계급의 문학이 파행적으로 단기간에 그 소임을 끝내고 만 다음 단계에 프롤레타리아 문학이 등장했다. 그러나 이 역시 한계를 갖고 있었다. 다음 3가지 (1) 대중성의 방향에로 향한 리벌리즘의 가능성, (2) 시민계급의 한계 폭로, (3) 공식주의의 한계노출 등이 그 장단점이었다. 그렇다면 시민계급문학이냐 무상계급문학이냐의 선택에 직면한 역사적 순간인 지금은 어떠해야 할까.

> 계급적 문학이냐?
>
> 민족적 문학이냐? 어떻게 우리는 솔직히 문제를 이런 방식에서 주관적으로 세웠던 사실이 있음을 인정하지 않으면 안된다. 어떤 사람은 계급문학이어야 한다고 주장한 것도 사실이요. 민족적인 문학이어야 한다고 말한 것도 사실이다.
>
> 그러나 이만치 중대한 문제는 항상 객관적으로 제시되어야 하는 법이다. 그러면 조선문학사상의 가장 큰 객관적 사실은 무엇이냐? 하면…(p.41)

임화는 (1) 일재잔재, (2) 봉건문화의 유물 등의 청산을 들었다. '민족문학건설'이라는 큰 제목 아래 논의를 전개한 임화로서는 계급문학이냐 민족문학이냐의 물음이란 무의미한 것이기에 모든 것을 백지로 들리고 논의를 해보자는 뜻으로 볼 것이다. 적어도 이 단계에서의 임화로서는 <민족문학>의 대원칙 아래 계급적 문학과 시민적 문학(민족적 문학)을 내포한 위치에 엉거주춤히 서 있었음이 판명된다. 이를 두고 임화의 <원점> 곧 대동단결이라 부를 수 있다. 그 원점의 성격은 공리적 타산에 나온 것이어서 임화자신의 방향상실의 전면적 노출이 아닐 수 없다. 8·15해방이라는 이 예측불능의 역사적 사실 앞에 지난날의 카프서기장 임화는 홀연 길을 잃고 길 가운데 놓인 아이와 같았다. 외부의 개입 곧, 그가 멸시, 매도해 마지않던 속학 서생 신남철에게 길을 묻는 신세가 된 것이다. 경성제국대학의 철학자인 신남철, 박치우의 세계사의 과학적 안목에 목이 타올랐다고 이 사정이 정리된다.

그렇다면 다음과 같은 의문을 물리치기 어렵다. 해방 직후 최용달 지휘 밑에 있었던 임화는 또 무엇이었던가. "그야 부르주아 민주주의지!" 라고 거침없이 새 시대의 국가형을 내세운 조선공산당(박헌영) 지령 밑에 들어간 임화가 새삼 신남철, 박치우 등 외부개입을 요청했음이란 따지고 보면 조선공산당(최용달)의 요청이자 학술담당 김태준의 요청사항이 아닐 수 없었다. 요컨대 조선공당으로서도 문학만은 어떻게 규정하고 나가야 할지 가늠이 잘 되지 않았던 것이다. 그만큼 문학이 힘세고도 복잡하여 무엇보다 민중과 직결된 것임을 반증한 것으로 볼 것이다. 박치우의 대책은 앞에서 보았듯 개인을 위해서도 권리행사를 해야 하지만 동시에 '국가 민족의 문화의 수호 발전'에 용감 전진을 내세웠는데, 이는 '문학과 정치'의 일원론이다. 이 강경 직접성에 비해 신남철의 처방전은 귀납법적이었다. 계급혁명에 막바로 나아가야 한다는 함의를 가진 박치우에 견줄 때 신남철이 내세운 것은 '부르주아 민주주의' 방식이었는데, 이를 두고 '소아병적'이라 비판할지도 모르나 실상은 조선공당의 노선에 다름 아니었다. 빨치산 운동에 뛰어들었다가 끝내 사살된 박치우와는 달리 김일성 대학 교수로 계속 철학연구에 나아간 신남철과의 갈림길도 이 부근에서 찾아질 수 있다. 그렇다면 조선공산당이 세우고자 한 문학의 건설목표는 무엇이었을까. 임화의 맡은 몫은 바로 이 사명감이었다. 그가 타진한 첫 번째 자리는 앞에서 보았듯 원점 제시였던 바 <민족문학>이 그것이다. 시민적 계급이든 노동적계급이든 일단 '민족' 속에 포함한 큰 그림을 그렸다. 그러나 형식적으로 이러한 그림은 종이 위에 그려진 관념의 산물임을 박치우, 신남철이 암시하고 있었다.

현실을 직시함이란 새삼 무엇인가. 박치우에 있어서 그것은 실천 행동이며 신남철에 있어 그것은 귀납법이었다. <잠언적 저작의 인간>의 다른 명칭으로 신남철은 귀납법을 내세웠던 것이다. 그 귀납법에 드러난 사태는 민족과 계급의 관련성에 대한 계산법 곧, 전술 전략이 불가피했다. 이 계산법에는 시간의 경과가 요망되었는데 원점제시에서 수개월이 걸릴 만큼 어려운 과제이기도 했다. 임화의 계산법이 드러난 것은 「민족문학의 이념과 문학운동의 사상적 통일을 위하여」(「문학」 제3호, 1947. 4.)에서였다. "이로부터 세워나가야 할 문학이 민족문학이어야 한다는 데 대하여서는 인제 별로 이론이 없어졌다. 제1회 전국문학자대회의 결정과 조선문학가동맹의 강령은 이론적으로 이 노선을 확립하였다."라고 서두를 삼은 임화는 무엇을 문제 삼고자 했을까. 무엇보다 원점에서 제시된 민족문학 속에 계급적인 문학과 민족(주의)적 문학을 포괄하기엔 현실적으로 난점이 있었다. 문제가 계급문학이냐 민족(주의)문학이냐의 이원구조로 귀납되었던 까닭이다. 원점이라 했으나 임화처럼 계급문학 쪽에 선 처지임에도 민족(주의)문학을 포섭하고자 한 전략 전술 자체가 무리수였다. '문학운동의 사상적 통일'을 도모할 때 걸림돌이 바로 여기에서 왔다. 곧 계급이냐 민족(주의)이냐의 일원적 통일이야말로 문학가동맹의 강령이었다. 말로 된 관념적 통일이 아니라 '과학적 논리'의 해명이 요망되지 않으면 안 되었다. 이 과제는 임화의 고민이라 바로 조선공산당(남로당)의 과제에 다름 아니었다. 민족과 계급의 일원론은 어떤 논리로 가능한가. 이 문제 해명에 임화조차 해를 넘기면서까지 고민해 마지않았다. 임화의 논리적 구별은 '인민의 문학'이라는 새로운 돌파구에서 왔다. 인민이란 무엇인가. 임화는 '왕도 자본가도 지구도 어느 외국 관서의 관리도 아닌 자'의 이념이 바로 민족이라는 것, 이를 달리 인민이라 했다. 그러니까 인민이란 민족의 이념의 주체이며 구체적으로 노동계급이 아닐 수 없다. 이 순간 조선인으로서도 왕이나 자본가 지주, 고용관리 등은 "민족이 아니다!"(p.10) 조선인이지만 민족이 아니라는 사상이 도출된 것이다. 조선인이면서도 인민이 아닌 까닭에 그들은 민족일 수도 없다. 민족=인민인 까닭에 민족문학이란 저절로 인민문학이 될 수밖에 없다. 노동계급의 이념이 곧 인민문학의 이념이며 이를 민족문학이라 할 때 그것을 "과학적 세계관 진보적 세계관의 확립의 문제와 동일한 것이 되는 것"(p.16)이라 결론지었다. 인민=노동자의 도식으로 비노동자를 싸잡아 인민의 적으로 돌리는 이 과학적 세계관은 조선인 중 거의 반 이상을 '민족' 개념에서 제외시키는 결과를 낳았다. 이를 두고 진보적 세계관이라 했거니와 이때 그 세계관은 민족=계급성의 일원론을 가능케 했다. 이로써 임화와 조선공산당 외곽 단체인 문학가동맹은 사상적 통일을 가능케 했다.

(5) 안함광이 선 자리

한편 정작 남로당(조선공산당의 명칭 변경, 1946. 10)의 이러한 사상통일과 견주어 볼 때 북로당(평양중심주의)의 북조선문학예술총동맹의 이념은 어떠했던가. 그들은 계급/민족의 이원론을 어떻게 극복하고자 했을까. 민족과 계급의 무모순이 가능한 것은 과연 논리상의 과제일까. 아니면 현실의 혁명에서 가능한 것인가. 바로 이 물음이야말로 훗날, 임화중심의 남로당 숙청의 근원에 관여된다. 이 근원의 이론분자는 구카프계 평론가 안함광에 의해 이루어졌는데 두 가지 조건으로 가능했다. 하나는 구카프의 이념에 대한 투철한 신념을 들 수 있다. 이 신념은 어디까지나 주관적인 것이어서 카프 해체(1935) 이후에는 문학적 이념으로서의 구체성을 현실적으로 갖지 못한 채 단지 신념 자체로 머물렀다. 그러나 해방공간의 평양중심의 북조선의 현실이 안함광으로 하여금 신념의 현실화(과학화)를 가능케 했는데 이른바 토지개혁이 그 다른 하나이다. 북조선에서의 토지개혁(1946. 2)이 무상몰수 무상분배 원칙에 의해 전면적으로 실시된 것은 일종의 천지개벽인 바 이는 이른바 진보적 민주주의 국가 건설의 기본적 실천이었다. 이를 매개로 하여 마침내 시민계급 중심의 국민국가를 넘어설 수 있었다.(안함광, 「민족문학론」, 현대문학비평자료집(1), 태학사, p.9) 카프이념을 신념으로 지녔던 안함광의 주관성(관념)은 비로소 구체적 현실과 일치될 수 있었고 이 문맥에서 그가 도달한 곳이 '계급문학과 민족문학의 무모순성'이었다. 또한 안막, 윤세평 대 이원조 사이에서 벌어진 민족문학논쟁에서 드러난 우익적 편향성과 좌익적 편향성을 동시에 비판할 수조차 있었다. 결국 그가 다음과 같이 계급문학과 민족문학의 무모순성을 과감히 주장할 수 있고 또 그 주장이 과학일 수 있었던 모든 근원은 토지개혁의 실현이라는 현실적 기반에서 왔다.

> 근로 인민 대중의 진보적 민주세력이 영도하는 반일제, 반봉건의 문학이며 진보적 민주주의의 내용을 민족적 형식으로 표현하는 민족문학은 계급적 현실의 본질을 민족생활의 전적 발전과의 연계 위에서 포착 형상화함에 있어서 아무런 주저도 가지지 않았다는 점에 있어 계급문학과 공동되어지면서 다른 한편에 있어서는 그 당면적인 방향과 목적이 무산계급 독재정치의 실현에 있는 것이 아니라 진보적 민주주의 국가 수립에 있다는 점에 있어 그것과 구별되어지는 것뿐이다.(안함광, p.192)

안함광의 이러한 민족문학론은 국가사회주의 건설을 앞둔 1947년의 단계에서 북조선문학이론이 도달한 최고수준의 것이라 할 것이다. 무산계급의 독재정치의 실현에 당면한 방향과 목표가 있지 않다는 것이 계급문학과 민족문학의 무모순성에 대한 논리적 해명이라면 그 논리를 뒷받침한 것은 토지개혁의 전면적 실현이라는 현실조건이었다. 남로당의 외곽 단체인 임화, 이원조, 김남천 중심의 조선문학가동맹측이 1947년을 고비로 하여 월북하게 되고 또 거기에 수용된 것도 이러한 안함광식 논리의 우위성에서 가능했다고 볼 것이다. 안함광에 비할 때 그들은 관념적으로만 민족문학과 계급문학의 무모순성을 내세웠던 것이다.

(6) 신문학성의 방법론이 사라진 곡절

경성제대 철학전공자 신남철이 「최근조선문학사조의 변천」(1935)으로 문단에 개입했을 때 이 불청객의 출현에 제일 민감히 반응하고 이를 막아내기 위해 나선 논객이 바로 임화였다는 사실이 글의 출발점이었음은 앞에서 되풀이해 살핀 바 이거니와 임화의 반격에는 물론 그만한 현실적 이유들이 있었다. 카프의 거의 전원이 전주감옥에 영어중이었고, 서기장인 자신만이 마산에서 새장가를 갔을 뿐만 아니라, 병 요양을 하는 처지였음도 그 이유의 하나이다. 그러나 무엇보다 중요한 것은 적어도 문학자인 임화의 처지에서 볼 때 문학적 이유만큼 본질적인 것은 따로 없었다고 볼 것이다. 어떻게 투쟁하며 오늘날(1935)까지 이루어낸 카프문인가. 이에 대해 외부인의 개입이란 임화로서는 절대로 용납할 수 없다. 비유컨대 그것은 자기만의 보물을 엿보며 훔치고자 하는 도적의 소행으로 간주될 수밖에 없지 않았을까. 더구나 그 외부세력이 민립대학운동을 뚫고 식민지 수탈용으로 세워진 경성제국대학 출신의 철학쪽이고 보면, 이에 대한 임화의 방어력과 그 가파름의 정도를 헤아려 볼 수조차 있다.

> 더구나 신남철씨에 있어서는 전래 <신동아>지의 씨의 논문을 가지고 퍽으나 문헌학적인 연구로 자처하고 거곳에서 표시된 씨의 철학적 교양을 조선 지고(至高)의 것으로 자신하고 있는 모양이나 우리들이 보는 바는 한개의 속학(俗學) 서생(書生)의 이원론적인 사관에 의하여 발단된 비참한 죽은 역사의 형해 뿌닝어서 하등의 <높은 교양>도 <엄정한 과학적 태도>도 또한 <풍부한 분헌>도 발견할 수는 없는 것이다.(「조선신문학사론서설」, 최종회, 제25회)

'속학 서생'으로 규정된 이 표현은 신남철을 지칭하지만 동시에 경성제대에 대한 것이 아닐 수 없었다. 임화의 의식과 무의식 속에 든 이런 생각이란 단순한 외부개입에 대한 문학 쪽의 자기방어라든가 경성제대에 대한 적의 및 반발에서 온 것이 아니었음에 주목하지 않으면 많은 의미가 누락되기 쉽다. 임화와 신남철 간의 개인감정, 또는 경성제대에 대한 과잉반응이라 불리는 논리 이전의 감정 영역에서 벗어날 수 없게 되기 쉽다. 이런 감정 지역이란 두 사람의 논쟁의 의의를 감쇠시키거나 무화시킬 위험이 도사리기 쉽다. 이런 위험에서 구출하는 길은 이 논쟁을 한 단계 높은 수준에서 고찰하는 길의 모색이 불가피해진다. 첫째 임화란 시인 임화에서도 비평가 임화에서도 벗어나 '문학자'라는 점. 이 경우 문학자란, 한국 근대문학자를 가리킴이며 그것은 최소한 「혈의 루」(1906)와 「해에게서 소년에게」(1908) 이후 카프해산까지의 문학담당자를 가리킴이 아닐 수 없다. 1935년을 기준으로 해서 볼 때 그 기간은 소불하 30년의 기간에 해당된다. 자연인간을 기준으로 해서 볼 때 이 기간은 청년기를 넘어 바야흐로 장년기에 해당된다. 장년기라면 자기의 주견 및 삶의 방도 및 세상 이치를 터득한 연륜이 아닐 수 없다. 신문학이란 그러니까 장년기의 연륜을 가졌고 거기에 걸맞은 내용, 품격 또 기치와 전망을 갖춘 독립된 존재가 아닐 수 없다. 설사 그림이 아무리 파행적이고 또 고난의 연속일 지라도 자기의 길을 걸었던 것이다. "신문학사의 대상은 물론 조선의 근대문학이다. 무엇이 조선의 근대문학이냐 하면 물론 근대정신을 내용으로 하고 서구문학의 장르를 형식으로 한 조선의 문학이다."라고 서두를 삼은 임화인 만큼 신문학사란 임화 개인의 것이기에 앞서 문학자 전체의 것이 아니면 안 되었다(임화, 「신문학사의 방법」, 동아일보, 1940. 1. 13~20).

이러한 거대한 문학자 집단 앞에 일제 '속학 서생' 정확히는 청소년기를 가까스로 벗어난 책상물림인 경성제대 출신의 철학도가 대어든다는 것은 이쪽에서 볼 때 당랑거철격이 아닐 수 없었다. 그렇기는 하나,

임화의 처지에서는 이들 속학 서생을 무시할 수도 없었음도 또 사실이 아닐 수 없었다. 경성제대란 그러니까 그곳의 철학이란, 실로 만만한 것이 아니었다. 그것은 제국 일본의 것이 아니라 무엇보다 독일관념론 곧 헤겔, 마르크스이고 쇼펜하우어이자 칸트이고 또한 이에 대립된 후설 및 하이데거였다. 말을 바꾸면, 그것은 마르크스, 엥겔스, 레닌 등등 인류사의 최고의 이론(철학계)의 첨단에 놓인 것이었다. 거기에서 공부한 박치우, 신남철 등의 두뇌란 이미 세계 첨단의 철학에 턱걸음을 한 신종자의 인간이라 해도 과언이 아니었다. "무엇이 조선의 근대문학이냐 하면 물론 근대정신을 내용으로 하고 서구문학의 장르를 형식으로 한 조선의 문학이다."라고 임화가 내세웠을 때 놓칠 수 없는 대목이 바로 '근대' 그리고 '서구'였다. 근대, 또는 서구란, 세계의 논리의 진행방향의 첨단에 관련된 것이기에 이를 본격적으로 배우되 정확히 배워야 했다. 그것은 원어대로 공부하는 대학에서 비로소 가능한 것이었다. 보성중학 중퇴생인 임화로서는 실로 아득한 곳에 놓인 보물이 아닐 수 없었다. 비록 '속학 서생'이며 책상물림으로 규정했지만, 원어로 헤겔을 읽는 이들 청소년을 외경의 시선으로 바라보고 있었다고 볼 것이다. 그렇기는 하나 신문학사 30년의 연륜의 무게란 헤겔을 물리치기에 모자람이 없었다. 임화의 신남철 비판이 그 증거이다. 이 연륜의 우위성이 여지없이 무너지고 오히려 그 역전관계에 놓인 시기가 왔다. 8·15해방이 그것이다.

> 36년간을 눌려 있음에 일본이 망하리라고는 꿈에도 상상하지 못한 것이 아닌가. 우리가 해방이라 하지만 이 해방에서 분명히 알아야 할 것은 이것이 도적같이 임하였다는 사실이다. 선동정치가 중에는 해방이 다 된 후 제법 자기만은 그 시대가 올 줄을 미리 안 것처럼 말하는 자가 있지

> 만 그는 민중을 속여 인기를 얻자는 더러운 야욕에서 나온 말 뿐이요. 사실은 아니다. 만일 그렇게 미리 알았으면 왜 8월 14일까지 그렇게 겸손히 칩복했던가. 사상가로라는 협잡배 중에도 해방이 되면 자기네는 이 날껏 이렇게 투쟁을 하여 왔노라고 하여 자가선전을 하지만 […] 조선이 해방이 될 줄 안 사람은 하나도 없다. 알기는 고사하고 믿은 사람도 하나도 없다. 믿은 자가 없기 때문에 안 자가 없다.(함석헌, 『성서적 입장에서 본 조선 역사』, 성광사, 1950, pp.278~9)

종교적 처지에서 나온 비판이라 편견이 없지도 않지만 분명한 것은 8·15해방의 돌연성이다. 이 대전환기에서 홀연 길을 잃은 쪽이 임화였다. 달리말해 신문학 40년의 무게가 한순간 방향상실에 놓였던 것이다. 이미 장년기를 지나 노인기에 접어든 피로하고 쇠약해진 신문학사 40년이 이 대전환기에 알몸으로 노출된 형국이었다. 물론 이 신문학도 일제 말기의 전환기에 적절히 대응하며 살아남기에 발버둥쳤다. 거기에서 가장 적절히 대응한 것이 이중어글쓰기(bilingual creative writing)라는 방도였다(김윤식, 『일제말기 한국작가의 일본어글쓰기론』, 서울대출판부, 2008). 경성제대의 철학도 신남철 역시 이 전환기에서 대응하는 방식에 골몰하지 않으면 안 되었고 그 방도를 '잠언을 저작하는 인간형'을 내세웠다(「전환기의 인간」, 1940. 3.). 요컨대 '명철 보신'의 방도로 요약되는 것, 또는 고민하는 인간형이 그것이다. 잠언(구약)에 나오는 준칙, 명제, 공리를 되씹어 보는 인간이야말로 이 일제말기 전환기를 견디는 길이라 규정했다. 이중어글쓰기의 방도냐 잠언을 저작하는 방도냐. 임화와 신남철, 문학과 철학의 일제말기에 대응하는 방도로 고안된 길이었다.

해방공간은 이와는 성격이 근본적으로 달라졌다. 이 대전환기의 성격이란 일제말의 전환기와는 달리 역사의 주체성이 관여되는 영역이었던 것이다. 소극적 대응이자 살아남기 위한 수신적 대응이 아니라 역사의 주역이 되는 적극적 주체자의 처지를 강요하는 그런 장면이 펼쳐진 것이었다.

이러한 장면에서 제일 난감한 쪽이 신문학사 쪽이었다. 신문학 40년이란 그 자체가 식민지 상황 아래 선택되고 주장되고 표현되고 성장해 온 문학행위였던 만큼 한 번도 역사의 주역의 처지에서 표현력을 개발한 것이 아니었다. 해방공간에서 신문학이 길을 잃은 근본 이유는 여기에서 왔다.

(7) 철학적 정치성에서 오는 공허함

한편 철학쪽은 어떠했던가. 여기서 말하는 철학은 경성제대의 그것이며 따라서 독일관념론을 가리킴이다. 그것은 그대로 원어로 된 서구적이자 세계성에 직결된 것이었던 만큼 그 출발점 자체가 주체성에 있었다. 근대를 이끌어온 주체성이 헤겔철학이고 그 직계 마르크스철학이었음을 염두에 둘 때 8 · 15의 대전환기에 처할 방도를 가장 민첩하게 구성해 보일 수 있었다. 조선문학가동맹의 임화들이 맨 먼저 물은 곳이 경성제대 철학쪽이었다. 박치우, 신남철로 대표되는 이들 철학도가 40년의 신문학도 앞에서 장차 문학의 나아갈 방향을 제시했음은 지울 수 없는 철학사적 및 문학사적 사실이 아니면 안 된다. 바야흐로 장년기에 접어든 경성제대 철학도가 노년기에 접어들어 길 잃고 길거리에 방황하는 노인기의 신문학 40년에 길을 가르치는 스승 격으로 군림하고 있는 형국을 빚었다. 1935년도의 '속학 서생'이 대스승으로 군림하는 장면이 해방공간이었다. 신남철은 '문학과 정치'를 맞세웠는데 이는 그가 문학의 '명랑성'과 철학의 '명확성' 또는 문학의 사상성을 내세울 때와는 천양지차의 견해가 아닐 수 없다. 잠언을 저작하는 몸짓을 보이면서 큰 소리로 '문학은 용광로다!'라고 그는 서슴없이 말했다. 이 이중성이 그의 본질이었음을 『전환기의 이론』이 한 번 더 확인시켰다. 그로 하여금 이렇게 외치게끔 한 것은 8·15 민족 해방이었다. 이기영의 소설 「개벽」(1946)처럼 그것은 그러했다.

> 문학은 용광로와 같은 것이라 하겠다. 모든 초철과 광석을 집어삼키어 무섭게 작열하는 쇠물의 분류를 지나서 새 철재의 원석을 생산한다. 그와 같이 문학도 모든 소재를 소화하여 한개의 작품을 창작한다. 그 창작과정이 마치 용광로를 통하여 생산되는 철재와 같다고 하겠다. 몇 천 도의 쇠물의 분류는 가지각색의 소재를 녹여서 뽑아내려고 하는 일정한 틀속으로 들어가서 응되어 고정한다. 문학의 창작도 이 작열하는 과정을 통하여만 되리라고 생각한다. 그 작열하는 과정은 작가의 주체적 능력과 현실파악의 심도와 보편성이 빚어내는 독자적인 세계다. 정열과 동경도 이 분류의 과정을 통하지 않고는 그 작가 활동을 불가능하다 할 것이다. 작가의 정신 속에 그려지는 여러가지의 계획과 염원의 심상은 그 창조의 작열하는 정열과 동경에 의하여 뚜렷하게 살아서 현실적으로 전개되어 가는 것이 아닐까 한다.(「문학과 정치」, 1946. 1. 신문학, 『전환기의 이론』 수록 p.291)

이 비유는 상식적이지만 문제는 그 다음에서 왔다. 작가의 '이 계획과 염원의 심상'은 무엇으로 말미암아 오는 것일까. 신남철은 다음 세 가지 조건을 들었다. 첫째는 작가의 사회적 계급적이다. 둘째 작가의 감수성이 현실 사회에 닿을 때 그의 계급성이 일정한 가공작용을 일으킨다는 것. 셋째 그러한 가공작용이 단순한 가공작용으로만 그치는 것이 아니라 그의 사회적 존재(계급성)의 안정과 그것의 더 좋은 발전을 위해 한 개의 이상도를 교묘하게 그려 넣어야 한다는 것. 이 역시 일반론이 아닐 수 없다. 문제는 해방공간과 같이 사회적(계급적) 존재인 자기의 존재가 불안과 동요에 싸여 있을 땐 어떻게 해야 할까. 이 불안과 동요를 극복하고 안정된 자기계급의 순조로운 발전 속에서 인생문제, 사회경제, 도덕문제 정체문제 등을 해결코자 한다고 신남철이 주장했을 때도 역시 일반론이라 할 것이다. 그러나 그가 다음과 같이 말했을 때는 사정이 크게 달라진다.

> 정치는 경제적 사회관련을 적절하게 설명하는 집중적 표현이다. 한때 경제는 정치에 선행하는 우월적 기능이었으나 (자유경제시대에 있어서) 지금은 누구나 경제에 대한 정치의 우위를 시인치 않을 수 없게 되었다. 정치는 참으로 우리의 생활에 있어서 모든 것을 장악하고 있으며 온갖 것을 결정하는 가장 중요한 기능이다. […] 사실에 있어 정치는 모든 것을 결정한다. 그 정치가 사회발전의 정당한 노선을 따라서 운영될 때 그 정치(현재 논의되는 진보적 민주주의 정치)는 인민을 위한 좋은 정치가 될 것이요. 그 반대로 사회발전을 정체시키거나 또는 거부하려는 계급-사회층(현재에 있어서는 친일파, 민족반역자로서 대표되는 반동적 지주, 일제의 구종 왜노의 주구, 조선적 봉건유제의 반동적 잔재)에게 발언권을 인정하여 사회발전을 역행시키는 정치라면 나쁜 정치가 될 것은 뻔한 일이다.(p.223)

마르크스의 『자본론』을 제이차적인 것으로 밀어낸 것이 8·15의 정치였고, 그 정치는 조선공산당(남로당)의 노선인 '진보적 민주주의'였다. 이것만이 정치이며 이것만이 모든 것을 규정한다고 신남철은 힘껏 주장했다. 그러기에 문학자는 선택의 여지가 있을 수 없다. 이 정치노선에 따르기만 하면 되는 존재에 지나지 못한다. "문학은 정치를 떠나서는 소위 독자의 존재성을 주장할 수 없는 것이다."(p.225)라고 단정했을 때 문학이란 한갓 노예의 신세로 전락했다고 보지 않을 수 없다. 문학의 독자성(예술성)을 내세워 정치적 공리성과 견준다는 것을 두고 신남철은 이원론자의 소행이라 단정했다. 문득 이 장면에서 1935년 임화가 신남철의 논문을 두고 한갓 이원론자로 비판했을 상기할 수 있다. '문학=정치'의 도식이야말로 해방공간의 정치우위론의 논리적 귀결점이었다. 그 표준적 모델이 신남철에게 소련이었다. "쏘비에트 동맹에 있어서의 문학과 정치와의 관계를 보면 이 양자가 얼마나 긴밀히 결합되어 있나를 알 것"(p.227)이라 했고 동시에 카프문학(계급문학)도 부정될 수밖에 없다. 그것은 순수문학을 전제로 한 이원론에 다름 아닌 까닭이다. 문학과 정치의 이러한 이원론 앞에 문학자에겐 두 가지 길뿐이다. "정치에 적극적으로 뛰어들거나 아주 그 속에 들어가지 못한다 하더라도 성실히 관련을 가지려고 노력하는 것"(p.233)이 그것이다.

정치가도 아닌 경성제대 철학과 출신 신남철의 이러한 주장 앞에 선 문학자 임화는 거의 무관하다. 그는 그네식 주장의 첫 번째를 「조선민족 문학건설의 기본과제에 관한 일반보고」서 감행했고 두 번째의 것이 민족과 계급의 무모순론의 모색인 「민족문학의 이념과 문학운동의 사상적 통일을 위하여」였다. 임화의 이 두 편의 응답은 실상은 진보적 민주주의, 부르조아 혁명단계를 내건 진짜 정치가에 대한 응답이었음에 주목할 것이다. 최용달, 박문규, 이강국 등 경성제대 법계 출신의 이들 정치가의 밑에 놓여 그 이념을 풀이하는 해석하도가 철학자 신남철이었다. 후설 풍조에서 맴돌다 이에서 벗어나 헤겔·마르크스에로의 전환(주체성)에 몸을 옮겼음이다. 따지고 보면 신남철 역시 하수인인 셈이다.

그러나 당연하게도 최고지도자 최용달의 주장이나 신남철의 주장은 동일한 것, 문학정치 일원론이 아닐 수 없었다.

이 장면은 아이러니의 일종이라 할 만하다. 임화는 다시 한번 신남철과 마주친 형국이었던 까닭이다. 문학·정치 이원론으로 신문학사에 개입한 신남철을 두고 임화는 이원론자로 규정, '속학 서생'이라 비판했지만, 해방공간에서의 신남철은 돌연 일원론자로 군림하고 있지 않겠는가. 동지가 된 셈이다. 이 동지에게 임화는 무엇을 배우고자 했을까. 그것은 한마디로 말해 헤겔이고 칸트고 마르크스이다. 경성제대 철학과에서 그들이 배운 것은 원어로 된 서구 철학이었고 또 그것은 인류사의 최고의 두뇌들의 사고력의 응집처였던 것이다. '지금·여기'인 해방공간을 두고 이들 최고의 두뇌들은 어떤 방도를 내놓을까. 임화가 박치우, 신남철에 기대어 배우고자 한 것이 여기에 있었다. 결과는 과연 어떠했을까.

제2장 문학사에 순사하기, 철학사에 복수하기

(1) 너 어느 곳에 있느냐

한밤중 도적처럼 해방이 왔을 때 『임꺽정』의 작가이자 조선 삼대천재(육당, 춘원, 벽초)의 맏형격인 홍명희는 이렇게 읊어 마지않았다.

> 독립 만세!
> 독립 만세!
> 천둥인 듯
> 산천이 다 울린다
> 지동인듯
> 땅덩이가 흔들린다
> 이것이 꿈인가?
> 생시라도 꿈만 같다 (『해방기념 시집』, 중앙문화협회, 1945, p.8)

이것이 꿈인가? 라고 했을 때 꿈=생시의 등식이 성립되었다. 박종화도 정지용도 정인보도 대체로 이 감격을 읊어내었다. 그러나 카프서기장을 역임한 바 있고, 신문학사를 집필했던 『현해탄』(1938)의 시인 임화는 그럴 수가 없었다. <지금은 없는 전사 김에게>라는 부제를 단 「길」을 읊지 않으면 안 되었다.

호올로 도라가는
길가에 밤비는 차거워
거름 멈추고 도라보니
會館 불빛 멀리 스러지고
집집 門은 굿이 잠겨
길이 멀어 웨로운가

생각하니 말 실행할
義務 묵어워
空腹과 더부러 困함이
등곬에 사모친다

말 두렵지 않고
말 믿이 않이 할것을
나에게 익혀준 그대는
기인 沈默에 살어
어려운 行動에 죽고

진정 웨로운
몇 밤과 날이 달과 해가
不幸과 더부러 흘러간
지리한 밤이 새인뒤
가는 손을 저으며 나는
제각기 지저귀는
소란 가운데
제 각기 내 두르는

각색 旗ㅅ발 가운데
분명 들릴 그대 소리를

정녕 타오를 旗ㅅ발을
지치도록 차저
거리거리에 있었다

아아 旗ㅅ발 타는 旗ㅅ발
열 수물 또 더 많이 나붓기고
人民의 旗ㅅ발

붉은 旗ㅅ발은……
이렇게 시작하는 노래ㅅ소리는
모두다 그대의 音聲

누구 그대인지
누구가 그대 안인지
오즉 큰 눈과 넓은 어깨
긴 머리칼을 날리는 그대는
아아 자욱한 사람속에
있지 않었다

그대는 亦시 분주 한개다
敵이 또 머리를 드는 때문일게다
다시 戰鬪準備를 시작해야 할것이다

旗도 내리우고
노래도 잣고
演說도 끝난

밤길을 호올로 나서
처음 나는
비에 저는 落葉을 밟으디
거기서 거러오는 그대를
내곁을 스치는 그대를
가다가 도라보는 그대를
종시 말없이 이야기하는 눈을
내 거러가는 길을
밤사이 企圖하는 敵의
비열한 陰謀가운데

별처럼 빛나는 눈을
아아 그대의 남긴 길우

먼 하늘에 보여
하룻밤 平安히 쉬일
勇氣를 줌이 그대임을
온 몸으로 느낀다

아아 우리의 安息과勤勉의
永遠한 별이여!
(『해방기념 시집』, pp.58~65)

도적처럼 해방이 왔다고는 임화는 결코 믿지 않았음이 생생히 드러났다. 해방이란 기적도 신비도 아니고 오직 투쟁의 결과였다. 그야 당연한 일이지만 이 『현해탄』의 시인에 있어 그것은 시의 연속이었다. 시란, 그에게는 자기표현이자 고백체이며 동시에 내면성의 드러냄이었다. 낭만주의의 세례를 넘치도록 받은 조선의 바렌티노인 서울 낙산 출신의 임화는 「네거리의 순이」(1929)의 시인이었다. 해방이란 그에겐 감옥에 간 누이 순이에 연속된 것이지 하늘에서 떨어진 것일 수 없었다(「네거리의 순이」에 대해서는 졸저, 『임화연구』). 그 옥중에서 죽은, 혹은 풀려난 순이들이야말로 해방공간의 주역이 아닐 수 없다. "그대는 역시 분주한 게다." 왜냐면, 할 일이 너무도 많으니까. 시인인 임화는 다만 네거리의 순이들의 뒤를 따르며 그들의 모습, 표정, 행동을 표현하는 몫을 담당하고 있다. 정치=문학, 깃발=붉은 깃발을 맡은 쪽이 네거리의 순이들이며 시인은 뒤에서 그림자처럼 숨어서 그들의 숨소리, 목소리, 발자국 소리를 언어로 표현하는 몫을 담당하고 있을 뿐이다.

조선문학가동맹의 상위조직인 문화연맹의 총책 임화는 이 순간, 시인으로 환원되어 있었다. 문학자 대회에 나서서 「조선민족문학 건설의 기본과제에 관한 일본보고」를 행하고, 민족계급 무모순성을 혼신의 힘으로 「민족문학의 이념과 문학운동의 사상적 통일을 위하여」에서 탐구한 임화와는 별개의 시인 임화가 잠복해 있었다.

문학=정치 일원론으로 해방공간이 치달을 때 문제적인 것은 물론 '지금 · 여기'에 대한 가파른 인식이었다. 해방공간의 이 가파른 정치의 계절이기에 문학=정치의 도식에 감히 손을 들어 맞설 수 없었다. 평상시의 경우 문학과 정치의 관계는 어떠했던가. 가령 루카치의 경우 그의 리얼리즘의 요체가 인류사의 나아가는 방향성에 놓여 있었다. 그 최종 목적은 비판적 리얼리즘에서 사회주의적 리얼리즘(socialist realism)에로 향한 것이었다. 그것은 사회주의 국가의 기반확립에 근거된 것이었다. 제일 앞선 소련의 경우 그것은 1934년을 기점으로 한 것. 인류사에서 이 지점이 곧 사회주의적 리얼리즘의 원점인 셈이다. 요컨대 인류사에 있어 이 원점을 둘러싼 과도기의 문학이 비판적 리얼리즘이라면 지금부터의 인류사의 문학은 사회주의적 리얼리즘이어야 한다는 것. 루카치에 있어 이 과제는 정치=문학의 유연성을 그리려한 것이었다.

> 아주 젊은 사회주의적 사회에서의 문제는 본질적으로 다른 양상을 보이고 있다. 이런 곳에서는 아직 비판적 리얼리즘의 중요한 대표자들이 살아서 활동하고 있다. 그리하여 진실을 위해 그리하여 성실함은 모두 풍성한 동맹으로서의 기반이거니와, 분명히 해둘 것은 스탈린시대의 섹트주의적 도식주의는 비판적 리얼리스트와 사회주의적 리얼리스트 사이의 강한 소극(Starke Entfremdungen)조차 생겼다는 것이다. 후자의 일부에는 레닌이 가끔 탄핵한 <공산주의적 존대함>이 생겼다. 하나의 자만에 빠져, 그 자칭하는 바의 정당성을 흡사 스탈린시대의 섹트주의적 세계관적 및 예술적 편협 속에 찾아낸 것이다. 그리하여 일부의 비판적 리얼리스트는 이런 분위기 속에서 침묵하거나 아니면 내심으로 확신이 아주 없는 채 표면적으로 타협했다. 그들은 사회주의적 현실, 사회주의에의 사회에서 소원해져 그들의 작가로서의 존재의 토대에 심각한 상처를 받는 경우도 있음에 틀림 없다. (루카치전집(2), 白水社, 1968, pp.368~369. Lukács, Essay über Realismus, Luchterhand, 1971, p.602)

이러한 루카치식 유연성과는 다른 각도에서 군국 파시즘 아래서의 일본 작가의 문학=정치의 일원론은 어떠했을까. 일본 프롤레타리아의 최고 이론분자인 구라하라 고레히도(藏原惟人)는 8년간 비전향수로 옥살이를 했거니와 그는 『옥중서간』에서 이렇게 주장했다.

> 정치와 문학과의 관계에 대해서는 나는 대체로 다음처럼 이해하고 있소. 정치의 지도적 지위라는 것은 정치가 경제의 가장 집중적인 표현이라는 의미에 있어서 그것이 계급의 욕구를 가장 분명히 반영하고 규정함에 의해 문학을 포함한 다른 일체의 활동에 기본적 방향을 준다. 말하자면 그것을 일관하는 바의 <제너랄 라인>을 준다는 의미에 있어서만이

라고 할 것이다. 이것을 문학측에서 말한다면 그것은 이 전체의 방향에 스스로를 종속하지 않으면 안 된다는 것이다.(『옥중서간』, 靑水書店, 1975, p.110)

'제너랄 라인'의 제시라 했거니와 그것은 문학쪽에서 볼 때 따라야 한다는 정도에 지나지 않는다. 해방공간의 가파른 정치제일주의와는 일정한 거리에 있음이 잘 드러나 있다. 어디까지나 일반론인 것이다. 이에 비애 우리의 해방공간은 '지금 · 여기'의 급박함이 정치=문학의 도식의 강도를 형언할 수 없이 높였고 이 도식 앞에 그 누구도 감히 항변할 수 없었다. 곧, 정치쪽의 주장에 방향 감각을 잃은 문학자들은 감히 토를 달 수 없었다.

임화도 그러했을까. 이 물음에 천금의 무게, 그러니까 신문학사의 무게가 걸려 있었다. 해방공간을 맞은 임화는 경성제대 출신의 조선공산당 간부 최용달의 수하에 들어갔고, 그 지령에 따라 유진오, 이무영 들 친일문학인사들까지 포함한 문단대동단결의 몫을 맡았고, 조선문학가동맹의 조직에로 나아가 전조선문학자대회를 열어 그 위세를 과시했다. 그러나 이러한 일들은 따지고 보면 문학적 과제와는 일정한 거리가 있었다. '문학=정치'의 도식이었던 까닭이다. 임화도 이 도식에 따라 행동하지 않으면 안 되었는 바 이론분자인 그가 할 수 있는 것은 무엇이었을까. 최용달도 할 수 없고, 신남철, 박치우도 할 수 없는 영역이 저만치 놓여 있음을 영민한 그가 알아차리지 못했을 이치가 없고 보면 이 영역을 찾아 나서지 않으면 안 되었는 바, 민족/계급의 무모순성이 바로 그것이다. 문학의 과제를 훨씬 뛰어넘는 이 큰 문제의 해결을 경성제대 법문학부는 제시해주지 못했다고 임화는 판단했던 것이다. 부르주아 민주주의(8월테제)라든가 진보적 민주주의 등 국가 모델에 대한 논의란 경성제대 법문학부의 두뇌들도 성히 논의했지만 임화의 안목에서 보건댄 너무 추상적인 일반론이어서 정작 당면한 초미의 관심사가 빠져 있었다. '민족문학'과 '계급문학'의 관계란 대체 어떻게 정립해야 하는 것일까가 그것. 「민족문학의 이념과 문학운동의 사상적 통일을 위하여」(1947)에서 그는 이를 나름대로 다루지 않으면 안 되었던 것이다. 이 논문이 나오기까지 근 일년 이상이 걸렸으며 여기에서 도출된 개념이 '인민의 문학'이었다. 당파성, 계급성, 인민성으로 말해지는 인민성에 기초한 '인민의 문학'을 내세움으로써 민족문학/계급문학의 모순성을 해결코자 했다. 그 해결에 이른 임화의 논리는 매우 엉성했다. 기껏해야 서양의 봉건제의 붕괴, 시민계급의 등장, 그리고 그 몰락을 장황하게 해설하는 수준에서 벗어난 것이 아니었다. 경제학자도 아니고, 보성중학 중퇴생인 임화로서는 그 이상의 논리적 정합성을 내세울 수 없었지만 분명한 것은 민족/계급 무모순성의 증명에 있었다.

이것만으로도 그는 남로당 최고의 문학적 이론분자로서 조금도 손색이 없었다. 그러나 정작 이런 논의를 갖고 월북(1947. 가을 추정)해 보니 사정은 썩 달랐다. 구카프논객 안함광의 논리 앞에 그는 숨도 쉴 수 없었다. 안함광의 논리의 위력은 추상이나 관념으로 무장된 임화식의 논리와는 달리 북한의 현실에서 오고 있었다. '무상몰수, 무상분배' 원칙의 토지개혁을 이룬 북한의 정체체제가 이미 확보되어 있었기에 안함광의 논리는 그 자체가 현실이었다. 무상몰수, 무상분배의 토지개혁이란 생산수단이 농업뿐인 현실조건에서 보면 이기영의 소설 「개벽」(1946)이 보이듯 바로 천지개벽이며 바로 혁명의 달성이었다. 거기에는 어떤 논리도 소용없었고 어떤 구실이나 변명도 무효였다. 관념이란 논리란, 이 현실 앞에 서면 얼마나 초라하며 또 얼마나 무력한가. 이 사실을 임화만큼 통렬히 체험한 월북자는 달리 없었다. 그의 무의식 깊은 곳에서는 형언할 수 없는 열패감이 꿈틀거리고 있었다. 그렇기는 하나, 아직도 그에게는 한줄기 기댈 곳에 뚜렷이 있긴 했다. 이른바 조국해방투쟁이 그것이다. 민족/계급 무모순성으로 무장한 이 지상의 논리를 남조선에도 전면적으로 시행하기 위한 투쟁이 남아 있었다. 내키지는 않지만 그는 이 투쟁에 안함광들과 함께 매진하지 않으면 안 되었다. 조국해방전쟁이라 이름 지은 6・25가 드디어 역사적 계기로 주어졌다. 이 장면에서 임화는 과연 어떠했을까.

6・25직후 서울을 점령한 인민군과 함께 온 문화연맹(임화, 김남천), 문학가동맹(안회남) 등은 남한의 문인들을 모아놓고 교양강좌를 실시했다. 임화와 가장 가까웠던 백철은 이렇게 회고했다.

> 2, 3년 간에 임화의 모습은 많이 변한 것 같았다. 무엇보다도 머리가 반백에 가깝게 흰 머리가 많이 생겨난 일이다. 임화와 나는 나이가 동갑이니까 그때 아마 마흔 다섯 정도였을 터인데 얼른 보면 50이 넘은 노신사의 풍모였으니 거기 가서 그렇게 팔자가 좋았던 것 같지는 않다는 생각이 들었다. 그 대신 김남천은 팔자가 늘어졌는지 아랫배가 나오고 몸이 불어서 더 거구가 된 인상을 주었다.(『문학자서전』 후편, 박영사, 1975, pp.404~5)

동갑내기 백철은 반백의 임화의 모습에서 그의 고뇌를 능히 읽어낼 수 있었다. 대체 임화의 고뇌는 무엇이었을까. 남로당 문학자를 이끌고 월북한 임화의 처지에는 무엇보다도 북로당의 한설야, 이기영, 한효, 안함광, 김사량 등과 소련파, 연안파의 틈에서 눈치놀음에 시달리지 않으면 안 되었다. 게다가 '평양중심주의'(한설야 등)의 노골적인 도전 앞에 '서울 중심주의'의 두목격인 임화는 이 권력투쟁의 와중에서 전전긍긍할 수밖에 없었다(졸저, 『북한 문학사론』, 새미, 1996). 그의 머리가 반백이 되었다는 백철의 지적은 이 같은 사실에 대한 많은 것을 말해주고 있다.

> 아직도
> 이마를 가려
> 귀밑머리를 땋기
> 수집어 얼굴을 붉히던
> 너는 지금 이
> 바람 찬 눈보라 속에
> 무엇을 생각하여
> 어느곳에 있느냐
>
> 머리가 절반 흰
> 아버지를 생각하여
> 바람부는 산정에 있느냐
> 가슴이 종이처럼 얇아
> 항상 마음 아프던
> 엄마를 생각하여
> 해 저므는 들길에 섰느냐
> [……]
> 사랑하는 나의 아이야
> 한밤 중 어느
> 먼 하늘에 바람이 울어
> 새도록 잦지 않거든
> 머리가 절반 흰 아버지와
> 가슴이 종이처럼 얇아

항상 마음 아프던
너의 엄마와
어린 동생이
너를 생각하여
잠 못이루는 줄 알어라
사랑하는 나의 아이야

너 지금
어느 곳에 있느냐. 1950. 1. 2.
(『너 어느 곳에 있느냐』, 문화전선사, 1951, pp.34~35)

이 장시의 제목은 「너 어느곳에 있느냐」이며 부제가 <사랑하는 딸 혜란에게>로 되어 있다. 임화의 첫부인 이귀례(이북만의 누이)와의 사이에 난 딸 혜란(1931년 12월생)의 이름이 그대로 사용된 이 시란 대체 무엇인가. <전선문고>로 간행된 이 시집의 제목이 『너 어느 곳에 있느냐』였음에도 눈 줄 필요가 있다. 또한 주목할 곳은 이 시집 맨 앞에 놓인 것이 「서울」이었다.

남은
원수들이 멸망하는
전선의 우렷소리는
남으로 남으로 멀어가고

우리 공화국의 영광과
영웅적 인민군대의
위훈을 자랑하는
무수한 깃발들

수풀로 나부끼는
서울 거리는
나의 고향
잔등은 채찍을 맞으며
가슴에 총칼을 받으며
사랑한 우리들의 수도다

악독한 원수들이 비록
아름다운 산하를 더럽혀
그림 같던 낙산 마루 위에는
나무 하나이 없고

골짝마다 물소리 맑던
삼각산 인왕산 기슭에는
흙이 붉어 황량하나

종남산 넘어가면
한강수 용용하고
바다 같은 창공엔 언제나
북한련산 장엄한
여기는
슬기로운 우리 조상들이
죽음으로 외적을 물리쳐
자랑스러운 도시
용감한 우리 선진자와 전우들이
조국의 자유를 위하여
피흘려 싸운 영광의 거리

이 자랑스럽고

영광스러운 서울이
이 아름다웁고 수려한
우리들의 수도가
[…]
어떠한 일이 있어도 영구히
서울은 우리 인민의 거리이고
어떠한 먼 미래에도 또한 영구히
서울은 우리조국의 수도이다

아, 아름다웁고 영광스러우며
자랑스러운 우리들의 서울이여!(pp.1~14)

임화의 이러한 시들은 정작 북로당의 이론분자들에겐 어떻게 평가되었던가. 한마디로 '패배주의와 영탄과 통곡과 고독의 노래'라 규정되어 '현실적 투쟁임무'에서의 이탈이 아닐 수 없다. 더구나 평양중심주의의 시선에서 보면 낙산 밑에서 낳고 자란 임화가 서울을 '영원한 수도'라 했음에 민감히 반응할 수밖에 없었다.

보는 바와 같이 여기서는 싸우는 조선인민의 영용한 모습을 털끝만치도 찾아볼 수 없고, 전선에 간 자식을 생각하여 한정없이 초조해진 아버지의 마음과 종이처럼 얇아진 어머니의 가슴, 그리고 한 집안이 전부 전선에 간 자식을 생각하여 잠 못 이루는 광경만이 노래되어 있다. 이것이 오늘 싸우는 우리 후방일까! 만일 우리 후방이 이렇듯 애처로움과 초조함과 영탄속에 파묻혀 있다면 대체 4년째 원수와 싸워 빛나는 승리를 거두고 있는 우리 인민의 무궁무진한 힘은 무엇으로 설명되어야 하겠는가. […] 임화에게는 우리의 현실이 이해될 수 없는 것일 뿐만 아니라 그것이 더없이 두려운 것이다. 생활의 진정한 진실과 인연을 단절한 지 오랜 그에게는 그 진실자체가 견줄 데 없이 두려운 것으로 되었으며 따라서 그의 시에 있어서의 현실에 대한 왜곡행위는 이러한 두려움에서부터 출발된 것이다.(한효, 「자연주의를 반대하는 투쟁에 있어서의 조선문학」, 현대문학비평자료집(2), 태학사, pp.492~493)

남로당 미제 간첩사건으로 기소되어 이승엽, 조일명, 이강국, 배철, 이원조, 설정식 등 12명과 기소되어 형이 언도된 것은 1953년 3월이었고, 형법 50조 1항에 의거 사형된 것은 1953년 8월 6일이었다(졸저, 『임화연구』, 문학사상사, 1989).

(2) 역사에 응답하기

임화에 대한 단죄 및 처형의 의의는 어디에서 찾아질 수 있을까. 이 물음이 갖는 최소한의 의의는 그것이 문학적 물음, 정확히는 문학사적 물음이라는 사실에서 온다. 임화 그는 처음부터 끝까지 시인이었고 비평가였고, 문학사가였다. 정치쪽에서 보면 칼자루를 쥔 터라 시인을 처형할 수 있음은 동서고금에 흔한 일이다. 이점에서 보면 임화의 처형이 유별난 것이라 하기 어렵다. 그러나 시인의 처지에서 보면 어떤 정치적 폭력도 무효일 수밖에 없다. 시인의 처지에 설 때 정치도 문학도 따로 있을 수 없다. 있는 것이라곤 정치/문학을 소재로 하여 창출하는 인간의 환상(관념)이 있을 뿐인 까닭이다. 그것은 자기표현이자 내적 고백체에서 오는 것이며, 이점에서 임화는 누구보다 민감하고 특출했던 것이다.

예술, 학문, 움직일 수 없는 진리……
그의 꿈꾸는 사상이 높다랗게 굽이치는 東京,
모든 것을 배워 모든 것을 익혀,

다시 이 바다 물결 위에 올랐을 때,
나는 슬픈 故鄕의 한 밤,
홰보다 밝게 타는 별이 되리라.
靑年의 가슴은 바다보다 더 설레었다.
(「해협의 로맨티시즘」, 시집 『현해탄』, 동광서점, 1938, pp.141~2)

이러한 청년의 가슴을 일러 시인은 현해탄의 '낭만주의'라 불러마지 않았다. 청년, 그것의 특권이 낭만주의였다. 대체 낭만주의란 무엇인가. 19세기의 합리주의(과학주의)의 역사관을 일러 유물변증법이라 했음은 모두가 아는 일. 이 역사관은 사회의 진보발전이라는 믿음과 단단히 결부되어 과거의 부정, 미래의 설계를 향해 있었다. 과거란 죽은 것이며 단지 때가 경과한 것이 아니라 역사발전의 변증법의 결과인 것. 전통이라는 애매한 말은 무의미한 것. 이러한 경향은 사회나 집단의 가치를 부각시키며 정치주의의 온상을 지었다. 사회개량자, 혁명가에 있어 그럴 수없이 알맞은 역사관이 아닐 수 없다. 그러나 예술가에 있어서는 사정이 크게 다르다. 적어도 근대의 문학예술이라면 일단 18·9세기의 낭만주의의 세례를 받지 않았던가. 사람은 곧 신이라는 이 굉장한 낭만주의만큼 힘센 환각이 이미 경험리에 생리 속에 잠복된 인간을 만들어 낸 것이 바로 낭만주의였다. 예술의 몫이란 자기표현, 자기고백의 길에서 벗어날 수 없는 법이다. 그렇지 않으면 역사 속에서 살며 그 속에서 흐르면서 자기를 표현한다 해도 역사발전과 마주치는 그 점에 서면 자기를 잃게 되기 때문이다. 자기표현이자 자기고백이란 최소한 자기를 잃지 않는 방도가 아닐 수 없었다. 심미의식이란, 낭만주의 이후의 시인에겐 자기고백 자기표현에 다름 아니었고 인류사에 보면 한 개인의 개체적 자각인 환각(관념)에 다름 아니었다. 낭만주의의 세례를 청년기에 철저히 체험한 임화인지라, 그는 시인으로서의 이 생리화된 환각에서 일시 눈멀 수는 있어도 계속 그렇게 할 수 없었다. 자기기만이 아니라, 숨을 계속 쉬기 위해서도 그럴 수밖에 없었다.

한편 임화는 비평가이자 문학사가였다. 밀도 높기로 평판 난 평론집 『문학의 논리』(1940)에서 임화는 그 첫 자리에 「낭만정신의 현실적 구조」를 앉혀 놓았다. 문학의 장르로서의 특성을 현상이라 했을 때 평론이란 문학의 특성을 문학의 논리라고 본 시각에서 출발한 이 평론집의 맨 첫자리에 어째서 낭만정신이 놓여야 했을까. 어째서 혁명문학, 유물변증법적 창작원리인 리얼리즘 문학을 내세워야 할 카프서기장이었던 지도적 논객 임화가 낭만주의 문학을 새삼 문제삼아야 했을까. 큰 이유를 서두에서 이렇게 썼다.

> 우리들의 문학, 예술을 일층 높은 발전의 계단으로 높이어 나가고 진실로 풍부하고 위대한 예술적 달성의 수준으로 그것을 이끌어 나아갈 새로운 창작이론은 한번 이 땅에 수입되자 진실로 유해한 형태로 왜곡되면서 유포되고 있다.
>
> 혹자에 있어서는 형식주의의 부활에 혹은 예술지상주의에의 복귀를 위하여 혹은 시민문학으로서의 일직선적인 전회를 은폐키 위하여 혹은 불성실한 자기의 과거를 위한 변해 등등, 실로 해일 수 없을만치 다양한 방면에 이 이론은 귀중하게 사용되고 있다.
>
> 이 모든 것을 설명하고 이론적으로 체계회(?)함에 역시 그들은 이 이론에다 기초를 두고 있는 것이다.
>
> 이리하여 어느 때 또 누구의 소위 인지도 모르게 이 이론은 막연한 '리얼리즘의 실천'이란 간소한 개념으로 바꾸어 놓아 버리었다.(『문학의 논리』, 학예사, pp.3~4)

진정한 리얼리즘이란 무엇인가를 스스로 묻고, 그것을 임화는 발자크, 스탕달, 톨스토이에서 찾고, 이를 18세기의 낡은 '절대객관적 몰아의 사실주의가 아닌 것'으로 규정, 여기서 새로이 나아갈 것을 주장했다. 그렇다면 이는 신문학 전체를 부정하는 발언이 아닐 수 없다. "다시 말하면 우리들의 문학은 한 백 년 전의 과거로 퇴각해야 한단 말"이 이 시점(1939)에서 가능한 것은 18세기식 진짜 리얼리즘이 아닐 수 없는데, 또 그것은 잘 따져보면 '사실'과 '낭만'의 결합물으로 판명된다는 것이다. 상대적인 한에서 사실적이고 또 낭만적인 까닭이다. 그렇기에 사실이라든가 낭만이라는 두 조류는 서로 상대적이며 주관적이자 동시에 객관적이 아닐 수 없다. 요컨대 임화가 '낭만정신'이라 부르는 것은 특정시대, 어떤 경향을 가리킴이 아니라 한 개의 원리적인 범주인 셈이다. 리얼리즘만이 모든 것을 규정한다고 본 카프문학에 대한 모종의 반성이 이런 주장 밑에 깔려있었다.

이를 강조하기 위해 임화는 「위대한 낭만적 정신」이라 부르고 "이로써 자기를 관철하라!"고 외쳤다.

> 나는 문학상에 있어 다음과 같은 조건하에 낭만주의적인 것에 대하여 완전히 찬의를 표하는 자이다. 문학은 단지 어떠한 상태를 긍정하는 것이 아니라 항상 의욕하는 곳에서 시작되는 때문에……(p.22)

이 의욕이란 물을 것도 없이 인간의 구체성을 전제로 한 것이다. 이 점에서 임화는 영락없는 헤겔주의자다. 낭만주의란, 꿈 꿀 줄 아는 인간이 '몽상을 문학의 현실로써 구조한 문학'에 대한 성격적 호칭이다. 요컨대 "문학은 꿈 없이는 존재하지 않는다."(p.26).

이 글에서 임화가 선 자리는 분명하다. 헤겔주의가 그것. 문학이 자연의 모방(아리스토텔레스)이 아니라 창조라는 것, 묘사가 아니라 인물창조라는 것을 신문학사가 임화의 시선에서 보면 분명할 수밖에 없다.

> 단지 『무정』의 인물들이 '수일이', '순애'가 사람들에게 사랑받고 기억된 것은 그 인물들이 되나 안되나 당시 독자들의 일반적 이상의 일부를 남녀관계, 부자관계를 통하여 보편적으로 표현하고 있던 단 한개의 이유 때문이다.
>
> 신문학의 최량의 보고라고도 볼 자연주의적 제작품이 부당하게도 기억되지 않음은 그것이 자연의 모방의 문학이었던 때문이다. 동인, 상섭, 빙허의 작가가 특색있는 인물을 하나도 창조하지 못함은 교훈적이다. 자연주의의 이상은 실험실적 태도이고 현실의 폭로 등으로 결국 소극적으로 현실과 관계한 것이다.
>
> 그러므로 그들의 인간적 현상에 대한 태도는 창조적이 아니라 단순히 '성격의 묘사'라는 일점에 머물러 한 개 세태묘사의 문학임을 면치 못하였다.(p.33)

카프 서기장답게 이 글의 결말을 당파성으로 잡고 『고향』의 김희준을 고평했지만 1940년의 시점에서의 의의는 위대한 낭만정신의 부활의 요망에로 요약된다.

이러한 18식에의 후퇴가 의미하는 것은 신문학을 다시 시작해야 함을 가리킴이 아닐 수 없다. 또 그것은 그동안 전개된 신문학에 대한 전면적 검토라 할 것이다. 이러한 자기 반성 및 비판이 작품해석에로 향할 때는 어떤 모양을 띠는 것일까. 이 물음에도 임화는 심도있게 고려했는 바, 그만큼 자기비판의 깊이를 감지케 해주고 있다. 곧, 임화는 작품이 갖는 작가의 의도를 제하고도 남는 이른바 잉여부분(무의식)에다 비평의 비중을 두어야 한다는 것.

비평은 적어도 잉여의 세계를 사상의 수준으로 앙양함으로써 작품의 의도와 결과와의 대립을 격성(激成)하고, 잉여의 세계란 작가의 주체를 호해(互解)로 밀치면서까지 제 존재의 가치를 위협적으로 시인해 달라는 새 세계의 현실적임을 인식해야 할 것이다.

이런 의미에서 잉여의 세계를 앙양함은 작가와 정면에서 대립하는 것이며, 사상적으로 갈등하게 되는 것이다.(p.720)

작품이란 작가의 의도(인식작용)와는 별개로 존재하는 잉여물(프로이트식으로 하면 무의식)의 층위가 있다는 것, 있을 뿐만 아니라 그것이 자각의 의도와 정면에서 대립하고 있다는 것, 이를 캐내어 크게 부각시키는 것이 비평가의 소임이라는 것. 이런 임화의 주장은 앞에서 말한 위대한 낭만주의 정신과는 오히려 상반되는 것이 아닐 수 없다. 이른 바 반헤겔 주의자의 입장에까지 내려앉은 형국이라 할 것이다. 헤겔주의자인 임화의 처지에서 보면 문학예술이란 자연(현실)의 모방이 아니라, 주체적인 창조의 행위가 아닐 수 없다. 그렇다면 작품의 잉여물이란 적어도 작가의 주체적 인식(의도)과는 상반되는 그 무엇이 아닐 수 없다. 이러한 잉여물의 적극적 평가 및 부각을 임화가 주장한 것은 1938년이었다. 시집 『현해탄』의 간행연도에 해당된다. 이 시점에서 비평가 임화는 비평의 이러한 직능 곧, 작가측의 '내적 대립'에 불과한 잉여물이 '외적형식'의 영역으로 된 계기로 삼고자 했다. 1938년의 비평의 직능이란 낭만정신의 앙양에서 일보 후퇴한 형국을 빚고 있었다. 다듬어 말해, 비평의 영역이란 단지 해석학 수준에 멈추어야 한다는 것이었다. 이 자기모순성은 주장이 불가능한 전화기임을 통감한 징표가 아닐 수 없다. 경성제대의 철학자 신남철에 있어서 이 시대는 전환기였고 이에 대응하여 펼 수 있는 사상이나 주장이란, '명철보신'으로 요약되고 있었다. 철학적으로 그는 구약 솔로몬의 잠언에서 그 발상법을 이끌어왔다. '잠언을 저작하는 인간'이 그것이다. 최고의 진리, 표준, 금기 등을 새삼 음미하고 시를 곱씹어보기, 바로 이 길이 있을 뿐이라고 했을 때 신남철은 적어도 철학자 이전의 지식인으로는 긍정적으로 평가될 수 있다. 임화의 경우도 사정은 매우 흡사하다. '잠언을 저작하는 인간'으로서의 임화였던 것이다. 시인으로서의 임화가 거기 있었다. 주장을 거두고 해석학에 주저앉은 비평가 임화가 거기 있었다. 여기까지 이르면 커다란 의문 하나에 봉착하지 않을 수 없다. 어째서 8·15를 맞아 임화는 돌연 길을 잃었을까가 그것. 어째서 철학자 신남철은 길을 잃지 않았을까가 그것. 어째서 임화는 해방공간에서 최용달의 지휘아래 들어가야 했고 박치우, 신남철에게 조언을 구해야 했을까가 그것.

이 물음의 의의가 철학과 문학의 물음, 이 나라 철학사와 문학사에서 제기될 때에 있지 않다면 어디서 그 의의를 찾을 수 있으랴. 또 그것은 저절로 경성제대 법문학과 이인직, 춘원, 육당 이래의 신문학사 사이의 관련성에 대한 총체적 평가에로 향하게 되는 것이 아니라면 대체 무슨 의의가 따로 있으랴.

(3) 너 하나 때문에

경성제대 법문학부란 무엇인가. 또 말해 경성제대 철학과란 무엇인가. 이것은 당연히도 임화에 있어서의 물음이어야 한다. 이와 꼭 같이 신남철에 있어서는 신문학이란 무엇인가에 대응된다.

신남철에 있어 신문학사는 신문학사에 개입한 외부세력의 첫 번째 사건으로 규정된다. 대담하게도 그는 신문학사에 개입하되 위에서 내려다 보는 이른바 교사적 입장에서였다. 이른바 인류사적 시각 또 다르게는 역사철학적 시각에서 신문학사에 개입한 형국이었다. 계급문학의 필연성, 부르조아 문학의 필망론의 거침없는 주장의 근거는 계급투쟁의 역사적 필연성에서 도식적으로 연역된 것에 다름 아니었다. 이러한 거침없음이 신문학사 속에서 악전고투해왔고 또 카프문학자 거의 전원이 전주감옥에 있는 1935년의 현실에 직면한 임화의 처지에서 보면 그 이론의 옳고 그름을 떠나 용납키 어려운 사안이었다. 신문학이란 또 이를 위해 살아온 문학자에 있어서는 신성불가침한 그 무엇이 아니면 안 되었다. 일제 강점기와 함께 비롯된 신문학이기에 거기엔 국가, 민족의 원광을 쓴 그 무엇이 알게 모르게 작동하고 있었다. 이에 대한 외부의 개입은 감정상으로는 물론 논리상으로도 용납되기 어려웠다. 전주감옥행을 피할 수 있었던 임화는 이에 대한 응분의 방어를 해야 할 윤리적 책임이 강하게 작동하고 있었다. 이 윤리성은 논리성으로 무장될 때 비로소 그 위력을 발휘한다. 이 논리를 펼 수 있는 적임자로는 임화밖에 없었다. 이 자각이야말로 그의 윤리적 과제였다. 임화의 논리적 우월성은 먼저 일원론으로 요약된다. 외부의 개입이란 그 어떤 것도 이원론에 떨어진다는 것. 이러한 이원론을 두고 임화는 '속학 서생'이라 규정할 수 있었다. 문학이란 과학보다 깊다는 것, 그것은 생활의 총괄이라는 것, 이는 문학만이 할 수 있는 고유영역이라는 것. 요컨대 어른의 문학이라 할 것이다. 신남철을 두고 '속학 서생'이라 했을 때 그것이 경성제대를 두고 '속학 서생'이라 비유했다고 본다면 어떠할까.

'속학 서생'이라 했을 때 그것이 경성제대 법문학부를 겨냥한 비유라면 그 근거는 어디서 왔는가. 임화에 있어 그것은 1926년에 개교된 경성제대와 결코 무관하지 않다. 1935년을 기점으로 해서 본다면 그것의 연륜은 겨우 10년 앞뒤에 지나지 않는다. 청소년기를 겨우 지난 나이라 할 경성제대란 책상물림, 또는 서생이란 표현이 매우 적절할 것이다. 임화가 서 있는 신문학이란 어떠할까. 신소설에서부터 기산하더라도 30년을 경과한 시점이어서 가히 어른급이라 할 것이다. 이 어른과 청소년이 함께 일제 암흑기를 맞이했을 때 그들의 삶의 방식은 비슷할 수밖에 없었다. 지식인으로서 '명철 보신'이 그것이다. '잠언을 곱씹는 인간'이 되지 않을 수 없었다. 바로 여기가 신문학의 함정 곧 임화의 함정이 있었다. 이런 인간형에서 8·15해방은 길을 잃게 만들기에 모자람이 없었다. 이에 비해 청소년급의 철학쪽은 어떠했을까. 가진 것 없는 신남철은 대번에 8·15에서도 변신할 수 있었다. 몸 가벼운 청년인지라 쉽사리 역사적 전환기에서도 적응할 수 있었다. 헤겔, 마르크스 또 하이데거 또 누구에게로 되돌아가면 되었다. 인류사의 나아간 길이 거기 신작로처럼 열려 있었던 것이다.

해방공간에서 길 잃은 임화는 헤겔주의자들에게 길을 묻지 않으면 안 되었다. 어른으로서의 자기를 잃었기에 빚어진 비극이 아닐 수 없었다. 조급한 나머지 그는 인류사의 신작로를 보고자 했다. 자기자신이 몸 가벼운 청년이 아니라 신문학사 40년의 짐을 졌기에 더욱 조급성이 작동했다. 염치불구하고 임화는 '속학 서생'에게도 길을 묻지 않으면 안 되었다. 바야흐로 장년기에 접어든 '속학 서생'들은 적어도 외견상에서는 인류사의 과학자이자 진리의 대선생으로 군림할 수조차 있었다. 바로 여기에 문학자 임화의 돌이킬 수 없는 역사의 오판이 잠복해 있었다. 남로당의 문학총책인 임화의 논리인 민족/계급 일원론이란 한갓 형식논리상의 허구에 지나지 않았음이 그 증거다. 길을 묻고 물어 혼신의 힘으로 구축한 민족/계급 일원론이란 헤겔의 것이었다. 그것이 북로당의 안함광의 논리 앞에서는 무력한 휴지에 지나지 않았음을 누구보다 월북한 임화자신이 통감치 않으면 안 되었다. 이른바 속칭 남로당의 형식논리학의 관념이 '무상몰수 무상분배'의 정치(현실) 앞에서 휴지화됨을 통렬히 깨친 임화는 어떠해야 했을까.

자신의 역사적 오판에 대한 책임을 지는 일이 남을 뿐이었다. 그것은 역사, 현실에 대한 <복수>의 길이 있을 따름이었다. 이것은 윤리적 과제이자 또 논리의 필연이기도 했다. 곧 신문학 40년의 무게와 그 논리에 따르는 길이 아니면 안 되었다. 신문학사 40년의 어른의 체험적 총체로써 청치=역사적 현실에 맞서기, 바로 그것이었다. 장엄한, 복수극이 그것이다. 이 계기가 6·25에서 마침내 달성되었다.

"너 어느 곳에 있느냐"를 읊었을 때 임화의 그 반역이 시작되었다. 실상 이 정치에의 복수극은 임화자신의 오판에 대한 자기자신에 대한 복수극의 성격을 가진 것이었다. "서울, 아, 민족의 영원한 수도 서울!"이라 읊었을 때 실상 그것은 낙산 밑에서 낳고 자란 임화자신의 고향타령이며 생리적 만남이었다. 정치, 역사 쪽에서 임화를 그냥 두지 않고 사형을 권고할 수밖에 없었지만 이 마당에 와서는 그런 것 따위란 아무런 의미도 없는 것이었다.

> 저는 8·15해방 후 문화예술의 방면에서 지도권을 장악하려는 야망을 품게 되었습니다. 그리하여 1945년 8월 16일 서울에서 조선문학 건설본부를 조직, 그 의장으로 활동하면서 조선 10월령 서울 중구 태평동에 있는 미군 간첩기관 CIC와 결탁하여 조국과 인민을 팔아먹는 간첩행위의 길에 들어섰습니다. 이렇게 하다가 저는 1947년 11월 2일 이승엽의 지시에 따라 입북하여 해주 제일인쇄소에서 일했지만 [···] 그후 6·25전쟁과 동시에 해방된 서울에 가서 이승엽과 만나 [···] 1951년 7월 낙동강 전선

에 종군하게 되어……(김남식 편, 『남로당연구자료집』 제2집, 고대아세아문제연구소, pp.500~503)

이러한 임화의 진술이란 역사에 번용당한 임화의 야망에 대한 통렬한 자기 고백체이며 따라서 빈 골짜기에 울리는 바람소리와 같은 것이다. 이미 '자기고백'의 표현을 하기로 작정한 임화에겐 피고의 죄상을 진술하라는 조선 민주주의 인민공화국 최고재판소 군사재판부 김익선 소장의 강요는 아무 의미가 없다. 문학으로 역사에 복수하기로 작정한 임화의 목소리이기에 그 이상의 진실은 따로 없다. 나의 오판이었다. 이 오판에 나는 책임질 수밖에 없다는 것. 문학과 정치, 그 어느 것이 보다 무거운가. 이 물음에 임화는 이제 분명한 답을 갖고 있었다. 문학이야말로 정치에 비해 또 역사철학에 비해 30년의 격차 곧 세대적 격차가 있다는 것. 임화는 이 20년의 연륜으로 10년도 못미치는 정치에 통렬한 복수를 감행하고 있었다. <너 어디에 있느냐>고 자기 딸 혜란에게 외치고 있었다. 머리가 반백이 된 아비의 이 자기표현. 이 고백체란 문학만이 가진 그러니까 낭만주의 세련을 이미 겪은 이 나라 신문학사의 본질이었다. 이를 한동안 몰각하고 문학을 역사철학의 아류로 착각한 자기 오류에 대한 통렬한 자기고발이 아닐 수 없었다.

이 고발은 이중적임에 주목할 것이다. 북조선민주주의 인민공화국에 대한 고발이자 복수가 아닐 수 없음이 그 하나라면, 최용달, 이강국, 박문규 그리고 신남철 중 경성제대 법문학부로 표상되는 역사철학에 대한 고발이자 복수라는 점이 그 다른 하나이다. 임화, 그는 원점인 제자리, 문학자의 자리에 되돌아온 형국이었다. 되돌아왔다고 하나 그 원점은 이미 그에겐 과거였다. 『회상시집』(1947)에 지나지 않았다. 여기에서 임화는 마지막에 「너하나 때문에」를 실어서 1946년의 자기의지를 표명했다.

너 하나때문에

오직 있는것은
光榮 하나뿐이고,
정녕 屈辱이란 없는가?
있어도 없는것인가?
만일 싸움만 없다면…….

그러나 싸움이 없다면,
둘이 다 없는것,
싸움이야말로
光榮과 屈辱의 어머니,
모든것 가운데 모든것.

敗北의 피가
勝利의 葡萄酒를 빚는것도,
屈辱이
光榮의 香料를 끄어내는것도,
모두다 싸움의 넓은 바다.

바다는
넓이도 깊이도 없어,
勝利가 실컨
제 즐거움의 眞珠를 떠내고,
敗北이 죽도록
제 아픔의 高貴한 값을 알아내는 곳.

회복될 수 없는
굴욕의
－諸君은 이 말의 意味를 아는가?
아프고 아픈 傷處가,
붉은 피가
薔薇 떨기처럼 피어나는 곳.

아아! 너 하나, 너 하나때문에,

나는 屈辱마저를 사랑한다.
(『회상시집』, 건설출판사, 1947, pp.121~289)

적이란 그러니까 일제였는데, 해방공간에서는 무엇이었던가. 임화의 능력으로 이를 알아내기에 일정한 한계가 있었다. 역사철학에 헤겔에게 인류사의 방향성을 두고 물어야 했고, 그 방도의 하나로 박치우, 신남철이 선택되었다. 그들이 보여준 반향성이란 '인민의 적'의 도입이었다. 임화에 있어 이것은 실감이 아니라 관념이자 추상이었다. 그는 관념상에 '인민의 적'을 상정했고, 이 노선에 따라 월북했다. 그러나 그가 스스로 찾아간 북조선엔 '인민의 적'이 토지개혁이라는 불발의 주체성을 띠고 엄존해 있었다. 그는 거기 동참할 수 없었다. 왜냐면 그것이 그에겐 실감(현실)이 아니었던 것이다. 오판이었음을 그는 직감했다. 그 직감은 통렬한 것이 아니면 안 되었다. 머리털이 <반백>이 될 만큼이었다. 이는 단지 시인의 과장된 수사법일 수 없었다. 그는 이런 사실을 일찍이 일제 속에서 체험한 바 있었다.

敵

—네 萬一 너를 사랑하는 者를 사랑하면 이는 사랑이 아니리라.
너의 敵을 사랑하고 너를 미워하는 者를 사랑하라. 「복음서」

1
너희들의 敵을 사랑하라—
나는 이 때 예수敎徒임을 자랑한다.

敵이 나를 죽도록 미워했을 때,
나는 敵에 對한 어찌할 수 없는 미움을 배웠다.
敵이 내 벗을 죽엄으로써 괴롭혓을 때,
나는 友情을 敵에 對한 殘忍으로 고치었다.
敵이 드디어 내 벗의 한 사람을 죽였을 때,
나는 復讐의 비싼 眞理를 배웠다.
敵이 우리들의 모두를 노리었을 때,
나는 곧 참멸의 數學을 배웠다.

敵이여! 너는 내 最大의 敎師,
사랑스런 것! 너의 이름의 나의 敵이다.

2

때로 내가 이 數學 工夫에 게을렀을 때,
敵이여! 너는 칼날을 가지고 나에게 勤勉을 가르치었다.
때로 내가 無謀한 돌격을 시험했을 때,
敵이여! 너는 아픈 打擊으로 전진을 위한 退却을 가르치었다.

때로 내가 비겁하게도 진격을 주저했을 때,
敵이여! 너는 뜻하지 않은 공격으로 나에게 前進을 가르치었다.
만일 네가 없으면 참말로 四則法도 모를 우리에게,

敵이여! 너는 前進과 退却의 高等數學을 가르치었다.

敗北의 이슬이 찬 우리들의 잔등 위에 너의 慘酷한 肉迫이 없었더면,
敵이여! 어찌 우리들의 가슴 속에 사는 靑春의 정신이 불탓겠는가?

오오! 사랑스럽기 恨이 없는 나의 畢生의 동무
敵이여! 정말 너는 우리들의 勇氣다.

나의 敵을 사랑하라!
福音書는 나의 光榮이다.
(『현해탄』, 동광당, 1938, pp.122~124)

용케도 이 복음서로 그는 일제말을 견디며 이겨낼 수조차 있었다. 이 역설은 복음서의 문맥과는 관계없이 임화를 격려, 고무하기에 모자람이 없었다. 해방공간에서 그는 이에 대한 보상을 받고도 남았다고 믿었을 터이다. 복음서가 가리키는 적이 해방공간에서는 일제의 잔재 및 반진보세력이었다. 그럴 수 없이 반가운 적이 아닐 수 없는데 왜냐면 <나>가 살아갈 수 있는 '용기'였기 때문이다. 월북한 그는 어떠했을까. 그를 쫓아낸 남한 단독정부란, 월북한 그에겐 이미 적일 수 없었다. 3・8선이 이를 차단하고 있어 남한이란 저 아득한 세계이자 과거에 지나지 않았다. 이 깨침의 순간 그는 새로운 적을 찾지 않으면 안 되었다. 그 새로운 적이란 바로 그가 찾아간 북로당이었다. 스스로 찾아간 북로단이야말로 새로운 적이 아니면 안 되었다. 이런 심리적 균형감각이야말로 그가 살아갈 수 있는 용기의 원천이었다. 이런 임화식 삶의 용기란 실상 시인 임화의 본령이거니와, 그것은 심리적 균형에 다름 아니었다. 이것을 두고 그는 시라 불렀고 문학이라 했고 문학자의 본래적 모습이

라 믿었다.

북로당을 정면으로 적으로 상정하기, 여기에서 그는 비로소 심리적 균형감각을 확보할 수 있었다. "너 어느 곳에 있느냐!"라고 외친 것은 그 때문이다. 자기의 본래적 균형감각을 찾는 외침이 아니면 안 되었다. 이는 적에 대한 통렬한 문학적 복수극이 아니었던가. 이 복수극이 북로당의 안목에서 보면 너무도 분명했다. 왜냐면 북로당이란 곳에서는 '인간은 신이다!'라는 낭만주의의 세례를 겪은 바 없기 때문이다. 왜냐면 신은 이미 죽고 없는 세계의 주민들이었으니까. 그들의 눈에는 '인간은 신이다!'를, 내면을, 자기고백을 체험한 문학자란 괴물에 다름 아니었던 까닭이다. 이승엽 일당과 더불어 또 이강국과 함께 미간첩 혐의로 처형당한 남로당 숙청사건이란 괴물의 사실에 지나지 않겠지만, 임화의 처지에서 보면 전혀 무의미한 일이 아닐 수 없다. '인간은 신이다!'의 명제에서 살았고, 또 살고자 했기에 그러하다. 이를 두고 문학이라 했기에 문학에 너무 과도한 비중을 두었던 것이다. 문학 없이도, 신 없이도 능히 살아갈 수 있는 인간도 세계도 있음을 끝내 임화는 알고자 하지 않았다. 비극이 이에서 말미암은 것이기에 이 비극은 하나의 문제성을 안고 있었다. 이 문제성 속에 아직도 한국근대문학사가 숨쉬고 있었던 것이다.

제4부

제1장 임화의 자존심의 근거

제2장 경성제대와 파우스트

제1장 임화의 자존심의 근거

(1) 러시아문학과 크로포트킨

높은 교양, 풍부한 문헌이란 엄정한 과학적 태도를 위한 장식음이고 핵심사항이 과학임을 가르쳐 준 것은 임화의 직관쪽이기보다는 역시 외부의 가르침이었다. 그것도 대학의 아카데미시즘쪽이었다. 신문학사의 독자적 영역에 신남철이 개입해왔을 때 임화의 자기방어력은 정당했을 터이다. 신성한 신문학사에 어떤 외부 세력의 개입도 허락될 수 없다고 임화는 굳게 믿어마지 않았다. 그러나, 막상 신문학사의 방법론 탐구에 놓이게 되자, 이번엔 아카데미시즘의 개입을 요청하지 않을 수 없는 아이러니에 놓이지 않으면 안 되었다. 대체 임화에게 과학을 가르쳐준 아카데미시앙들은 누구였을까. 고쳐 말해 임화는 누구에게 그 굉장한 '과학'을 배우고자 했던가. 그리고 그 효용성 및 영향력은 어떤 수준이었을까. 단계별로 살펴보면 아래와 같다.

P. 크로프토킨(Kropotokin, 1842~1921)은 그 철학과 이상으로 고명한 러시아의 무정부주의 이론가이며 문예에 대한 조예도 출중한 망명객이

었다. 임화의 비평적 위치와 그 근저에 놓인 불발의 주춧돌이 크로프토킨의 이론에서 왔음은 의심의 여지가 없다. 임화의 비평적 원점이 「조선적 비평의 정신」(1936. 1.)임을 염두에 둘 때 특히 그러하다. 그는 어디까지나 '조선적 비평'에 임하고자 했다. 그렇다면 '조선적 비평'이란 어떤 것이어야 했을까. 여기에 대해 임화가 대전제를 맨 먼저 내세웠음에 주목할 필요가 있다.

> 조선의 문예비평은 오늘날까지 그 어느 것을 물론하고 대부분의 작가들에게서 적지 않은 불만을 사고 있었던 것 같습니다. 그러나 한편으로는 작가가 아닌 다른 사람들에 의하여 어떤 종류의 지지와 만족감으로써 맞이되었다는 것도 역시 부정할 수 없을 것입니다.(『문학의 논리』, 학예사, 1940, p.685)

작가들에게 불만을 샀다는 것, 그 대신 작가 아닌 일반 독자들에겐 환영받았다는 것, 이 어긋남이야말로 조선적 비평의 원점이 아닐 수 없었다고 임화는 보았다. 왜냐면 바로 여기에 이른바 '조선적 비평'의 성격이 위치하고 있었던 까닭이다. 이 고유한 조선적 특성은 비평자신의 자의적인 욕구라든가 지향에 말미암은 것이 아니라 오로지 우리들의 생활적 관계들을 구성하고 있는 객관적 현실의 내용들과 그 한가운데를 꿰뚫고 있는 역사의 필연성에 의해 만들어진 것이며 따라서 '숙명적 정신'이 아닐 수 없다고 임화는 보았다. 문학이란 그러니까 '심미적 요구의 측면'보다 '현실조선의 일반적 요구의 측면'의 표현에 있었음을 가리킴이 아닐 수 없다. 현실반영이란 그러니까 있는 현실의 그것이기보다 더 많은 의미(꿈과 이상)를 요구했던 것인 만큼 비평의 원점이 여기에서 올 수밖에 없었다는 것이다. 조선적 비평이 작품의 심미적 측면보다 더 많이 사회학적 또는 정론적(政論的) 측면에 교섭했기에 작가들의 불만을 살 수밖에 없었고 그 대신 독자의 환영을 받을 수밖에 없었다는 것. 여기에 조선적 비평의 숙명이 있었다.

조선적 비평을 이 숙명에서 규정하고자 했을 때의 임화의 선 자리는 신경향문학 이후를 가리킨다. 카프문학 이전엔 비평이 없었다는 전제가 거기 깔려 있었다. 카프문학이란, 논쟁위주의 정론성(정치 이데올로기)에 기울어져 있었고, 따라서 작가 및 작품 분석 및 해석이란 이차적인 보조선에 지나지 않았다. 회월, 팔봉 사이에 벌어진 '붉은 건축 논쟁'이 이 사실을 상징하고 있다. 기둥도 서까래도 없이 붉은 지붕만 있는 건축(회월)이어야한다는 극단적 지적도 이런 문맥에서 비로소 의미 있게 읽어낼 수 있다. 이 역사적 장면이란 카프비평에서 극점에 이르렀고 그 결과는 실로 작가들에겐 참담했다고 임화는 지적했다. 카프비평의 저 혹독한 사회적 채찍을 그들이 공연히 물리치기는 불가능했는 바, 왜냐면 그것이 절박한 조선적 현실이었던 까닭이다. 그들이라 해서 감히 어찌 여기에 칼을 들 수 있었겠는가. 그러나 임화가 보기에는 1935년을 고비로 하여 작가들은 고개를 들어 과학적 미학(유물론적 문예과학)이 객관적 정세로 말미암아(전주사건) 잠잠해진 틈을 타서 과거 10년간의 카프비평을 '한개의 예술적 죄악의 기념비'로 비판하고 있다. 그러나 서두에서 지적된 바 일반 독자들의 처지에서 보면 문예비평이야말로 이 시대의 불발의 의미이자 조선적 숙명이 되지 않을 수 없다.

문제는 임화의 이러한 생각은 어디에서 온 것인가에 있다. 조선과 러시아의 통로가 거기 있었다.

"그것은 다름 아니라 우리 조선의 문예비평은 1820년대로부터 1860

년대에 이르는 50년간의 러시아의 정론적인 문예비평이 연(演)한 바 위대한 역할을 생각하면 곧 수긍되는 것"이라고 임화는 크로포트킨의 저서를 내세워 자신 있게 말할 수 있었다.

> 크로포트킨은 그의 명저 『러시아문학의 이상과 현실』가운데서 "과거 50년간 러시아에 있어서 정치사상의 수로(水路)로 삼은 것은 문예비평이다.", "그 필연의 결과로서 러시아의 문예비평은 어느 외국에도 볼 수 없을 만한 발달과 중요성을 갖게 되었다."고 말한 일이 있습니다. 물론 저는 1820~1860년대 러시아의 현실적 또는 정신적 생활과 금일의 조선의 그것과를 동일시하지는 않습니다. 그러나 조선에서 소위 비평적인 문필사업 가운데 문예비평만치 융성하였던 영역이 없었고 또 의식 무의식간에 정도 이상의 기대를 문예비평에 둔 것은 부정될 수 없는 것입니다.(p.696)

요컨대 임화가 비평을 앞뒤가 꽉 막힌 정치사상 혹은 사회비평의 한 개의 방수로(放水路)로 파악할 수 있었던 것은 그리고 이런 파악에 힘을 실어준 것은 러시아의 현실이자 크로포토킨의 저술이었다(임화가 본 이 책의 일역판은 두 종류가 나왔다. 大泉黑石의 역과 馬場孤蝶・森下雨村・左騰綠葉 3인 역이 그것이다. 임화가 참조한 것이 어느 것인지는 불분명하다. 세 번째 일역은 크로포트킨이 영어로 쓴 제2판을 대본으로 伊藤整이 번역한 것으로 『러시아문학 강화』(1938)가 그것이다. 임화가 인용한 대목은 改造社판에서는 조금 구체적이다).

> 과거 50년간 정치사상을 러시아이 있어서 표현을 얻은 주요한 길은 문예비평인데 그 필연의 결과로서 러시아에서는 타국에서는 볼 수 없는 발달과 중요성을 갖기에 이르렀다. 러시아의 월간잡지의 진수는 이 예술비평가였다. 비평가의 논문은 같은 잡지에 실린 인기작가의 소설보다 큰

사건이었다. 유력 평론잡지의 비평가는 대부분 젊은 세대의 지적 지도자였다. 여기서 과거 반세기를 통해 러시아에서는 잇달아 예술비평가가 출현하여 소설가 기타의 영역에 있어 저작가보다 훨씬 큰, 특히 크고 광범한 영향을 당시의 지식적 방면에 끼치기에 이르렀다.(改造社(下), p.228)

그렇다면 1935년 이후의 조선적 비평은 어떠해야 할까. 곧 조선적 숙명으로서의 그 정론성은 한갓 과거의 유물로 변하고 만 것인가. 이에 대해 임화는 매우 신중하여 주목된다. 과거는 물론 그러했고 현재도 그러하며 먼 미래까지 '상당히' 그러하리라고 전망하면서도 모종의 타협에 나아가고 있었다. "오늘의 비평은 정론성이 아니라 그 일반적 세계관상의 요구로써 자기의 미학, 문예과학을 관철시키는 유물론적 정신과학의 확립의 길 위에서 조선적 비평정신의 진실한 건설의 달성"(p.697)에로 나아가야 한다는 것. 강조된 것은 오직 하나, '유물론적 미학과 문예과학의 확립'이다. 이것 없이는 조선적 현실의 객관성은 파악되지 않기 때문이라 보았다. 이로써 작가와 일반독자를 동시에 만족시키는 제3의 노선이 모색되지 않을 수 없었는데 이를 일러 임화는 '창조적 비평'이라 했다. 이러한 비평을 지금부터 모색하여 장차 선보이겠다는 것이 1935년도 현재의 임화의 도달점이다. 이 때 분명한 것은 오직 한 가지뿐이었다. '유물론적 미학과 문예과학'이 그것이다.

이러한 임화의 처지는 보기에 따라서는 방향감각 상실에 다름 아니다. 지금껏 그토록 자신 있게 정론성의 비평을 펼치며 작가들 위에 군림하여 호령하던 비평가 임화가 아니었던가. 그 여세를 몰아 신남철을 '속학 서생'으로 취급하여 마지않았던 임화가 아니었던가. 그러한 임화가 창조적 비평에로 나가겠다고 했음이란 방향상실이 아닐 수 없다. 가까스로 자존심을 둔 곳은 유물론적 미학과 문예과학일 뿐. 이는 마지막

보루였지만, 1935년의 시점에서 그도 잘 알지 못하는 백지에 다름 아니었다. 경성제대의 아카데미시즘의 침입 앞에 방어력을 상실한 임화에겐 이것만큼 두려운 것이 달리 없었지만 이것만큼 큰 행운 또한 달리 없었는데 왜냐면 이를 계기로 임화는 유물론적 미학과 문예과학의 공부에 나아갈 수 있었던 까닭이다. 경성제대의 아카데미시즘이란, 유물론적 미학과 문예과학을 적어도 학문상 갖춘 객체였던 것이다.

(2) 창작 방법과 세계관-누시노프(I. M. Nusinov)

임화에게 세계관의 문제를 가르쳐준 비평가는 많지만 그중의 하나에 누시노프를 들 수 있다. 콤·아카데미 소속의 이 정통파는 한동안 루카치가 소련에 기식하며 콤·아카데미 철학사전 문예분야 연구에 참여했을 때, 그에게 비판을 가할 만큼 거센 논객이기도 했다. 콤·아카데미 철학부의 사전편찬 사업에서는 소설항목을 집중토론하여 개념규정을 했는바(1934. 12. 2.~1935. 1. 3.) 그 개요를 루카치가 썼고, 이를 토대로 집중토론을 한 바 있다. 여기에서 누시노프는 루카치의 이론을 비판하면서 그럼에도 불구하고 그것이 소설의 마르크스주의적 이론에 대해 본질적으로 플러스라 했다(『소설의 본질』, 淸和書店, 1936, p.96). 콤·아카데미즘의 문예담당층의 일원인 누시노프는 정통파답게 마르크스·레닌의 미학수립에 나아간 이론분자이자 동시에 혁명 러시아의 문예운동의 지도적 인물이었다. 혁명이후 문예운동의 첨단에 서서 투쟁한 누시노프의 그동안의 활동을 역사적 발전단계별로 정리한 논문은 러시아의 문예정책 수립자의 의견이기도 한 점에서 일종의 지침서 몫을 했다고 볼 것이다. 크로프토킨의 『러시아 문학의 이상과 현실』이 대중적이며 그만큼 외부에서 본 처지에서 객관적인 것이라면 누시노프의 저술은 현실적이자 논쟁적이며 그만큼 원론적인 것이었다. 가령 『창작 방법론』에서부터 검토해 본다면, 이 저술은 로젠타리, 컬포틴 우시에비치 등과 공동저술이지만 이 중에서도 누시노프의 경우 「세계관과 방법의 문제의 검토」로써 무엇보다도 기본적 '세계관'을 다루었음이 판명된다. (1) 문학과 양식의 문제, (2) 창작에 있어서의 세계관, (3) 예술가적 특수성을 다룬 이 논문에서 루나찰스키에 대한 비판을 중심이 놓고 있지만 어디까지나 그것은 세계관과 창작방법론의 원론인 '발자크의 창작의 모순은 현실자체의 모순이요, 방법과 세계관과의 사이의 모순은 아니다'에 이르고 있었다. 세계관과 창작방법론의 동일시에 대한 누시노프의 논법은 일종의 원리제시라 할 것이다.

누시노프의 또다른 논문은 「문학원론」(콤·아카데미편 『문학의 본질』, 문학의 영향, 문학의 장르 등을 다룬 것. 누시노프, 세이트 린 집필)에서 다시 한번 그 원론적 해명이 주어졌고 임화도 이 논문에 크게 기대고 있었다. 누시노프의 원론에 대한 강점은 논쟁적인 운동의 현장에서 획득되었던 것인 만큼 현실적이기도 하였다. 가령 '생활의 인식으로서의 문학'을 주장한 불론스키의 객관주의적 정신은 마르크스주의적인 외관을 속류유물론으로 비판했고, 이를 비판하고 예술가는 산 인물이나 성격을 창조하는 것(생활의 창조로서의 문학)이라 주장한 페레베르레브의 견해 역시 누시노프는 속류유물론으로 몰아붙였다(박영희의 「문학비평의 형식파와 맑스주의－순수예술과 경향예술·생활인식과 생활창조」, 조선문단, 1927. 3. 이 논문은 카프운동사에서 중요한데 종주국인 러시아문단의 사정을 담고 있는 유일한 소개인 때문이다). 이 모든 문학운동과 현실적 과제에서 한발 물러선 자리, 다시 말해 임화에 있어 관심의 대상은 당연히도 현재의 카프문학

및 자기의 처지에 있었던 만큼 원론적인 것이 아닐 수 없다.

원리적인 것이란 새삼 무엇인가. 카프가 해체된 마당에 문학운동이란 가당찮은 일이다. 나아갈 지평이 사라진 마당에 놓인 임화로서는 진공상태에 빠진 것과 진배없었다. 원론적인 것이 요망될 수밖에 없었고 이를 다르게는 '과학'이라 부를 것이다. 이 점에서 누시노프는 그 누구보다 명쾌했다.

> 작가의 사회적 실천은 자기의 세계관을 피력하고 일정한 형상을 빌어서 자기계급의 세계관을 확립할 필요를 작가에게 교시한다. 계급적 존재에 의하여 결정된 세계관은 그 작가의 모든 창작 또는 그 작가의 일정한 괄목할만한 시기의 모든 작품을 결정한다. 만일 작가가 어떤 사회적 사건의 영향을 받고 자기의 이제까지의 세계관을 개조하여 새로운 세계관을 형성했다면 그의 세계관은 후속하는 모든 작품을 자기류로 형성해 갈 것은 의심의 여지도 없다. 작가의 세계관상의 이러한 모든 변화는 그 작가가 소속한 계급의 세계관의 진화를 반영했거나 작가가 따로 계급의 입장으로 이행한 것을 의미한다. 그리고 이것은 그 작가의 창작의 모든 특질과 작가에 의한 그 형상의 연구방법, 형상의 선택 등에 필연적으로 반영된다.(『문학원론』, 백효원 역, 문경사, 1949, pp.61~2)

이러한 논법은 너무나 당연한 것이며 또 원론적이라 할 것이다. 그러나 이 원론을 '과학'의 차원으로 연역한다면 어떠할까. 누시노프도 임화도 이 점에서는 민감했다. 왜냐면 세계관이란 과학의 일종이며 과학을 거론하지 않고는 세계관을 올바로 파악할 수 없기 때문이다. 문학에 있어 현실인식이란 과학적으로 해명될 때 비로소 원론에 이를 수가 있는 것이다. 요컨대 일원론의 근거를 마련하기 위한 발판이 무엇보다 굳건히 모색되지 않으면 안 되었다. 신남철의 개입을 두고 임화가 '속학 서생'이라 매도한 근거도 이 이원론에서 왔다. 곧, 과학은 객관적이며 일관된 것이나 문학(예술)은 주관적 감성적이어서 특수하다(과학미달)는 논법이 바로 이원론이라면 문학은 별종의 영역이어서 이성의 통제영역 밖으로 밀려나갈 수밖에 없게 된다. 문학이란 기껏해야 상상이나 환상이며 오락거리에 전락될 운명에 놓이게 된다. 세계관과 형상의 관계에서 이를 과학으로 설명하는 방도 없이는 이원론의 함정에서 결코 벗어날 수 없다. 그렇다 해서 막바로 문학이 이렇게 현실에 대한 구체적인 인식인 데 비해서 과학은 추상적인 인식이라고 정의함도 옳지 않다. 임의의 과학적 법칙은 예외 없이 많은 구체적 현상과 그 관찰의 개괄인 것으로 이러한 의미에서도 과학은 역시 구체적인 까닭이다. 또 한편 예술적 형상도 구체적 개괄이며 형상이 현상을 더 많이 개괄하고 있으면 그럴수록 그 형상의 의의는 커지는 것이다.

다만 과학상의 논문이 특히 논리적 개념과 공식을 빌어서 표현되어 있음에 반하여 예술은 특히 형상으로 구성되어 있다는 점에 상위가 있다할 것이다. 일반적인 것이 부분적인 것을, 합법칙적인 것이 우연적인 것을, 종합적인 것이 단편적인 것을, 총체적인 것이 단일한 것을 지배하고 있는 점에 과학의 추상성에 있는 것이다. 문학에 있어서의 예술성과 그 거대한 의의는 과학과 같은 조건에 의해 결정되는 것이지마는 문학은 과학과 반대로 총체적인 것을 통해서가 아니라 개인화된 것을 통하여 그 내용을 계시한다. 문학의 구체성의 특수성이란 이것이다.」(『문학원론』, pp.71~72)

이 대목을 임화는 다음과 같이 복창하고 있음에 눈을 줄 필요가 있다.

일반적인 것이 부분적인 것을 합칙적인 것이 우연적인 것을, 종합적인 것이 반단(半端)의 것을 총체적인 것이 단일한 것을 지배하고 있는 데 과학의 추상성이 있다.

문학의 예술성과 그 거대한 의의는 같은 조건으로 결정되나 과학과 달라 문학은 총체적인 것을 통하여서가 아니라 개인화된 것을 통하여 그 내용을 계시한다.(누시노프)(임화, 『문학의 논리』, p.192)

1936년의 시점에서 임화는 누시노프의 논문을 읽고 이렇게 인용했다. 그 중심에 놓인 것은 두말할 것 없이 원론적인 것, 곧 과학=예술의 일원론이다. 이 일원론에 이른 과정에 빠뜨릴 수 없는 보조선을 잠시 살필 일인데 그것은 유물변증법의 일원화문제이다.

예술의 인식론 그것은 예술사에서 이끌어낸 예술의 논리학이라 할 수 있다. 특히 문학에서의 인식론은 문예학을 성립시키기에 이르렀는바, 거기에는 논리학적 비약이 불가피하다. 이 때 문제되는 것이 과학이다. 과학에 관한 인식론과 문학의 인식론의 상호관련, 차이 등이 문제되지 않을 수 없다. 종래 인식론이란 거의 과학 특히 자연과학이 독점하고 있었다. 그것은 자연과학의 인식이 가장 조직적이며 단일적이며 통일적으로 발전한 까닭이다. 그렇게 된 것은 전혀 자연과학에 가장 특유한 것인 실험과 산업과의 직접적 관계에서 왔다. 그것은 물질주의 내지 리얼리즘의 덕분이었다. 그러나 사적 유물론의 성립으로 인해 사회과학의 인식이 처음으로 자연과학과 평행한 단일성과 통일성을 갖기에 이르렀다. 여기에서 사회과학에 있어서의 인식론이 적극적으로 전개되었음과 함께 무릇 자연과학에 관한 인식론 사이에 '일원적 통일'이 가능케 된 것이다. 바로 여기에 일원론의 근거가 마련된다. 곧 사적유물론으로서의 일원론이 그것인데 이는 종래의 부르즈아의 인식론과는 어떻게 다르기에 일원론이라 부르는가.

종래의 부르주아 인식론은 단지 판단논리학의 연장이든가 아니면 전혀 자연과학의 인식론이든가 그렇지 않으면 정교한 자연과학과 사회(문화, 정신)과학과의 이원론적으로밖에 되지 않는 인식론이었다. 그러나 이러한 인식론이 이번엔 유물론적 문예학의 성장과 더불어 문예에 관한 것에까지 확장되지 않으면 안 될 마당에 왔다, 라고 나는 생각한다.(戶坂潤, 「인식론으로서의 문예학」, 『일본현대문학전집(69)』, 講談社, 1967, p.391)

마르크스주의적 인식론이라 할지라도 오늘날까지 부르주아 인식론과 동일하게 거의 과학 내지 이론에 있어서의 인식론에 한정되어 있었다. 부르조아인식론에서는 당연한 일인데 왜냐면 부르주아 인식론은 과학에 관해서도 실천적 모사설은 다루지 않았고 또 부르주아 문예이론은 모사설로서의 리얼리즘을 다룸에 필연적인 논거를 가지지 않았던 것이다. 따라서 문예이론과 소위 인식론 간에는 부르주아적 이론에서 보면 즉흥적인 것 이외는 하등 공통된 지반을 찾을 수 없었다. 이에 비해 현대 유물론은 전혀 조건을 달리 하고 있다. 현대 유물론에서의 인식론은 수미일관 모사반영의 이론에 입각해 있는 모사반영(리얼리즘)의 이론이다(미르스키, 『리얼리즘』, 態澤復六 역, 레닌, 「러시아 혁명의 거울로서의 톨스토이」 등을 참조하라고 戶坂은 지적했다). 따라서 유물론에 의해 처음으로 과학의 인식론이 문예의 '인식론'에까지 확대 연장될 조건이 생길 수 있었다. 문학에 있어서의 개념도 이 인식론에 있어 비로소 과학적 범주로 될 수 있었다. 인식론으로서의 문학(예술)이 과학으로 성립될 수 있는 근거, 다시 말해 자연과학과 나란히 갈 수 있는 일원론적 근거는 이러한 설명없이 단지 문학의 형상적 사유에로 건너뛸 수 없는 것이다.

(3) 아마카스 세키스케의 유물전서 - 『예술론』의 위상

임화가 과연 이러한 일원론적 세계관을 얼마나 투철히 파악했는가를 문제 삼기 위해서는 임화에게 결정적인 영향을 준 이론가와의 만남을 떠날 수 없다. 그 스스로도 이렇게 말했음을 보아도 이 사실의 중대성이 감지되거니와 거듭 말하지만 이것은 경성제대 아카데미시즘에게 대한 의식적 및 무의식적 도전이랄까 대결에서 말미암았다. 그것은 문학을 '문예학'의 차원으로 이끌어올려 '비평'과의 구별을 한 점이라 할 것이다. 그동안 비평 영역에서 혼신을 기울여 활동해돈 임화는 그 차원에서 신남철의 개입을 두고 '속학 서생'이라 후려쳐 마지않았다. 그러나 역설적이게도 그것이 부메랑이 되어 임화자신에게 되돌아 왔다. 문학을 비평의 차원에서가 아니라 학문 곧 문예학의 차원에로 옮아가지 않으면 안 되었다. 신남철이 놓인 자리란 비평의 차원에서 보면 과연 '속학 서생'으로 비쳤을 터이나, 적어도 신남철은 어느 수준에서는 문예학의 차원에 섰던 것인 만큼 맞수가 될 수 없었다. 이 사실을 알게 모르게 임화가 알아차린 것은 소불하 5~6년의 세월이 요망되었다. 신남철에 촉발되어 일거에 써내린 임화의 『조선신문학사서설』은 비평의 차원에서 집필한 것이지만, 『개설 신문학사』에 오면 사정이 크게 달라졌다. 적어도 문예학의 문턱에까지 와서 쓴 것인 까닭이다. 전자의 날카로움이나 아슬아슬한 지적 곡예가 후자에 오면 깡그리 사라졌을 뿐 아니라 붓의 속도가 한없이 느리고 또 둔중하기까지 한 점이 이 사실을 증거한다.

임화를 비평차원에서 문예학의 차원으로 끌어올린 것은 물론 시국의 변이에서 온 것이지만 구체적으로는 한 사람의 매개인물과 이론적 지도자를 만났음에서 왔다. 매개인물은 바로 라이벌 관계에 있던 백철이며 그 이론적 지도자는 당대 최고 헤겔 연구자인 아마카스 세키스케였다. 신문학 비평사에 있어 이념을 달리 하면서도 항시 우정을 유지했던 희유한 관계는 임화와 백철이 전형적이라 할 것이다. 연극공부차 도일한 임화의 눈에 비친 백철은 단순히 제국의 교원양성 최고학부인 동경고사 영문학 전공의 학생이기에 앞서 그 유명한 NAPF(일본프롤레타리아예술가동맹)의 멤버이자 무산계급 문학의 시인이며 비평가로 화려하게 저널리즘을 휩쓸고 있었다. 게다가 백철은 동갑내기가 아니겠는가. 이 출중한 청년 문사 백철이 귀국하여 카프문학론을 맹렬히 전개했음은 물론인데, 매우 딱하게도 서기장 임화의 처지에서 보면 그것은 용납되기 어려웠다. 계급사상을 전개하는 한편 개인주의도 똑같이 내세웠기 때문이다. 유명한 인간묘사론이 그것이다. 조직체인 카프의 입장에서는 이를 결코 용납할 수 없었기에 서기장 임화는 동지 「백철군을 논함」(조선일보, 1933. 6. 14.~17)을 썼다. 이 장문의 글에서 이상하게도 날카로운 비평가 임화는 사라지고 어디까지나 우정이 넘치게 드러나 있다. 악의에 찬 카프문사들의 백철비판을 물리치고, 백철 보호론으로 치닫고 있었다.

> 지금 일부의 악의에 찬 자들에 의하여 수행되는 것과 같이 백군에 대한 단순한 비방으로부터 우리는 최대의 치정(治精, 원문대로 '우정'의 오식으로 보임)을 가지고 옹호하여야 할 것은 군의 이러한 약점에 대하여 매도하는 간접으로 그를 소부르주아들의 우리들의 XX적 문학운동에 대한 최악의 적으로써 표시되는 이 정세 가운데서는 더욱 그가 보다 정당한 노선 위에 자기의 길을 발견케 하기 위하여 필요한 것이다.(1933. 6. 17)

백철 역시 임화에 대한 우정이 각별했는바, 매일신보 기자냐 교원이냐의 진로문제에 조언을 구한 유일한 대상이 임화였다. 해방공간에서 노선이 적대관계에 놓였음에도 백철은 도도히 「정치와 우정에 대하여」(대조, 1946. 7.)를 썼고, 월북시에 임화는 백철에게 이 사실을 암시할 정도였다(졸저, 『백철연구』, 소명출판사, 2008). 인간적 매력이 이념을 넘어설 만큼 각별한 의의를 내포했음에 틀림없다. 임화로 하여금 비평차원에서 문예학의 차원으로 나아가게 한 매개인물이 백철이었다 함은 구체적으로 백철의 「인간묘사론」(1933)의 후속 편인 「웰컴! 휴머니즘」(1937. 1.)계열에 대한 논의인 까닭이다. 임화가 공들인 논문 「문예이론으로서의 '신 휴머니즘'에 대하여」(1938. 11.)의 부제가 '문예학의 기초문제에 비춰본'으로 되었음에 주목할 것이다. 여기에 처음으로 '문예학'에 대한 임화의 개안이 시작되었다.

백철이 방향상실의 문단을 향해 맹렬히 휴머니즘론을 펼칠 때, 그것은 참으로 딱하게도 너무도 원론적인 것이어서 도무지 속수무책이었다. '사람은 동물이다', '꽃은 아름답다'식의 논의여서 틀렸다고 아무도 시비할 수 없지만 그렇다고 이를 논의(비평)이라 할 수도 없었다.

이 논문 서두에서 임화는 결론부터 제시하고 시작했다. 곧 "휴머니즘 문예론의 추상성, 단편성은 생득적일지도 모른다."가 그것이다. 백철이 그토록 왕성히 또 자신 있게 개성의 창조를 강조하고 개성의 발휘야말로 문학의 본질이라 우기지만 그것은 추상적 단편적이며 '생득적'일지도 모르는 것이다. 다시 말해 사회적 의식의 산물인 인간의 형상성(표현력)을 흡사 독자적이고 고유한 것이라 주장하는 것은 자기의 임의 소박한 편의주의에 불과하다. 휴머니즘문학론의 추상성 단편성이 생득적이라 함은 이를 가리킴이다. 자기의 주장을 정당화하기 위해 동원된 휴머니즘론이란 따지고 보면 백철의 생득적인 측면(추상성, 단편성)이 아닐 수 없다. 이 점을 임화에게 가르친 이론가가 따로 있었다.

> 과학은 현실의 다양함을 파악할 때 현실의 개별적 사상(事象)을 추상하여 그것을 일반화하나 예술은 반대로 현실의 개별적 사상을 추상하지 않고 개물을 오히려 가장 개별적인 것으로 파악한다.(『문학의 논리』, p.192)

이것은 아마카스 세키스케의 저술에서 따온 것임을 망설임도 없이 임화는 밝히고 있다. 누시노프의 이론과 나란히 하여 임화는 그것을 이렇게 표나게 내세웠다.

> 문학의 예술성과 그 거대한 의의는 (과학과) 같은 조건으로 결정되지만 과학과 달라 문학은 총체적인 것을 통하여서가 아니라 개인화된 것을 통하여 그 내용을 개시판다."(누시노프) 다시 말하면 '과학이 현실의 감정적인 개별 현상을 논리적 일반형태로 포착하는 대신 예술은 일반적 필연적인 것을 감정적 표상적인 형태로 파악한다.(甘粕石介)' 甘粕씨가 '예술은 추상하지 않는다'고 말한 의미는 예술이 과학처럼 개별현상을 논리적 일반적 형태로 파악하지 않는다는 의미로 이해해야 할 것인가 한다. (『문학의 논리』, pp.192~3)

참된 개별화 개인화란 주관주의나 속류사실주의가 생각하는 것처럼 단순한 것이 아니라 과학이나 논리나 법칙 공식 가운데 종합한 현실내용을 문학의 방법으로 파악 표현하는 하나의 특수한 형식임을 백철은 알지 못한다는 것. 따라서 백철은 주관주의자 또는 속류사실주의자가 아닐 수 없다. 이 사실을 임화에게 가르쳐준 아마카스 세키스케란 누구인가.

문제의 핵심은 과학에서 왔다. 과학과 문학의 공통점과 차이점에 대한 논의란 비평의 영역이 아니라 문예학의 영역이라는 점, 이를 비로소 깨치는 임화는 입구에 섰다.

"일본에서 발표된 헤겔해설서로서 유일한 학적인 명서"(戶坂潤)로 평가된 『헤겔 철학에의 길』(淸和書店, 1934. 2.)의 저자 아마카스 세키스케, (甘粕石介, 1906~1975)는 어떤 학자일까. 교토대학 철학과를 나온 아마카스는 도사카 준(戶坂潤)과 유물론연구회(1934)에 참가하고 기관지 『유물론연구』에서 활동하고 이 모임의 전서 중의 하나인 『예술론』(三笠書店, 1935)을 간행했을 뿐만 아니라 『문예비평의 기준문제』(1937)까지 거침없이 나아가 프롤레타리아 문학연구에 심오한 영향력을 발휘했다. 그 때문에 검거되어(1940) 기소유예처분을 받았고 전후 오사카대학교수를 역임하면서 『현대철학비판』(1948), 『헤겔미학강의』(1949), 『자본론의 방법』(1963) 등을 남겼고 그러한 학적 저술 중 가장 영향력이 큰 것이 바로 『예술론』으로 알려져 있다.

"진정 유물론은 역사를 올바른 방향에로 돌리기 위한 시대의 열쇠"라는 슬로건을 걸고, 일본에 있어서의 최고이론가들의 역량을 모아 간행하기 위한 것이 <유물론 전서>였고, 1935년 현재 총 18권 중 간행된 것은 『생물학』과 『예술론』 두 권이었다. 『과학론』(戶坂潤), 『문학론』(森山啓), 『현대유물론』(永田廣志) 등이 아직 간행되지도 않았는데, 『예술론』이 불쑥 나온 형국이지만, 따지고 보면 그것은 헤겔철학을 거친 것이기에 그만큼 학적으로 견고하고도 성숙한 것이었다.

이 저술은 (1) 독일관념론의 미학, (2) 실증적 예술이론, (3) 현대일본미학, (4) 예술사회학, (5) 예술과 과학, (6) 예술에서의 세계관, (7) 창작방법과 세계관, (8) 천재 등으로 구성되어 있거니와 이 중 문제적인 것은 (6)과 (7)에 있었다. 인류사의 예술을 학적 수준에서 검토한 다음에 비로소 제시된 (6)과 (7)이기에 이는 곧바로 과학이자 현실적 실천의 과제에 닿았던 것이다. 이 책의 표제를 <예술론>이라 한 것은 편의상의 것이고 실상은 '예술학' 또는 '예술과학'이라고 저자가 머리말에서 공언한 바에 따르면 그것은 '유물론=과학'에서 왔다. 이 경우 문제적인 것은 부르주아의 과학과 유물론의 과학의 구별이다. 흔히 과학이란 현실의 개별적 사상을 추상하고 일반화하며 예술은 반대로 현실의 개별적 사상을 추상하지 않고 그 개물을 오히려 가장 개별적인 것으로 파악한다고 하나, 이런 주장은 옳지 않은데, 왜냐면 예술의 본질을 잘못 이해한 까닭이라고 그는 지적했다(p.154). 부르주아적인 과학과 예술론에서나 타당한 것이지 유물론에 오면 사정이 크게 달라진다. 어째서 그러한가. 그의 논지에 따르면 아래와 같다.

> 과학의 방법은 일반화 개괄로서의 의미에서 추상화하는 것이라 하나 과학은 결코 이 단계에 멈추지 않는다. 혜안의 생물학자라면 생물의 외면적 형태의 동일은 오히려 비본질적인 것이다. 생물의 본질적 구별은 내면적 그 해부학적 생리학적인 것에서 찾는다. 분류학도 여기에 이르면 단순한 일반화 개괄로의 의미에서의 추상에 멈추지 않는다. [⋯] 생물의 징표 속에 무엇이 본질적이며 또는 비본질적인가를 식별하지 않은 단순한 개괄, 귀납은 해결 안 되는 문제를 해결한 것처럼 호도하는 것이다. 이 생물에 있어서 본질적, 비본질적 징표를 가르는 방법은 생물학에 진화론을 도입할 때 올바로 그 기초가 주어진다. 생물학에 있어서의 분류의 연장으로서의 임무는 각종의 생물을 개괄하여 그 구별을 말살함에서가 아니라 오히려 각종의 본질적 특징을 묘출하여 다른 종과 본질적으로 구별, 대립시켜 그 하나에서 다른 것에의 전화를 설명하는 것에 두는 것이다.(『예술론』, p.156)

이러한 과학의 올바른 이해에 따라 그는 예술을 언급한다. 프리체의 명저 『구주 문학발달사』(1908)는 과학이 법칙정립적이라는 미신에 들려 몇 개의 전형을 개괄하여 역사의 과학적 연구에 나아갔다. 따지고 보면 역사 역시 문제는 개별에 있다. 역사의 과학이란 일반적인 것의 개별화, 개별적 단계로서의 (선행하는 단계의 필연적 귀결로, 후속하는 단계에 필연적으로 발전하는 것의) 개별인 것이다. 따라서 여기엔 '개괄'이라는 것은 일반적이라 할 수 없다.

아마카스가 굳이 이렇게까지 과학을 비판하고 나선 것에는 두 가지 중요한 논의를 펼치기 위함이었다. 과학의 현실파악의 방법이 부르주아적인 데서 벗어나 유물론적인 데서 비로소 과학 그것의 본령이 있음을 그 하나로 들 수 있다. 요컨대 상식을 깨뜨리기 위한 조치였다. 다른 하나는 이 점이 중요한데, 일본의 프롤레타리아 단체인 NAPF의 최고 이론가이자 정책결정자인 비평가 구라하라 고레히도(藏原惟人, 1902~1979)의 틀린 견해를 비판하기 위해서였다. 임화가 구라하라 이론 쪽에 서지 않고, 아마카스를 인용했음은 특히 유념할 일이다.

(4) 문학이 '논리'인 곡절

그렇다면 아마카스는 예술의 현실파악을 어떻게 보았을까. 여기에 대해서도 그는 상식을 깨뜨리고자 했다.

> 일반화적 추상화에 대립하는 (예술의) 개별화적 구체화라는 의미는 애매하나 대체 두가지 의미로 보인다. 하나는 예술가의 현실파악방법이 개성적인 독특한 것이라는 뜻이고 다른 하나는 예술은 현실의 개별적 사상(事象)을 일반화하지 않고 그것이 있는 그대로의 개물로서 파악한다는 뜻

이다. 이러한 뜻의 개별화란 예술의 방법을 특색짓는 것으로 종래 자주 언급된 것이다. […] 그러나 현실의 예술적 파악, 표현에 예술가의 개성이 발현한다는 것은 예술의 특성에서 오는 하나의 결과여서 결코 그 본질이 아니다.(p.159)

그렇다면 그 본질은 무엇인가. 묘사할 주제 혹은 예술의 내용을 상실한 최근의 소시민적 예술에 있어서는 표현의 독자성, 유일무이의 개성이 강조되나 예술의 목적은 역시 객관적 진실을 여실히 파악, 표현한 것에 있다. 오히려 개성적인 특성을 탈락함이어야 한다. 또 개별화란 무엇인가. 따져 보면 이 역시 피상적인 것이 아닐 수 없다. 현실의 개물을 있는 그대로 그린다는 것은 원리적으로 불가능한 까닭이다. 설사 가능하다 하더라도 그것은 아무 쓸모없는 것이다. 그것은 사진이 제일 잘 할 수 있을 뿐이다. 우연성에 뒤섞인 현실의 개별적 사상을 그대로 파악해서 어디에 쓸 수 있단 말인가. 전형성의 파악이어야 하는 이유가 여기에서 온다. 단순한 일반화 개별화가 아니라 일반을 포함한 개별화의 방법이어야 전형급에 들 수 있는 것이다. 이러한 주장은, 구라하라도 내세운 바 있다(「예술적 방법에 대한 감상」). 그러나 구라하라의 논의에는 애매한 점이 있다고 아마카스는 힘주어 지적했다. 요컨대 부르주아의 과학/예술에 대한 애매성에 논의의 중심이 놓여 있었다. 구라하라는 이 점에서 철저하지 못하다고 비판당했던 것이다. 그렇다면 아마카스의 명쾌한 정리는 어떠한가. 결과적으로 말해 과학의 방법과 예술의 방법은 일반화와 개별화로써 구별되는 것이 아니라는 것, 또 개괄에 의해 공통점을 발견하는 것도 아니라는 것. 그러니까 과학도 예술도 객관적 진리라는 기준에서 우연적인 것을 털어내고, 필연적인 것을 드러냄으로써 "추상을 행한다"는 것. 그렇다면 그 추상(抽象)의 방식이 과학/예술에서는 어떻게 다른가.

> 예술의 추상은 일반적인 것, 필연적인 것을 감성적(표상적) 개별적 형태로써 파악한다. 그런데 과학의 추상은 현실의 감성적인 개별적 현상을 논리적, 일반적 형태에서 포착하는 점에 있다. 이것은 예술적 추상과 과학적 추상과의 구별이다. 예술가가 그리는 개에 그 종의 개에 있어서의 필연적인 것, 일반적인 것을 드러내지 않으면 안된다. 그것이 흡사 현실에 있는 그대로의 살아있는 한 마리의 개의 있어서, 곧 감성적인 개체적 형태에 있어 표현되어야 한다. 동물적 견지에 있어서는 현실의 어떤 종의 개가 다른 종의 개와 본질적으로 구별되는 개성적 특징을 밝히는 것이며 그것을 후각의 예민의 정도라든가 피부의 형태라든가 갖가지 습성을 분석하여 그 각각에서 다른 종과의 필연적 구별을 밝혀 최후엔 그 종합적인 차이를 발달사적으로 설명한다. 이 과정을 보면, 출발점은 물론 현실의 감성적 개이나 그 후의 모든 추상적 개념에 의해 그 개가 취급되며 최후에 종종의 일반적 규정의 통일로서 그 특정의 종의 개가 재현되는 만큼 그 재현은 결코 감성적인 재현이 아니라 논리적 개념 즉 일반적인 것에 의한 재현이다.(p.172)

역사의 과학적 연구도 역사적 사상을 제재로 하는 소설 사이에도 사정은 같다. 바로 이 점이 아마카스의 「예술론」의 핵심이다. 유물전서의 「예술론」에서는 단지 일반적인 것도 개별적인 것도 진리가 아니라는 것으로 수렴되고 있었다. 진리란 일반과 개별과의 통일인 까닭이다. 다시 한번 정리한다면 객관적 진리의 표현을 함께 목적으로 하는 과학과 예술은 그 일반과 개별의 통일을, 하나의 감성적 개별을 일반적으로 논리적 규정에 의해 재현한다는 것, 하나의 일반적인 것을 감성적(표상적) 개별의 형태로 표현한다는 것, 바로 이것이 양자의 구별이다.

바로 이 대목이야말로 임화가 깨친 결정적인 곳이었다.

> 甘粕씨가 '예술은 추상하지 않는다'고 말한 의미는 예술이 과학처럼 개별현상을 논리적 일반적 형태로 파악치 않는다는 의미로 이해해야 한다. 따라서 개별화 개인화라는 것은 주관주의나 속류사실주의자가 생각하는 것처럼 단순한 개성, 개인이 아니라 과학이 논리나 법칙, 공식 가운데 종합한 현실내용을 문학의 방법으로 파악 표현하는 한 개의 특수한 형식에 불과하다. 만일 과학이 일반만을 표현하고 문학이 개별만을 표현한다면 인간생활을 보편적 입장에서 취급하는 사회학이나 역사학에 비하여 문학은 일개인만을 표현하는 보잘것 없는 물건이 될 것이다. […] 진리란 단순히 일반적인 것도 아니며 단순히 개별적인 것도 아니다. 일반과 개별의 통일이 항상 진리이고 진실이다.(『문학의 논리』, pp.193~4)

임화가 여기서 깨친 것은 다름 아닌 '논리'의 참뜻이 아닐 수 없다. 문학이 논리(과학)라는 명제, 이것만큼 불발의 자존심은 따로 없었다. 카프해산 이후의 그 공허감을 물리치고 자기의 기초를 새삼 확인하여 자존심을 세울 수 있는 것이 바로 이것이었다. 카프해산 이후의 그의 평론 전체를 묶는 끈이 논리이기에 비평집의 표제를 감히 『문학의 논리』라 했던 것이다.

문학이 논리(과학)이라는 것, 이런 문학적 진실이 집중적으로 표현된 곳이 바로 '인간적 형상'이었다. 그렇다면 문학적 형상화만큼 소중한 과학은 따로 없지 않겠는가. 이를 비평 대신 '문예학'이라 불렀으며 그 방법적 전개가 '세계관과 창작방법론'의 관계였다. 그러나 이 점에서 임화는 더 이상 나아갈 수 없었다.

창작방법이란 새삼 무엇인가. 본시 그것은 문학이 어떤 세계관과 합일될 때 위대한 예술을 창조하고 그것이 체현할 문학적 경향과 특색을 해명할뿐더러 작가가 과학적 세계관을 획득하는 고유한 과정을 지시하는 실천적 이론이다. 이때 제일 중요한 것은 '실천적'이라는 형용구이다. 임화의 견해가 아니더라도 창작방법론이란 누군가 압도적인 역량을 가진 지도자가 먼저 있고 그가 작가의 창작을 지도함이 대전제로 되어 있다. 이때 중요한 것은 작가의 창작지도속엔 '작가의 생활'까지 지도함이 내포되어 있음이다(p.46). 인간이 먼저 올바른 생활 속에 있은 연후에 창작이 있는 것인 만큼 생활과 예술은 분리불가능하다. 카프해산 이후의 공백기에서는 이러한 실천이란 현실적으로 불가능한 영역이 아닐 수 없다. 아마카스가 공들여 '창작방법과 세계관'의 상호침투론을 전개했지만 임화의 처지에서 보면 일종의 이상이었을 터이다. 예술의 창작방법을 세계관의 문제에로 환원하는 것은 오류라고 아마카스가 말할 때 그것은 이미 실천개념인 비평과는 차원이 다른 것. 굳이 말해 '문예학'의 차원이라 할 것이다. 실천에서 벗어난 임화에 있어 창작방법론이란 어디까지나 정태적인 것이어서 보다 거리를 둔 것이 아니면 안 되었다. 세계관과 창작방법의 관계를 대응될 수 있었다. 이 점에서 임화의 신문학사 연구는 필연이자 행운이 아니면 안 되었다. 그는 아마카스의 『예술론』에 힘입어 비평에서 그가 카프문학을 호령해온 실천을 포기한 대신 새로운 영역에로 옮겨갈 수 있었는 바 그 도달점이 '문예학'이었다. 문학의 과학이라 요약되는 이 영역의 획득은 실천적 영역인 비평을 포기한 아픈 상실의 결과물에 다름 아닌 것이었다. 비평의 손발이 잘린 임화에 있어 할 수 있는 영역이 신문학사 기술이었다 함은 그것이 광의의 문예학 또는 문학의 과학화에 다름 아니었다.

실천 없는 신문학사의 연구에서 얻은 것은 무엇이며 잃은 것은 또 무엇인가. 이 물음의 결과는 해방공간에서 비로소 드러나게 마련이었다. 신문학사 연구에로 임화를 몰아넣은 것이 한반도의 역사적 조건인 조선적 현실이었듯 그를 실천의 현장인 비평에로 복귀시킨 것도 한반도의 조선적 현실, 그것도 주체하기 어려운 역사적 현실이었다. 그 주체할 수 없음이란 새삼 무엇인가. 해방이 된 바로 그 전후에 임화는 그 역사쪽에서 호출되어 마지않았다. 그는 조선공산당의 수뇌급인 최용달 진영에 나아갔고 그 지령에 의거, 최대의 조직체인 조선문학 건설본부를 조직 지도하기에 이르렀다.

최용달, 그는 단순한 개인이 아니라 경성제대 법문학부 법학전공의 최고 엘리트였음에 주목할 것이다. 임화는 8·15를 전후해서 그 영향권 하에 들어가 있었다. 그동안의 그의 저렇듯 공들인 신문학사 연구의 행방은 이미 과거 속에 던져졌고 그 흔적도 없었다. 흔적을 되돌아볼 수 없을 만큼 현실은 다급했기 때문이다. 해답은 그러니까 또다시 경성제대 아카데미시즘의 수중에 있었다. 그 다급함의 증거가 바로 경성제대 아카데미시즘 앞에 무릎 꿇기였다. 전조선문학자 전국대회(1946. 2. 8.~9.)에서 조직자 임화는 <특별보고> 두 편을 내세웠는 바 박치우의 「국수주의의 파시즘화의 위기와 문학자의 임무」, 신남철의 「민주주의와 휴머니즘」이 그것이다. 경성제대의 아카데미시즘이 미증유의 해방의 역사 앞에서 그 실천력을 시험하는 하나의 실험이 아닐 수 없었다. 임화에겐 이것처럼 궁금한 것이 달리 없었는데, 왜냐면 자기의 신문학사 연구에 문예학을 가져다 준 불행의 씨앗이 다름 아닌 경성제대 아카데미시즘인 까닭이다. 이제는 거꾸로 그들의 지혜를 시험할 수 있는 기회가 온 것이다. 이로써 임화의 경성제대 아카데미시즘과의 재대결이 이루어졌다. 그 결과는 과연 어떻게 되었을까.

이 물음 속에는 해방공간에서의 임화의 활동은 김태준을 위시한 또 다른 경성제대의 아카데미시즘과의 관련성이 작동되어 있고 일찍부터 실천에 나선 박치우의 죽음, 여전히 글쓰기에 활동한 신남철의 월북 등 남로당계 운명과도 뗄 수 없는 관련을 갖게 된다.

제2장 경성제대와 파우스트

(1) 철학사와 문학사의 만나는 지점

남은 문제는 무엇인가. 철학과 문학 그것의 관련양상이 아닐 수 없다. 또 그것은 절로 철학사와 문학사의 관련성이 아닐 수 없다. 마침내 그것은 이 글의 출발점인 경성제대 법문학부와의 관련성이 아닐 수 없다.

이 논의의 중심부를 이루는 경성제대란 새삼 무엇인가. 이 물음은 해방을 맞아 경성제대의 해체과정을 검토함에서 그 역사적 의의를 엿볼 수 있다. 해방된 미군정 아래서 맨 먼저 개강한 곳은 경성제대 예과(청량리)였고 초대 예과부장은 현상윤이었다. 이어서 12월에는 경성제대 법문학부가 경성대학(京城大學)의 이름으로 재건에 돌입했는데, 군정장관 아놀드 소장의 이름으로 된 미군정청 임명사령 제56호에 따르면, 법문학부 교수진은 다음과 같았다.

안호상(철학), 조윤제(조선문학), 최정우(영문학), 최호진(경제사), 강연택(농업정책), 김두헌(윤리학), 김갑수(국제사법), 김상기(동양사), 백남운(재정학), 박극채(화폐학), 박종홍(철학), 서재원(민법), 손진태(조선사), 황도연(통계학), 이종갑(상법), 이희승(조선어학·문학), 이인영(조선사), 이본녕(심리학), 이상백(사회학), 이병도(조선사), 이숭녕(조선문학), 이태진(행정법), 이양하(영문학), 유진오(헌법), 윤행중(경제학), 윤동직(형법), 백낙준(서양사) 등이며 법문학 부장은 백낙준이었다(최호진, 「경성대재건과 국대안파동의 와중에서」, 신동아, 1990. 8, p.251).

이들 27명의 출신은 국내파와 해외파로 갈라진다. 전자는 한결같이 경성제대 출신임에 주목할 것이다. 후자의 경우 다시 일본유학파와 구미유학파로 갈라지는데, 김두헌, 최정우, 이양하, 강정택 등이 도쿄제대 출신이었고 김상기, 이상백, 손진태, 이병도, 이태진 등은 와세다대학 출신이었고, 백남운은 도쿄상대, 박극채, 윤행중, 황도연 등은 교토제대 출신이었다. 구미유학자로는 안호상(독일 예나대학), 백낙준(미국 프린스턴 신학대학) 등 두 사람뿐이었다.

이러한 교수진이 확정되자 두 가지 난제에 부딪쳤는 바 하나는 교수 중 친일 경력자에 대한 학생사회의 비판이었고, 다른 하나는 법문학부엔 법과와 문과밖에 없다는 것이었다. 제국대학 편제상 법문학부였지만(도쿄제대나 교토제대는 진작부터 경제학부 법학부 문학부 등으로 되었으나 기타의 제국대학은 법과 문과의 통합인 법문학부로 되어 있었다. 이것은 경성제대만의 특징이 아님) 법문학부를 확충하여 정치학과와 경제학과를 신설하지 않으면 안 될 처지에 놓였던 것이다. 그만큼 이에 대한 사회적 욕구의 강렬함이 해방과 더불어 팽배한 증좌로 볼 것이다. 이것이 받아들여졌고 그 중 제일 중요한 것이 경제학과였다. 이 경제학과의 중요성은 이를 뒷받침할 아카데미시즘의 핵심이 건재했음에서 비로소 가능했다. 학과장을 맡은 백남운이 그러한 존재였다.

『조선사회경제사』, 『조선봉건사회경제사』로 고명한 백남운은 6명의 교수로 경제학과를 구성했는 바 윤행중, 박극채, 황도연, 강정택, 최호진(규슈제대) 등이 그 명단이었다. 민족문화연구소와 조선학술을 조직하여 활동하던 백남운의 아카데미시즘상의 비중이 얼마나 컸던가를 단순히 평가할 수는 없지만 이들 중 백남운, 윤행중, 박극채 황도연 등 4명이 1948년 신설 김일성 대학으로 갔음에 주목할 필요가 있다. 복잡한 사정이 개재됐겠지만, 학자로서의 백남운은 "진보적이긴 해도 공산주의자는 아니었다."(최호진, p.252)로 평가된 바도 있었는데, 이러한 평가는 철학자 신남철의 표현을 빌면 '과학과 시의 통일'일 것이다.

> 백발의 파우스트가 청춘과 건설을 찾으며 연구실에서 뛰어나와 메피스토펠레스에게 휘둘리며 고민하는 성스러운 자태를 보아야 한다. 고매한 인간성을 탈환하기 위하여 시와 산문을 육부(肉膚)로써 체인해 보기 위하여 성연(盛宴)과 길항의 전야(戰野)로 뛰어든 신상(神像)을 보아야 한다. 과학과 시의 통일이 멸각된 사회에서 미냉시(未冷屍)의 인간대중을 과학이나 정책만으로 다시 기사회생케 하려고 한댓자 불가능한 일이다. 인간적인 고민을 체험하지 못하고 사상적인 철학을 부질기게 뚜들려 깨보지 못한 수많은 과학자 정치가 이론가 입법가에게 무슨 애틋한 정미의 푸군한 지성을 기대하랴. 따라서 통일도 건설도 바라는 편이 무리다. 고민과 포옹의 철학적 수행! 이 두가지는 서로 곤곤히 샘솟음이 그치지 않는 지구의 미의 원천이다. 자모(慈母)인 이 나라의 대지 위에 버티고 서서 바라볼 때 왜 이렇게 어수선하고 발이 저린가!(신남철, 『전환기의 이론』, p.235)

학자라면, 학문에만 전념하면 그만일 수 없다는 것. 시적인 뜨거운 심장을 가려야 한다는 것. 헤겔식으로 말해 세계사적 개인이어야 한다는 것. 요컨대 학자라면 파우스트의 고민을 안고 있어야 한다는 것. 그런 학자를 꿈꾼 신남철은 철학자이기에 앞서 또 시인이기에 앞서 바야흐로 청년기를 넘어서 장년기에 접어드는 인간의 기백이었다 할 것이다. 『전환기의 이론』의 마지막장을 1946년 7월에 발표한 「지도자론」으로 장식해 마지않았는데, 이 사실의 의의는 그것이 경성제대 철학과에서의 탈출이자 새로운 지평을 향한 첫걸음의 모습이라는 점에서 찾아진다. 청년기에서 장년기에로의 진입이 8·15라는 천지 개벽스러운 역사적 사건성으로 도래했음이 경성제대와의 거리감을 절로 만들었다. 경성제대의 철학, 그것은 신남철에 있어서는 문학과 철학 곧 명랑성과 명확성의 이원론을 먹고 자란 의식체의 글쓰기였다면 해방공간은 철학(과학)의 자리에 정치를 올려놓게 한 상황이었다. 곧, 정치(과학)와 시를 한 몸에 지닌 지도자야말로 세계사적 개인(루카치 용어로는 문제적 개인)이 아닐 수 없다. 이러한 이상적 지도자상을 과연 신남철은 현실적으로 찾아낼 수 있었을까. 아니면 단지 이상형으로 꿈꾸는 데 그치고 말았을까. 이런 물음에 응해오는 실마리의 하나에 백남운이 있다. 『조선사회경제사』라는 최고의 학문적 평가를 받은 백남운은 더 없는 과학자였을 터이다. 그가 경성대학 경제학부의 창설자임도 앞에서 보아온 바이다. 동시에 또 그는 민족문화연구소와 조선학술원(대표 백남운, 상임위원 42명)에 활동함으로서 정작 경제학부의 업무엔 소홀히 했음도 사실이다. 1948년 그가 김일성대학으로 가기 전까지 학부일은 최호진이 도맡아 할 수밖에 없었다. "백남운 씨는 나에게 여러 번 정치활동을 할 것을 권유했으나 그때마다 학문연구와 학생을 가르치는 일에 전념하겠다면서 거절하곤 했다."(최호진, p.253)는 기록에서 보이듯 백남운은 정치와 학문, 시와 산문을 한 몸에 안고자 했던, 지도자였는지도 모른다. 이러한 지도자상에서 신남철은 파우스트의 모습을 연상했는지도 모른다. 악마 메피스토 펠러스에 영혼을 팔면서도 그는 시의 세계, 고민의 창조성에 뛰어들었는데 '시의 세계는 현실의 세계요 전용된 정책의 세계'라고 믿었던 까닭이다. 그러한 인간적 고민으로 역사적 자각을 수행한 사람이 정치적 천재라면 모택동 레닌 등이 이 부류에 든다고 신남철은 주장했다. 신남철의 안목에서 보면 백남훈이 그런 급에 든다고 보았는지 모른다. 백남훈이 군림한 김일성 대학에 신남철이 수용된 것도 이와 결코 무관하지 않을지도 모른다. 그러나 신남철이 알게 모르게 경성제대 철학과의 한계를 스스로 노출한 형국이었다.

> 모든 위대한 것은 폭풍 속에 용립하나니(플라톤, 폴리테이아) 우리는 지자(知者)를 부르는 나팔소리에 따라 내닫는 창조적 고민에 복바쳐 엄숙한 희생을 각오한 투사—세계사적 개인의 출현을 바라마지 않는다. 정치의 ㄱㄴㄷ도 모르는 정치가는 자연히 근멸되리라. 역사발전의 방향과 필연성도 모르고 현실조직의 분석과 종합도 모르며 과학적 지식의 구극적 승리는 알면서도 현실적 전술의 신축성을 고려하지 않는 정치가 '위원대표'의 군상이여! 시도 고민도 재탐구도 계획도 영원성도 파우스트도 모르는 저 많은 정치가 '성명부장(聲明部長)'의 나열이여!(1946. 7, 「신세대」, 『전환기의 이론』, p.244)

해방공간이 천지개벽이며 대역사적 전환기이기에 경성제대 철학자 신남철은 이제 스스로 이 역사적 현실에 뛰어들고자 했다. 그렇지만 그는 끝내 그 꼬리를 끊지 못했는바 체질인 시(문학성)쪽이 그를 끝내 놓아주지 않았기 때문이다. 시, 문학 그리고 이를 최고의 수준에서 상징하는 '파우스트'가 신남철을 한 번도 그냥두지 않았다. 요컨대 그를 지켜주는 수호신에 다름 아니었다. 또 그것은 경성제대 철학과의 체질이기도 했을 터이다. 『파우스트』를 또 헤겔을 원문으로 읽을 수는 있지만 그것은 어디까지나 표층적인 것에서 벗어날 수 없었다. 『파우스트』도 헤겔도 그 본질에 닿을 수 없었는데, 경성제대 철학과가 그 본질 탐구에 나아가기를 훼방 놓았기 때문이다. 파우스트도 헤겔도 마르크스도 그 본질탐구에 나아감을 말린 쪽도 경성제대였음에는 많은 논의가 요망되지 않을 수 없다. 식민지에 세워진 경성제대이기에 결코 이 한계상황에서 아무도 벗어날 수 없었다.

(2) 『파우스트』와 『자본론』

다시 한번 이 점을 논의해보기로 하자. 이 대학의 조선인 학생은 세속적으로 말해 조선어를 모국어로 하는 학생(초대 예과 부장 小田省吾, 오다소고의 주장)과 일어를 모국어로 하는 학생이라 호칭하기를 권장함으로써 민족차별에 신경을 썼기로서니, 그것이 간단한 말일 수는 있으나 도저히 불가능했다. 예과 교지 『청량』(일어)과는 별도로 조선인학생만의 기관지 『문우』를 간행함으로써 조선인학생은 이중어성격을 갖추고 있었다. (베네딕트의 『상상의 공동체』에 따르면 official nationalism의 이중어글쓰기에 해당된다.) 그들이 졸업하여 사회적 활동기에 접어들 때 『문우』의 연장선상에 섰던 것도 사실이 아닐 수 없었다. 종합지 『신흥』(1929)은 바로 『문우』의 청소년기의 소박성에서 벗어나 청년기에 접어든 성격을 갖춘 것이었다. 이 『신흥』이야말로 조선적 학문의 개척을 위한 텃밭의 몫을 했는 바 학문이란, 그 자체를 위한 것이 아니라 현실 속에서 이를 적용, 자기 힘으로 걷는 길임을 그들은 증명코자 했다. 물론 이러한 지혜를 가르쳐 준 곳이 바로 경성제대였거니와, 또 그것은 그 자체의 자기모순성의 노출이기도 했다. 학문적 성취와 탐구를 행하며 또 거기에서 나오는 슬기를 지닌 경성제대의 학문적 보편성이란 물론 독일관념철학과 또 세계적인 과학에 기대고 있었음에 틀림없지만 그 주체는 일본 제국의 손아귀에 있었다. 이 학문적 보편성과 식민지 해방은 모순성이 아니면 안 되었다. 그들에게서 배운 조선인 학생은 이 모순성을 충격할 자격이 있었고 또 그렇게 하지 않으면 안 되었다. 『신흥』이 증거이다. 신남철, 박치우 등은 여기에서 헤겔적인 역사철학을 펼쳤다. 이 식민지적 조건이 모든 것을 좌우한 형국이었다. 바로 이 순간 그들은 돌이킬 수 없는 실수를 짓지 않으면 안 되었는데 이 조급성이 정작 보편성으로서의 학문 '과학' 자체의 탐구에 찬물을 끼얹는 몫을 한 것이었다. 신남철의 서투른 「조선연구의 방법론」(청년조선, 1934. 10)이 이를 잘 말해준다. 학문의 보편성을 계속 탐구하느냐, 이를 중단하고 현실문제에 매달리느냐. 이 갈림길에서 제일 먼저 자기의 입장을 선명히 한 것은 박치우였다.

> 원래 '철학이란 무엇이냐'라는 이 문제는 그 본질로 보아 다못 철학함에 있어서만 철학함을 통하여서만 풀 수 있는 그러한 문제이기 때문입니다. 나는 그렇기 때문에 언제 해결될지도 모를 이러한 한가한 문제에 얽매여 있는 것보담은 이것보다는 몇갑절이나 중하고도 긴급한 문제부터 처리해 나가는 것이 가장 정당한 길이라고 생각하게 된 것입니다. […] 우선 <철학은 오늘, 이 땅, 우리에게 있어서 마땅히 무엇이어야만 될 것이가>라는 문제부터 묻기 시작하였던 것입니다.(박치우, 『아카데믹 철학을 나오며』, 『조광』, 1936. 1, p.140)

이 자각 자체는 '철학의 근본문제'에서 제기되는 것이기에 감히 비판의 대상이 아닐 것이다. '철학(학문)이란 무엇이냐'와 '오늘, 이 땅, 우리에게 있어서 철학이란 무엇이냐'의 갈림길에서 박치우, 신남철 등은 후자쪽에 섰다. 조윤제, 고정옥, 이희승, 이재욱, 김태준 등이 모두 이 쪽에 섰다. 그 결과는 과연 어떻게 평가될 수 있을까.

이 물음 역시 두 가지로 편갈라 답변을 이끌어낼 수밖에 없다. 하나는, 조선학의 개척이 어느 수준에서 가능해졌다는 점이 그것이다. 조선학이라는 미증유의 지평이 이들에 의해 개척되었음은 아무도 부정할 수 없다. 그러나 동시에 다음과 같은 사실도 물리치기 어려운 큰 과제로 서 있음이다. 곧, 학문의 탐구를 중단했거니와 소홀히 한 점이 그것이다. 학문이란 새삼 무엇이냐. 그것은 과학이기에 세계성을 띤 것이 아닐 수 없다. 독일관념철학이란, 독일 것도 아니지만 일본의 것도 아님에 주목할 것이다. 뉴튼의 법칙이 영국적인 것과 무관한 이치도 이와 한 치도 다르지 않다. 그리고 학문이란 날로 새로이 진전함이 원칙이다. 박치우, 신남철 등은 조선학에 나아가기에 앞서 학문자체의 탐구에 '철저히', '좀 더' 머물며 힘써야 했을 터이다. 그것은 다시 말해 경성제대 철학과에서 더욱 깊고 넓은 공부에 몰두해야 했을 터이다. 그렇게 함으로써 헤겔과 마르크스 또 칸트와 플라톤을 철저히 공부해야 했을 터이다. 그것은 경성제대를 통해서 비로소 가능했을 터이다. 그렇게 함으로써 조선학에 나아갈 때 그 조선학은 탄탄한 반석 위에 놓일 수 있었을 것이다. 그들로 하여금 그렇게 하지 못하도록 훼방 놓은 조급성의 근거가 바로 식민지 상황이었다. 이 상황 앞에서 아무도 저들의 학문에의 이탈을 비난할 수 없었다. 이것은 경성제대가 지닌 자기모순성이 아닐 수 없으며 그 때문에 일종의 비극적인 현상이라 하지 않을 수 없다.

이 비극성의 시선에서 볼 때 신남철은 어떠할까. 해방공간에서 망설임도 없이 신남철은 시와 정치를 등가시하고 그것을 '파우스트'로 대변코자 했다. 박치우도 해방 공간의 사업이 파시즘 잔재 소탕에 있다고 진단해 마지않았다. 이를 두고 두 번째 조급성 또는 결정적 조급성이라 부를 것이다. 이 망설임 없음이야말로 비극성이라 하지 않을 수 없다. 「사상과 현실」에서 박치우의 사고 범위가 기껏 서구 18세기 시민계급의 지식에 머물었음도 신남철의 『전환기의 이론』 역시 그 사고범위의 추상성과 그것의 시적 처지는 학문적 깊이와 넓이의 면에서 볼 때 매우 제한적이었다. 그들은 청년기의 열정에서 성숙기로 접어들기엔 학문적 공부가 너무 모자랐다. 임화의 신문학의 넓이와 깊이에 비해 실로 소아병적이라함은 이와 결코 무관하지 않다.

신남철이 크게 내세운 파우스트를 사례로 하여, 그 학문적 얕음을 점검해 보다면 또 이것은 저절로 경성제대의 수준을 재는 한 가지 방도일 수도 있다.

『파우스트』란 무엇인가. 말 그대로 괴테의 만년의 대작이며 그 분류상 희곡의 일종이다. 이를 두고 극시의 일종이라 부를 수도 있겠기에 신남철이 굳이 '시'라 부른 것이 잘못이라 할 수 없다. 이 경우 시란, 명랑성으로 말해지는 문학을 가리킴이었던 것이다. 이러한 신남철의 30년대의 문맥에서 보면 문학(예술)과 철학은 명랑성과 명확성에 각각 대응되는 쌍두마차에 다름 아닌 것이다. 이 이원론이 해방공간에서는 시와 과학(정치)의 대응관계로 나타났을 뿐 아니라 어느새 일원론으로 변하고 있었다.

"지구는 태양보다 작으면서 크다. 이 모순이 실제에 있어서 우리 인간에게는 통일적으로 가능하다."(『전환기의 이론』, p.236)라는 명제는 해방이 가져온 외부의 힘이자 일원론의 근거이기도 했다. 그러나 그가 파우스트를 내세워 이를 설명할 때는 그 피상적 이해수준에 당황하기 쉽다.

> 백발의 파우스트가 청춘과 건설을 찾으며 연구실에서 뛰어나와 메피스토펠레스에게 휘둘리며 고민하는 그 성스러운 자태를 보아야 한다. […] 과학과 시의 통일이 멸각된 사회에서 미냉시의 인간대중을 과학이나 정책만으로 다시 기사회생케 하려고 한댔자 불가능한 일이다.(p.235)

시와 과학, 시와 산문, 시와 정치의 통일이 어떻게 가능한가에 대해서는 아무런 해명이 없다. "무조건 뭉치자!"의 정치구호와 이는 한 치도 다르지 않다. "시도 고민도 재탐구도 계획도 영원성도 파우스트도 모르는 저 많은 정치가, 성명부장의 나열이여!"라고 외치고 있을 뿐이다. 이러한 외침이란 그 자체가 시적이라 할 것이다. 그렇다면 『전환기의 이론』을 문제 삼은 신남철의 그 '논리'는 어디로 갔는가. "파우스트가 그 논리이다."라고 했을 때, 그것은 시 곧 논리의 도식 쪽으로 기울어지고 있다고 볼 것이다. 파우스트의 고민이 먼저 있을 뿐 그 다음 단계가 없다. 장차 그 고민 다음에 논리가 탄생함이 순서이겠는데, 딱하게도 신남철은, 박치우도 포함해서 아직 그 논리의 세움에는 이르지 못한 상태이다. 그럼에도 감히 『전환기의 이론』이라고 제목을 내세웠다. 이 조급성의 성격은 경성제대를 졸업한 이들이 『신흥』을 창간 운영한 것에 버금가는 행로가 아닐 수 없다. 조선학을 개척해야한다는 민족적 사명감이 이들 신예학도의 연구열을 결과적으로 분산시켰다. 순수 과학으로서의 학문탐구 대신 조선학 연구에로 무게 중심이 옮겨졌던 것이다. 식민지현실이 이들을 그냥 두지 않았던 것인데, 해방공간에서도 또 다른 의미에서 이러한 상황을 만들어 냈다.

이 두 가지 계기로 인해 그들이 잃은 것은 학문의 깊이라 할 것이다.

그 사례를 파우스트에서 엿볼 수도 있다. 주지하는 바 마르크스의 『자본론』은 자본주의의 역사적 모순을 척결한 이론이거니와 가령 이것이 학문상으로는 반론을 가할 수 없는 것이라 평가되었다면 어떠할까(田邊元, 『철학의 근본문제. 수리의 역사주의적 전개』, 岩波文庫, 2010, p.435). 만일 이러한 평가가 있을 수 있고, 또 같은 평가를 내린 사람이 『자본론』의 실현을 위한 정치상의 투쟁독재 강제를 주장하는 정당에는 찬성하지 않는다고 했을 때, 박치우, 신남철들은 어떤 반응을 보일 것인가. 먼저 이들은 어째서 『자본론』이 '학문상으로는 반론을 가할 수 없는 것인가'에 대한 이유에 직면해야 할 것이다. 그렇게 하기 위한 첫 번째 단계는 마르크스의 학문적 출발점인 대학 졸업논문에로 소급해야 할 것이다.

두루 아는 바 마르크스의 졸업논문은 희랍의 데모크리토스의 원자론과 그보다 뒤에 나온 에피쿠로스의 원자론과의 다름에 관한 것이었다. 이것은 원자론인 바 넓은 뜻으로 하면 유물론에 속한다. 플라톤이나 아리스토텔레스의 거듭된 이성중심주의의 입장에서 보는 존재의 형상이 아니고 그 자신으로 필연적 운동을 하는 물질의 종국적인 것을 보고자 하는 원자론, 곧 불가분자로서의 원자의 이론이다. 그런데, 마르크스의 주안점은 플라톤 당대의 원자론자인 데모크리토스의 것과 아리스토텔레스 이후의 에피쿠로스 사이에 차이가 무엇인가에 있었다. 제목이 「데모크리토스의 자연철학과 에피쿠로스의 자연철학과의 다름」으로 되었음이 이 사정을 말해준다. 이 짧은 논문에서 훗날의 마르크스의 변증법적 사상의 싹이 보인다면 어떠할까. 곧, 젊은 마르크스는 에피쿠로스의 원자론의 특징으로 '일탈'의 개념을 보았던 것이다. 원자의 필연적 운동 속에는 일탈의 가능성, 다시 말해 우연성이 개재된다는 사실이다. 이 일탈 또는 우연성에서 '자유'의 가능성이 싹튼다는 것. 결론적으로 마르크스는 이렇게 정리해 마지않았다.

> 원자가 일탈의 가능성을 갖고 있기에 곧, 필연 속에 우연이 있기에 운동이 생긴다는 이 필연에 우연이 포함되었다는 이원성이라는 것은 물질의 모습을 가진 물질의 형식 아래에 있어서의 주체성인 것이다. 모습은 물질의 모양이지만 그 초발하는 것은 주체적인 것이다. 곧 자연철학이나 아리스토텔레스의 실체의 사고 속에는 무(無)라는 자유로운 계기로서의 주체성이라는 것이 에피키유로스의 원자론 속에는 나와 있다.(『田邊元철학선』(Ⅲ), p.183 재인용)

원자라는 것이 필연성을 본질로 하는 그 필연성을 부정한 자기부정적 우연성을 기다려 비로소 그 본질인 필연성을 실현한다는 변증법이라 할 것이다. 이에 착안한 마르크스 앞에는 물론 헤겔이 있었다. 헤겔 속에도 물론 이 사실이 인지되어 있지만 그 중요성은 관념론이든 유물론이든 관계없이 이른바 변증법의 기본적 구조로서 우연과 자유가 필연과 결부되어 있다는 후기 마르크스의 유물론의 하나의 방향성이라는 사실에서 온다. 그의 대표작이자 '학문상으로 반론할 수 없는' 『자본론』에는 깊은 곳에 이 우연과 자유가 유물변증법으로서 작동하고 있다. 변증법이 참으로 변증법인 것은 관념적 유물론의 있음(有)의 입장에서 끝나는 것이 아니라 이러한 대립을 넘어선 무(無)의 입장에 서기 때문이다. 이 무의 매개로서 현실을 중히 여기는 자각을 주로 함으로서 대립, 구별도 생긴다. 그렇지만 변증법인 한, 현실 곧 자각으로서의 행위로 통일되지 않으면 안 된다. 만약 헤겔을 관념변증법이라 한다면 마르크스주의자들이 통칭하는 마르크스의 유물변증법에 대해서는 제3의 변증법이라 부를 수 있다. 다시 말해 이를 현실 변증법 또는 행위변증법이라 부를 것이다. 관념이라든가 물질이란 어느 쪽이든 존재(있음)가 아닐 수 없다. 그 있음을 넘어선 무(없음)의 전환에 의해 성립되는 행위의 입장에 참된 변증법이 성립된다. 이를 행위변증법, 또는 현실변증법이라 하겠는데, 세칭 마르크스주의자들의 견해와는 달리, 진짜 마르크스의 『자본론』에는 이 현실(행위)변증법이 입증된다는 것이다. 이 사실을 다나베 하지메의 연구에 따라 구체적으로 내보이면 대략 아래와 같다.

『자본론』은 상품생산에서 화폐의 발상을 규명한 것인데 마르크스가 말하는 상품이란 그 자신 변증법적으로 운동하는 것, 곧 자기 속에 모순적 계기를 머금었기에 필연적으로 운동할 수밖에 없다. 그 모순적 이원론이란 무엇인가. 그것은 가치의 이원성이 아닐 수 없다. 이른바 사용가치와 교환가치가 그것이다. 이 둘은 서로 모순을 안고 있다. 사용가치가 금방 소비될 목적을 가지고 있지만 교환가치는 소비를 목적으로 하지 않는 만큼 서로 모순된다. 그렇고 해서 이 둘이 독립되어 무관하지도 않음은 물론이다. 이 둘을 있는 그대로 결합(통일)시키려 하면 반드시 파탄되고 만다. 그러면 어째야 할까. 이 양쪽을 통일할 계기를 마련해 그것을 매개로 통일에 이르러야 한다. 그 활동을 가능케 하는 것이 화폐이다. 이 화폐의 개입을 설명하는 마르크스의 주장의 핵심에 놓인 것이 바로 행위(현실)변증법이다.

마르크스에 따르면, 상품의 사용가치와 교환가치가 직접적으로 우리가 통일할 수 없는 격렬한 모순을 폭로함과 동시에 그 모순을 해소하고 그 모순을 타파한다. 그것을 단지 분별적으로 계획한 결과 화폐가 발명된 것이 아니라 갈 데까지 간 막힘 속에서 생각 이전에 행위로서 화폐가 발명되었다는 사실이다. 화폐의 발명이란 상품이 가진 모순을 우리들이 관념적으로 사상적으로 처리하여 그 처리방법으로서 곧 해결책으로서 화폐를 관념적으로 발명한 것이 아니고 나아갈 길이 꽉 막혀 도무지 어쩔 수 없어 자기포기적 상태에 자기를 포기했을 때 그 전환 속에서 생각 이전의 행위에 의해 화폐가 생겨났다는 것. 이것이 마르크스의 주장이었다.

관념 이전에 행위가 화폐를 발명했다는 것. 이러한 사실이 『자본론』의 핵심에 해당된다는 점을 설명함에 있어 정작 마르크스 자신도 매우 난처했던 것으로 보이는 바, 그 증거로 괴테의 걸작 희극 『파우스트』를 이끌어 들인 것이 그 증거였다. 두루 아는 바 늙은 파우스트의 독백이 첫줄에 나온다. "철학도 배웠고 뭐든지 배웠고 말할 것도 없이 신학조차 배웠으나 얻은 것이 없다."라는 파우스트의 탄식에서 시작되어 계시를 얻기 위해 신약 『요한복음』을 독일어로 번역해 보인다. 첫 줄인 "태초에 말이 있고 말은 신과 더불어 있고 말이 곧 신이다."를 두고 파우스트는 희랍어 logos를 말(das Wort)로 번역한다. 그러나 마음에 들지 않는다. logos 속엔 희랍의 세계관 희랍인의 존재학이 있어 말과 분리되지 않기 때문이다. 『요한복음』이 희랍 사상을 복음 속에 주입키 위해 '말이 있다'고 한 것은 틀렸다고는 할 수 없다. 그러나 파우스트는 마음에 들지 않아 말 대신에 마음(der Sinn)이라 번역해 본다. 여기서 마음이란 의미를 가리킴이기에 신이 세계를 만들 때 모종의 의도(의미)가 있다. 세계에는 의미가 있다고 마음이 읽힌다. "말이 있다는 희랍적 입장이며, 마음 쪽은 헤브라이즘의 사고라 할 것이다." 어느 것도 마음에 들지 않아 힘(die Kraft)이라 번역해 보았으나 공작인(호모 파베르) 곧 근대적인 것이어서 또 마음에 들지 않는다. 파우스트의 행위는 마주보고 있다. 행위적인 것에서 화폐가 발생했다는 것. 이것이 『자본론』의 핵심 사상이었다.

첫째, 인간의 사고 그것이 역사적인 현실의 인식에 있어서는 그 자신 길이 막힐 수밖에 없다. 인간의 사유란 사물을 고정하여 동일성적으로 사고함이 본성인 만큼 자기모순적으로 동적으로 발전하는 것 같은 현실 그것을 사고에 따르면서 사유에 비치고자 하는 것은 본래 불가능하다. 그러한 현실에 완전하게 받아들이고자 하면 사고자체가 자기부정을 하지 않으면 안 된다. 사고자신이 나아갈 길이 막혀 자기를 방기함으로써만 새로운 사고가 생기는 것이다. 바로 마르크스가 상품의 가치의 모순 속에서 화폐가 사유에 앞서 행위로서 생겨났다는 것에는 어떤 의미에서 사유 그것의 행위라 할 수 있는 것이 이른바 대상적인 사고를 초월하여 사고의 자기돌파를 하는 것에 의해서만 비로소 사고가 현실에 완전히 합치할 수가 있다. 그러나 둘째로, 그러한 현실이라는 것은 이미 이른바 동일성적인, 모순률에 지배된 사고에 의해 처리될 수는 없다. 사고 스스로 죽어서 새로이 부활되어 발전하는 것처럼 현실은 현실자신이 나아갈 길이 막혀 그 현실 사이에 낀 우리들 스스로가 절망하여 우리들 스스로를 방기함으로써만 현실의 자기 돌파에 요구되는 그릇이 될 수 있는 것이다. 현실의 원리인 절대의 전환이라든가 절대무라는 것은 매개자에 자기 스스로 바치는 것에 의해 새로운 전개가 이루어지는 것이라 여기지 않으면 안 된다. 이것은 이른바 유물론적으로 다시 말해 마르크스의 말대로 우리를 뇌수 속에 비쳐진 우리들 뇌수에서 번역된 것에 의해 관념화되는 것 같은 물질이라는 것의 운동으로 이루어지는 것이 아니다. 왜냐면 현실도 사유도 자기부정적으로 앞이 막혀 전화하는 것이 우리들 자신의 행위를 매개하는 것이어서 그 행위에 있어 현실과 사유와의 서로에 전환적으로 스며들어 그 사이에 뚜렷한 선을 그을 수 없다. 관념에 완전히 독립적으로 대립하는 물질이라는 것이며 그러한 현실을 치환하는 것은 될 수 없기 때문이다.(『田邊元철학선』(Ⅲ), pp.199~200)

이상에서 강조되어 있는 것은 헤겔의 변증법과의 차이점이 아닐 수 없다. 헤겔의 변증법에는 인간의 사유과정을 이데'이념'이라는 이름 밑에 독립한 것이었다. 그 이데가 현실을 형성해가는 창조주 또는 형성자라는 것이 된다는 생각에 있다. 이데는 본래 독립된 것이며 그것이 현상으로서 모습을 나타내는 것이 관념변증법이니까 이데가 존재의 원리이다. 마르크스가 보기엔 이는 전도된 것이 아닐 수 없다. 마르크스의 경우 관념적인 것은 언제나 물질적인 것이 인간의 두뇌에 이환되고 번역된다는 것에 의해 성립된 것인 만큼 근원적인 것은 곧 물질자신의 운동이다. 이 점에서 그것은 유물변증법이라 부를 수 있지만 주의할 것은 마르크스가 말하는 물질의 성격이다. 그에 의하면 물질이란 이미 기계적 자연적 물질이 아닌 것이다. 역사적인 물질, 달리 말해 인간 행위를 통해 만들어지고 있는 바의 현실의 객관적 계기인 것이다. 그러기에 그 물질은 필연적 운동을 하는 것이자 동시에 인간의 '자유'를 매개계기로 한 물질이 아니면 안 된다는 것. 바로 이것이 마르크스의 졸업논문에 이어진 근본사상이라는 것. 에피쿠로스의 필연의 운동을 함과 동시에 자기를 부정하고 자기에서 빗나갈 가능성 곧 '일탈'의 가능이라는 우연성을 머금고 있다는 것. 자기모순적 자기부정적인 물질이라 하지 않을 수 없다는 것. 그러니까 물질이되 물질이 아닌 것. 바로 이것이 진짜 유물론이라는 것. 이것이 현실(행위)변증법의 진상이다. 이 바탕 위에서 나온 마르크스이론의 요지를 정리하면 아래와 같다.

상품의 사용가치와 교환가치 사이에 매개항으로서의 화폐가 놓인다. 이 화폐를 인간이 발명하는 것을 설명할 때 마르크스는 이렇게 말했다. 상품의 사용가치와 그것의 교환가치라는 것의, 직접으로는 우리들이 통일할 수 없는 격렬한 모순을 폭로함과 동시에 그 모순을 해소하고 그 모순을 넘어섬에 인간이 무엇을 했던가. 그것을 단지 분별적으로 계획한 결과 화폐가 발명된 것이 아니라 길이 꽉 막힌 중에서 사유에 앞서 행위로서 발명된 것이라는 것. 이 화폐의 등장으로 상품생산의 세계가 이상하게 전도된다.

마르크스의 공식에 따르면 상품경제 W(상품)－G(화폐)－W(상품)의 순서로 된다. 상품은 화폐를 매개로 다른 상품과 교환된다. 따라서 상품이 상품으로 교환되기엔 화폐가 그 사이에 지불수단으로 들어가기에 상품은 아무런 증가됨이 없다. 곧 상품은 화폐사이에서는 무엇이든 다른 등가의 상품과 교환될 수 있다. 이는 조금도 이상하지 않다. 그런데, 화폐가 생겨 그것이 독립성을 가짐으로서 이상함(전도)이 일어난다. 곧, 상업이라는 것에는 소비의 필요가 없는데도 화폐가 나와서 미리 상품을 사게 되며 이 상품은 뒤에는 그 산 값 이상의 가격으로 팔 수 있게 된다. 이것이 상품의 특색인데 이러한 상업수단으로서의 화폐로 될 땐 단지 상품의 교환에 대한 매개물인 것과는 달리 이번엔 화폐가 독립성을 갖는다. 이런 화폐가 상품을 사고 그 상품을 다시 고가의 화폐로 팔게 된다. G－W－G'의 공식에서 상품은 전후 같은 것인데도(W=W) 파는 사람의 손에 들어가는 금액은 언제나 매입될 때 지불된 돈 보다 크다. G＜G'로 된다. 이 모순이야말로 신비로운 (전도) 것이다.

이런 이상한 현상은 자본주의시대에 들어와 또 하나의 전도를 낳는다. 인간의 노동력의 상품화가 그것이다. 분업된 생산현장에서 숙련과 관계없이 인간은 대량생산에 투입되어 상품과 같은 성격을 갖게 된다. 이 노동력이 시장에 상품으로 나오면 거기엔 제 이의 이상함(전도)이 일어난다. 노동력을 파는 이상, 정당한 노동력만이 주어지지 않고 노동력을 사는 쪽에 좌우될 따름이고 여기에서 이른바 착취의 개념이 도출된다. 이상은 이른바 쿄토학파(京都學派)의 독창적 사상가 다나베 하지메의 마르크스 유물변증법에 대한 철학이거니와 특히 원자론에서 출발하여 그 원자의 운동에서 발견한 우연성(일탈)이 어째서 '자유'에로 전환되는

가를 추적한 점에서 평가될 수 있다. 훗날 이 연구자가 양자역학(소립자 이론)과 결부된 불확정성이론의 하이젠베르크의 연구에로 나아가 『수리의 역사주의적 전개』(1954)에로 도달한 것과 결코 무관하지 않아 보인다. 그의 미완작인 『철학과 시와 종교 — 하이데거, 릴케, 횔더린』이 또한 과학철학과 역사철학의 새로운 가능성의 시도로 평가될 수 있을 것이다.

이상의 논의에서 우리는 두 가지 점을 지적할 수 있겠다. 하나는, 현실변증법의 해명에서 마르크스가 괴테의 『파우스트』를 이끌어들였다는 점. 태초에 로고스도 말씀도 힘도 아니고, '행위'가 있었다는 것. 이 행위가 물질이자 정신의 결합물이라는 것. 여기에서 틈이 생겨 일탈, 우연성이 개입하고, 바로 그것이 자유에로 발현한다는 것. 이 원리가 『자본론』의 저류에 깔려 있다는 것.

중요한 것은 다나베 하지메가 이 『파우스트』 대목에 주목했다는 점에서 온다. 『자본론』의 저자는, 물론 그렇게 할 수밖에 없었을 터이다. 현실변증법이라는 신경지를 전개함에 있어 최선의 방도가 『파우스트』로 판단되었다는 것은 독일관념철학에서는 불가피한 일이었을 터이다. 그러나, 『자본론』의 연구자인 철학자 다나베 하지메가 유독 『파우스트』 대목에 주목한 것에는 천금의 무게가 실려 있었다고 볼 것이다. 일본의 연구자 중 아무도 이 대목에 그만큼 심도 있게 주목하지 못했기 때문이다.

규슈제대 경제학부에 입학한 최호진의 경우 주임교수가 『국부론』과 『자본론』을 10번 읽으라고 했음에 비추어 보면(신동아, 1990. 8. p.259) 적어도 이 정도의 공부가 요망될 만큼 『자본론』은 중요한 것이었다. 거기에는 마태복음을 위시 삼위일체론이 출몰하지만 다나베 하지메에 있어 『자본론』의 등장은 이들과는 달리 행위의 의미도입이었다. 우연성, 자유, 일탈의 개념 없이 현실을 설명할 방도란 없다고 할 때 『자본론』가 제격이었다. 물론 『자본론』는 극시이며 통칭 철학에 대한 시라고 할 수 있지만 이 경우 시란 격정적 행위 바로 그것은 아니었다. "백발의 파우스트가 청춘과 건설을 찾으며 연구실에서 뛰어나와 메피스토펠레스에게 휘둘리며 고민하는 그 성스러운 자태를 보아야 한다. 고매한 인간성을 탈환하기 위하여 시와 산문을 육부로써 체인해 보기 위하여 성연과 길항의 전야로 뛰어든 신상을 보아야 한다. [⋯] 고민과 포옹의 철학적 수행!"(「전환기의 이론」, p.235)이라고, 신남철이 본 파우스트는 행동하는 인간형으로만 묘파되어 있다. 그것은 또 고민하는 인간형이기도 하다. 이 고민이란 강조하여 플라톤에서 근거를 두고 있었다. 말하자면, 신남철은 『자본론』의 『파우스트』 파악과는 거리가 먼 것이다. "시도 고민도 재탐구도 계획도 영원성도 파우스트도 모르는 저 많은 정치가!"라고 신남철이 말했을 때 파우스트는 고민하는 행동가, 정치가에 그치고 만 형국을 빚고 있었다. 박치우도 그렇지만 신남철도 『자본론』의 연구에 나아간 흔적이 거의 없다. 그들은 레닌 쪽에 기울고 있었다. 말을 바꾸면 레닌 모택동쪽에 서 있었다. 철학이 학문이라면, 레닌이나 모택동에 앞서 마르크스 공부에 나아가야 했을 것이다. 『자본론』과의 본격적 대결도 없이 사회개조의 진정한 행동가로 나설 수 있겠는가. 경성제대의 원서로 읽은 철학이 기껏 그런 표층적 정치가의 반출처였던가. 이런 물음에 대해 그들은 응당 응분의 변명을 내세울 것이다. 그것은 두 단계의 계기를 역사쪽에서 주어졌던 만큼 단연 역사적이었다.

(A) 일제시대라는 역사적 조건이 그 첫 계기였다. 식민지의 조선인 철학자는 어떠해야 했을까. 철학과의 대결이기에 앞서 현실과의 대결이 동시에 주어졌을 때 어느 쪽도 중도반단에 떨어질 가능성을 안고 있었

다. 바로 여기에 그들만의 철학적 고민 곧 조급성에로 치달을 계기가 주어졌다.

(B) 해방공간의 역사적 조건이 그 두 번째 계기였다. 이번엔 그 조급성이 현실정치에로 치달았기에 철학적 대결의 계기가 원천적으로 봉쇄되었다. 신남철의 파우스트는 이 사실을 새삼 말해 준 징표라 할 것이다.

(3) 경성제대 철학과가 '속학 서생'인 곡절

경성제대 법문학부의 문과, 그 중 철학분야의 학문적 성취나 그 고민의 궤적을 검토하는 방도는 여러 측면에 걸쳐 가능하겠지만, 그 중의 하나로 신남철을 사례로 들어 지금까지 살펴왔다. 이 경우, 신남철의 맞은 편에는 문제적 문사 임화를 내세울 수 있었는데, 그렇게 하도록 유도한 것은 임화 쪽이 아니고 신남철 쪽이었다. 이 경우 문제적인 것은 신남철이 개인이자 동시에 경성제대 철학과 출신이며 이에 맞선 임화의 경우도 사정은 마찬가지이다. 보성고보 중퇴생 임화는 시인이자 문학평론가 및 문학사가였다. 개인 임화이면서 동시에 그는 신문학을 대표하는 문제적 개인이기도 했다.

이 두 사람의 개인적 측면을 제하고 남는 것은, 산술적으로 말해, 경성제대 철학과와 재야 문인의 맞섬으로 요약될 수도 있다. 경성제대란 무엇이며 재야란 무엇인가. 이런 문제제기에는 여러 차원의 대응적 의미층이 있을 수 있다. 경성제대란 일제가 식민지에 세운 국가적 고등교육제도라는 것이 첫 번째 차원(겉으로 드러난 것)이라 할 수 있다(두 번째가 대만의 타이베이제대(1928). 제국이 세운 것이기에 제국을 위한 교육장치가 아닐 수 없는 것인 만큼 이 상위개념은 결코 상대적일 수 없다.

그러나 두 번째 차원은 상대적인 것이다. 곧 고등교육기관이라는 점에서 보면 그것은 결코 절대적일 수 없다. 고등교육기관으로서의 대학이란 어떤 특정 국가가 세운 것이지만 그 자체가 인류의 지혜의 산물이며 따라서 보편적이라 하지 않을 수 없다. 자연과학이나 수리철학은 말할 것도 없지만 철학이나 사상의 문제에 있어서도 그 초점은 동서고금을 초월한 곳에 놓여 있는 것인 만큼 인류사의 과제에 귀속되기 때문이다. 이 두 차원에 놓인 경성제대는 어느 쪽에 무게 중심이 놓였을까. 이 과제는 그때그때의 현실적 조건에 따라 절대성 우위일 수도 있었고 상대성 우위일 수 있었다. 이를 면밀히 검토하는 일은 별고를 요하는 과제이거니와, 여기에서 논의될 수 있는 것이 세 번째 차원이다. 고등교육기관의 분야별 편차가 이에 관여된다.

원리적으로 학문(과학)이란 보편성 위에서 성립되지만 그 전공영역에 따라서 편차가 있을 수 있다. 가령 경성제대의 법문학부 중, 법학(경제학)쪽은 물론이고 문과(문 · 사 · 철) 전공에 따라 편차를 드러냄도 사실이 아닐 수 없다. 특히 문과 중 조선어문학의 경우가 그러한 뚜렷한 사례의 하나이다. 조선어에 대한 학문적 방법론을 서구에서 배우고 또 이를 제국대학 제일호인 토쿄제대에서 공부한 일본인 교수(오쿠라 신페이, 小倉進平)의 경우 조선어학은 순수 학문의 대상이었지만 그 밑에서 공부한 조선인 학생의 경우는 사정이 썩 달랐다. 그들에 있어 조선어 그것은, 학문의 대상이자 동시에 민족의 정신 또는 혼의 문제와 분리시키기 어려운 그 무엇이었다. 조선문학의 경우엔 그 사정이 한층 뚜렷한 것이었다. 과학과 혼의 문제를 동시에 파악코자 한 조윤제(조선어문학과 제일회 졸업생)의 유기체론의 문학사적 구상이 이를 잘 말해준다(김윤식, 『한국근대사상연구(1)』 일지사, 1984). 문학사의 구상이 민족의 독립성에 초점이

맞추어졌고, 따라서 문학사는 살아있는 생명체로 표상될 수밖에 없었다. 이는 딜타이가 말하는 정신과학의 분야와 맞물림으로서 보편성을 갖지만 동시에 조선 민족의 생존에 직결될 때 한층 힘을 얻을 수 있었다. 이 에너지가 학문의 엄밀성을 훼손할 위험성에 노출될 난점의 측정은 단연 그 다음 세대의 몫으로 돌려졌다.

여기까지 이르면 경성제대의 문과 중 철학과는 어떤 형편에 놓였을까. 이런 과제를 제기한 것은 역설적이게도 제3회 졸업생 신남철(박치우, 제5회)이었다. 경성제대 철학과의 학문적 중심은 당연히도 독일관념철학이었다. 칸트, 헤겔이 중심에 놓여 있었고, 그 반동으로서 당시 유행이던 후설, 하이데거가 주변부를 이루고 있었다. 신남철의 「헤겔 백연제와 헤겔부흥」, 「신헤겔주의와 그 비판」, 「실존철학의 역사적 의의」 등이 이 땅 처음으로 이른바 『역사철학』(1948)의 저술의 핵심이었다. 이들 업적의 강점은 당연히도 독일(원서)에 의한 독법이었음에 왔다. 이 사실은 아무리 강조되어도 지나침이 없는 경성제대의 초기 불패의 무기였다. 원서로 읽기, 그것이 곧 학문의 신분증이고 또 권위의 상징이 아닐 수 없었다. 문제는 그러니까 이 원어에서 왔다.

원어로 조선연구에 접할 수 있느냐의 과제가 저만치 역사적 현실로 이들의 지평에 떠올랐다면 어떻게 될까. 이 물음을 문학쪽에다 던진 것이 다름 아닌 신남철이었다. 조선학연구의 방법론격인 「조선학은 어떻게 수립할 것인가」(1934), 「조선연구의 방법론」(1934)을 계기로 하여 신남철은 원서의 헤겔적 논법으로 나서면서 그 여세로 조선신문학에까지 밀어붙였던 것이다. 앞에서 검토한 바와 같이, 청하지도 않았는데 신남철은 「최근문예사조의 변천」(1935)을 도도히 펼쳤다. 신남철로 말하면 국어학, 국문학(고전), 민속학 기타의 조선학분야에 대해 거침없이 개입할 수조차 있었기에 그 여세를 몰아 신문학에 개입했기에 별로 이상할 것 없다고 믿었을 터이나 그것은 그의 실수였다. 기타의 조선학 분야는 미개척 분야이기에 그것에의 개입은 개입이기에 앞서 연구자체의 성격을 띤다. 일종의 방법론 제시가 급선무였기에 그러하다. 이에 비해 신문학쪽은 사정이 크게 달랐다.

조선의 신문학은 이인직(1906), 육당(1908) 이래 소불하 삼십년의 역사를 갖고 있었다. 미개척 분야이기는커녕 이미 일가를 이룬 성인급의 실체였다. 여기에다 대고, 함부로 용훼함이란 철부지나 청소년 기질의 만용이 아닐 수 없다. 적어도 이 신문학에는 독일어 원어 따위란 무용지물이 아닐 수 없었다. 신문학의 처지에서 보면 원어로 무장된 경성제대 철학과 따위란 한갓 '속학 서생'이 아닐 수 없었다. 이 점에서 신문학의 대변자 임화의 반론은 누가 보아도 정당성을 갖는다. 그러나 매우 딱하게도 해방공간(1945~48)에 임해 사정이 역전 되었다면 어떠할까. 곧, 임화는 신남철에게 신문학에의 개입을 요청한 사태가 벌어졌다. 어째서 조선문학가동맹의 조직자이자 문학뿐 아니라 문화전반의 총지휘자로 자처한 임화가 '속학 서생'이라 규정한 신남철(박치우)을 '정식의 대학자'로 모시지 않으면 안 되었을까. 이 물음에 천금의 무게가 실려 있다. 이 물음을 떠나면 해방공간의 역사적 의의를 올바로 파악할 수 없기 때문이다.

무엇이 임화로 하여금 신남철, 박치우의 문학분야에의 개입을 요청하게 만들었을까. 이에 응해 오는 것이 해방공간의 역사방향성이었다. 도적과 같이 군림한 해방 앞에 그 누구도 나아갈 지평을 가늠할 수 없었다. 문학쪽도 사정은 꼭 같았다. 이 때 임화로 하여금 제일 결여된 것이 '원어'였다. 정확히는 원어로 된 헤겔이고 그 역사철학이었다. 그 원어를 구사하는 헤겔리언들의 역사전망이야말로 문학사가 임화가 당면한 급무의 하나였다. 이 장면에서 따진다면 문학사가 임화의 통렬한 자기 비판이 아니면 안 되었다. 그가 제대로 문학사를 연구한 이론가였다면 최소한 해방공간의 현실을 헤쳐나갈 역량이 축적되어 있어야 마땅했다. 그 자신이 원어로 헤겔을 읽고 또는 최소한 루카치를 읽고 역사에 대한 대비책을 갖추고 있어야 마땅했다. 그렇지 못해 허둥댄다면 이는 스스로 '속학 서생'임을 만천하에 폭로하는 일이 아닐 수 없다. 이러한 무지의 폭로를 무릅쓰고라도 임화는 그 원어로 된 헤겔, 마르크스들에게 묻지 않으면 안 되었다. 신남철, 박치우가 이 물음에 응했음은 물론이다. 무지를 무릅쓰고라도 이런 요청을 한 곳에 임화의 그다움이 있거니와 또 다르게는 해방공간의 역사적 의의의 중요성이 그만큼 다급하게 임해 있었던 증거이기도 하다.

그렇다면 무엇이 임화로 하여금 스스로 '속학 서생'임을 규정케 했던가. 말을 바꾸면, 문학사가 임화의 그동안의 활동 및 공부에 무엇이 부족했고 또 착오 같은 것이 있었을까. 이에 대한 검토는 일변으론 개인 임화연구이자 다른 한편으로는 한국근대문학사연구로 되는 것이다. 구체적으로 그것은, 일제시대와 더불어 시작된 한국근대문학의 보편성과 특수성을 검토함에로 향하게 마련이다.

결론으로서의 뒷말

경성제대 아카데미시즘과 그 명암

(1) 체계건설형으로서의 신문학사의 방법론

경성제국대학이란 무엇인가. 이 물음의 절박성은 임화에게 말미암는데, 이 절박성이 전면성을 띠고 육박해 온 것은 카프문학의 전례없는 공백기에서였다. 따라서 문학사적인 사건이 아닐 수 없었다. 이른바 전주사건(1934~55)으로 카프의 거의 전원이 영어상태에 놓인 시기에 경성제대 아카데미시즘이 이에 개입했기 때문이다. 구체적으로 그것은 체질적으로 문학적 성향을 띤 철학전공의 신남철의 신문학사 개입을 가리킴이다. 이것은, 한갓 철학도의 개인적 문학적 표현 속에서 나온 것이지만 동시에 또 경성제대의 아카데미시즘의 사정권에서 벗어날 수 없었다.

이러한 신남철의 개입이 외부에서 주어진 것이라면 이 충격을 받아들이는 신문학 내부의 사정은 어떠했을까. 이인직, 육당, 춘원 이래 신문학사는 되든 안 되든(임화의 표현) 독자적으로 전개해 왔던 것이다. 외부의 개입이나 간섭 또는 비판도 받지 않고 나름대로 전개한 신문학사인 만큼 이제 와서 외부의 간섭에 노출된다는 것은 실로 낯선 사건이 아닐 수 없었다. 뿐만 아니라 신문학사는 누구의 간섭도 없이 독자적으로 전개한 지 무려 30년에 이르렀고 그 동안에 이룩한 이런 저런 업적은 가히 정신사적 문화사적 영역을 이루었음도 사실이다. 이른바 조선의 근대문학이 바로 그것이다. 그 신문학사가 송두리째 감옥에 갇혀 있는 1935년 앞뒤를 고려할 때 이를 인내하기란 실로 난감했다. 서기장인 자신이 감옥행에서 제외되었기 때문이다. 신문학사의 위기감에 이 윤리감각이 증폭되었을 때 임화의 절박성이 있었다. 그러나 이러한 절박성은 어디까지나 임화의 내부의 문제였을 터여서 표면으로 크게 내세워 떠들 성질이 아니었을 터이다. 이러한 윤리감각의 지렛대 몫을 한 것이 바로 신남철의 개입이었다. 신남철의 개입이란 위에서 거듭거듭 말했듯 문학적 기질을 가진 한 철학도의 저널리즘적 표현욕의 발현이지만 동시에 그것은 한편으로는 경성제대 아카데미시즘의 개입이 아닐 수 없다. 이 이중성을 분석해 보면 썩 명백한 논리구조가 드러난다.

첫째 신남철의 신문학사 개입은 신문학사에 대한 일종의 얕잡아봄에 다름 아니었다. 그 근거는 무엇보다도 연륜에서 왔다. 신문학사가 되나 안 되나 추구해 왔던 것은 최소한 30년의 세월에 걸친 것이었고 그것은 세대단위로 보아도 사람의 산 세대에 해당되는 것이다. 30년이란 사람의 일생으로 치면 장년에 접어든 가장 활발한 활동기가 아닐 수 없다. 이러한 신문학사에 개입한 신남철은 어떠한가. 아무리 대단한 제국대학이라 하나 식민지에 세워진 경성제대(1926, 개교)란 1935년을 기준으로 하여 겨우 소년기에 해당될 따름이다. 장년기의 임화와 소년기의 신남철의 구도를 연상시키는 이런 게임이기에 승부는 당연히 임화쪽에 있었다. 신남철을 두고 '속학 서생'이라 일도 양단한 것은 임화의 이러한 심리구조에서 온 것이기에 그 자체로 정당하다고 할 것이다. 다시 말해 논리적 근거나 정합성 따위와는 관계없이 정신적 놀이에서 임화는 월등한 위치에서 신남철을 내려다 볼 수 있었다. '속학 서생' 그러니까 한갓 책상물림에 지나지 않는다는 표현이 나온 것은 이런 연고에서이다. 이때 임화에게 무게를 실어준 것은 신문학사 30년이었다.

둘째, 신남철이 단순한 개인이 아니라 경성제대의 아카데미시즘이라는 사실이야말로 임화의 윤리감각에 대한 최후의 보루였다. 어째서 카프 문사 전원이 옥살이를 하는 판인데 그 서기장 임화만이 온전할 수 있었던가. 체포되어 경성역으로 가는 도중 졸도하여 빠졌다고는 하나, 또 재혼하여 마산에서 편안히 살고 있다는 소문이 퍼졌고, 또 무슨 이유들이 있었겠지만 어쨌든 이 카프 사건에 서기장이 빠졌다는 것은 '세상의 의혹을 살만한 일'(백철, 『문학자전』(상), p.313)이었음에 틀림없다. 이 윤리적 측면을 보상할 수 있는 대상이 바로 경성제대였다. 임화에 있어 경성제대야말로 속되게 말해 끝까지 물고 늘어져야 할 대상이 아닐 수 없었다. 평생을 걸쳐 임화가 경성제대에 민감히 반응한 것도 바로 이런 곡절에서 왔다. 비유컨대 경성제대란 임화에게 범접할 수 없는 성스러운 것이자 동시에 얼마든지 마음 놓고 얕잡아 공격할 수 있는 대상 곧 제국 일본 그것이 아닐 수 없었다. 제국 일본 그것은 신문학사의 시선에서 보면 거의 무한대의 적이 아닐 수 없었다. 카프문학으로 대표되는 신문학사란 임화의 시선에서 보면 '타도 제국 일본!'의 세계사적 명분에 연결된 것이어서 그 명분상에서 또 이론상에서 천군만마가 대기하고 있었다. 마르크스, 레닌, 엥겔스 그리고 PAPF(소련문학단체), NAPF(일본문학단체)가 뒷받침하고 있었다. 그러나 거기에 또 다른 이중성이 엄존했음을 임화가 깨치기까지에는 상당한 시간이 요망되었다. '높은 교양', '엄정한 과학적 태도', '풍부한 문헌'으로 표상되는 제국대학의 아카데미시즘이 설사 신남철에서 발견되지 않아 한갓 '속학 서생'이라 비판했지만 그것은 신남철 개인의 불찰이며 따라서 신남철 개인이 책임질 사안에 지나지 않는다. 설사 신남철의 자질이 모자라 '속학 서생'이었지만 그렇다고 해서 신남철이 소속된 경성제대 아카데미시즘은 결코 '속학 서생'일 수 없었다. 경성제대란 임화의 예상대로 '높은 교양', '엄정한 과학적 태도', '풍부한 문헌'으로 표상되는 과학의 성소(聖所)공간임에는 한 치도 변함없는 존재였다. 그것은 헤겔이고 칸트이며 마르크스이고 엥겔스, 니체이고 또 하이데거였다. 이들의 이론을 원서로 읽는 인류사의 지적 최전선의 정교한 제도적 장치에 다름 아니었다. '높은 교양', '엄정한 과학적 태도', '풍부한 문헌'으로 표상되었음이 그 증거이다. 비록 식민지에 두 번째로 세워진 경성제대이지만 적어도 그것은 제국의 소유물이자 인류사의 소유물이며 그 주체는 말할 것도 없이 특정 국가쪽이 아니라 지적 왕국쪽이었다.

신남철로 표상되는, 저주와 멸시의 대상인 경성제대와 인류사의 소유물인 대학의 아카데미시즘의 성소공간이라는 이중성이 임화를 압도하기 시작한 것은 「조선신문학사사 서설」(1935. 11. 13.) 이후였다. "을해, 10월 마산 병석에서"라고 명기함으로써 신남철을 '속학 서생'으로 규정하자마자 임화는 이 이중성 속에서 방황하지 않으면 안 되었다. 그 증거가 그가 공들여 혼신의 힘으로 쓰기 시작한 『개설 신문학사』이다. 정작 신문학사의 <서설> 아닌 <본론>을 쓰고자 한 계기가 임화에 있었는데, 이는 행운이자, 불가피한 것이 아니면 안 되었다. 행운이라 함은 혼신의 힘을 기울일 대상의 발견을 가리킴이며 불가피함이란, 시인으로도 비평가로도 이 시국 앞에서는 아무런 역량을 드러낼 수 없음을 가리킴이다. 혼신의 힘으로 『개설 신문학사』를 위해 자료를 모으고 이를 집필하는 과정에서 그가 맞닥뜨린 곳이 바로 방법론이었는데 이 방법론은 헤겔을 원어로 읽는 제국대학 아카데미시즘이 아니고는 생심도 할 수 없는 사안이었다. 한없이 멸시하고 싶은 '속학 서생'이 한없이 그리운 '엄정한 과학적 태도'의 총본산이었음을 통렬히 깨치지 않으면 안 되는 세월이 임화로 하여금 마침내 하나의 결실을 맺게 했다. 「신문학사의 방법론」(1940)이 그것이다.

이 논문의 중요성은 그 방법론에 이른 과정에서 찾아질 성질의 것이매 그 정합성이나 논리적 결함은 별로 상관이 없다. 경성제대와의 관련에서 임화가 얻어낸 방법론은 한편으로는 행운이었는데 그가 학문의 체계, 과학과 문학의 관계공부를 얻어낸 점에서 찾아진다. 헤겔식으로 말해 학문이란 미네르바의 부엉이와 같아서 사태가 완결된 뒤의 산물이다. 이 점에서 헤겔의 변증법은 진짜 변증법일 수 없고 기껏해야 <초논리적 비합리적인 것>이지 <순수논리> 곧, <절대변증법>일 수가 없다(田辺元, 『종의 논리』, 암파문고, 2010, pp.364~5).

모든 사태가 끝났을 때 비로소 그것이 논리화될 수 있다면, 현재진행중인 것에 대해서는 변증법이 작동될 수 없는 법이다. 『개설 신문학사』를 집필하는 과정에서 얻어낸 방법론이 아무리 소중해도 그것은 현실적 실천 행위를 떠난 자리라 할 것이다. 진짜 변증법이란 '행위의 논리'가 아니었던가. 행위하지 않고 직관하고 해석함에는 변증법은 무용하다. 행위란 행위적 실현이 아닐 수 없다. '바라보는 변증법'이란 변증법일 수 없다(田邊元, p.437).

(2) 행위적 변증법의 위상

임화가 『개설 신문학사』에 몰두하는 동안 그는 현실적 행위의 실천력에서 저만치 벗어나 있었다. 그 때문에 그는 무사히 시국을 외면하고 견딜 수 있었다는 점에서 그것은 행운이지만 다른 한편으로는 현실적 행위의 실천에서 벗어난 것은 커다란 재앙이 아닐 수 없었다. 행운과 재앙 한가운데 놓인 임화 앞에 바위처럼 놓인 것이 경성제대였다.

이 문제에 그가 얼마나 고민했는가의 증거는 『개설 신문학사』의 중단(신소설 부근)과 최용달 노선에의 접근이다.

> 조선혁명의 현단계를 무엇이라 규정하든 혁명의 주도권을 공산당이 가지고 있는 이상에는 그들의 전략 전술에 본질적으로 달라질 것은 아무 것도 없다. 그러나 부르주아 민주주의 단계라고 그들 자신이 규정짓고 있다하면 적어도 당분간은 우익과의 정면대결은 면할 수 있을 것이고 그렇다면 그동안 타협의 여지도 있을 것이 아닌가 하는 것이 그때의 나의 추측이었다.
>
> 그러나 그 자리에 최용달군이 나타났고 문화운동의 최고책임자인 임화에게 지령을 내리는 사람이 결국 최용달군이었던가. 나는 의외라는 생각과 당연하다는 생각이 동시에 들었다.(유진오, 「편편야화」, 동아일보, 1974. 5. 4.)

앞에서 이 대목을 인용한 바 있거니와 유진오는 해방된 직후(8 · 16) 임화가 유진오를 찾아왔다는 것. 임화의 입에서 '부르주아 민주주의혁명' 노선을 내세웠다는 것, 그리고 임화 뒤에는 최용달이 있었음을 동시에 언급하고 있다. 이로 볼진댄, 임화는 해방되기 상당히 전부터 조선공산당(박헌영) 노선에 닿고 있었음이 판명된다. 그러나, 주목되는 것은 그 이론적 노선이 최용달에서 나왔다는 사실에서 온다.

대체 경성제대의 법학전공의 엘리트인 최용달은 어떤 인물인가. 또 이강국, 박문규 등 훗날 남로당의 이론분자이자 동시에 실천행위자인 이들은 어떤 성향을 띤 인물이며 이들을 키워낸 경성제대 법문학부란 어떤 곳이었던가.

> 최용달(崔容達) 이강국(李康國) 박문규(朴文圭) 세 사람은 해방직후 이 나라 정계를 양분하여 이승만 김구 김성수 송진우 등 민족진영에 도전, 한동안 천하를 뒤흔들던 남로당의 핵심분자인데 내가 이들과 경제연구소를 같이하고 졸업후로는 연구실 생활과 조선사회사정연구소를 또한 같이 했을 뿐 아니라 사적으로도 여러해 동안 친구로서의 교분을 유지하였던 것은 감개무량하다.(유진오, 「편편야화」, 1974. 3. 26.)

임화는 최용달의 지령 아래 놓여 있었다. 『개설 신문학사』를 중단했을 때 이미 임화는 행위적 실천으로의 변증법의 요체를 알게 모르게 알아차렸다고 볼 것이다. 행운과 재앙을 동시에 가질 수 없음을 명민한 시인적 직관으로 알아차렸다고 보는 것은 자연스럽다.

'속학 서생'으로 비쳤던 경성제대의 아카데미시즘이 저러한 곡절 끝에 해방공간의 정치적 난국을 돌파하는 과학적 방도를 '높은 교양', '풍부한 문헌'으로 제시할 수 있다고 임화는 믿어 의심치 않았다. 곧, 부르주아 민주주의 노선(훗날, 진보적 민주주의 노선)이 그 방향성이었다. 전국문학자대회에 <특별보고>로 박치우, 신남철을 이끌어들인 것도 이런 신념에서 나온 행위였다. 이로써 임화, 그는 다시 역사 한복판에 섰다. 시인으로 비평가로 복귀한 것이었다.

그러나 이번의 복귀는 그 이전의 『현해탄』의 시인이나 '조선적 비평'

을 겨냥하던 수준에서 벗어나 역사의 행위적 주체 쪽에 선 시인이고 비평가가 되지 않으면 안 되었다. 그 때문에 역사를 이끌기도 했고 역사의 출렁임에 따르기도 했다. 그러나 월북(1947)하고 6·25를 겪은 역사 속에서 임화는 역사의 출렁임에 따르는 수동적 역할에 시종했다. 이강국과 더불어 미제 간첩으로 처형된 것은 이 후자의 결과였다. 그 죽음 앞에서 임화가 본 환각이 있었다면 아마도 『개설 신문학사』에의 복귀였을 터이다. 행위적 변증법에서 벗어나 관상적(觀想的) 해석에로 후퇴하고 싶었을 터이다. 『너 어느 곳에 있느냐』라는 시집에서 읊은 그리운 고향 서울에 대한 이미지가 그의 앞을 가리고 있지 않았을까.

(3) 경성제대란 임화에게 무엇이었던가

이러한 모든 일들의 중심부에 경성제대가 놓여 있었다. 보성중학 중퇴생인 조선의 바렌티노이자 『현해탄』의 시인 임화를 사로잡은 경성제대란 대체 무엇인가. 문학사쪽의 아전인수격이라 할지도 모르나 유진오의 이에 대한 자체평가가 오히려 제일 객관적 견해일 수도 있다.

> 내가 만든 경제연구회는 이상에 의해 간단한 조건을 달아 인가되어 갖가지 독서회 등을 했는바, 이것이 실은 훗날 해방직후 한국에 있어 공산주의 운동의 핵심분자를 양성한 결과가 되고 말았소. 내가 제일회이고 다음해 들어온 반 속에는 최용달, 이강국, 박문규가 있었는데 해방 후의 조선공산당 중심인물이 된 사람들입니다.
>
> 공산당이 불법화되자 세 사람은 월북했고 그 중 이강국은 김일성에 의해 총살되었고 최용달은 김일성대학에서 교편을 잡고 있소. 박문규만이 이삼 몇년간 각료로 있는데 1973년에 죽었지요.(유진오, 「경성제국대학

이 의미하는 것」, 일문, 『紺碧遙かに－경성제국대학 50주년 기념지』, 耕文社, 1974, 비매품, p.409)

이강국의 처형이란 곧 임화의 처형을 가리킴이다. 이승엽 일당을 미제 스파이로 규정한 북로당의 남로당 말살정책에 임화가 처형된 것은 1953년 8월 6일이었다. 그렇다면 경성제대의 최대 공약수란 또 무엇일까. 남로당 양성기관이었음이 한 가지 사실이라 할지라도, 그것으로 전체를 규정할 수 없다. 이 점에 대해서 다음과 같은 지적은 과장이거나 편견이라 하기 어렵다.

> 그러나 종전 후 조선이 해방을 맞게 되자, 그 새로운 나라 만들기에 즈음해 경성대학의 졸업생이-숫자는 잘 모르겠으나 법문학부로 말하면 4, 5백인 정도이겠는데요, 혹은 5, 6백인쯤인지 모르겠소. 의학부도 그 정도이고 이공부는 생긴 지 얼마 안 되었고 전부 합쳐도 천명 정도에 지나지 않지만-기술적 방면에서 새로운 나라 만들기에 매우 큰 역할을 했소. 대체로 말해 공헌한 셈이지요. 특히 그 중에도 대학교육 건설 사업에 대거 참가했지요.
>
> 숫자로 보아 그것은 구미 유학생쪽이나 도쿄쪽 유학생보다 뛰어난 인물이 있는 대신 박사랄까 뭐랄까 해도 신용할 수 없는 사람도 있어 잘 모르는 판에 경성대학 졸업생만은 신용했음을 의미합니다.
>
> 정치적 방면에서는 해방직후 눈에 띠는 활동을 한 것은 없습니다. 그것은 일반사회에서 경성제대의 졸업생은 친일파(구 총독부 관리인)이든가 아니면 공산주의자가 되었기 때문이오. 그렇지만 학문적 또 기술적 방면에서는 매우 중요한 일을 했다고 나는 여기고 있소. 만일 이 경성대학이 없었다고 가정할 경우 한국은 건설과정에 한층 큰 곤란을 맛보았지 않았을까 라고 생각하오. 그런 의미에서 경성제대는 오늘의 한국에 공헌을 남겼지 않았을까, 라고 생각하오.(유진오, 위의 글, p.461)

이러한 유진오의 소견에 대해 정작 최용달, 이강국, 박문규들은 어떻게 평가할까. 무엇보다 임화는 어떤 표정을 지을까. 추측컨대 어느 쪽도 한편으로 기울기 어려울 것으로 추측되는 바, 그 이유는 아직도 한반도는 분단상황이 현실로 놓여 있기 때문이다. 설사 그렇더라도 문제의 핵심은 여전히 남는다. 대학이란 무엇인가가 그것. '높은 교양', '풍부한 문헌' 그리고 그 핵심에 놓인 '엄정한 과학적 태도'란, 인류사의 나아갈 지적 방향성이기 때문이다. 임화가 문제적 개인인 것은 시집 『현해탄』도 비평집 『문학의 논리』때문도 아니었음이 이제 조금 자세하여졌다. 곧, 그 중심은, 「신문학사의 방법론」 모색이었다. 이는 경성제대 아카데미즘과 임화의 접점을 가리킴이 아닐 수 없다.

부 록

A. 경성제대 편(신남철, 박치우)

B. 임화 편

부록 A 경성제대 편(신남철, 박치우)

1. 哲學과 文學 ‖ 신남철

–생각나는대로의斷片

(1) 1933. 2. 23.

사람은 생각하는 갈대(蘆)이다. 쁠레–스 파스칼의 이 말은 씨브면 씨블수록 맛이 난다. 생각함이 잇는 까닭으로 사람은 自己의 世界觀을 가지고 現實에 對한 一定한 態度를 決定하며 그 態度가 決定되는 곳에 一種의 理論이 生한다. 그러나 생각 그것은 世界觀이 안니다. 생각은 왼갓 感性知覺의 結果 生하는 心的作用이다. 그러나 단지 心的作用에 끄치는 것이 아니다. 그것을 超越하야 自身의 世界를 가진다. 이 自身의 世界는 複雜한 構造를 가진다. 感性知覺의 多樣性 及變化에 依하야 所謂 精神의 世界로서의 思惟(생각)의 世界이다. 그러나 이 情神의 思惟 又는 思惟의 世界라는 것이 얼마나 허전허전한 것인가는 普通의 사람에게는 이내 알 수 잇는 것이겟나.

이 精神의 世界를 파스칼가티 貧弱한 人間의 神的 感情의 居所로써 規定할 수가 잇다. 그러나 이것은 그의 人間의 理解에서 보야 한 개의 背

理를 內包하지 안으면 아니 될 것이다. "人間은 無와 萬有와의 中間物이다."

無를 絶對에 돌리고 萬有를 感情의 흐름이라고 볼진대 精神은 認識의 目的이다. 思惟의 表現이다. 勿論 感情의 흐름 더욱 信仰의 感情을 否認하지는 못하겟스나 그것은 精神의 世界의 그릇된 表現이다. 信仰의 感情은 確說의 理論에 依하여 代置되어야 한다. 파스칼은 數學的 確信을 가지고 잇섯다. 그러나 神의 世界를 密輸入하야 그것으로써 精神을 '愛'로써 배불리엿다 생각하는 弱한 助物인 사람은 생각하는 作用 그것까지도 神에게 바첫다. 神은 說明할 수는 업스나 그것은 信仰하는 것은 確實한 일이다라고 생각하는 갈대가 信仰을 가젓다. '생각에서 信仰에－' 이것은 中世紀의 思想의 一般의 特徵이엿다.

神의 愛－ 恩寵에서 自然의 認識의 －이것은 中世紀에서 近代思想萌芽의 時代의 過渡期의 외처보지 못한 슬로간이엿다. 敎會의 權力에서 휴매니즘으로－그리하야 人間理性의 自覺으로 人類의 思想的 發展은 흘러나려 왓다. 생각은 重要한 것이엿다. 이러한 過渡期에 出生하얏든 파스칼의 이른바 생각도 그러한 一般的 特徵의 軌道에서 버서나는 것이 아니엇다. 그리하야 그 생각은 다시 信仰으로 後退하고 마럿다.

지금 말한 哲學的 思想의 發展에 沿하야 文學的 作品의 一般的 特徵도 차저볼 수 잇는 것이니 中世的 騎士의 戀狀 又는 序事詩에 잇서서의 神的 理念의 思慕 사랑의 永遠한 信仰的 絶對化 感性에서 차저내려고 애쓴 甘美한 幻想的인 꿈 地上界의 醜惡에서 天上的 福音으로 가려는 不斷한 追求 等을 볼 수가 잇다. 基督敎的 人生의 理想은 왼갓 此岸的인 生 니벨룽겐이 基督敎的 幸에 잇서서의 騎士의 永遠思慕의 情과 感情的 不安을 단테의 『神曲』과 이 觀念的 幻想에서 天上界의 理想을 認識이라든지는 哲學的 思想의 發展과 서로 連關關係를 가진 것이 아닐 것인가. 생각은 世界의 總體를 認識하랴고 한다. 더욱 認識이 情的 要素로 分割되야 다시 悟性으로 統一될 때 所謂 文學的이 된다. 생각은 홀노 그 認識한 것을 自己의 世界 안에 가두어버리지 안는다. 그것을 表現하랴고 한다. 그 表現이 中世紀的으로 神秘의 옷을 입고 나올 때 그것은 神의 恩寵에 안기여버리는 것이다. 中世의 支配的 空氣이엿는 神學的인 表現과 그 强制는 생각의 自由로운 노래를 막어버렷다.

그러한 强壓의 속에서 文藝復興의 후마니스무스의 理想은 세워젓다. 생각-思惟의 自然主義的 表現이 唯物的 自然科學的으로 外面化하야진 때 歐羅巴의 啓蒙思想은 獨立되얏다. 그리하야 個人의 人間으로서의 巨大한 힘이 前面으로 나아왓다. 칸트의 理性批判은 이것을 哲學的으로 基礎지어준 것이겟다. 볼테-르가 "왼갓 頌德을 粉碎하라!"고 외친 것은 個人의 생각(思惟)의 自由로운 表現을 拒否한 敎會-基督敎的 權力에 對한 反逆이엿든 것이다.(1933. 2. 23)

(2) 1933. 2. 25.

생각은 반듯이 表現됨을 要求한다. 그것이 悟性的일때는 普通 理論的 表現을 가지고 그것이 直觀的 感情的일 때는 文學的 表現을 가진다고 한다.

이 文學的이라는 것은 廣義로 解釋하야 藝術的이라고 하야도 조타. 藝術은 全然 槪念을 否定한다고 한다. 그러나 이것은 藝術至上主義者의 口吻이다. 생각을 이데오로기的 形態의 潛勢的인 것이라고 하면 그것의 表現은 이데오로기 그것이다. 딸하서 생각의 種種의 表現은 卽 이데오로기로서의 諸形態를 가질 것이다. 생각은 感受와 表現의 中間物이다. 感受를 歷史的 聯關에 잇서서 體系的으로 理論化할 때 그것은 이데오로기的 形態의 最高한 것으로서의 哲學이 될 것이다. 哲學에 잇서서는 感受는 그대로 再現하지 안는다. 그것은 一般的 世界觀의 概念에까지 昇華한다. 그것에는 一般化의 作用이 잇다. 그 作用의 結果로써 表現될 때 그것은 哲學으로서의 이데오로기的 表現을 가진다. 그러나 藝術的 表現에 잇어서는 生活에 잇서서의 感受가 그것의 具體性 現實性을 그대로 가지고 社會的으로 材料的으로 表現된다. 이 材料的 表現에 잇서서 造形美術과 文學과가 區別된다. 나는 그러케 생각한다.

哲學은 世界觀이다. 이 世界觀은 眞正한 意味의 唯物的 構造를 가진 때 哲學的 科學이 되고 그리하야 統一的으로 세계를 認識한다.

哲學的 科學으로서의 唯物的 世界觀에 잇서서는 主知主義도 主意主義도 또는 主情主義도 스스로 自身을 □消하고 만다. 그러한 一面的인 理說은 觀念的인 正體를 暴露하고 만다. 社會的 歷史的 統一 原理로서의 唯物的－따라서 辨證法的 世界觀은 人類最高의 이데오로기的 表現이다. 그러나 이 科學으로서의 哲學은 이데오로기的인 故로 自身을 揚棄한다. 그리하야 더욱더욱 歷史的 社會的 性格을 가지게 된다. 이 揚棄의 體系로서의 科學的 哲學은 그 點에 自身을 單只 이데오로기로 始終함을 그리고 永遠한 것이 되리라. 이 永遠이라는 時間은 헤-겔의 意味에 잇서서 現實的인 事物의 過程 그것을 가르침은 勿論이다.

文學도 世界觀이다. 그러나 特殊한 技術을 가진 世界觀的 表現이다. 그 特殊한 技術이라는 것은 文字에 依하야 制約된다. 이 文字는 音聲이라는 것을 前提한다. 音聲은 音韻的 變化를 한다. 歷史的 過程에 잇서서 그 內部의 矛盾發展을 하고 잇다. 이것은 聲音學을 注意할 때 누구나 눈에 씌이는 일이다. 文字에 依하야 表現된 世界觀的 技術로서의 文學은 基礎的 部分에 對한 이데오로기的 反映이라는 點에서 哲學과 가트나 哲學과 그 表現의 方式을 달리한다는 點에서 自己의 獨立性을 主張한다. 哲學은 생각에 依한 一般的 統一을 目標로 하고 文學은 文學-文體에 依한 具體的 統一을 目標로 한다.

哲學이 理論的으로 科學的이라고 하는 것에 對하야 文學은 計劃的으로 一定한 事物의 情緖的 表現의 技術이라고 한다. 小說은 이 경우에 가장 適合한 것이 될 것이다. 共同製作의 問題가 생기는 것 그리하야 그것이 可能하게 되는 것은 이러한 때이다. 哲學이 辨證法的으로 事物을 生覺할 때 그것의 科學的이라는 것을 表明하듯이 文學도 辨證法的으로 事物을 그 具體的 形態에 잇서서 文體化할 때 所謂 文學的이 될 것이다. 文學에 잇서서의 辨證法的 理解의 問題가 생기는 것도 그 때문이다. 文學도 哲學과 가티 事物의 矛盾의 契機를 忘却하야서는 아니 될 것이다. 文學은 그것이 文學인 限 社會의 諸事實이 그 本質로 하는 矛盾對立을 그 進行形에 잇서서 明確하게 클로스업하지 안으면 아니 될 것이다.

文學은 形式的 並立的 羅列이여서는 아니 된다. 作家의 主觀이 敏捷하게 또 明確하게 一定한 스토리를 文學的으로 表現하는 때는 矛盾對立의 進行을 辨證法的으로 理解한 때이다.

文學은 哲學보다 몃 곱절 技術的이다. 小說보다 戱曲인 때는 그것을 더욱 認知하게 된다. 技術的인 點에는 悟性的이라는 것이 內包된다. 悟性的으로 一定한 意圖를 實現하랴고 한다. 所謂 「□□□」이라는 것은 이것의 初步的 □□라고 하겟다.

(3) 1933. 2. 26.

哲學에는 明朗性이 업다. 哲學的 科學으로서의 世界觀-唯物論은 普通의 意味에 잇서서 明朗性이 아니라 明確性을 가지고 잇다. 그것은 論理的 確實性이다. 哲學은 새삼스럽게 社會的 意圖를 云謂할 餘地를 가지지 안엇다. 哲學은 變革의 世界觀說이나 끄트로 哲學은 文體的 口美라는 것을 가질 수가 잇다. 그러나 그것은 絶對的으로 必要한 것이 아닐 것이다. 칸트나 헤-겔의 文章은 實로 難澁하다. 文學的으로 그것을 吟味하는 이가 잇다면 아마 여러 가지로 그 不備를 차저낼 것이다. 그러나 그들의 著作은 哲學에 잇서서의 古典으로 움지기지 못할 地位를 가지고 잇다. 이에 反하야 딜타이의 著作은 文章에 잇서서 퍽 流暢하다. 哲學에 잇서서의 文學的인 作品이라고 하겟다. 大概 哲學的 著作이 文學的 文章으로 씨여 잇는 때는 로만틱할 때가 만다. 딜타이에 잇서서도 로맨틱한 色彩가 濃厚하다. 哲學에 로맨틱한 色彩가 잇슬 때는 普通 레－벤(人生)이라든가 美的感이라든가 又는 思辯的 宗教的인 要素가 包含된다고 생각킨다. 文學的 哲學이라고 하는 수가 잇는 것도 그 까닭이라 하겟다. 이文學的 哲學에 對하야 哲學的 文學이라고 하는 것이 잇슬 수가 잇다. 괴테의 『파우스트』라든가 니체의 作品 又는 하이네의 散文 等은 이 部類에 지버너흘 수가 잇다고 생각한다.

괴테는 狂風怒濤時의 로만틱한 후마니테트의 問題를 戲曲『파우스트』로써 表現하얏다. 그것은 文學的 作品이나 그러나 그것은 哲學的으로 當時의 感情的 汎神論的 意識을 담은 것이다. 니체의 作品은 個人主義 哲學的 至上化를 꾀한 것이다. 佛蘭西革命이 發見한 個人의 自由는 니체의 超人哲學에서 그 最高峰을 싸앗다. 하이네의 散文은 資本主義가 成熟期

에 드러가랴할 때에 잇서서의 不幸한 猶太人의 XX的 氣分의 表現이다. 더욱 人間을 諷刺하면서도 그 속에서 차저보려는 宗敎的 情緖는 그로 하야금 社會革命을 畢竟은 否認하고 永遠한 福音을 찾게 하얏다. 하이네는 '革命의 子'이엿든 것가티 보다 더욱 '反革命의 子'이엿다. 以上의 三人의 文學的 著作은 單只 所謂 文學的인 것이 아니다. 哲學的인 內容을 가지고 잇다. 哲學的이라고 하는 點에 그들은 世界觀的이고 統一的인 認識을 가졋든 것이다.

哲學이 究極의 目標로 하는 것은 '眞'이고 藝術의 그것은 '美'라고 할 수 잇다. 哲學은 '眞'의 發見이고 藝術은 '美'의 製作이라고도 한다. 그러나 우리는 이것을 그냥 無條件으로 受入할 수 업다. 自然科學은 自然의 '眞'되는 所以然의 法則을 發見한다. 그러타고 自然科學이 卽 哲學이라고 할 수 업다. 哲學이 自身을 哲學的 科學으로 主張하랴면은 헤겔에 依하면 體系的으로 思索하는 것 卽 具體的으로 자긔의 안에 自己를 展開하고 統一하고 □□하는 全體性의 思索이 아니면 아니 된다. 그러한 思索에 잇서서만 眞理는 動的으로 發見된다. 아니 發見이 아니라 體驗되는 것이다. '眞'의 發見이라고 햇다고 金塊를 發見하야 누구에게 주든지 다가티 고맙게 使用할 수 잇는 그러한 것은 아니다. 릭켈트는 "世界(웰트알)의 體系로서의 哲學"이라는 말을 한다. 勿論 그 가티 말할 수 잇다. 그러나 哲學은 體系라는 것을 形式에 依하야 世界全에 强制할 수는 업다. 릭켈트의 이른바 哲學은 그러한 것이 아닌가 생각한다. 哲學은 헤-겔가티 그러나 더욱 唯物的으로 理解될 때 吾人에게 가장 直接的이고 具體的인 眞理의 體系를 준다. 또 그와 가티 藝術 又는 藝術的 作品도 어떠한 永遠한 美的 理想을 實現하려고 하는 것이 아니라 그것은 헤겔에 依할 것 가트면 (一) 自然産物이 아니라 人間의 行爲에 依하야 實現될 것 (二) 本質的으로 人間을 爲하야 製作된 것 더욱 人間을 爲하야 만튼지 적든지 感性으로부터 가저온 것 (三) 自身이 한 개의 目的을 가진 것(헤-겔美學「□□」)이다. 그리하야 그 行爲라는 것은 外物의 意識的 製作이고 그 意識的이라는 것은 對象에 對한 合目的的인 『러벤디히카잇』(□□)이 아니면 아니 될 것이다. 藝術은 單只 自然의 模倣도 아니고 自然을 理想化하는 것도 아니다. 이 두 가지 學說-自然模倣說과 自然理想化說은 藝術觀에 잇서서 獨立的 見解를 成하고 잇스나 어느 것이나 藝術의 重大한 本質을 成하는 合目的的 意識의 感性的 表現-製作이라는 것을 이저버리고 잇다. 藝術은 人間行爲에 依한 合目的的 生産이다.

이 生産의 形式은 材料에 따라 다르고 內容에 依하야 種別된다. 視覺的으로 美的 官能을 觸發할 때는 繪畫가 되고 彫刻이 되고 建築이 되고 한다. 聽覺에 許일 때는 音樂이 된다. 이 두 가지 美的 官能은 高級官能이라고 하야 헤-겔 以來 今日까지 味覺, 觸覺 等의 低級官能과 區別된다. 그러나 美的 官能의 內的 欲求를 文學에 依하야 表現되랴고 할 때 그곳에는 文學이 成立한다. 文學은 美的官能의 綜合的 表現으로서 文學을 通하야 나타날 때 그리하야 合目的的으로 意識될 때 成立된다.

(4) 1933. 2. 28.

文學에는 悲壯이라든가 崇高라든가 哀愁라든가 又는 反逆이라든가의 感情이 玲瓏한 文字의 羅列에서 流出한다. 音律的으로 詩가 되고 散文으로 小說이 되고 現實界의 舞臺上의 再現으로서 劇이 된다. 그러나 何者이고 다 個人의 感受를 通하야 社會的 事象이 目的으로 再現되얏다는 點

은 同一할 것이다. 그러타면 이곳에 個人의 感受라는 것이 如何한 것인가가 問題이나 그것은 그 個人의 社會的-階級的 性格에 依하야 決定된다고 生覺한다.

事實의 文學的 表現은 더욱 言語의 記寫手段으로서 文字를 通하야만 可能한이만치 餘他의 藝術的-繪畵的 音樂的 惑은 彫刻的 作品에 잇서서보다 더 만히 直接的이고 切實한 것이다. 言語의 問題의 哲學과 構造의 問題는 참으로 興味잇는 題目이 된다. 哲學에 잇서서 言語의 論理學 心理學 又는 社會學으로서의 言語哲學의 問題도 生한다. 言語 對象에 對한 吾人의 體驗의 外的 表現의 手段이다. 그 手段은 文學에 依하야 記號化한다. 그러한 記號를 通하야 文學이 可能하고 哲學이 命題化한다. 言語-文字와 文學哲學과의 關係는 떠러지지 못하게 緊密한 것이다. 붓처-는 그의 『奇勝天才의 諸相』에서 말하여진 言語에서 씨여진 言語에의 過渡는 씨여진 言語에서 印刷된 페-지(頁)에의 過度보다 一層 놀라운 일이고 그 結果에 잇서서 一層 革命的이엿다고 한다. 言語라는 것으로 文字를 發明하야 書寫하는 術을 發明해진 時者는 果然 어느 때인지 漠然하나(勿論 中國에 잇서서 倉頡이가 漢子를 發明하고 西洋에 잇서서는 앗시리아 빠비로니아에 알파베트의 起源이 잇다고 한다만은) 實로 人類歷史에 잇서서 巨大한 革命的 時期이엿슴은 틀림 업는 일이겟다.

文字에 依하야 文學도 哲學도 다가티 그것의 獨特한 內容을 表現한다. 그리하야 이 文字에 依하야 文學은 그것의 社會的 意圖에 對한 宣傳的 任務를 가지게 되고 哲學은 科學的 哲學으로서 自力을 命題化하는 것이다. 어느 것이나 文字라는 人類文化史上의 偉大한 功積에 依하야만 存在할 것이고 또 永遠히 存在할 수가 잇슬 것이다.

끗으로 人生과 藝術 人生과 哲學과의 問題를 簡單히 말하고 이 斷片綠을 맷겟다.

오균스트 로당에게는 『생각하는 사람』이라는 彫刻이 잇다. 나는 그것의 寫眞을 볼 때마다 嚴肅한 沈默에 빠진다. 그리하야 그 『생각하는 사람』이 생각하듯이 나도 생각한다. 무엇을? 그것은 一言으로 云謂할 만하게 그러케 單純하고 또 明瞭한 것이 아니다. 偉大한 藝術家는 同時에 偉大한 思想家이다. 그러나 그는 반듯이 이약이하는 思想家가 아니다. 그들은 大槪는 佛敎的藝術과 가튼 精進에서 沈默으로써 말하는 思想家이다. 그들도 行(타트)로써 雄辯을 代用한다. 그들은 淺薄을 미워한다. 自己에 固有한 個性의 世界에 비친 現實界에서 어떤 一定한 目的的 理念을 차즈랴고 한다. 로당이 『생각하는 사람』은 로당 自身의 藝術的 精進을 말하고 있는 同時에 그것은 一九세기의 偉大한 情神의 表象이다. 世紀末的 氣分에서부터 脫出하야 굿세인 人間의 理解를 차즈랴는 새出發이다. 그 漂浪한 筋肉을 보라. 그 生命에 찬 氣魂을 보라. 그 억세고 골직한 포-스를 보라. 그 七八尺의 大作-山과 가튼 肉體의 起伏에서 들리는 微妙한 光榮에 찬 感性的 演奏의 律動을 드르라. 恍惚히 판테온의 압헤 서 잇는 偉大한 人間을 생각할 때 나의 心身은 조고마한 寫眞을 드려다보고 잇는 것이 아니라 멀리 생각은 巴里의 륙상불 公園의 푸른 닙픠는 잔듸밧을 눈압헤 보는 것이다. 普佛戰爭의 怨讐를 가프랴는 파리쟝의 祖國愛에의 志向은 그리하야 資本主義的 發展의 佛蘭西的 熱情은 遺憾 업시 로당의 天才를 通하야 神秘化되고 藝術化되엿다. 『루팡숀』—『생각하는 사람』 파스칼의 이른바 생각하는 갈대인 □한 사람은 로당에 와서 생각 그것이 잇는 때문에 偉大한 生命을 어덧다. 感激을 어덧다. 듬직한 筋肉의 隆起를 어덧고 素朴한 躍動을 藏한 矛盾의 深淵을 어덧다. 이 彫刻은 『地獄의 門』을 形成할 一部分的 要素이엿스나 나종에는 獨立한 作品으로 製作되얏다. 그는 人生을 單只 皮相的으로만 볼 줄 아는 사람에게 산 標本을 보여주엇다. 생각하는 人生이라는 吾人에게 주어진 哲學的 課題는 로당에게 잇서서는 雄辯으로 그러나 默默한 靜寂의 雄辯으로 우리에게 解決하야준 것가티 보인다. 事實로 그는 解決하얏다. "深刻하게 徹底하게 眞實하야라" 이것은 그의 말이다. 그는 '深刻'이라는 것과 '眞實'이라는 것을 퍽 사랑하얏다. 深刻하게 事物을 보는 同時에 眞實하게 그것을 表現하지 안으면 아니 된다.

(完) 1933. 3. 1.

로당에게 잇서서는 深刻과 眞實은 冷徹하얏든 것가티 同時에 熱情的인 것이엿다. "藝術은 情緖(상티만) 以外의 아무 것도 아니다"라고 한다.

情熱에 타는 同時에 또 意志的으로 技術에 熱達하지 안으면 아니 된다. 로당에 잇서서는 이 모든 要素는 한 개의 統一體를 成하고 잇다. 그리하야 人生의 藝術的 對答을 주고 잇다. 『생각하는 사람』은 턱을 집흔 바른 팔을 펴고 이러스랴고 한다. 그러나 그는 思辨에 잠겨 잇다. 바야흐로 雄飛하랴는 思辨의 熱情을 떼카단니즘의 敗北에 對한 反逆의 宣言인 同時에 웬갓 矛盾 苦惱를 다 攝入하야 그것을 合理化시키고 神學的으로 맨드는 官僚的 意圖의 表現이 아니든가! 로당의 『루팡숱』은 永遠히 바른팔을 펴고 이러스지 못하리라! 그것은 默默히 思辯의 熱情에 타리라―파비장의 獨逸에 對한 復讎의 熱情에 타면서―

그러나 나는 로당의 『생각하는 사람』을 조와한다. 生命과 氣魂과 意志의 統一로서의 『루팡숱』을 조와한다. 人生은 藝術에 依하야 굿세게 사러가고 또 生活(廣義의)의 참된 意義를 體得한다. 나는 藝術家도 되지 못한다. 그러나 나는 그것을 한편 구석에서 傍觀하며 또 그것을 享樂하는 志向을 가지랴고 한다. 如何한 사람이든지 나에게서 이것을 뺏지는 못할 것이다. 人生은 反逆의 情熱에서 自己를 또는 社會를 躍動의 系列에서 發見하리라. 藝術도 XX的인 點에 自己의 生命을 保存할 것이다. 藝術이 XX的이랴면은 그것은 悟性的이 아니면 아니 될 것이다.

人間은 哲學的 欲求를 本來부터 가지고 잇다. 더욱 人間이 생각한다는 것을 不可避的으로 自身의 特性으로 할 때는 그 欲求는 必然的인 것이다. 具體的이고 現實的인 人間이 그것의 意味 又는 意味의 理解로서 人生이라는 哲學的이고 宇宙論的인 存在를 問題삼을 때 人間은 自身을 哲學的으로 規定한다. '人間의 人生' 이것은 하이덱거(有名한 現今의 獨逸哲學者)의 '存在者의 存在'에 比等할 것이 되지 안을가 생각한다. 『秋風感別曲』이라는 소설노래에 나오는 人間의 具體的인 모양 人間의 가지가지의 悲鳴과 呪咀와 反逆과 哀愁에서 볼 수 잇는 人生의 理解를 나는 너무나 똑똑이 가지게 된다. 秋風感別曲을 읽을 때 나는 存在者인 人間의 存在로서의 人生을 理解한다. 勿論 어느 程度까지이나 그러나 意氣阻喪하야 잇는 多大數의 人間의 人(□□□□□□□□□□□□□□□□□□□□□□□□□□□□□□□□□) 그러케 理解되고 잇다. 一部의 有閑的 部類는 그러한 人生에서 一生을 마친다. 그러한 人間의 人生이 잇슬 수 잇다. 그러한 人間의 人生에는 悟性的인 統一의 理論을 缺하고 잇다. 그러한 有閑的 部類에게 悟性的인 計劃的 意圖-科學的인 動的 志向을 주며 그리하야 人間의 人生을 참으로 理解하게 하는 것은 文學的 勞作에 依하야 퍽 效果的이라고 생각한다. 文學的 勞作뿐 아니라 藝術一般의 人生 그것에 對한 哲學的 意義의 中心點이라고 생각한다. 藝術은 美에서 人生

의 過去 現在 未來를 動的으로 理解식히는 것이라면 文學은 말하야지는 文字으로써 直接으로 切實하게 人生의 奧義를 指示하는 것이겟다.

人間의 意味的 存在로서의 人生은 그리하야 哲學的 存在가 될 것이다. 科學的으로 體系지어진 動的 世界全으로서의 人生의 意味가 나올 것이다. 이러한 點에서 所謂 人生哲學이라고 하는 術語는 그 通用性을 어들 수 잇다. 普通 '人生'이라고 할 때는 退嬰과 哀愁를 더 만히 內容으로 하야 생각한다.

그러나 人生은 決코 그러한 것이 아니다. 그것은 삶의 體系이고 悟性的 計劃의 科學的 統一의 意味가 아니면 아니 될 것이다. 그 안에는 哀愁도 悲鳴도 呪咀도 退嬰도 잇슬 수 잇다. 그러나 그것은 自身을 揚棄하야 굿세인 새 營爲로 나아가는 意志的 意圖가 아니면 아니 될 것이다. 人生은 어데까지든지 人間의 삶의 生活의 意味的 存在이다.

이 點에 人生은 哲學이라고 하고 그 統一的 意圖의 實現과 宣傳에 잇서서 藝術(文學까지도 너어서)과의 結合을 必然的이게 한다.

고요히 讀書하는 機會와 생각하는 機會를 가지게 한 이 駱山下의 南面한 窓을 通하야 가지가지의 화살(失)을 밧는다. 그 화살을 바들 때마다 나는 興奮되고 刺戟된다. 그 화살들은 外的으로 나를 쏘는 것이다. 그러나 一但 그것을 밧고나면 생각에 타고 感慨에 젓는다. 어떤 때는 그 화살이 정통으로 骨髓를 찌를 때가 잇다. 그때는 참으로 苦痛이다. 그 苦痛의 對症療法도 잇을 수가 잇스리라. 그러나 그것의 根本的 療法은 果然 무엇인지? 무엇인지 모르는 배 아니나 또한 무러본다. 哲學을 工夫하는 者의 앳구진 自問自答이다. 쓸데 업는 트워들일가? 이때것 저거논 것이 모다 쓸데 업는 트워들이라면 나는 哲學工夫를 지버치겟다.

그러나 또한 自問自答한다. 果然 그것이 트위들이든가 하고- 트위들가티 보이는 이러한 論述이 트위들이 되지 안케 하려는 곳에 哲學하는 者의 學問的 精進이 잇는 것이겟다.

二月 十六日 駱山下에서

2. 最近朝鮮文學思潮의 變遷 ‖ 신남철

-「新傾向派」의 擡頭와 그 內面的 關聯에 對한 한 개의 素描

1

一定 個人이 自己自身을 凝視하야 反省하는 段階에 이르게 되었다는 것은 그의 一生을 通하야 한 개의 커다란 事實이 아니면 아니 된다. 웨 그러냐하면 모든 個人人間이 自己自身을 反省한다는 客觀化의 作用을 할 수가 있다는 것은 그의 不斷한 教養的 向上의 人間的 努力을 經한 뒤가 아니면 아니 되는 때문이다. 그러므로 一定個人에 있어서 이 自己自身에 關한 反省의 作用이 生하자마자 그의 生活態度에는 質的轉換이 生하는 것이다. 나는 이것을 個人人間에 있어서의 辨證法的 一契機로 看做하고저하는 바이다. 이 契機는 個人人間이 自己를 反省하야 家族, 友人, 社會, 自然-環境과의 關係를 認識하는 最初의 階段인 同時에 大端히 重要한 것이다. 人間은 이러한 契機에 依하야 自己自身을 社會的 人間-階級的 人間에까지 自覺하여가는 것이다.

그러나 이 社會的-階級的 自覺의 最初의 形態로서의 個人的 自己反省이라는 것이 언제나 또 어디를 勿論하고 누구에게나 可能한 것이 아니다. 그것은 在來社會的인 自己를 그러한 것으로서 意識하지 못한 狀態에서 어떤 무슨 事件-時事를 通하야 저의 本來의 姿態를 發見하게 되더라도 이 社會的-階級的 自覺에까지 다다르기까지에는 相當한 距離와 努力을 쌓지 않으면 아니 되는 일이 많은 것이다. 勿論 이 個人人間的 反省과 社會的 自覺과의 사이에는 緩急强弱의 種種의 差異를 가지고 形成되는 것이나 原理的으로 보아 前者가 後者보다 初步的인 것이라는 것은 누구나 肯定할 것이라고 생각한다. 事實 「안지히」로부터 「퓨어·지히」-그리하야 「안·운트·퓨어지히」에 이르는 것이 辨證法的 發展의 公式化된 敎說이지만 이 세 가지 階段의 量的 增大 及 質的 飛躍에는 時空的인 一定한 計數的인 標準이 있는 것이 아니라 그때그때의 온갖 客觀的인 事情과 主觀的 狀態如何에 依하야 急迫히 또는 緩慢히 그것이 變化를展開하는 것이다. 그리하야 「안·지히」로부터 「퓨어·지히」에 이르는 동안은 빠르다 하더라도 여러 가지 條件의 配列如何에 依하야 「안·운트·퓨어지히」에까지에는 오랜 時日을 經過할 수도 있는 것이고 또 그逆도 될 수가 있는 것이다. 그와 같이 個人人間이 自己를 「퓨어·지히」로서 意識했다 하더라도 그 意識的인 諸契機가 「안·운트·퓨어지히」에까지 이르게 成熟되어 있지 못한 때에는 主體的 努力-實踐이 더 많이 蓄積되지 않어서는 안 되는 것이다. 個人人間의 「퓨어·지히」로서의 反省自覺이 없이는 卽 이 階段을 經過하지 않고는 (짧던지길던지間에) 「안·운트·퓨어지히」에까지 이를 수가 없는 것이다. 그만치 이 個人의 「퓨어·지히」로서의 自己反省, 自覺은 極히 重要한 意義를 가진 것이다. 그것은 그 個人人間의 一身上의 重大事일뿐 아니라 그 反省과 自覺이 社會的으로 轉化될 發展的 契機로서도 重要한 것인 것이다. 우리는 이 個人人間의 自己反省과 그것이 社會的 自覺에까지 轉化되는 經路

를 無視하여서는 아니 되고 또 그것에 主體的으로 共働하지 않으면 아니 되는 것이다. 人間은 모다 自己를 個人人間으로부터 社會的 人間에까지 自覺하거나 또는 社會的 人間으로서 自覺하는 同時에 個人人間으로서의 自覺이 齎來되는 수도 있는 것이다. 이것은 敎育, 煽動 等의 種種의 形式下에 成就되는 것이다.

2

朝鮮의 文學史－더욱 最近의 所謂「新文學」發生以後의 文學史를 뒤저거려 본다고 할 것 같으면 우리는 上述한 바와 같은 個人人間의 反省自覺의 科程을 아주 範例的으로 看取할 수가 있다고 생각한다.「朝鮮의 新劇運動과 新小說運動에 있어서 누구보다도 先覺이었고 先驅이었던 李人稙」(金台俊・朝鮮小說史)을 뒤이어 李海朝 等을 거처 所謂「發芽期를 獨探한」(同上)다는 李光洙에 이르는 사이는 말하자면 朝鮮人이 自己를 個人人間으로 또는 社會的으로 自覺해가는 한 개의 過渡的 時期이었다고 할 수 있으리라. 李光洙의「無情」,「開拓者」等에서는 事實 推步的, 傾向的 要素를 많이 看取할 수가 있었다. 그러나 이것은 끝끝내 個人人間의 生活改善의 城을 脫却하지 못하였다. 그것은 當時의 社會的 階級分化의 個人主義的, 商人的 唯物主義的 表現에 不過하였다. 이것이 早晩間 새로운 勢力의 成長과 함께 擡頭한 所謂「新傾向派의 文學」과 對立하게 된 것은 아주 自然的인 理路이었으니 그것은 各其 그 社會的인 地盤을 달리하고 있었기 때문이었다. 그러면 그 地盤이라는 것은 무엇이냐. 그것은 社會의 二大 理解할 수 없는 矛盾的인「그릅」에 依하야 特質을 주어지는 그러한 것이다. 李光洙 等이 生産한 小說은 그가 屬하고 있는 그

릅의 觀念形態에 依하여 人間, 社會, 生活, 民族, 戀愛 等을 取扱한 것이었고 所謂 「新傾向派의 文學이라는 것은 漠然한 階級文學의 槪念 아래서 現實의 矛盾을 咀呪하고 個人的인 復讐行爲를 無上의 反抗으로 XX으로 描寫하던 文學이었다」(金八峯・푸로文學의 現在水準, 本誌, 昭和 九年 二月號) 時間的으로 考慮할 때에는 李光洙 等의 文學的 努力과 그 作品은 新傾向派에 앞서기 近十年이나 되며 또 그 社會的인 實勢力에 있어서도 前者는 後者의 比가 아니었다. 그러나 이 「新傾向派」라고 이름을 붙여가지고 그들의 文學的 行程과 區別對立이 되게 된 곳에는 큰 思義가 있지 않으면 아니 되는 것이었으니 그것은 卽朝鮮의 社會的 分裂이 이윽고 對立抗爭을 開始하였다는 것에 相應하는 것이다. 그 對立抗爭의 이데오로기的 一表現으로서의 이 「新傾向派」의 擡頭는 저윽이 歷史的인 事件이었다. 이것은 李光洙 等의 小說이 從來의 新, 舊小說의 形式內容에 對한 劃期的 出現이었던 것보다 몇 곱절 더한 正히 歷史的인 것이었다.

그러면 웨 이 所謂 「新傾向派」의 出現이 歷史的인 特質을 가지고 있는 것이었던가? 이 新傾向派라고 하는 것은 非常히 幼稚한 手法, 拙劣한 取題, 未熟한 文章, 初步的인 自覺的 意識을 가지고 詩를 쓰고 小說을 지었음에도 不拘하고 그것이 李光洙 等의 個人的, 商人的 文學作品보다 났다는 것은 그 手法, 그 文章, 그 取題에 있어서가 아니라 社會的인 所謂 「目的意識的」改造運動과의 聯關과에 있어서 優位를 가졌다는 것이다. 이 點에 對하야 論者는 文學的 作品 그것과 改造運動과는 別個의 것이 아니냐고 말할른지 모른다. 勿論 兩者는 一應 別것으로서 區分할 수가 있다. 그러나 矛盾的 그룹間의 抗爭이 바야흐로 開始된 때에 있어서 文學作品을 評價하는 「리흐트슈눌」(準繩)이 新興하는 그룹의 歷史的인 任

務에 依하야 規定되는 것은 아주 自然일뿐 아니라 또한 必然的인 것이기도 한 것이다. 이것은 新興하는 그룹의 理論的 武器로서의 科學及科學性의 優位가 在來의 傳統的 理論及「科學」에 對하야 主張되는 것과 同一한 理致에 屬하는 것이다. 換言하면 新興科學及其方法은 舊來의 科學及其方法보다 優越하다는 理論과 一致하는 것이다. 나는 이곳에서 이러한 科學論의「아·베·체」를 이야기할 閑暇를 가지지 않었으나 이 新興科學의 優位性과 同一한 程度로 이「新傾向派」라는 것의 社會的 優位性을 主張할 수 있는 것이었다. 이 點에 있어서 朴英熙의「산양개」,「地獄巡禮」, 崔曙海의「飢餓와 殺戮」,「紅焰」等은 文學的 作品으로서의 缺陷에도 不拘하고 有意義한 것이었다.

이것은 所謂「新傾向派」는 大正 十三年(一九二四年)에 비롯하였다고 한다. 이것은 아마 同年 一月에「朝鮮푸로레타리아藝術同盟」이 創立되었기 때문에 그리 말하는 것인가 한다. 그러나 思想史의 一定時期를 區分하는 데에 있어서 年代는 그리 重要한 것은 아니다. 그보다도 그 一定時期가 繼起한 前後顚末과 그것이 다음의 時期에로 解消된 緣由와 經過의 特質에 依하야 規定되는 것이 重要한 것이라는 것은 이곳에서 呶呶할 必要가 없다. 우리가 이 新傾向派의 面貌와 그 特質을 重要視하는 것은 朝鮮의 푸로文學의 發足點이었다는 點에서 뿐이 아니라 이것을 産出한 바로 當時의 文學圈이 朝鮮에 所謂 新文學이 發生한 以後 처음 보는 盛況을 이루었었고 또 社會的인 新興勢力의 動向도 퍽 生氣있었고 活潑하였다는 點이다. 우리는 于先 이 新傾向派를 胚胎産出케 한 當時의 情勢를 알아보기로 하자.

□□(검열삭제) 이 歷史的

壯觀은 또한 世界史의 一環으로서 理解되는 그러한 것이었다. 封建的 遺制에 對한 資本主義的 批判은 이 動亂을 通하야 高調되는 同時에 (朝鮮人財産家가 自己를 資本家로서 形成시키기 始作하였다) 그것은 다시 自由主義的 乃至 社會主義的 眼目에 依하야 批判되는 質的 變化를 억게까지되었다.

日本留學으로부터 돌아온 數多한 青年文人들은 「曙光」, 「開闢」, 「共濟」, 「서울」, 「廢墟」 等 이루 헤일 수 없을 만치 많은 雜誌를 創刊하야 雜多한 思想傾向을 아는 그대로 베낄질하여다가 紹介하고 數行하기에 餘暇가 없었고 또 創作活動도 그것에 隨件하야 活潑히 進行되었다. 그리하여 「詩人」, 「小說家」가 輩出하였다. 이때의 優越한 者는 前述한 李光洙를 비롯하야 金東仁, 廉想涉, 玄憑虛, 羅稻香, 金億, 金烱元, 南宮壁, 金廷湜, 梁柱東 等이었다. 이들은 모다 才氣潑剌하게 活動하였다. 朝鮮의 近代文學史에 있어서 事實 그들의 이름은 沒할 수가 없으리라. 그들의 教養, 力量, 野心 等은 그 當時의 知的 水準으로 보아서는 高級에 屬하는것이었다. 그러나 그것은 急速한 速度로 變轉해가는 當時의 社會經濟的秩序에 應하야 混沌하기 짝이 없는 것이었다.

그런데 이곳에 忘却하여서는 안 될 것은 青年總同盟과 勞農總同盟의 創立과 全朝鮮民衆運動者大會 等이 開催된 것이다. 三一運動 後의 朝鮮의 社會가 如何히 急速度로 社會分化의 過程을 밟고 있었는가는 此等의 諸階級運動의 自然的 乃至 意識的 成長에 依하야 알 수 있는 것이다. 澎湃해오는 教育熱, 이것의 應急的 施設인 各地의 夜學과 講習所, 또는 坊坊曲曲에 組織되어가든 青年會 等 實로 三一運動 以後의 五六年間은 그 前의 半世紀 以上의 期間에 該當하는 急템포로써 社會經濟의 各部門에 亘한 資本主義化와 同時에 그것으로부터의 離脫을 企圖하는 努力이 始

作된 것이였다. (이것은 朝鮮人自體의 뻐르조아的(民族的) 自覺에 依하야 各産業部門에 投資하기 始作한 것을 意味하는 同時에 그 自體의 內部矛盾의 激化를 意味하는 것이였다) 이것에 따라서 文藝運動도 促進되었나니 이것이 促進되면 될수록 그 內部에 있어서 急進的인 者와 그러치 않은 者가 서로 分裂하기 始作하야갔다. 이것은 事物이 必然的 現象인 것이었다. 그 急進的인 者는 走馬燈같이 變轉해가는 社會의 諸運動에 寄與함으로써 그 一翼을 擔當하랴 하였고 그렇지 안은 者는 朦朧한 가운데에서 그저 無意識的으로 又는 意識的으로 資本主義化하고 있는 文化의 支配者가 되었든 것이다. 이때에 그들은 「民衆의 木鐸」, 「社會의 公器」로서 出現한 三代新聞의 「밀알바이터」(共働者)가 되기도 하였다.

事實로 三一運動 以後 五六年間은 混沌한 「模索時代」(金八峯 · 朝鮮文學의 現在의 水準-本誌, 昭和 九年 一月號)이였다. 「現實主義, 虛無主義, 浪漫主義, 唯美主義, 惡魔主義, 人道主義, 自然主義 等 文藝思潮로 이름이 생긴 온갖 種類의 傾向이 一時에 不潔한 湖水와 같이 朝鮮文學이 우에 덮여놀려 있었다(同上)」는 說明도 一應은 妥當하는 듯이 보인다. 그러나 果然 이 模索時代에 있어서 이와 같은 여러 種類의 主義와 傾向이 豊富하게 朝鮮의 젊은 世代人의 머리여 움직이고 있었든가? 나의 생각으로는 그것은 한 개의 好意的 規定이 아닐가 생각킨다. 勿論 그에 類似한 種種의 傾向이 同時에 이곳저곳에서 看取되기는 하였으리라. 그러나 이 時期에 있어서는 아모도 自己의 包持하고 있는 생각을 그러한 한 개의 「主義」에까지 形成하였든가에 對하야는 多大한 疑問을 갖이지 않을 수가 없다. 왜 그러냐하면 이 時期의 文藝作品으로서 己未以前의 作品에 比하야 優位를 主張할 수 있다면 그것은 오직 金東仁의 「弱한 者의 슲음」, 廉想涉의 「標本室의 青개고리」, 玄憑虛의 「할머니의 죽엄」 等의 數

篇의 優越한 作品에 依하야 限界를 지을 수가 있다고는 하드라도 封建道德에 對한 反抗, 새로운 戀愛技術의 考案事模倣 等의 域에서 別로 進展된 것은 없었다고 해도 過言이 아닌 줄 생각하며 따라서 그들은 自己가 作品을 製作할 때에 何等에 主義에 對한 意識的 考量을 加했다고는 생각할 수 없는 까닭이다. 그들의 大部分에 있어서는 「現象의 雜多性의 바다」에 빠저서 허덕이다가 만 것이였다. 一部分은 보면서도 그것을 包含하는 全體를 보지 못하였고 그 全體를 設使 본다하드라도 그것을 具體的으로 그것의 發展性에 있어서 把握한다는 것은 어림도 없는 일이었다. 勿論 그들은 當時의 時代感覺에 銳敏하였다. 그러나 그들은 感覺이 如何이하야 齎來되었으며 如何히 分化해 가리라는 것에 對한 展望의 眼光은 가질 수가 없었다. 그들은 오직 그 時代的 感覺을 正直하게 受容하고 感受하였을 뿐이다. 이 點에 그들의 功勞는 있는 것이다. 그러고 그 以上 아무것도 아니다. 이것을 나의 酷評이라고 할가?

4

以上과 같은 反封建 부르조아的 文藝의 雰圍氣속에서 이 所謂 「摸索時代」가 社會의 進展에 따라 終焉을 지으랴 할 때에 새로운 黎明은 왓다. 그것은 卽 上述한 그 內部에 있어서의 自己分裂에 依한 푸로文學의 擡頭이다. 말하자면 이 三一運動 以後 五六年間이라고 하는 期間은 푸로文學 誕生의 陣痛期이였다.

왼갓 觀念形態는 恒常 그것의 地盤인 社會的 經濟的 秩存의 變轉의 뒤를 따라 變하야간다. 上述한 바와 같이 社會의 分化科程이 意識的 計劃的 運動에 依하야 促進되고 있을 때 雜誌 「開闢」을 舞臺로 한 一群의 作

家가 있었으니 이것을 所謂「新傾向派」라고 불렀다. 이때에 눈에 띄우는 作家 批評家로서는 金基鎭, 朴英熙 兩人의 存在는 事實 큰 것이였다. 이 開闢에 雄據했든 때에는 極히 初步的이고 啓蒙的인 論評을 發表함에 지나지 않었으나「焰群」,「新興文學」,「文藝運動」,「朝鮮之光」,「朝鮮文壇」等의 文藝, 評論誌가 創刊됨에따라 文壇의 陣營은 確然히 分裂되여갔다. 그리하야 從來의 作品에서 찾어볼 수 없는 事件이 題材로서「픽업」되었다. 卽「饑餓와 殺人」이 그것이었다. 이것은 바로「퓨어・지히」로서의 自覺이「안・운트・퓨어지히」로 發展하야가는 한 큰 길목을 이루는 것이였다.

그러나 이 한 큰 길목을 이룬다는 이 新傾向派의 文學的 行動도 그것을 思想史의 全系列下에서 照明시켜볼 때에는 文學的 作品으로서 뿐만 아니라, 意識的 志向의 抑揚이라는 點에 있어서도 幾多의 缺陷과 矛盾을 內包하고 있는 것이였다. 그 最大한 者로서는 아직도 事物現象의 理解와 把握에 있어서 世界觀的 意識을 갖이지 못하였다는 點이었다. 따라서 그들은 그들의 歷史的 登場에 對한 科學性及眞理性에 對한 主體的 理解를 갖이지 못하고 아직도 個別的, 主觀的 分散的인 觀察力을 所有함에 不過하였다. 이것은 이「新傾向派」가 自己를 胚胎하야 나어준 社會的, 物質的 地盤과 그 變移의 度를 같이하는 것이나 적어도 이름부터「新傾向派」라고 불러지기에 부끄러움이 없자면 世界觀과 科學性의 獲得을 爲하야 努力하지 않으면 아니 되였었다. 그러나 그들의 一群은 아직도 自然發生的 意識段階에 노혀 있을 뿐이었다. 그리하야 그들로 하야금 自己를 主張할 수 있는 有力한 멜크말(徵表)로서는 오직 個人的 反抗, 復讎意識이 强烈히 불타고 있었다는 것이었다.「悲慘한 現實」,「堪當할 수 없였을 만치 苦痛스러운 生活」이 너무도 逼迫하야왔다. 그래서 그들은 雇

主에게 對抗한다. 甚하면 殺人放火도 하야 逃避하든 게 刊務所로 가든지 한다. 이것은 實로 自己를 「어러운 사람」으로서 意識하게 되는 初步的 階段이였다. 漠然하나마 階級對立-貧富의 差를 意識하야 「땅바닥 우로」, 「土窟 속으로」, 「저자거리로」 나아가야 한다는 觀念의 文學觀을 이루었었다.(金八峯·프로文學의 現在水準). 배고픈 이야기, 復讎한 이야기가 「판에 찍은 듯이 이 사람에게서나 저 作家에게서나 生産되었다」(同上).

이러한 個人的 反抗意識은 實로 感性的 確實性의 「意識」으로부터 이 確實性의 眞理를 體得하는 「自意識」에의 發展에 相應하는 그러한 것이였다. 個人的 自覺과 社會的 自覺과가 混然히 初步的인 段階를 保持하면서 相互規定을 하고 있었다. 이에 明瞭한 反省的 部面이 그 混沌한 意識을 빛이기 始作하였으니 卽 그것은 이 復讎感情의 爆發에 對한 禮讚과 自然長生的 反抗을 作品의 主要構成分으로 하는 것이 프로文學의 眞正한 길이 아니라는 自己批判이 隱然히 그 陣營의 內部에서 이러나기 始作하였다. 이것은 昭和 二年(一九二七年)부터의 일이였다.

그러면 무었이 그들로 하야금 이러한 自覺을 갖이게 하였든가? 아니 어째서 그들은 이러한 自身의 缺點에 想到하였든가. 이것이 우리의 考究를 要請하는 根本問題이다. 文學史의 研究에 있어서 이러한 根本的인 問題를 看過하는 것은 그것의 研究를 抛棄하는 것을 意味한다. 아니 何必 文學史에 限하랴. 적어도 어떠한 歷史的 事實의 一系列에 對한 史的 關聯을 찾어서 그 內部에서 움직이고 있는 基本動力을 明白히 하자면 그 史實의 「나하아이난더」(繼起)와 「너벤아이난더」(共存)의 두 側面을 具體的 普遍的으로 理解하지 않으면 아니 된다. 이것은 누구나가 할 수 있는 것이 아니다. 史實을 않이 또 詳細히 안다고 할 수 있는 것이 아니요 考證에 能하고 年代마춤에 長하다고 되는 것이 아니다. 그것은 科學的 歷

史觀의 所有者만이 可히 할 수 있는 바이다. 世界觀의 方法論을 自己의 것으로서 所持하고 있는 사람만이 可能한 것이다. 나는 이 點에 對하야 아직 우리 社會에서 滿足할 만한 歷史理論家를 發見하지 못하고 있다. 더욱 文學史의 方法論的 硏究에 있어서 제윽이 寂寞을 느끼지 않을 수가 없다.

5

暫間 餘談에 흘렀으나 이 新傾向派가 自己의 社會的 存在와 그 作品에 對하야 새로운 反省의 機會에 際會하였다는 것은 어데로 보나 重要한 事實이였다. 그러나 이 事實을 그것 自體만으로서 理解하랴고 하는 것은 不法이고 또 非歷史科學的이다. 우리는 그 自覺의 背後者를 찾지 않으면 아니 된다. 그 自覺의 動因을 찾지 않으면 아니 된다.

昭和 二年이라고 할 것 같으면 朝鮮의 社會的 諸運動의 分野가 저윽이 統一에로의 旗幟下에 움직이고 있을 때였다. 「民族的 統一戰線」으로서 「新幹會」가 創立되어 「無産階級運動은 混沌中에서 統一化하」는 外部形態를 뭘하였다. 所謂 「헤게모니」의 問題가 이러난 것도 이때부터였다. 三·一運動 以後의 社會運動도 이 고비에 이르러 한물 지나가고 다시 새로운 한 고비로의 出發을 準備하는 때라고 하야 떠들었따. 바로 이때었다. 新傾向派가 上述한 바와 같은 個人的 復讐行爲의 意識的 惑은 無意識的 表現으로부터 새로운 轉向을 꾸미지 않으면 아니 될 때는 正히 이때었던 것이다. 觀念形態 中에 있어서 가장 사람의 心情(께뮤－트)에 呼訴하는 힘이 많은 것은 文學作品이다. 그런데 그것이 도리여 그 「께뮤－트」에 呼訴는커냥 千篇一律的인 惡感을 일으키는 것이라면 그것은

唾棄해야 할 것이다. 우리가 現在의 水準으로서 當時의 「산양개」 같은 作品을 읽을 때에는 實로 感興이라고는커냥 一種의 不愉快感에 사로잡히기까지 한다. 그만치 그것은 幼稚한 것이었다. 當時의 新傾向派의 作家의思想과 世界觀(!)은 그만치 幼稚하던 것이었다. 그들이 社會的 諸運動의 進展에 따라서 自己批判과 反省이 생기게 된 것은 當然한 것이라 하리라. 이때의 作家들의 思想과 世界觀에 對하야 金八峯은 말한다. 「階級對立을 認識하고 現實을 咀呪하고 機械를 破壞하고 雇主에게 暴行하는 等의 原始的 限界로부터 進出하야⋯⋯人類社會의 歷史的 發展의 法則을 把握하는 具體的인 實踐의 世界觀에까지 發展하게 하였다. 昭和二年(一九二七年)부터 昭和五年(一九三0年)까지가 내가 본 作家及 批評家의 이같은 世界觀獲得을 爲한 짧지 않은 過程이였다.」(前揭, 프로文學의 現在水準)고.

아마도 當時의 作家들은 「이래서는 아니 되겠다」고 외젓으리라. 局限된 讀書力, 枯渴된 想念, 無批判한 再湯 等 왼갓 「不名譽」(!)한 言辭로써 當時의 作家及 批評家들을 批評하는 사람이 있다면 그것은 어느 程度까지 妥當하면서도 또한 妥當하지 않으리라. 왜 그러냐하면 그것은 나무는 보면서도 숲은 보지 못하는 類의 批評임으로써다. 勿論 當時의 作家及 批評家들의 敎養의 程度는 낮었었다. 그러나 이 「낮었었다」는 것도 當時의 一船的 水準에 比하야서는 決코 낮인 것이 아니였다. 深遠하지는 못하였을지언정 直戴簡明하였고 體系는 없었을지언정 明朗하였으며 姑息的이 아니라 勇往하는 氣象이 보였고 信念情烈에 넘처 있었다. 이것은 나의 好意도 惡意도 아무것도 아니요 그 當時의 一船的인 情勢에서 歸納된 客觀的인 判斷인가 한다. 彼等에게 好意든지 惡意든지 가지기에는 나는 너무도 局外者이다. 그러나 나로 하여곰 이곳에서 暫時文學史家가

되기를 許한다고 하면 나는 前後의 諸事情과 史的 方法論의 嚴肅性의 이름 밑에서 이러케 말하는 것을 躊躇하지 않으리라. 論者는 눈을 크게 뜨고 諸外國의 文學史의 發展過程을 살펴보아야 한다. 同一한 社會的 條件과 主體的 力量下에서는 大概는 同一한 生產(文學的 惑은 其他)의 水準을 保持한다는 것을 잊어서는 아니 된다. 그러나 그 發展의 段階만은 서로 交叉하고 參差하야 있어서 그 相互間謬를 犯하는 수가 種種 있다. 이 點은 大端히 重要한 點이다. 所謂 歷史科學에 있어서 文化 又는 段階의 「特殊性」의 問題가 論戰되는 것도 이 點과 關聯하야 있는 것이다.

6

新傾向派는 적으나마 한 개의 飛躍을 마련하였다. 自己의 內部에 있어서 이 質的 飛躍-變換은 또한 自己內部에 있어서의 矛盾的 要素를 擴大하는 것이였다. 아니 自己의 量的 發展에 依하야 새로운 그러나 必然的인 「퓨어 · 지히」의 狀態를 持來하였다. 그것은 卽 그 둘이 作品 創作上에 있어서 所謂 公式化라고 하는 圖式主義의 誤謬에 빠지고 마렀다는 것이다. 이 所謂 新傾向派라는 것을 그것의 統體的 把握에서 考祭한다고 할 것 같으면 그것은 自己矛盾及 淸算의 過種으로서 理解할 수 있으리라. 于先 創作上에 있어서 도한 餘他의 文化運動과의 關聯에 있어서 그들이 圖式主義라고 하는 桎梏에 억매이게 된 것은 直接 間接으로 그 當時의 一船的 社會情勢의 한 反映에 지나지 않었다. 이것은 極히 있음직한 일이였다.

그러면 이 圖式主義에 빠지게 되었다는 것은 무엇을 말함이냐. 첫재 「圖式」이라고 하는 것은 本來 哲學上의 用語이다. 平凡한 常識的인 理解

에 있어서는 이것은 「形式」이라고 하야도 좋다. 換言하면 公式的인 形式主義에 陷하야 있었다는 것이다. 그러면 이 圖式主戰는 어때한 形態를 가진 것이였나? 그것은 「指導者의 英雄化와 맑스主義的 政治理論, 經濟學說의 大道演說(傍點筆者)이 千篇一律로 판에 찍은 듯이 이 사람의 作品에서나 저 作家의 作品에서나 들어나 있는」(金八峯, 푸로文學의 現在水準) 그러한 것이였다. 이것은 個人的 復讎行爲를 「無上」의 主題로 역였든 그 擡頭初期의 桎梏의 한 發展된 形態이였다. 이와 같은 形式主義的 「大道演說」式의 作品이 文學으로서 成功할 수 없는 것은 明若觀火할 일이다. 當時의 作品으로는 宋影의 「印度兵士」, 趙明熙의 「洛東江」 等이 생기고 李箕永의 「元甫」, 趙明熙의 「아들의 마음」이 發表되었을 때 全文壇은 警嘆의 눈으로써 푸로文學作品의 成果를 凝視하였었다. 그러나 이 作品들과 그 以後의 諸作은 모다 政治的, 經濟的 敎說을 生硬하게 담고 있다. 그러니 自然 藝術乃 至文學的 作品으로서의 必須要件이 되어 있는 素村의 形象化라고 하는 것은 어림도 없는 일이였다. 이것이 이 時期에 있어서의 둘재의 內部的 桎梏이였다.

勿論 이때에는 散漫하든 作品 構成이 어느 程度까지 組織的으로 꼭 째이게 되엇고 主題의 選擇에 있어서도 좀더 積極的이기는 하였다. 그러나 以上에 말한 그 두 가지의 文學作品 製作上의 過誤는 아직도 作家의 主體的 努力을 要求하야 마지 않는 形便에 놓여 있었다. 그들은 世界觀을 獲得하랴고 하다가 差跌하고 마렀다. 헛되이 生硬한 抽象的인 理論을 씹지 않코 생켰든 것이다. 제것으로 잘 詛嚼하지 못하고 公式的으로 두서너 군데의 文句를 외우고 있는 그러한 形便이 있으니 그들에게 藝術的 形象化를 바란다는 것은 어림도 없는 일이였다.

그러나 우리는 이것을 그 作家들의 缺點으로 認定하는 同時에 그것을 또한 이러케도 할 수 없고 저러케도 할 수 없는 絶對的인 缺點이라고는 생각하지 않는다. 그것은 보다 좋은 境地에의 發展途 中에서 必然的으로 갖어와지는 事物의 性格이였다. 이것을 機械的으로 理解하야서는 아니 된다. 迂餘曲折을 經한 뒤에 完全에 가까운 境地에 이르는 것이 事物의 本性이다. 이때의 作家들에게 있어서의 所謂「이데오로기性의 强調」를 가지고「얻은 것은 이데오로기요 잃은 것은 藝術이라」는 等의 嘆息으로써 제법 그럴듯한「理論」을 製作한 사람들에게는 上述한 事物의 本性을 理解하지 못하는 것을 自白하는 秘密이 內在하야 있었다. (朴英熙, 李莉林 等의 理論은 正히 그러한 것에 가까운 것이였다.)

個人的 復讎主義의 作品으로부터 圖式主義의 誤謬를 犯하기까지 이른 바 新傾向派는 그 內實 外貌를 擴大하고 充實히 하였다. 그러나 이것은 아직도 文學的 行保에 있어서 啓蒙的 役割의 一翼을 擔當하였음에 不過하였다. 複雜한 作家的 精神에 對한 反省의 眞實性과 虛僞性을 主體的으로 實質的으로 理解하기에는 좀 먼 距離에 놓여 있었다. 그들은 이에 煩悶하였다. 우리는 그 煩悶의 자최를 그들의 創作方法上의 諸討論에 있어서 看取할 수가 있다고 생각한다. 그들은「唯物辨證法的 方法」을 藝術的 文學的 創作過程에「아인퓨렌」(持入)하라고 하야 많은 論歎을 거듭하였다. 이것은 그들이 世界觀獲得의 努力에서 失敗한 前轍을 回復하는 同時에「現象의 雜多性의 바다」에 溺死할 번하든 皮相的 活動에서 一步前進하려든 그릅적 煩悶이였다. 그들이 또한 그들의 組織에 對한 一層 强化를 圖한 것도 그 그릅的 煩悶의 一外的 物質的 表現이였다. 이때의 그들의 活動은 活潑하였다.「過渡期」,「一切面會를 拒絶하라」,「調停案」等은 이 煩悶的 努力의 結果로 持來된 好個의 作品이였다.

7

나는 이곳에서 暫間 所謂「辨證法的 創作方法」에 關한 이야기를 하지 않을 수가 없다. 그것은 大體로 이 辨證法的 創作方法에 對한 當時의 理解가 너무도 皮相的이요 機械的이었으며 따라서 요새의 所謂「쏘시얼리스틱・리얼리슴」이 問題가 되어오자 그것을 發履와 같이 내던지는 듯한 態度에 言及하지 않을 수가 없다. 그들은 이 辨證法的 創作方法의 桎梏性을 强調하였다. 그리하야 그것에 伴하야 世界觀— 이데오로기의 强調를 拒否하는 態度를 取하기도 하였다. 다시 이것은 文學的 創作에 있어서의 이른바「思想性」의 問題와도 關係하야 있었고 또 이른바「政治性」의 問題와도 連繫하야 있었다. 어떤 이는 文學의 政治的 側面을 排斥하야 그 純粹性을 高調하였고 또 어떤 이는「文學이냐 政治냐」에 彷徨하든 나머지에「안・운트・퓨어지히」의 狀態에 다다르지 못하고 卑俗한 固定化를 持來하기도 하였으며 또 어떤 이는 文學의 手段性을 强調하야 方便主義의 形骸를 안고 허덕이기도 하였다. 眞正으로 社會的 人間의 生活的 眞實에서 文學의 社會的 任務와 藝術的 形象化의 統一을 體得한 사람은 드믈었었다. 아니 거의 없었다고도 할 수 있지 않은가 한다. 그들이 그같이 文學的 創作을 現實的 統一的 觀點下에 把握하지 못하엿기 때문에 一方에서는「思想性」,「政治性」을 長歎息하고 他方에서는 그것을 至上한 것으로서 主張하는 듯하였다. 이것은 모다 事物을 그 自體에 있어서 理解하는 것을 通하야「一主體的」(單只 主觀的이라는 뜻이 아니다. 이것은「헤-겔」의 意味에 있어서의「觀念的」이라는 뜻을 가지고 있는 그러한 것이다)으로 人間的 實踐의 積極性을 加하는 歷史的 自由의 認識을 缺하는 때문에 招來된 過誤이였든 것이다. 그들을 辨證法을

云謂하면서 辨證法을 理解하고 있지 않었으며 創作方法을 云謂하면서 참된 創作方法이 무엇인지 그것에 對한 反省을 缺하고 있는 듯이 보여졌었다. 그러기 때문에 再昨年 가을 以後 「카프」의 盟員들 사이에 이러니 저러니 하는 動搖가 생기고 따라서 數種의 聲明的 藝術論과 所謂 解消論이 登場하게 되었든 것이다. 그리하야 「쏘시얼리스틱·리얼리슴」이 海外의 文壇에서 論議되자 그들은 이 「辨證法的 創作方法」에 對한 眞摯, 確乎한 批判과 攝取를 經함이 없이 易易하게 손빠르게 前者를 내 것인 양 떠든 것이 아니였든가?

나는 이곳에서 創作論을 述할 餘暇를 가지지 못하였으나 아무리 藝術的 乃至 文學的 創作에 있어서는 오직 感動과 形象化의 機能만 體得하면 그만이라 하드라도 적어도 批評家에 있어서는 그 創作過程에 對한 方法的 理解를 缺하야서는 안 된다는 것은 贅言을 不要하는 바다. 人間이 棲息하고 있는 곧이 歷史的 社會的인 것이고 그 안에서 生起하는 모든 事件이 따라서 歷史的 社會的으로 規定되는 것이라면 그것이 辨證法的 運動及 發展을 그 本質로 한다는 것은 當然한 일일 것이다 따라서 이 辨證法的 方法이라는 것이 人間的 環境(自然, 社會及 歷史)를 貫通하는 整合的 理論이라는 것을 理解하게 될 것이다. 그러나 이 理論을 創作過程에 適用한다는 것이 아니라 創作過程 그것이 바로 辨證法的으로 되어 있고 또 그리 理解되는 것은 조곰도 不自然이 아니리라. 이것을 그들은 새삼스럽게 무슨 眞理나 發見한 듯이 「쏘시얼리스틱·리얼리슴」을 떠바뜰고 今時에 辨證法的 方法을 發履와 같이 버리는 듯한 態度는 感服할 수가 없다. 도리어 지금에 와서 그들은 이 「쏘시얼리스틱·리얼리슴」을 그 辨證法的 創作方法과의 關聯下에서 論議하고 研究하여야 할 것이다. 創作過程에 있어서 이 辨證法的 方法을 決코 抛棄되는 性質의 것이 아니라 創作方法 그것이 現在에 있어서는 벌서 辨證法的으로 「쏘시얼리스틱·리얼리슴」에 發展한 것이다. 그렇니 依然히 「쏘시얼리스틱·리얼리슴」에 辨證法的 創作方法이 傳承되어 있을 것이다. 이「辨證法的 創作方法的 契機」는 依然히 「쏘시얼리스틱·리얼리슴」에 있어서 辨證法的 活動을 하고 있는 것이다. 藝術上 文學上 「리얼리티」를 追求하는 것은 藝術, 文學의 本務이다. 그렇나 이것은 그 「리일리티」를 生硬한 狀態에 있어 把握하야야서는 아무것도 아니다. 藝術及 文學은 現實的 諸事象을 그것의 偶然的 一面性에 있어서가 아니라 統一的인 全體性에 있어서 一層 明白하고 一層 生動하게 創造的 形象의 世界로써 認識하고 把握하는 것을 本務로 하지 안흐면 아니 된다. 그때에 비로소 藝術及 文學은 時代의 精神을 담을 수가 있는 것이다. 그리하야 어느 點에서 있어서는 宣傳的 教果도 거둘 수가 있는 것을 잊어서는 아니 된다. 그들은 지금까지 藝術及 文學의 政治性及 宣傳性의 一面을 非常히 强詞하기도 하였고 또 두려워하기도 하였다. 이것은 어느 것이나 다 正鵠을 얻은 것이 아니다. 眞正한 藝術的 創作의 世界에 있어서는 그 素材의 取扱, 手法의 運用, 形式이 粗精, 內容의 優劣相 等이 모다 아루렇한 强制를 받지 안코 極히 自然히 그 過程이 辨證法的이고 그 目標가 社會的 「리얼리티」로서 나타나게 되는 것이다.(나는 文學的 創作過程에 對한 方法的 理解에 있어서 「헬만·헤펠레」에 依하야 一, 素材 二, 內容 三, 形式으로 나누고(Hermann Hefele. Das Wesen Der Dichtung) 그것들의 綜合的 形象化의 過程을 辨證法的으로 觀察하며 그 目標를 「社會的 眞實性」의 表現이 두고자 한다.)

이러한 文藝上의 메카니슴을 理解하지 못하기 때문에 「카프解消論」 云云의 論片에서 우리는 「얻은 것은 이데오로기요 일흔 것은 藝術이라」는 一見 그럴듯한 歎息의 言句를 發見하는 것이였고 또 「文學과 政治」

의 不可調和를 云謂하는 一面的 見解에 接하는 것이었다.

8

以上에서 나는 最近朝鮮文學史上에 있어서 「新傾向派」라고 命名되는 文藝的 傾向에 對하야 問題史的으로 그 內面的 諸關聯을 粗略하나마 地積批判하었다. 그리고 最後로 그 一郡의 作家及 批評家에 있어서의 辨證法的 創作方法에 對한 理解의 一面的이었슴을 指摘하였다. 그렇나 나의 이 論述이 現在 朝鮮이 가지고 있는 文藝에 있어서의 二大流派－「푸로文學과 民族文學」(金八峯의 區分을 그대로 踏襲한다)에 對하야 前者만을 問題삼고 後者에 對하야는 거의 接觸下枝않코 지나왓슴에 對하야 一言辯하지 않을 수가 없다. 나에게 紙面과 時間의 餘裕가 있였드라면 나는 兩者를 比較研究하였을 것이나 그렇지 못함은 遺憾으로는 생각한다. 그렇나 이 新傾向派 擡頭 以後에 있어서 社會的 歷史的으로 가장 吾人의 耳目을 번거롭게 하였으며 또 具體的 效果에 있어서 이 新傾向派의 業蹟은 事實로 큰바 있었슴에 反하야 民族文學의 陣營에 있어서는 惰性에 依한 反復에서 그것의 必然한 發展過程을 一直線으로 밟어왓다고 보여지기 때문에 나는 前者에 對하야만 거의 問題를 삼은 것이다. 이 「民族文學」에 對하야 金八峯의 「朝鮮文學의 現在의 水準」과 「朝鮮文學의 現段階」(兩者 共히 本新亞誌)은 그것의 理解를 爲한 導緖的 文字임은 틀림없을가 한다.

이곳에서 三一運動 直後의 活動的이고 生産的이며 進步的이고 建設的이든 「新文學運動」이 自己의 內部的 矛盾에 依하야 저의 反對物-新傾向派를 産出하였고 그리하야 兩者의 對立－(對立이라고 하는 것보다는 「民

族文學」便에서의 過小評價와 一種의 嫉視, 惡意를 包含한 障碍物視)은 왼갖 文學的 論評에 나타나 있었다고 할 수 없을가?. 그렇나 事實에 있어서 비록 짧은 동않이라고는 할지언정 푸로文學은 그 質과 量에 있어서 「民族文學」보다 優位를 占한 때가 있었고 또 그리 되리라. 이것은 그 當時의 朝鮮의 말하자면 階級運動의 熾烈하든 外部的 諸情況의 反映이 아니었든가 한다. 그렇나 所謂 外部의 「客觀的 情勢」의 變轉과 主體的 力量의 未洽은 이 兩陣營에 다 같은 轉機를 招來하게 하였다. 卽 民族文學은 所謂 「歷史小說」 或은 「大衆小說」이라고 하는 一, 封建的인 忠義觀念을 高調하며 二, 個人의 英雄化를 꿈구며 또 三, 復古的인 無氣力한 逃避行을 마련하는(金八峯) 그러한 것으로 轉落하야 그것의 誕生 當時의 活潑하든 面貌는 이제 와서는 찾어볼 수 없게 되었고 「新傾向派」라는 이름 밑에 出發한 「푸로文學」은 變轉無雙한 社會的 政治的 地盤과 그것의 痛切한 攻勢下에 離反, 脫落의 諸傾向을 內包하면서 나아오다가 이내 그것의 組織體의 「解體」까지 宣告되고 마렀다.

그렇나 이 두 개의 流派가 이 앞으로 어떠케 進路를 마련할 것인가. 그것은 上來 말하야온 두 개의 科學及 그 科學의 方法論의 黨派的 性格과 新興하는 歷史的 科學의 優位에 依하야 決定될 것이다. 換言하면 「民族文學」이라고 하는 것은 이 科學의 方法論을 所有하지 못한 그 背後者의 退嬰的 存在에 依하야 下向의 線을 거를 것이요 푸로文學은 그것의 歷史科學的 反省及 그 方法論의 優位에 依하야 外部의 物質的 情勢의 如何에 不拘하고 직싹 코-쓰를 밟으면서 上向의 길을 거러갈 것이다. 나는 非常히 抽象的이나마 이러한 斷案을 나리기에 躊躇하지 안는. 今後의 朝鮮文學의 展望은 이 原則的인 見解로부터 自由로울 수가 없을 것이다. 나는 이 말로써 나의 倉卒間에 執筆한 이 論稿를 끝막으려 한다.

3. 轉換期의 人間 ‖ 신남철

一

中世의 宗教的 停滯가 차츰차츰 近代的 悟性의 覺醒에 依하여 人類가 일직이 體驗한 가운데의 最大의 進步的 變革을 가져온 文藝復興과 宗教改革運動은 띨타이의 말과 같이 「宗教的 體驗에 있어서의 自己確信, 科學의 自立, 藝術에 있어서의 想像力의 自由解放」이었다. 勿論 이것은 觀念形態의 優越한 特徵으로서 그 基底로서 社會的 生活關係의 巨大한 轉移가 營爲되었던 것은 이곳에 呶呶할 必要가 없다. 現實的 關係의 變革에 따라 教義(도그마)의 絶對的 交配는 그 權威를 失墮하였다. 따라서 「盲信과 服從은 道德이요, 懷疑와 批判은 罪惡이다」라는 信條는 動搖하였다. 이곳에 「自然的인 自由」를 爲하여 그것에 背反하는 隸屬的 秩序에 對한 抗爭이 일어났던 것이다. 그리하여 이 「自然的인 自由」는 爲先 思想的으로는 人間認識의 擴充으로서 나타났다. 저 有名한 「哲學의 神學으로부터의 解放」이라는 哲學史家의 말은 이것을 가장 包括的으로 標語化시킨 것이다.

참으로 文藝復興時代로부터 近代에로 轉換하는 時期에 當하여 哲學史想이 第一 먼저 努力한 것은 「論理의 改革」이었다고 하는 說은 (R・회니스트봘트 「文藝復興으로부터 칸트에 이르기까지의 哲學」) 그대로 中世가 近代로 轉換하던 時代에 있어서 妥當하는 것이었다. 「아리스토텔레스的・스콜라的 論理는 說明하는 것은 가르켰으나 確信하는 것은 가르키지 않았다」. 事實 中世의 論理는 (이것은 單純히 形式的 圖式的 論理만을 말하는 것이 아니고 廣義의 中世的 思想이라고 理解해도 조타) 「强制는 했으나 要求는 하게 하지 않았다.」 社會의 封建的 支配와 精神의 教勸的 君臨 밑에서 人間의 肉體와 靈魂은 酷使되고 凝結하여 무릇 自由奔放한 個性的 思索의 에넬기-라는 것은 찾아볼 길이 없었다. 牧歌的인 安穩한 村落이 이곳저곳에 散在하여 敬虔한 그날그날의 祈禱를 올렸을지라도 人間精神이 좁은 視界안에 拘束되어 주어지는 惠擲과 들려지는 說教에 專制되었던 것이다. 이것은 奄然한 歷史的 事實이다. 眞理의 感覺은 純해졌고 硏究의 自由는 拒絶되었었으며 批判의 精神은 掩蔽되고 새로운 法則의 定立은 抹殺되었었다. 이러한 中世의 特徵은 史家의 共通으로 認定하는 바다. 이곳에 人間이 赤裸裸한 自己를 發見하여 天賦의 權利를 實踐할 수 없음은 明白한 事實이라할 것이다. 그리하여 歷史는 偉大한 轉機를 만들었다. 現實의 强力한 動向에 基礎하여 近代人間은 새로운 思考로써 自身을 武裝하기 始作하였다. 이른바 「論理의 改革」이라는 것도 이러한 近代人間의 새로운 自己構成에 成功한 一證左에 지내지 않는 것이었다. 權威와 傳統의 封建的 支配에 抗하여 眞理의 發見, 法則의 獲得, 創作의 自由, 信仰의 改造로서 近代人은 그들의 生活의 無上命法을 삼았던 것이다. 그래서 그들은 『한 개의 새로운 論理學』- 그것의 運命을 確立된 새로운 眞理의 運命에 依據시키기로 覺悟한 論理學을

要求하였다. 그것은 卽 「說明의 論理學」이 아니라 「發見의 論理學」이었다. 이 論理學은 旣存하는 精神的 財産을 單純히 辯護하는 것이 아니라 그것을 根本的으로 改革하는 論理學이었다. (회니스트뵐트 前揭書). 舊世界를 方法的으로 新世界에로 解放하랴고하는 論理學이었다. 그것은 靜態의 論理學이 아니라 實踐-躬行의 論理學이었다. 近代에 있어서의 「人間의 發見」은 이러한 論理學에 依하여 實踐되었다. 權威에 依한 他律的 思索이 아니라 積極的 自律의 發見이 身體的으로 實踐된 限界지을 수 없는 創造的 想像力의 發揮이었다. 이 點에 近代人間의 特質이 있는 것이다. 人間意識은 自由奔放하였다. 探求와 追究가 고칠 바 모르고 繼續되었다. 모든 것이 그곳으로부터 展開할 수 있도록 人間의 內面的 深度는 極限까지 耕作되었다. 그리하여 「모든 存在의 精髓는 自我라는 것에서 그 中心 問題를 찾아낼 수가 있었다」(하인츠·하임쇠트·「데칼트와 라이프니츠에 있어서의 認識의 方法」). 「神의 恩寵」이 「自然의 光明」에 依하여 그 後光이 退色하여간 것의 內面的 原因은 信에게 맞겨졌던 自我의 心靈과 肉體가 스피노사의 이른바 能産的 自然으로서 主體的으로 發見된 데서 찾아내지 않으면 아니 될 것이다. (現實的 社會的 原因에 對하여서는 이곳에서는 割愛하여 論하지 않겠다.) 近代에 있어서의 內的主體로서의 人間의 反省-그것은 이 偉大한 變革의 時代에 있어서의 모든 運動의 社會的 現實的 聯關을 떠나서는 理解할 수 없는 것이었다. 中世人間이 近代人間으로 發展한 反省의 모멘트는 過渡變革의 歷史的 社會的 諸運動이었다.

自己反省이 自律的으로 實踐됨에 따라 對象的 外界가 너무도 深刻하고 痛切하게 認識의 問題로서 나타날 것은 明白한 일이다. 이것은 個人的으로나 社會的으로나 한 큰 變革의 時期에 當하여서 누구나 體驗하는 일이다. 그리하여 그것에 對하여 自己의 歸趣를 決定하는 것이니, 伊太利人이 「千五百年代」라고 하는 이 時代에 있어서는 「經驗」이라는 것이 가장 優越한 것으로 看做되었다. 『理性도 아니요, 인텔렉트도 아니고 經驗만이 모든 確實性의 어머니』라고 하였다. 더욱 이것은 레오날도・다・빈치에 있어서 그러하였다. 卽 自然에 對한 經驗認識은 모든 存在에 對한 意識의 本據이었다. 「最善의 理解는 最善의 經驗에서 나오지 않으면 아니 되었다」(H・하임쇠트・前揭書). 이에 自然硏究가 蔚然히 일어나서 現代까지의 自然科學 發達의 貯水池가 된 것은 누구나 다 아는 일이다. 이 時代에 있어서의 自己反省은 現代人이 말하는 所謂 自意識의 過剩에 塵하여 自己의 몸 둘 곳을 잃어버리고 現實逃避를 곳잘하는 그러한 類의 것이 아니라 이와 같이 自然硏究에 依한 新鮮한 經驗을 土臺로하여 새로운 人間類型을 發見하는 그러한 豊橈한 建設的인 것이었다. 現代人의 絶望的인 自己沈潛과는 그 發剌한 性格에 있어 同一視할 수 없는 것이었다. 이같이 科學的 精神을 高調하면서도 人間의 感性的 受容 藝術的 創作, 數理的 稽較(다・빈치는 數學에서 最高知를 發見하였다)가 渾然一體를 成하여 人間精神의 多彩한 光輝를 中世에 反射하여 더욱 빛나게 하고 古典의 靈泉에서 새롭게 자아올리는 美酒로써 千年間神의 攝理에 絶對的으로 摺伏하였던 人間魂을 蘇生케 하였다. 이러한 點에서 이 時代는 偉大한 휴마니슴의 時代였다. 다・빈치와 같은 天才的 人文主義者, 갈릴레, 케풀러와 같은 近世科學의 鼻祖, 부루노 페트랄카와 같은 루에씽스 哲學의 가장 偉大한 完成者－이들은 다 權威의 革嚢에 담긴 神酒를 따라 주는 대로 마신 傳統主義者가 아니라 近代思想의 第一期를 劃한 生命을 내노키도 한 創造的 情熱家이었다.

以上에서 보아온 바와 같이 文藝復興時代의 社會變革에 當하여 先驗

的인 思想家가 보여준 바는 轉換期에 處한 人間의 模倣할 수 있는 가장 原本的인 類型이라고 할 것이니 人類의 歷史上에 있어서 大小의 轉換變革의 時代가 많이 있었으나 이 時代같이 人間의 새로운 發見과 實踐을 定式化한 時代는 드물다고 생각한다. 事實 希臘末期의 古代社會로부터 中世社會에로의 社會變革의 時代도 이 時代에 比하면 그 振幅과 深度에 있어 거의 比較가 아니 된다고 할 수 있으리라. 그러면 現代의 巨大한 世界史的 轉換期에 있어 人間은 如何히 定位되어 있으며 또 文藝復興時代의 人文主義的 諸運動과 比較하여 그 差異는 어디서 찾을 것인가.

二

나는 爲先 이곳에서 二個의 人間形態를 區別해 보랴고 한다. 그 하나는 完成된-安定된 時代의 人間形態이고 다른 하나는 過度 轉形의 時代에 있어서의 人間形態다.

人間은 世界內存在라고 한다. 그러나 그 世界內存在라는 世界의 뜻은 存在의 形式으로서의 것이 아니라, 存在의 基底로서 歷史的=社會的인 現實世界가 아니면 아니 된다고 생각한다. 이 世界는 人間의 밖에 있어서 人間을 規定하고 人間을 그 안에 包括하는 것인 同時에 다시 人間에 依하여 造成되고, 人間에 依하여 規定되는 것이다. 卽 世界는 能産的 世界인 同時에 所産的인 世界인 것이다. 能産的 世界로서 世界는 歷史的 社會的-主體的 世界이고, 所産的 世界로서 世界는 主體的 人間의 實踐的 行爲가 優越한 世界이다. 世界는 끝까지 人間에 依한 歷史的 社會的인 具體的 世界이고 意識內的인 世界는 아닌 것이다. 이것에 依하여 人間도 따라서 歷史的 社會的 生物이라는 것이 理解되는 것이다. 그런데 能産的

世界는 歷史와 社會가 人間에 對하여 優越한 地位에 있는 世界다. 能産的 世界에 있어서는 人間은 主體的이면서도 所産的이고 所産的 世界에 있어서는 人間은 主體的으로 優越한 自己를 實現하는 能産的 人間인 것이다.

이곳에서 人間의 두 개의 形態가 나타난다고 할 수 있다. 卽 能産的 世界에 있어서의 人間과 所産的 世界에 있어서의 人間이 그것이니 前者는 過渡轉換의 順調로운 發展 속에 人間이 파무치어버리는 客體化된 人間이요, 後者는 過渡轉換의 時代를 當하여 人間이 主體的으로 새로운 歷史社會의 秩序를 整齊하랴고 身體的으로 苦悶하는 人間이다. 이 人間은 말하자면 言語의 가장 優越한 意味에 있어서의 主體的인 人間이다. 人間은 이와 같이 安定된 時代의 客體的 人間과 過渡的 時代의 主體的 人間의 두 가지로 나눌 수 있을 것이다. 그러나 이 두 개의 區別이 그냥 언제나 形式的으로 對立하는 것이 아니라 歷史的 社會的 世界의 發展에 際하여 一方이 他方에 對하여 優越한 地位에 있어, 이것을 樞軸으로 하여 展開發展하는 것이 明白할 때 主體的 人間 或은 客體的 人間(客體化된 人間)을 區別하게 되는 것이다. 勿論 이러한 두 개의 人間形態는 어떠한 時代에도 發見될 것이고 또 그 個人의 性格, 環境 또는 偶然的 關係에 依하여 兩者 中의 어떤 形態에도 屬하게 될 수 있을 것은 明白한 事實이다. 어느 時代에도 客體的 人間과 主體的 人間은 있을 수 잇을 것이다. 그러므로 이곳에서 우리가 問題삼을 것은 이 두 개의 人間形態가 必然的으로 歷史的 社會的 世界의 發展 속에서 典型的으로 導出될 수 있느냐 하는 것이라 하겠다. 이 點에 對하여 우리는 뿌루노와 스피노사, 칸트와 헤-겔의 두 쌍의 思想家를 對比하여보면 잘 理解할 수 있으리라고 믿는다.

뿌루노는 偉大한 千五百年代의 急進的 思想家였다. 그는 모든 迫害를 받아가며 當時의 歐洲諸國을 浮萍草와 같이 轉轉하며 새로운 世界觀의 確立을 爲하여 싸웠다. 그는 放浪하는 사이에 到處에서 새로운 文化와 새로운 思想을 吸收하는 한편, 가는 곳마다 그곳에서 敎授하고 說明하고 또 論爭하였다. 도투스에서는 天文學을 가르쳤고 억스포-드에서는 아리스토텔레스와 코펠레스와 코펠니쿠스의 優劣을 論하였다. 또 幾多의 著述을 完成하였는데 그 中 어떤 것은 로-마를 攻擊한 것이 있고 또 코펠니쿠스의 地動說을 擁護한 것도 있었다. 그밖의 形而上學에 關한 著述의 主要한 것이 라틴語가 아니라 伊太利語로 씨어졌다는 것은 注目할 만한 일이다. (화이트著·「科學과 宗敎와의 鬪爭」, 岩波新書). 그는 放浪하는 學者로서 바야흐로 올 새로운 世界의 展開에 主體的으로 協力하였다. 昻然히 權威에 屈服하지 않고 宗敎裁判의 審問官에 對하여 痛烈한 抗辯을 하였고 드디어 焚刑의 火焰 속에 살아지고 만 것은 누구나 다 아는 일이다.

社會變革의 時代인 千五百年代는 人間의 主體的인 運動없이는 成就되지 못하였다. 그 主體的인 運命을 實踐하게 한 것은 歷史的 必然性이라 하겠지만 그때의 歷史的 必然性은 人間을 主體的 人間으로 一船的으로 規定하게 하였다. 當時의 驚天動地의 社會的 轉換이 一旦 成就되어 社會가 새로운 秩序下에서 安定되어갈 때 人間도 主體的 活動에서 漸次 그 實存에 맞는 安定된 體系의 構成에로 轉向해갔던 것이다. 十七世紀의 이른바 大體系時代가 現出한 것은 이러한 歷史的 人間의 性格을 證示하는 表徵이라고 할 것이다. 이 時代에 있어서의 스피노사의 生活은 社會安定의 時代에 있어서의 明哲한 知性이 自己沈潛의 孤獨에서 自由로히 思索에 沒頭한 人間類型을 代表하는 것이다. 그의 論理學과 知性改善論은 이 安定되어가는 時代에 適應하는 神學과 精神의 再調整이었다. 우리는 스피노사를 歷史的 人間의 一船的 規定에서 보아 主體的 人間이라고는 하지 못할 것이다. 그는 어디까지나 客觀的 人間으로서 社會發展을 主體的으로 領導하지는 못하였다. 그의 生活態度는 끝끝내 消極的이었다. 시끄러운 世上의 人間들이 보기 싫였던 것이다.

이것으로써 보면 主體的 人間은 急進的이고 客體的 人間은 守成的이며 調整的이라고 할 수 있을 것이다. 事實 뿌루노는 當時의 旣成實存에 對하여 急進的이었고 스피노사는 變革의 大暴風 一過한 뒤 바야흐로 安定해가는 新實存의 粗雜을 調整하려한 守成的 人間이었다. 守成的 人間은 所產的 人間이다.

이것은 原理的으로 칸트와 헤-겔에 있어서도 妥當한다. 칸트는 啓蒙主義의 完成者·克服者라고 한다. 十六世紀의 近代思想 第一期가 淸新潑剌하였음에 反하여 그 內容이 幼弱하여 이렇다할 體系가 未完成이었던 것을 十七世紀에 와서 많은 思想家가 中世로부터 傳授된 思想內容을 古典的 希臘을 通하여 新秩序에 適應시키도록 努力한 것이었으므로 카토릭的 中世가 아직도 그 威儀를 保持하고 있었다. 十八世紀의 啓蒙主義는 正히 그러한 中世的 要素에 對한 反抗이었다. 歷史的 傳統, 새로히 安定되어버리랴는 近代秩序에 對한 人間悟性의 自己 主張이었다. 『汝自身의 悟性을 使用하는 勇氣를 가져라!』 이것은 啓蒙主義의 標語였다. 칸트는 正히 이러한 悟性의 自主性을 體系化하여 이른바 저 有名한 「코페르니쿠스的 轉向」을 成就한 것이다. 그는 이 人間悟性의 自發性과 構成力을 優越하게 主張하였으나 그러나 또한 그것의 限界를 劃定하여 信仰과 道德에의 길을 開拓한 것인데, 그의 主張한 道德律은 「汝의 意志의 格率이 恒常 同時에 普遍的 立法의 原理로서 妥當하도록 行爲하라」 또는 「汝의 行爲가 모든 人間에 對한 法則이 되도록 行爲하라」, 「一個의 人格이어야 한다. 그리하여 他人을 늘 人格으로서 尊敬하고 手段으로서 使用하지 말라」는 것이었다. 이것은 感性的 傾向性의 肆意를 理性的 普遍妥當性으로써 克服하라는 것을 意味하였다. 칸트에 있어서의 이와 같은 理性的 道德律의 抽象的 普遍性이 한 개의 社會原理를 內包하고 있는 것은 勿論이다. 그러면 이러한 原理가 어떠한 社會形態에 適合한 것일가. 卽 그의 道德의 主體는 現實的으로 어떠한 人間 形態에 相應하는 것일가. 이것은 다 아는 바와 같이 그의 「世界市民」의 思想에 到達한다. 이 「세계시민」의 思想은 封建的 時代의 有機的 支配가 아직 完全히 斷絶되지 않고 情神世界에 아직도 남아 있는 그 殘滓를 完全히 淸算하랴는 市民的 人間의 世界支配를 意味하는 것이었다. 이 時代에는 社會의 原子化가 齎來되어 個人의 自由가 絶叫되던 때다. 人間이 그것을 爲하여 生活하고 努力할 基盤을 喪失하였거나 또는 새로 奪取된 地盤의 發展成熟에 一大終止符를 직으려 할 때 人間은 主體的 能産的으로 새로운 價値基準을 生産하지 않으면 아니 된다. 啓蒙時代는 正히 成年에 達한 「西洋人十六, 七世紀의 偉大한 科學的 運動에 發展시킨 思惟를 全體의 生活 위에 擴張하여 理性의 自律의 意識을 生活樣式의 原理에까지 昂揚시키랴 한 時期이다. (위버베히). 그러므로 칸트는 偉大한 十六世紀的 過渡期의 終局에 있어서의 主體的 人間의 形態에 屬한다고 할 수 있을 것이다. 칸트哲學을 가지고 「佛蘭西革命의 獨逸的 理論」이라고 한 그 누구의 말은 이러한 點에서 首肯될 것이라고 하겠다. 칸트는 말하자면 能産的 人間이다. 悟性活動의 自發的 構成力은 이것을 反證하는 論理라고 해도 過言이 아닐 것이다.

칸트의 過渡的 人間形態에 對하여 헤-겔的 人間은 늘 內再的으로 葛藤하면서도 畢境 調和되고마는 安定期的 人間形態의 한 例示라고 할 수 있을 것이다. 헤-겔에 있어서의 「理性的인 것」에 對하여는 여러 解釋이 紛紛할 것이나 「存在하는 모든 것은 다 理性的이다」라는 말은 모든 存在를 槪念的 合理的으로 體系化하는 것이라고도 볼 수 있을 것이다. 理性的인 것의 最高의 現實態는 國家의 有機的 組織안에 實現되는 人倫的 이데-이니 이 人倫的 이데-는 過渡期에 있어서가 아니라 安定된 近代國家의 發展期에 있어서 實現되는 것이었다. 政體로서 立憲王政을 取하고 革命에 反對하여 漸次的 改良을 選擇한 것은 그의 人間形態가 歷史的으로 로만티씨슴의 調和의 理念, 「아름다운 魂」(쉴러)의 理想 속에 그의 「人間」이 繫在하여 있었기 때문이다. 헤-겔的 人間은 칸트의 境遇와는 反對로 人間이 그것(國家) 때문에 生活하고 努力하고 또 그 努力에 依하여 自己의 滿足을 누릴 수 있는 客體的 有機組織이 存在하는 完成된 時代에 屬하는 것이라는 것은 더 말할 必要가 없을 것이다. 헤-겔은 客體的 人間으로서 守成的이며 칸트는 主體的 人間으로서 積極的 急進的이었다.

三

우에서 나는 千五百年代의 巨大한 轉形期에 있어서의 人間理念의 展開相과 人間의 一船的, 類型的인 두 개의 形態에 對하여 簡單하나마 略述하였다. 그러면 이 가장 具體的이면서도 가장 神秘럽고 가장 自由로워야 할 것이면서도 가장 限定된 이우리의 身體的 人間의 占할바 現代的 地位와 그 內面的인 性格의 特質은 如何한가. 이것이 이에 問題되어 오지 않아서는 아니 될 運命의 骰子다.

比喩的으로 말하면 歷史는 運命이다. 이것은 人間을 主體的 人間이냐

客體的 人間이냐의 두 가지 一般的 形態로 分類하여 그 社會的 歷史的 關聯을 생각할 때나, 各 個人을 그 素質과 環境으로부터 考察하여 主體的이냐 客體的이냐의 두 가지로 區別할 수 있을 때나, 다가치 人間이 「主體的」과 「客體的」의 辨證法的 統一이라는 點에 그 秘密이 根源的으로 內在하고 있다고 생각한다. 能産的 世界에 있어서 人間이 客體的으로 安定하고 所産的 世界에 있어서는 人間이 主體的으로 制作하고 抗爭하고 創造하는 것은 個人의 힘으로는 어찌할 수 없는 必然的인 形成인 것이다. 그러므로 人間은 歷史的 運命을 지고 있는 것이다. 너무도 深刻하고 痛切하게 不可避的으로 그 運命을 지고 있는 것이 人間이다. 헤-겔은 歷史의 運命에 對한 辨證法的 運動·發展이라고 하는 偉大한 直觀을 明快하게 고집어 내었으나, 그는 언제나 이 歷史的 運命을 늘 理念的 愛에 依하여 柔軟한 것으로 돌려놓고 말았었다고 할 수 있다. 그리하여 運命은 조금도 무서운 것이 아니고 調和된 親近히 할 수 있는 것으로서 나타났다. 그러나 運命은 果然 이와 같이 柔軟하고 親近히 할 수 있는 것인가? 무섭지 않은 것인가?

헤-겔에 있어서는 事實 當時의 完成·安定한 時期의 運命은 事實로 親近한 것일 것이다. 그러나 現代와 같이 그 歷史的 動向이 政治的으로나 經濟的으로나 또는 文化的으로나 그 振幅·深度에 있어 人類가 일직이 經驗한 일이 없는 巨創한 轉機를 計劃實踐하고 있는 文字 그대로의 非常時를 當하여 運命이 親近한 것이라고 思惟하는 사람은 없을 것이다. 東亞에 있어서나 西歐에 있어서나 歷史的 運命은 必然的으로 우리가 戰慄을 느끼도록 무서운 心的 恐怖를 주고 따라서 一定한 覺悟와 協力의 態度를 要請하여 마지 않는다. 正히 現代가 空前의 轉換期인 까닭이다. 이에 우리는 運命이라는 것이 人間行爲 一般의 範疇라는 思想을 認識하여 우리의 그것에 對한 態度를 決定하지 않으면 아니 될 것이다. 勿論 現代는 轉換過渡의 時代이니 우에서 말한 바에 依하여 人間은 主體的일 것이고 또 그리되지 않으면 아니 될 것이라고 思惟되리라. 事實 現代는 主體的인 것이 客體的인 것에 對하여 優越한 位相에 處하여 그것을 揚棄하고 나가지 않아서는 아니 될 것이다. 그러나 人間精神의 自由奔放한 複雜性 人類의 文化가 이만침 發達하고 整備한 時期에있어서는 千五百年代와 對比하여 그 歷史的 性格이 全然 다름을 看取하지 않을 수 없는 것이다. 一船的으로 첫째 確信하는 主體的인 人間이 優位에 있다고 할 것이나(政治的 性格을 具有한다) 한편으로는 懷疑하고 苦悶하며, 盲從하고 批判하는 가지가지의 同時代的인 人間 類型을 分類해낼 수 있다고 생각한다. 이곳에 둘째 「必然的인 惡」으로서의 「民衆形而上學」(폴크메타직－쇼펜하우어)이 出現하게 되었다. 이 民衆形而上學이라고 하는 것은 民衆이기 때문에 通俗的인 日常世界의 時事的 談話를 內包하고, 形而上學이기 때문에 一定한 論理的 系譜를 찾으려고 하는 知識的 興味의 摸索性을 나타내는 것이다. 現代의 大多數의 敎育있는, 人間은 이 民衆形而上學者들이다. 그들은 民衆이기 때문에 支配되고 敎育되고 激勵되며, 形而上學者로서 神話를 이야기하고 逆說을 끌어내며, 「然」이나(Aber)와 「惑은」(Oder)이라는 接續辭로써 그들의 精神的 動搖를 含蓄있게 表示한다. 그리하여 그들은 運命의 검은 深深에 부닥들인 戰慄을 느끼기도 하는 것이다. 이 民衆形而上學은 偉大한 轉換期로서의 現代의 必然的 惡인 運命인 것이다. 現代의 運命은 무서운 것이요, 決코 헤-겔에 있어서와 같이 親近한 것은 아니라 할 것이다.

그런데 이 民衆 形而上學者들은 歷史의 動向이 意表에 벗어저나고 몸에 자질리도록 感觸하야오는 時事的 事件이 簇出함에 따라 더욱더욱 自

身을 原子로서 武裝하여간다. 友情도 없고 道義도 公德도 다 내버리고 自己의 動物的 生存의 豪華로운 完全을 爲하여 背反과 逃避와 忘却을 茶飯事로 여기고 있음은 우리가 日常 目睹하는 바다. 이것이 現代의 民衆形而上學的 人間의 性格이다. 일즉이 「蒼白한 인테리」라고 蔑視되든 社會的 人間部層 大部分은 正히 이 民衆形而上學者에 屬한다. 지금에는 벌서 「蒼白한 인테리」가 自己分裂을 이르킨 지 오래다. 이 部層은 거의 再編成을 完了하였다고 보아도 좋으리라. 卽 主體的인 人間으로서 現代의 政治文化的 動向에 對한 科學的 豫見 밑에 全幅的으로 眞理認識의 進步를 爲하여 싸운다는 能產的-主體的 人間과(이것에는 또 絶對的으로 서로矛盾하는 두 方向이 있다-卽 로마 法皇的 方向과 뿌루노的 方向) 言語의 完全한 意味에 있어서의 客觀的 人間으로서의 이 民衆形而上學的 人間과 끝으로 셋재 「箴言을 詛嚼하는 人間」의 세 類型으로 再編成되었다. 一世代前만 해도 이 「蒼白한 인테리」는 그 思考方式과 行動形態가 거의 同質的이었으나 現今에 있어서는 벌서 그것은 歷史的 追憶 不過한다. 現代에 있어서의-더욱 最近 四五年來의 世界史的 情況下에서 分類할 수 있는 優越한 人間類型은 이 세 가지로써 다 包括할 수 있다고 나는 생각한다. 그런데 그 數爻에 있어서 어느 것이 더 많으냐 하는 것에 對하여는 아모도 斷言할 수 없는 것이고 또 그 數爻의 多寡가 問題되는 것도 아니다. 이 세 가지 人間類型-形態의 分類가 그 名稱에 相副하도록 肯경에 該當하냐 어떠냐에 對하여는 大方의 論議에 맞기겠으나 어떻든 나는 이 세 가지 形態가 지금이라는 焦眉의 歷史的 情況下에 區別되리라고 確信하는 바다.

能產的 人間과 民衆形而上學的 人間으로 編成된 「인테리」가 前世代에 있어서의 性格과 思惟를 變改하였을 것은 가장 自然스러운 일이겠으나

第三의 「箴言을 詛嚼하는 人間」의 部類 속으로 드러온 인테리만은 그 觀念形態에 있어서 大差가 없는 것이 또한 特徵을 이루고 있다. 前世代에 있어서의 인테리의 面貌를 大部分 保持하고 있는 部類는 이 箴言을 詛嚼하는 人間이다.

四

그러면 이 箴言을 詛嚼하는 人間은 어떠한 人間인가? 箴言이라고 하면 勿論 그것은 原來 舊約聖書中 살로몬의 語錄이라고 하여 傳하여 지는 것이다. 그러나 이곳에서 나는 그것을 意味하는 것이 아니라, 理論上 實踐上 또는 信仰上 歷史的 經驗에 依하여 無上의 權威를 가지게 된 準則, 命題, 또는 公理라는 一船的 見解를 나는 그대로 採用한다. 이러한 箴言을 詛嚼하는 것이니 여러 가지의 맛이 날 것이다. 울크고 불커가며 잘 消化가 될가 어떨가를 생각하며 씹을 것이다. 가지가지의 反省과 懷古와 吟味로써 自己의 處身할 準備와 方法을 생각할 것이다. 그러므로 그의 行爲는 그 歷史的으로 確證된 準則에서 벗어저나지 않으랴고 할 것이요 따라서 明哲保身하는 가장 無難한 生活態度를 堅持하랴고 할 것이다. 爲先箴言을 詛嚼하는 人間形態의 第一의 徵標는 「明哲保身한다」는 것이다.

箴言이라는 것은 그 性質上 斷片的인 것이므로 그것의 一貫한 體系라는 것은 없다. 宗教上 또는 道德上 行爲의 依據할 基準이 짧은 文章으로 精選된 말하자면 警句와 같은 것이라고 보아도 좋다. 그러므로 여러 가지의 箴言이 서로 衝突하며 反撥하며 雜然히 同時에 主張되기도 하는 것이다. 한 개의 箴言을 吟味하고 있을 때에 不知中 다른 그와 符合이

되지 안는 箴言이 聯想되어 自己의 去就를 決하기에 因難한 境遇가 한두 번이 아닐 것이다. 假令 이곳에 「人間은 人間에 對하여 이리(狼)다」라는 箴言이 있는가 하면 同時에 「人間은 人間에 對하여 羊이다」라는 것이 同等으로 主張된다. 이곳에 懷疑가 생긴다. 疑問이 생긴다. 그리하여 그것을 解決하랴고 煩悶하고 苦痛한다. 이 疑問에 對한 煩悶과 苦痛이 眞實하고 深刻할수록 그는 自己分裂을 感하는 度가 작고작고 커가는 것이다. 所謂 딜렘마의 狀態에 陷入되고 마는 것이다. 이에 이 딜렘마를 벗어나오기 爲하여는 內的鬪爭이 이러나지 안하서는 아니 된다. 希臘語 아고니아(苦悶)는 또한 鬪爭을 意味하였다. 自己自身을 絶望의 深淵으로 내몰았다가 다시 데려다가 安心을 시키며 信仰의 王國을 想像하다가 現實的 社會의 不合理에 憤慨하여 自己의 肉體的 感性에 되도라 온다. 不絶히 去來하는 懷疑的 情緖는 이 人間類型의 特徵이다.

Dubitare(懷疑한다)와 Duellum(鬪爭한다)는 다 같이 數詞「二」(Duo)와 같은 語原을 가지고 있다. 懷疑는 파스칼에 있어서와 같이 鬪爭的인 同時에 데칼트에 있어서와 같이 方法的인 것이다 (우나무노 「苦悶의 철학」). 懷疑 없이는 創造도 發展도 없다. 이 人間形態에 있어서는 懷疑와 苦悶은 가장 眞實한 自己意識인 것이다. 이 部類의 懷疑的 精神은 市民的社會秩序의 解體移行의 最後의 兆候이고, 새로 올 것의 前哨인 것을 우리는 看過할 수가 없으리라. 그들은 너무도 强烈한 良知良能을 가진 故로 도리어 미움을 받고 있는 것이다. 그들은 너무도 批判的인 故로—. 그들이 가진 不安과 危機感은 그들의 生活手段의 不安과 危機에서 오는 것이고, 그들의 絶望과 嘆息은 그들의 너무도 많은 要求와 願望에서 오는 絶望과 嘆息인 것이다. 그러나 그들은 또한 明朗한 希望을 일치 않고있다. 고요히 自己追求에 沒頭하여 苦悶하고 鬪爭하면서 새로 밝을 來日—

그날이 어떠한 것이든지－을 情澄한 마음으로 기다리는 希望에 찬 心懷를 내버리지 않고 孜孜히 自己의 充實完成에 겨를이 없는 것이다. 實로 歷史上에 그 類似를 볼 수 없는 人間形態이다. 客體的 人間의 너무도 淸澄明哲한 叡智的 自覺態이다. 「明哲保身」, 「良知良能」, 「明朗한 希望」이라는 三大特徵을 가진 이 形態의 最大의 代表者는 벌서 죽어서 지금은 그의 聲咳에 接할 수는 없으나 西班牙의 「미겔 · 데 · 우나무노」라 하겠다. 그는 가장 착한(善)것이 가장 나뿌게(惡) 誤解되는 것을 밝힌 사람이였다.

이로써 現代라는 歷史的 時代에 있어서의 人間類型의 三形態는 大槪 그 輪廓이 分明해졌을 줄로 믿는다. 現代의 精神的 情況에 處하여 우리가 굳세고 安全하게 사라가는 方途를 思索해 내자면 어느 類型의 人間이라야 하겠느냐는 것은 그 사람의 自主的인 決定에 매여 있는 것이라 하겠다. 이러한 二十世紀 三十年代 後半에서 四十年代에 걸치어 優越하게 나타난 人間諸形態는 十五六世紀의 그것에 比較가 아니 될 만큼 偉大한 悲壯美에 찬 여러 幕의 舞臺劇이다.

「近代의 特徵은 生의 肯定이였다. 人間은 그 自然的 環境과 같이 關心의 中心이였다. 自己의 權力意志를 實現妥當시키면서 最後까지 사는 것(지히 · 아우스레-벤), 文學藝術의 美와 그 反省 속에서 享樂하는 것, 그러고 性格의 把握, 感性의 表徵, 感情의 衝動에 對하여 敏感해야 하는 것-이것들은 다 當時의 意識의 水平을 넘어서 生長하고 있든 새로운 生의 關聯이었다」(띨타이). 참으로 그때에는 依據할 精神的 支柱로서 「古代」가 있었고 도라갈 現實的 場所로서 成長하는 「都市」가 있었다. 그러나 現代에 있어서는 무엇에 依據하며 어데로 도라갈 것인가. 「神話」냐? 「全

體」냐? 또는 「眞實한 事實」이냐? 現代의 人間은 逆說的으로 말하면 總體的으로 苦悶-鬪爭-「아고니아의 人間」이다.

-(一月 어느 날 밤 느저서)-

4. 第二章 民主主義와 휴매니슴 ‖ 신남철

(－朝鮮思想文化의 當面政勢와 그것의 今後의方向에 對하여－)

一. 理論組織의 原理

科學理論을 組織하는 根本原理는 무엇이며 또 그것을 組織하는 方法의 系列은 어떠하냐 하는 것을 吟味하는 것은 퍽 必要한 것이다. 現實生活에 있어서 具體的 實踐의 原則을 樹立하며 한 개의 運動을 强力하게 推進하기 爲하여 그 運動理論의 組織原理를 考究하는 것은 그 한 개의 實踐運動으로 하여금 遺漏는 組織的 完璧性과 確實한 成果에 對한 滿滿한 自信을 堅持하기 爲하여 要請되는 한 개의 至上命令이라 하겠다.

그러면 그 至上命令은 어떻게 하여 遵守되며 遂行되어야 할 것인가. 그것은 두 가지 方法이 서로 交互浸透하며 서로 支持確證하며 作用하는 곳에서만 오직 可能하다고 생각한다.

卽 누구나 다 아는 바와 같이 하나는 演繹法이니 그것은 原理를 만들어놓고 그것으로부터 出發하여 『밑으로 내려가는 方法』이고 다른 하나는 歸納法이니 그것은 具體的인 現象的 事實에서 出發하는 『밑으로부터 올라가는 方法』이다.

그러나 이 두가지 方法中에서 一義的으로 重要한 것은 歸納法이다. 現實生活의 具體的 地盤에 對하여 그것을 科學的으로 把握하고 認識하는 것이 우리의 實際生活을 領導하고 向上시키는 土臺가 되는것이니 그러자면 우리와 우리를 둘러싸고 있는 周圍環境을 똑바로 보고 正當하게 判斷을 하여야 할 것은 勿論이다. 다시말하면 우리의 主體的인 力量과 處地를 헤아려야 할것이며 우리를 둘러싸고 있는 모든 情況, 더욱이 世界情勢를 가장 正確하고 嚴密하게 分析 檢討함에 依하여 歸納되는 結論을 核心으로 하여 모든 實踐이 展開되지 않으면 아니될 것이다.

왜 그러냐하면 모든 理論이라든가 科學이라든가 하는 것은 社會의 實際的情況에 對한 具體的인 必要라든가 하는것에 依하여 發生하는 것인 까닭이다. 여름밥床에 귀찮게 와 덤비는 파리라든가 거리의 空中을 날르는 참새떼를 한 마리 두 마리 세이는 사람은 없으나 소나 말같은 家畜의 數를 세어두는 것은 農業과 運輸經營上 絶對로 必要한 일이다. 그리하여 農業과 運輸에 있어서의 家畜養殖對策이 樹立되게 될 것이다.

이와 같이 一旦 對策理論이 樹立되면 그것에 依하여 指示와 命令이 내리게 될 것은 뻔한 일이며 또한 그리 되어야만 할 것이다.

그와같이 한 개의 對策이라든가 政策이라든가 하는 것이 樹立된다고 하는 것–다시 말하면 한 개의 理論이 構成된다고 하는 것은 現實事態와 그 全體的인 情勢에 對한 科學的인 分析, 綜合的인 判斷과 世界史發展의 法則的把握에 依하여 歸納되는 것이 아니어서는 아니될 것이다. 그리하여야만 所望하는 結果를 信念으로써 可히 期約할 수가 있을 것이다. 卽 밑으로부터 올라가는 確實堅固한 政策이라든가 理論이라든가 하는 것의 土臺와 基礎가 장만될 것이다. 그러므로 科學的 自己批判에 依한 主體的力量과 現實分析 情勢判斷과 歷史發展의 法則的認識에 依한 理論

構成이라야만 한 개의 實踐運動의 遺漏없는 組織的完璧性과 確實正當한 成果에 對한 滿滿한 自信과 期待를 가질 수 있는 것이다. 따라서 그러한 理論은 곧 根本原理로서의 統一的 全體的 戰略이 되는 것이며 그것이 戰術로서 具體的 個別的인 그때그때와 이곳저곳에 있어서 具體的으로 適用展開되어 나아가는 것이다. 다시 말하면 行動綱領이 樹立展開되어가는 것이다. 主體的力量과 客觀的 情勢判斷에 依하여 한 개의 根本原理가 至上的인 戰略으로서 밑으로부터 歸納的方法에 依하여 確立되면 그 戰略은 同時에 具體的 行動綱領으로서 時期와 場所에 다라 具體的으로 伸縮性있게 適用展開되는 것이다. 或은 急하고 或은 緩하며 或은 强하고 或은 弱하며 또 어떤때에는 물러서서 기다리기도 하고 어떤 곳에서는 사이길로 들어서서 돌아가기도 하면서 機動性있는 演繹的 展開가 밑으로 應用되어 내려가는 것이다.

이와같이 밑으로부터 올라가서 歸納的으로 한 개의 根本原理가 戰略으로서 樹立됨과 同時에 그 戰略은 다시 演繹的으로 行動綱領의 戰術로서 展開되어 밑으로 내려가서 適用되는 것이다. 이것이 가장 具體的인 實踐的理論構成의 組織的 原理인 것이다.

二. 當面한 革命階의 規定

그러면 이러한 戰略戰術의 理論的 組織原理는 우리가 痛切하게 當面하고 있는 建國偉業의 政治情勢에 있어서 어떻게 適用되어 있는가. 위에서 말한 바와 같이 우리의 主體的 力量에 對한 科學的 批判과 反省은 어떠하며 또 우리를 둘러싸고 있는 歷史的 社會的 情況-換言하면 國際關係에서 본 東洋의 情勢와 世界의 情勢는 어떠한가를 科學的으로 分析綜合

하고 그것을 世界史發展의 法則的 認識과 把握에 照應시켜서 비로소 우리의 建國偉業의 戰略戰術이 나타날 것이다. 卽 우리의 當面한 社會的 變革過程에 있어서 南北을 統一하기 爲하여 三十八度線을 撤廢시키고 自主獨立國家를 建立하기 爲하여 左右兩翼이 聯合하는 데에 對하여 어떠한 戰略이 根本原理로서 歸納構成되고 다시 그 根本的 戰略이 어떻게 그때그때에 있어서 이곳저곳에서 行動的 戰術로서 演繹的으로 展開適用되어가고 있나를 反省考察하여 보는 것은 絶對로 要請되는 한 개의 當爲라고 생각한다. 그러나 그것을 全船的으로 이 制限된 時間 안에서 問題삼는다는 것은 事實上 不可能하므로 맨 처음에 말한 바와 같이 朝鮮思想文化의 當面情勢와 그것에 對한 今後의 方向에 對하여 主로 이야기함에 依하여 民主主義와 휴매니슴의 現段階的 意義를 闡明하여 보려 하는 것이다. 다시 말하면 이 當面한 政治情勢에 處하여 獨立建國의 戰略戰術은 이 『떼모크라시-와 휴매니슴』의 問題에 있어서 어떻게 關係되어 있는가를 보려고 하는 것이다. 日本 帝國主義의 野蠻的 虐政으로부터 解放된 朝鮮의 社會的, 經濟的, 政治的, 變革過程을 『부르조아 民主主義 革命階段』이라고 規定하고 있다. 그러면 이 뿌르조아 民主主義 革命階段이라는 것은 무엇을 意味하는 것이냐.

그것은 勿論 佛蘭西大革命에 그 世界史的 基礎를 가진 것이라고 생각한다. 卽 佛蘭西大革命은 앙상·레짐(封建支配의 舊體制)에 對한 自由, 平等, 博愛라는 뿌르조아 理想의 勝利를 意味하는 것이었다. 가장 代表的인 뿌르조아 民主主義革命이었던 佛蘭西에 있어서의 政治革命은 뿌르조아的 發展에의 不可避的 必然性을 拒否阻止하는 封建體制에 對立抗爭하여 그것을 克復破滅시킨 變革이었다. 이 市民社會를 爲한 變革은 封建的 支配階級의 權力을 最後的 決定的으로 打倒시킴에 依하여 小數의 封

建地主의 利益을 爲한 政治組織을 때려부시고 모든 人民을 市民社會를 構成하는 自由平等의 獨立한 '個人'으로서 尊敬하였던 것이다. 그리하여 새로운 生産樣式 새로운 社會政治組織을 完成하였던 것이다. 卽 主地所有의 自由와 市民的 私有財産制의 確立 商品生産과 그 流通의 自由 差別的 階級的 身分制로부터 解放된 平等'人間'의 權利確認, 財産獲得과 利潤追求를 爲한 自由放任과 自由競爭, 民主的 共和政治에 依한 國家形態의 樹立…等이 뿌르조아 民主主義革命의 特質이었다. 이 政治的 社會的 革命은 人間歷史의 한 개의 偉大한 進步이었고 그것에 依하여 가져와진 人間解放은 '人間的인 完全한 解放'의 最後의 形態는 아니었으나 事實 世界史發展에서 본 階級社會 속에 있어서는 人間解放의 最後의 形態이었다. 다시 말하면 階級社會에 있어서는 可能한 最後의 人間解放이었던 것이다. '人權宣言'과 '壓迫에 對한 抵抗의 權'이 法的으로 是認되었다. 立憲政治에 나타난 人民의 生命, 財産, 名譽의 保護와 言論, 集會, 思想, 出版, 結社의 自由와 團體交涉權等이 法律로써 堡障되게 되었던 것이다.

이러한 內容을 가진 뿌르조아 民主主義革命이 一世紀半 뒤에야 겨우 우리 朝鮮에서 成就되게 豫定되었다는 것은 그러면 무엇에 依하여 어떠한 社會的 根據 밑에서 主張되게 되었던가를 考察할 必要가 있을 것이다. 時間關係上 充分한 說明을 할 수 없음을 遺憾으로 생각하나 簡單히 말하면 世界情勢 國際關係 三十八度 南北에 있어서의 美蘇의 軍事的 政治的 情勢와 朝鮮 自體內에 있어서의 階級關係의 分析綜合에서 歸納되는 것이어야 비로소 우리가 當面하고 있는 變革過程이 뿌르조아 民主主義革命階段이라고 規定될 것이다. 우리가 現在 當面하고 있는 社會的 政治的 變革過程을 그렇게 規定하는 根本原則이 科學的으로 正當하게 確認이 된 때 우리는 그 根本原則에 依하여 戰略이 樹立되며 따라서 革命實

踐의 戰術이 導出될 것이다.

一九四五年 十月 三十一日 發行의 『解放日報』 第七號와 同 十月 十七日 發行의 『解放青年』 第二號에 실린 諸論文에 依하건대 朝鮮革命의 國際的 關聯性과 日本 帝國主義의 羈絆이 絶斷된 뒤 國內에 있어서의 土地問題의 解剖와 社會構成의 分析에서 얻는 政治路線의 規定은 遺漏없이 正確하게 朝鮮革命의 現階段을 '進步的 民主主義 建設階段'이니 또는 '資本革命階段'이니 하고 斷言하였으며 或은 '第三인터'의 테-제의 規定대로 '뿌르조아 民主主義革命'이라고 宣言하였다. 나는 이곳에서 當面한 革命過程을 前記論說과 달리 再檢討할 必要를 느끼지 않는다. 왜 그러냐하면 그것들이 잘 當面한 情勢의 分析과 規定을 하여주고 있는 까닭이다. 그러나 『進步的 民主主義 建設階段』이니 『資本革命階段』이니 또는 『뿌르조아 革命』이니 하는 세 개의 語彙는 그 語義가 반드시 똑같지 않다고 생각한다. 여러 말을 虛費할 餘裕가 없으므로 나는 다만 『進步的 民主主義 革命階段』이라는 말만 쓰려고 한다.

朝鮮이 日本 帝國主義로부터 解放은 되었으나 北緯三十八道線을 境界로하여 國內의 社會 政治體制와 그 世界政策의 根本理念을 달리하는 美蘇兩國에 依하여 軍事的으로 分斷占領되어 있으며 政治的으로 統治形態를 달리하고 있는 現實形態를 달리하고 있는 現實事態라든가 封建殘在와 日本 帝國主義의 殘在가 八·一五 以後 다른 保護者를 맞이하기에 汲汲하여 外來 獨占資本主義자와 野合하며 自主的 建國獨立까지도 眼中에 없는 듯이 보여지는 現在의 瞬間에 있어서 飛躍的으로 푸로레타리아 革命階段이라고 規定할 수 없음은 明若觀火한 事實이라 하겠다. 世界史的 發展의 一環으로서 國際舞臺에 登場한 朝鮮, 南北으로 分斷占領되고 土地問題에 있어서 封建的인 所有關係가 그대로 남아 있는 南朝鮮이라는

點으로부터 考察하여 獨立建設의 基本理論이 進步的 民主主義의 原則에 서지 않으면 아니 되게 되었다는 것은 事態에 卽應하는 것이라고 하겠다.

三, 民主主義와 現階段

그러면 이러한 根本原理밑에서 構成組織된 戰略의 展開인 戰術은 어떻게 되어야하며 어떻게 實踐되어야 할 것이냐 하는 問題가 必然的으로 發生해 나오지 않으면 아니 된다.

돌이켜보건대 우리에게 賦課된 至上命令인 獨立建國의 偉業에 있어서 두 개의 陣營이 對峙鬪爭하여 부질없이 時日만 遷延시키고 있는 듯한 現象속에는 反動勢力의 頑昧無知한 政治行動에 對한 民主的인 進步的 勢力의 苛烈한 그러나 꾸준한 勢力이 人民의 眞正한 幸福과 解放을 爲하여 繼續되고 있다는 것을 알지 않아서는 아니 될 것이다. 日帝殘滓와 封建殘滓는 서로 結托하여 反動陣營을 構成함으로써 民主建國을 妨害하고 있다. 그리하여 남에게 自主的 建國의 力量이 없다고까지 疑心받게되니 이는 民生의 實際生活上의 威脅일뿐 아니라 民族的 自負와 矜持에도 關係되는 痛嘆事라고 하지 않을 수가 없는 일이다.

그러면 그 原因은 어디 있다고 하겠는가. 우리는 우리의 이 革命段階에 있어서의 實踐的 課題의 根本的 原理를 進步的 民主主義에서 찾아놓았다. 그러나 그러한 進步的 民主主義에 對한 科學的 認識과 實踐的 把握에 있어서 첫째 融通性 있는 戰術的 屈伸性과 둘째 人間的 機微에 對한 슬기로운 理解와 셋째 思想的인 普遍的 敎養의 不足이라는 二儀的인 세 개의 要因 때문에 一義的인 根本 테-제의 目的이 그 絢爛豊富한 成果를 걷우지 못하고 있다는 點을 指摘하지 않을 수가 없다.

勤勞하는 人民大衆이 그들의 前衛組織으로 하여금 이 階段의 革命的 實踐을 擔當시키고 있는 것은 가장 科學的인 結論이다. 이 陣營이 進步的이며 全體的 統一的인 世界史的 必然의 理論的 武器로써 嚴正하게 事態의 進展에 對하여 現象을 分析하고 本質을 究明하여 强力한 運動을 推進시키고 있을 것임에도 不拘하고 우리가 所望하는 進步勢力에 依한 左右翼의 統一이 遼遠하며 獨立建國이 外力에 依하여 成就되는 듯이 보여지는 原因은 무엇이겠는가. 資本家와 封建的 地主陣營은 無原則이 그들의 原則이며 無思想이 그들의 思想이다. 卽 無原則 無思想이 그들의 主義이다. 勿論 이것은 譬喩的인 말이나 그 陣營에는 歷史發展에 對한 必然的 法則을 認識하고 把握하는 힘과 未來에 對한 科學的 展望을 가질 수 없는 歷史的 運命을 지니고 있는 것은 더 말할 必要가 없다. 그러한 光輝있는 未來를 가질 수 없는 그들에게 戰略的協同을 慫慂하고 民族的인 至上目的을 達成하기에 寬大하다는 것은 우리의 一義的인 進步的 原理의 遂行에 있어서 도리어 다시 없이 有害한 일이나 또한 이 歷史的 瞬間에 있어서는 戰術的으로는 必要한 方便이라고 하지 않을 수 없을 것이다. 왜 그러냐하면 우리의 現在의 革命階段은 進步的 民主主義的 階段이기 때문이다. 위에서 佛蘭西革命의 뿌르조아 民主主義的 特質이 그것을 說明하여줄 것이며 南北을 分斷占領하고 있는 美蘇兩國의 世界政策的 思想理念의 差異對立에서도 그 民主主義的 統一戰線結成의 不可避性이 歸納되는 것이다. 日帝殘滓와 封建殘滓를 包含한 이 땅의 右翼陣營은 말하자면 頑固派임에 틀림없다. 그 頑固派는 未來에 對한 絢爛한 展望도 없이 自派의 利益과 勢力의 現狀維持와 그것의 改良修正을 漸進的으로 履行함으로써 搾取의 社會秩序를 어떻게 해서든지 延長시키려고 하는 것이다. 그러나 無理論 無原理 無思想이 그들의 頑昧無智한 正體이므로 그들이 가지고 있는 理論 原則 思想이라는 것은 科學的 論理的 檢討에 견디어낼 수 없는 것이기 때문에 自己들의 現狀維持와 政權慾에 妨害된다고 생각하면 所謂 暴力的 直接行動을 恣行하는 것이다. 그러나 그들 가운데에는 無資格 指導者에게 利用된 純粹한 部分이 있음을 알아야할 것이니 八·一五 前과 後에 있어서 民族解放에 對한 革命性을 가지고 非妥協的으로 끈기 있게 民族的 獨立建國을 念願하고 있었고 또 있는 限 그 存在를 全然 無視하여서는 아니 되며 따라서 民主主義의 原則이 維持되어야할 것이다.

그러면 이 民主主義라는 것은 무엇이냐 하는 것이 問題되게 된다. 本來『데모크라시-』라고 하는 國家統治의 한 形式은 古代希臘에 있어서 「플라토-ㄴ」이나 「아리스토텔레스」의 政治理論에서는 그리 좋은 것은 아니었다. 參政權이 없는 것은 勿論 動物的으로 酷使되는 絶對多數의 奴隸와 捕虜를 가지고 있던 古代希臘의 小都市의 奴隸國家에 있어서 特權階級이 奴隸를 除外한 自己네보다 多數인 平民에게 國政參與를 許諾하여 一定한 時期에 一定한 場所에 集合하여 國政을 議決하였다. 하지만 「플라토-ㄴ」에 있어서는 調和와 秩序를 維持하기 爲하여 理想으로서의 正義(띄-케)가 理性的으로 實現되는 것이 目標이었고 그 實現에 當하여서는 哲人의 高邁한 精神이 作用하지 않으면 아니 되었었다. 『띄-케』를 어느만큼 實現할 수 있는가의 問題로서 『데모크라시-』가 問題이었지 政治形態로서의 그것은 決코 좋은 것은 아니었다. 그러고 「아리스토텔레스」에 있어서는 主權者에 依한 專制政治(티라니), 貴族階級에 依한 寡頭政治(올리갈키-)와 人民參政에 依한 民主政治(데모크라시-)의 세 가지 形態가 論述되었으나 이 『데모크라시-』라는 것이 第一 下位에 處하는 것이었다. 國家生活에 있어서는 무엇보다도 最高善의 意識下에 友情

(필리아)에 依하여 結合된 共同生活團體－이것이 國家의 實質을 形成하는 것이었다. 國家는 서로의 安全을 保護하기 爲하여 그냥 地理的으로 近接해 있는 者들이 共同生活을 하려고 集合한 것이 아니고 國家團結과 組織을 完成하기 爲하여 道德的 善이 그 最高의 目的으로서 假定되지 않으면 아니 되는 것이었다. 그리하여 『떼모크라시－』라고 하는 政治形態는 그 말自體가 보이는 바와 같이 (떼모스－人民, 크라토스－支配, 權力) 多數者인 人民의 政治로서 『正義』라던가 『最高善』의 實現手段으로서는 低位에 屬하는 것이라고 하였었다.

그러나 歷史의 發展은 이러한 奴隷國家에 있어서의 階級的 理想을 粉碎하고 나아갔다. 人口의 增加 生産手段과 生産關係의 矛盾的 發展, 國土의 擴大等에 依하여 資格있는 市民의 定期的 集合을 不可能하게 하자 代表選擧의 方法을 取하게 되었던 것은 必然의 事理이었다. 그리하여 古代希臘에 있어서와는 質的으로 다른 意味를 가지게 되었던 것이니 近代民主主義政治의 實體가 代表選擧에 依한 代議政治가 되고 만 것은 不得已한 일이라 하겠다.

그와 같이 人民의 代表를 選擧하여 代議政治를 行하는 近代的 議會制度는 資本主義의 發展에 있어서 全人民의 總意를 代表하는 公民의 『自由』로운 機關이라고 하여 民主的 政治의 正常한 形態로서 規定하였던 것이다. 그러나 이러한 所謂 『自由』로운 公民의 機關은 勤勞階級의 政治的擡頭에 依하여 支配的인 拘束的 任務를 擔當하고 있었으며 또 그리하고 있는 것은 周知의 事實이다. 이 뿌르조아 民主主義는 그 當時의 革命的性質에 反하여 妥協的인 自由主義로 變質하고 말았던 것이다. 「맑스」가 十八世紀의 革命을 가르켜 집을 짓는데 기둥만 세워두고 만 革命이라고 비웃은 것(헤겔・法律哲學批判에서)은 妥當하다고 하겠다. 封建的 壓制

로부터의 民主主義的 解放에 依하여 人間은-勤勞하는 人民大衆은 그 自由로운 理性은 奪還하였으나 漸次로 그 進步的 革命性은 褪色해갔던 것이다. 官僚警察政治로 化해간 近代國家의 內容은 일껏 獲得한 人間의 人間的인 自由解放이 다시 鐵鎖에 억매이게 되는 것이었다. 이곳에 뿌르조아 民主主義革命의 本質的 限界가 있는 것이다. 이 革命은 또 한 번 質的變化를 하지 않으면 아니 되게 結束되었다.

그러면 어찌하여 우리는 우리의 現在의 革命過政을 뿌르조아 民主主義革命이라고 規定하는 것이겠는가. 그것은 다름 아니다. 위에서도 말한 바와 같이 國際的 國內的 情勢의 分析과 綜合判斷에서 오는 原理的 規定이며 또한 뿌르조아 民主主義革命의 原型인 佛蘭西大革命이 封建制度에 對하여 遂行하였던 그 進步性 革命性을 받아들여서 우리의 革命的 實踐을 規定하려 하는 때문일 것이다. 現段階에 있어서는 그러한 規定만이 朝鮮의 國家的 民族的 再生과 人間的權能을 確保할 수 있는 最大의 限界라는 것을 歸納하였던 까닭이라고 생각하여서일 것이다. 그러나 『뿌르조아 民主主義』라는 말은 그 語義에 있어서 誤解를 招來하기 쉬우므로 더욱이 經濟的인 現段階의 情況分析이 그러한 誤解를 빚여내기 쉬우므로 『進步的 民主主義 革命階段』이라고 規定하는 것이 더 適切하다고 나는 생각하였다. 이 點에 對한 仔細한 理論的 說明은 時間關係上 省略하겠다.

그러므로 우리가 지금 말하는 民主主義는 十八世紀末葉의 革命的 任務를 遂行한 그러한 民主主義의 一面을 가지고 있는 것이고 官僚的 地主資本家的 民主主義와는 거의 因緣이 없는 그 完全한 對立物로 轉化해버린 有名無實의 民主主義는 決斷코 아니라고 생각한다. 資本主義가 帝國主義의 段階로 들어오면서부터 파시스트 國家가 自滅的 戰爭을 挑發하여 그 最後의 숨을 쉬는 瞬間까지 民主主義는 官僚的 警察的『民主主義』로 轉落한 채로 있었던 것이다.

이와 같이 우리는 民主主義의 意味를 科學的 歷史的으로 明確히 規定하는 同時에 그것의 本來의 革命的性格을 살려서 朝鮮이 當面하고 있는 世界史的 任務를 遂行하지 않으면 아니 될 것이다.

그러므로 우리가 지금 말하는 民主主義는 말하자면『新民主主義』이다. 새로운 意味가 附與된 民主主義이다. 進步的 民主主義인 것이다. 그것은 毛澤東 氏가 一九四0年 二月 二十日 延安各界憲政 促進會 成立大會에서 한 演說에 있는 바와 같이『新民主主義的 政治 新民主主義的 憲政』이다. 그것은 陳腐한 過去의 歐米流의 資本階級專制의 所謂 民主主義는 아니다. 그와 同時에 最新의 蘇聯式의 프로레타리아 專制의 民主政治도 아니다. 世界의 潮流에 合하고 朝鮮의 國情에 合한 新民主主義인 것이다. 卽 毛澤東 氏의 말과 같이 漢奸反動派인 不純分子를 排除한 數個의 革命階級聯合의 民主主義的 政治的인 것이다. 그러한 意味에 있어서의 民主主義이며 封建的 支配에 對하여 鬪爭하고 그것을 克服勝利한 뿌르조아革命의 進步性과 革命性을 가진『進步的 民主主義革命』이 現在의 政治的社會的 變革過程을 具體的으로 擔當할 수 있는 것이라고 생각한다.

그러므로 이 新民主主義, 進步的 民主主義는 또한 階級의 存在를 認定하게 된다. 原則的으로 그것을 認定하지 않고는 現段階에 있어서는 우리의 建國統一偉業은 成就되지 않겠다고 생각된다. 지금 左右의 統一이 問題되어 있고 民主主義的 民族戰線이 主張되고 있으며 階級의 存在를 前提로 한 數個의 政黨의 聯合을 要請하는 理由도 스스로 뚜렸해지는 것이라고 생각한다. 漢奸反動派－親日派 民族反逆者를 除外하고 純粹한 民族戰線結成에 依한 民主主義의 實現이야말로 우리의 待望하는 바이요 그것을 우리는 다시 『進步的 民主主義 路線』이라고 規定하여도 좋을 것이다. 이것은 勤勞大衆의 利益을 終局的으로 決定하는 民主主義, 萬人의 自由와 福祉를 爲하는 民主主義-換言하면 無階級社會의 社會主義的 民主主義와는 明確히 區別되는 것이다. 選擧에 있어서 一定年齡 以上의 人民大衆에게 何等의 制限을 붙이지 않는 萬人의 幸福을 爲한 民主主義인 社會主義的 民主主義의 段階에는 아직 길이 멀기는 하지만 그렇다고 우리는 그것을 얻기 爲하여 焦燥하여서는 아니 된다. 그러나 勤勞하는 人民大衆의 利益을 代表하는 前衛組織이 이 階級聯合을 領導하게 된다는 것도 잊어서는 아니 된다. 土地所有關係에 있어서의 封建性의 根本的 淸算과 大企業과 大産業機關의 國有를 中軸으로하여 資本活動의 條件附容認에 依한 階級聯合이 勤勞人民의 前衛組織의 領導에 依한 民主主義的 原則의 實現이 當面의 課題이라고 하는 것이다. 그러나 우리는 四圍의 情況을 슬기롭게 考察하여야 한다. 焦燥하여서는 아니 된다.

萬一 그러한 焦燥와 過渡가 生動에 있어서 또는 理論에 있어서 나타날 때는 그것은 左翼偏向이 되고 만다. 左翼小兒病이라고 하는 것은 위에서 말한 戰略戰術의 構成과 그體系의 組織에 있어서 觀念的 抽象的으로 現實事態를 理解하고 解釋한 때에 나타나는 것이다. 다시 말하면 歷史的 現實을 把握하는 것이 아니라 理解만 하며 變革하는 것이 아니라 解釋만 하는 觀念論인 것이다. 우리는 이러한 小兒病을 極히 警戒하지 않으면 아니 될 것이다. 現在의 우리의 建國實踐에 있어서도 그러한 偏向을 指摘할 수가 있지 않은가 생각된다.

四, 『휴매니슴』과 그 現階段的 意義

그러면 우리는 이러한 小兒病的 편향으로부터 어떻게 하면 救濟될 수 있을 것인가가 重要한 問題로서 나타나는 것을 알 것이다. 나는 이 問題의 解決을 爲하여 歷史的으로 云謂되어 내려온 휴매니슴에 새로운 意味를 附與함에 依하여 圓滿能熟하고 高尙한 歷史的 教養을 土臺로 한 伸縮性 있는 戰術의 展開가 可能하게 되리라고 생각하는 바이다. 그리하여 高邁한 精神이 培養될 것이며 따라서 偉大한 政治的 創造가 遂行될 것이라 생각하는 바이다. 現在 朝鮮은 이러한 高邁한 精神을 가진 指導者를 要求하고 있다. 左右翼을 勿論하고 進步派나 頑固派를 勿論하고 萬一 이러한 高邁한 휴매니슴的 教養을 가진 剛毅한 指導者가 있었더라면 統一戰線問題는 벌써 解決되었었을지도 모른다. 슬기로운 知慧와 높고 깊은 古典的 教養, 科學的 智識과 藝術的 感受性에 浪漫的 精神을 且備한 슬기롭은 指導部와 指導者가 있었더라면 하는 생각이 懇切하다. 勿論 있을 것이나 不幸히도 무엇에 그리되었는지 그 聰明이 眩惑되어 우리의 神聖한 大業이 荏苒 時日을 끌고 있으니 慨嘆할 일이라고 하겠다. 勿論 一部外部勢力의 흑책질이 있음을 나는 忘却하고 있지 않다. 그러면서도 또한 名哲한 指導者의 人文的 交涉을 待望한 지 오래인 것이다.

『휴매니슴』은 『휴매니티』에 關한 主義이다. 이것을 人文主義라고 흔히 飜譯하기는 하나 아무리 생각하여도 適當한 飜譯은 아니다. 그래서 그 意味가 多樣多岐하므로 그냥 原語 그대로 쓰는 것인데 簡單히 말하면 첫째로 人間에 對한 慈愛로운 共感(카인드・필링)理解라는 心的 精神的傾向을 意味하는 것이고 둘째로는 非利己的(언셀피쉬)이라는 社會的 正義感을 意味하며 셋째로는 古典에 對한 教養(클래시칼・런잉)을 意味

하는 것이다. 첫째의 意味는 感情과 異性과를 다같이 人間的인 것으로서 重視하는 것이다. 感性과 異性과의 融和調整에 依하여 人間性의 自然을 發揮하는 것을 意味한다. 그리하여 새로운 人間의 形成을 意味한다. 人間을 한 개의 藝術的 作品과 같이 보아 人間의 完全한 個性을 形成시켜 全體的인 調和를 達成시키는 것이 휴매니즘의 理想이요. 그 運動이라고 보아도 좋을 것이다. 둘째의 意味는 社會的 正義의 實現을 爲하여 自己를 犧牲獻身하는 義感을 가지고 있는 決意・決斷의 面을 意味한다. 不正, 不義에 對한 人間的 良心이 自然的으로 發露되어 그것의 絶滅을 期하지 않을 수 없다는 實踐理性의 努力을 또한 가지고 있는 것이다. 西洋 루네쌍스期에 있어서 數많은 布教師와 思想家가 教會의 頑迷한 暴壓에 抗하여 斷頭臺上의 이슬로 사라졌다는 것도 다 이 휴매니즘의 非利己的 側面을 說明하는 것이라고 하겠다. 셋째의 意味는 歷史的으로 본 휴매니즘의 意味解釋인 것이니 이것에 또한 두 가지의 類型이 있었다. 하나는 十五・六世紀의 西洋文藝復興時代에 있어서의 휴매니즘인데 그것은 古典的 希臘의 묵은 人文的 哲學的 知識을 새 形態로써 攝取하자는 것이었고 둘째는 十八世紀 末葉의 獨逸에 일어난 所謂『슈트름・운트・드랑』時代의 휴매니즘인데 이것을 文藝復興時代의 휴매니즘 運動에 對하여 新휴매니즘이라고 한다. 그것은 그때의 浪漫主義와 結合하고 있는 것이었다.

이 두 개의 휴매니즘은 어느 것이나 다 文學과 歷史와 哲學에 對한 教養을 重要視하였다. 一種의 反抗的 革命的 氣分이 精神界 特히 文學方面에 橫溢하였던 것은 더욱이 獨逸의 狂瀾怒濤時代에 있어서의 휴매니즘의 特質이었다. 文藝復興時代에 있어서의 휴매니즘은 中世的 教會的 支配로부터 解放되어 人間個性의 獨自性 根源性을 自覺하여 主觀的인 尿

素를 높게 評價하는 社會的인 文化運動으로 나타났으며 十八·九世紀의 獨逸의 휴매니슴은 人間性의 抽象的 同一性을 求하는 것이 아니라 完成된 個性의 絢爛多彩한 活動을 求하는 것이었다. 그리하여 社會發展의 妨害物로 化한 後進獨逸의 封建的 體制에 對하여 一種의 精神運動으로써 抗爭하였던 것이다.

이와 같이 휴매니슴은 한 개의 學說的 體系이었던 것이 아니라 歷史的 轉換期에 있어서 두 번 나타난 人間의 根源的인 生의 感情(레-벤스·께풀)이었다. 正義와 調和를 實現하려는 社會桎梏에 對한 抗爭의 精神이었다. 이러한 휴매니슴이 革命的 意識이 橫溢하여 있는 現在의 우리 朝鮮에 있어서 그러면 우리가 위에서 이야기해온 民主主義와 어떻게 結合시켜서 우리의 獨立建國으로 하여금 光輝 있는 成果를 거둘 수 있게 할 것인가.

나는 敢히 이렇게 斷言한다. 이 휴매니슴의 體得에 依하여 위에서 말한 바와 같이 첫째 融通性 있는 戰術的 屈伸性과 둘째 人間的 機微에 對한 슬기로운 理解와 셋째 社會·歷史的 文化的인 普遍的 教養의 不足 때문에 우리의 究極目的인 自由建國이 遲延失敗되어가는 듯이 보이는 데에 對하여 하나의 建設的 主張이 될 수 있으리라는 것을 斷言한다. 卽 頑昧無知者는 自退할 것이요 革命的 隊列은 그 小兒病的 偏向을 清算할 것이다. 우리가 우리의 當面한 革命階段을 進步的 民主主義的인 것이라고 規定한 以上 階級의 存在와 따라서 그 大辯의 集中的 機關인 政黨의 存在도 아울러 認定한다는 것은 위에서도 말한 바이다. 그러므로 左右翼, 進步派·頑固派를 勿論하고 이러한 세 가지 點을 體得한다면 얼마나 우리의 將來에 對하여 光明을 던져줄 것인지 모를 것이다. 더욱이 愚昧無識한 頑固派－反動者에 對하여 이러한 點을 訓導할 必要를 느끼나 그들은 暗愚하기 때문에 뻔히 질 싸움을 最後까지 싸우다가 물러갈지언정 帝國主義的 封建的 要素와의 因緣을 淸算할 길이 없는 것이다. 人間은 階級的 人間으로서 規定된다는 大原則에 서면서도 또한 民族千年의 運命을 決할 危機的 瞬間에 處하여 우리는 이와 같은 主張을 내걸 義務까지도 느끼는 바이며 이것이 單純히 한 개의 希望이나 念願이 아니라 반드시 實現하지 않으면 아니 될 우리의 進步的 民主主義的 政治理念의 具現에 當하여는 이런 『휴매니슴』이 作用할 必要가 있다고 생각하는 바이다. 우리의 絢爛多彩한 新文化建設에 있어서 반드시 寬容性을 가지고 特殊性과 人間性을 살리는 이 휴매니슴에 힘입는 바가 많을 것을 斷言하는 바이다. 進步的 民主主義的 政治路線이 이러한 휴매니슴的인 浪漫의 沃野에서 展開된 때 우리의 民族文化는 比類없는 結實을 할 것을 確言하는 바이다.

그러나 나의 이러한 斷言과 確言도 한 개의 條件을 必要로 한다. 卽 첫째는 過去의 역사적 轉換期에 나타난 두 개의 휴매니슴은 어느 것이나 意志的인 革命的 實踐力이 不足하였던 것이다. 一九三六年 파시슴의 野蠻的 破壞的 擡頭에 依하여 文化擁護國際作家大會에서 「폴・니상」이 指摘한 바와 같이 휴매니슴의 缺陷은 첫째로 冒險을 하지 않겠다는 軟弱한 意志이었다. 思想家들은 明哲保身에 非常한 主意를 하면서 安穩하게 思索을 이어갈 수 있도록 높고 깊은 城을 쌓고 있었다. 「에라스무스」가 「루텔」이나 法皇・教會에나 어느 편에도 붙지 않으려고 하다가 나종에는 法皇便을 든 것은 휴매니슴의 傳統의 代表的인 것이라고 하겠다. 지금 아 땅의 知識階級－인텔리겐치아도 進步派와 頑固派의 두 派로 나뉘어 있다고 생각하나 그 두 派 中間에서 아직도 有利한 機會를 노리고 있는 意志薄弱者가 있음을 잊어서는 아니 될 것이다. 휴매니슴은 決斷

코 明哲保身하는 『處女地』가 아니다. 蠻倭의 帝國主義의 虐政下에서는 어는 程度 必要하였을지 모르나 지금에 와서는 그것은 不可하다. 그러므로 휴매니슴의 한 特質을 이루는 『生의 感情』은 具體的인 人間의 內容을 革命的 實踐으로써 살리는 生命的 推進力이 되어야 하겠다. 이러한 意味의 휴매니슴-그것을 나는 革命的 휴매니슴이라고 부르고 싶다-은 過去에 있어서도 그러하였던 것과 같이 現在에 있어서도 한 개의 思想的 運動이어야 하겠다. 그리하여 우리가 살고 있는 이 歷史的 現實을 다시 組織하는 原理인 위에서 말한 進步的 民主主義는 이 휴매니슴에 依하여 人間性의 참된 發展을 保證하는 것이 될 것이다. 그리하여 이 휴매니슴도 『人間的 思想의 抽象的 條件이 아니라 人間的 生命의 具體的 條件을 考慮하는 휴매니슴』(폴 · 니상)이 될 것이다.

五, 緊迫한 諸問題

이러한 民主主義的 휴매니슴, 革命的 휴매니슴의 體得에 依하여 우리의 統一建國運動에 深刻한 거의 致命的인 듯이 보여지는 信託統治 『絶對支持』와 그것의 『絶對反對』의 問題도 圓滿히 解決되었으리라고 생각한다. 휴매니슴의 敎養이 있는 사람은 焦燥하지 않으며 唐惶하지도 않는다. 또 左나 右를 勿論하고 極端的으로 偏向하지도 않는다. 穩健中正의 叡智를 가지고 批判하며 推究하고 秩序와 順序를 지켜서 한 개의 實踐的 結論에 到達하였을 때에는 決然히 그 所信에 邁進하나 또한 圓滿한 融通性을 가지는 것이다.

信託統治 問題가 美國極東部長의 입을 通하여 한 번 傳播되자 우리는 모다 그 眞否를 不問하고 朝鮮人된 者 누구나 不愉快하게 생각하였다.

이것은 우리의 民族的인 純潔한 感情이었다.

그리하여 左翼에서도 위에서 말한 解放日報 第七號 (十月 三十一日付)를 通하여 生命을 걸고 排擊하여야 한다는 것을 大書取扱하였던 것이다. 그러나 三相會議의 正式決定이 公表되자 數日을 隔한 뒤에 卒然히 絶對支持로 變한 곳에 問題가 多端하게 되었던 것은 누구나 다 잘 알고 있는 것이다.

死後藥方文이니 所用없다고 말할지 모르나 그때에 託治決定이 公表되자 焦燥唐惶할 것 없이 沈着冷徹하게 爲先 그것을 決定한 英露 兩國語의 正文을 入手하여 各派가 會同한 度上에서 檢討한 結果 그 見解가 다르게 될 때에 서로의 公式態度를 表明하였더라면 問題는 어느 程度 簡單히 落着될 性質의 것이었을지도 모른다. 三相會議의 決定內容은 當面한 모든 情勢로 보아 總體的으로 支持할 수밖에 없는 것이나 解放後 처음으로 當하는 큰일이었기 때문에 支持와 反對가 混線하여 收拾하기가 困難한 事態를 招來한 것도 事實이었다. 그때에 科學的 檢討의 結果 『支持』가 正當하다고 論證되었다면 그것을 다른 適當한 文句로 고쳤어도 좋았을 것이다. 가령 『是認』이라든가 하는 말로써—. 지금 생각하면 아주 遺憾된 일이었다. 이것도 위에서 말한 휴매니슴의 問題와 連結되어 오는 것이라고 생각한다. 勿論 휴매니슴은 萬能膏는 아니다. 그러나 이것을 體得하고 있는 때에는 모든 問題를 認識하는 슬기로운 精神的 態度를 잃지 않을 것이다.

또 아직은 表面化된 問題는 아니나 不遠한 將來에 반드시 登場할 問題로서 封建道德思想과 新時代의 價値顚倒的인 思潮와의 衝突의 問題가 發生할 것이며 亦是 또한 表面化하지는 않았으나 國粹的 神話的 民族論에서 본 教育理念規定의 問題에 對한 論議라든지 文化遺産繼承의 問題에

서 본 漢字廢 止問題라든지가 다시 再燃될 可能性이 많은 것 文學的 藝術的 創作에 있어서의 政治性의 問題와 學生自治의 問題같은 것에 對하여도 이 휴매니슴의 깊고 높은 教養과 叡智的 決定으로써 圓滿하고 調和있게 不自然함이 없이 解決되리라고 생각하는 바이다.

우리의 새로운 社會는 반드시 建設되고 말 것이니 그 새로운 社會와 그 위에 꽃피는 文化에 對한 前提的 要求는 묵은 死滅하고야 만 組織體制 속에서 形成蓄積된 觀念의 清算이라는 것이다. 그리하여 完全한 社會의 解放을 通하여 人間自體의 完全한 人間的인 解放도 實踐되지 않으면 아니 될 것이다. 社會發展의 法則은 이것을 豫示하고 있으며 우리는 휴매니슴的 教養의 實踐으로써 이 絢爛한 文化의 結實을 可能하게 할 것이다.

(本論은 一九四六年 二月 九日 全國文學者大會에서 한 特別報告를 若干修正하여 朝鮮文學家同盟發行 『建設期의 朝鮮文學』에 收錄한 것이다.)

5. 국수주의의 파시즘화의 위기와 문학자의 임무 ‖ 박치우

나치스 독일과 파시스트 이탈리아, 그리고 군국주의 일본의 타도만으로 세계사에 있어서의 파시즘의 종언終焉을 기대함과 같음은 너무나 어리석은 낙천주의다. 파시즘이란 한 번은 있었으나 꺼꾸러지면 다시는 있을 수 없는 그러한 박물학적 진열물은 아니다. 파시즘은 민족 국가가 존속되는 한, 언제나 열병熱病적인 공세를 노리고 있는 계급 사회의 바실루스basillus[1]다. 이지理智의 높은 근대화와, 그리고 보다 더욱이는 감정의 철저한 민주주의적 훈련을 거치지 않고서는 민족적인 중대한 문제와 마주치는 경우에 파시즘의 그럴 법한 가지가지의 유혹에서 손쉽게 벗어나기란 결단코 용이한 일이 아니다.

파시스트들은 언제나 반드시 애국자라는 미명하에서 등장한다. 그리고서는 자기를 따르지 않는 자는 덮어놓고 매국노로 몰아댄다. 그러나 생각해 보라! 강도 히틀러가 애국자인가? 약탈자 도조東條[2]가 애국자인가? 그럼에도 불구하고 적어도 한 때는 애국자로 행세할 수 있었던 원

---

1) 간균(桿菌).
2) 도조 히데키(東條英機). 1941~1944년 일본의 내각총리대신으로 재직한 군인.

인은 어디에 있는 것일까. 민중 역시 한때는 그들을 열광적으로 지지한 것은 무엇 때문일까. 모든 비밀의 원천은 감정에 있는 것이다. 신비주의적 유혹에 대하여 가장 약한 부분인 감정! 이성이 아니라 감정! 민족감정에 호소하는 것이기 때문이다. 파시즘이 항상 노리고 있는 가장 민음직한 돌격로는 대개는 언제나 이 같은 거의 본능적인 감정, 이를테면 '기분'이다.

파시즘은 독일이나 이탈리아의 전매품은 아니다. 무솔리니의 공언을 기다릴 것 없이 파시즘은 수입품도 수출품도 아니다. 그럼에도 불구하고 이탈리아만이 아니라 독일에도, 독일에만 아니라 스페인에도 스페인만이 아니라 또 다른 여러 가지 나라에서 파시즘은 번식하였으며 또 번식할 수 있는 것이다. 도처에 국산 파시스트가 있을 수 있다는 말이다. 사전 예고나 선전 포고가 아직은 없다고 해서 허리띠를 풀어놓고 앉은 자가 있다면 이들은 반드시 이탈리아의 사회당이나 독일의 얼빠진 자유주의자들처럼 무자비한 일격을 각오해야 할 것이다. 선제공격, 전격작전은 모든 파시스트의 공통된 전통적인 전투 양식이기 때문이다.

우리는 먼저 파시즘의 개념 규정에 있어 언제나 이것을 독점금융자본 시대와의 관련에서만 규정하려는 공식주의를 수정할 필요가 있다. 영국이나 미국에서는 맥도 못 쓰면서 이들보다는 훨씬 후진국일 터인 스페인에서는 도리어 프랑코의 파시스트 정권이 성공되지 않았는가. 이 사실을 어떻게 설명할 것인가. 그렇기에 독점금융 운운만을 고지할 것이 아니라 좀 더 넓게 정의를 줄 필요가 있는 것이어서 가령 계급 대신에 민족의 이름으로써 비상사태를 처결하려는 반역사적인 폭력 독재, 이렇게나 규정하는 편이 훨씬 더 타당할 것이 아닌가 한다. 어떻든 계급적 양심에 호소하는 대신에, 아니 때로는 도리어 계급의 대립을 말살,

엄폐하는 수단의 하나로서 계급 대신에 민족을 내걸고 민족 감정에 호소함으로써 폭력에 의한 비상사태의 반역사적인 해결을 도모하는 것이 파시즘의 공통된 특징이다. 반역사적이라는 의미에서 그것은 반동이며, 반동임으로 해서 폭력에 의거할 밖에 도리가 없으며, 폭력에 의한 제압의 지속을 위하여서는 계속적인 전제專制만이 유일무이의 길일 것은 말할 나위조차 없다.

이것은 누가 보든지 논리적으로는 엄연한 한 개의 무리가 아니면 아니 된다. 허나 논리적으로 무리이든 말든 이 같은 무리가 현실적으로 버젓이 성립될 수 있다는 것은 어찌 된 일일까. 비밀은 어디 있는 것일까. 이 같은 무리가 가능케 되는 철학적 근거는 무엇인가. 사상적으로 말한다면 한 말로 해서 그것은 이른바 비합리성의 원리라고 이렇게 말할 수 있을 것이다. 파시즘으로 하여금 한 개의 현실력現實力으로서 성립될 수 있게 하는 철학적 근거는 비합리성의 원리라는 말이다. 하다면 비합리성의 원리란 어떤 것인가?

합리적인 논리만이 논리가 아니라 비합리적인 논리도 논리일 수 있다는 사실을 우리는 먼저 알아둘 필요가 있을 것이다. 테르툴리아누스의 '역리逆理의 논리', '셰스토프의 허망虛妄의 논리'와 같은 것은 어느 의미에서 본다면 합리적인 논리에 대한 한 개의 반발로서 이 같은 비합리적인 논리의 성립에 관한 시론試論의 하나라고 볼 수 있는 것이지만 사실 토테미즘의 사회와 같은 미개 사회에서는 이미 레비-부뤌Lucien Levy-Bruhldl이 지적한 바와 같이 전前논리적인 논리, 일종 비합리적인 논리가 지배적인 경우도 있는 것이다. 이 점에 있어서는 구태여 미개 사회에까지 갈 것 없이 현재 고급 종교까지를 포함한 모든 종교의 경우에서도 사정은 적어도 매마찬가지인 것이다. 거기에서는 2×2는 4가 아니라 진실로 2×2는 5도 되며 1도 되는 일쯤은 보통이기 때문이다. 2×2가 5되며 1도 될 수 있는 한에서 뿐 종교는 비로소 성립될 수가 있다는 말이다. 이른바 초超논리적인 논리가 이것이다. 비밀주의의 배후에는 언제나 이 같은 비합리적인 논리가 움직이고 있는 것이어서 파시즘이 등을 대고 있는 논리 역시 언제나 일종의 이 같은 비합리적인 논리라는 것을 우리는 명기할 필요가 있다. 피나 흙의 논리야말로 그 가장 현저한 자者일 것이다. 무엇 때문에 동포라면 반갑고 고국이라면 그리운가. 동포이기 때문에 반갑고 고국이기 때문에 그리운 것이다. 그 뿐이다. 이 이상 설명해 낼 도리가 없는 것이다. 이 의미에서 이것들은 확실히 보통 논리, 합리적인 논리로서는 설명할 수 없는 신비적인 요소를 가졌다고 볼 수 있다. 그렇기에 나치스 철학이 언제나 피와 흙의 원리를 내세우게 되는 것은 이렇게 보아 오면 결코 이유 없는 일은 아니다. 이지理智는 여기에서는 절대로 금물이다. 단도직입으로 감정에, 민족 감정에 호소하고 마는 것이 언젠 그들의 상투 수단이다. 모든 종류의 국수주의가 자칫하면 사피즘으로 넘어 가기 쉬운 가장 큰 이유의 하나가 여기에 있다. 내 것이면 덮어놓고 사랑하며 제일인 국수주의는 이성의 개재를 불허하는 일종의 감상주의임에 틀림없는 것이며 그렇기에 피와 흙을 돌보지 않는 여하한 국수주의도 없는 것과 마찬가지로 국수주의로부터 발족하지 않는 파시즘이라곤 없는 것이다. 국수주의가 권력에의 의욕과 결부되는 순간 그것은 횡포무쌍한 파시즘으로 전화轉化되기가 십중팔구인 것이다. 덮어 놓고 내 것이 제일, 우리 민족이, 우리 문화가 제일이라는 신비주의적 국수주의 사상이 가령 제국주의와 같은 것과 손을 마주 잡게만 된다면 그것은 내內로는 테러와 쿠데타를 일으키고야 말 것이며 외外로는 만주를, 시베리아를! 이렇게 조선판版 천손사상,

팔굉일우八紘一宇를 재현시키고야 말게 될 것은 의심 없는 일이다. 하다면 이 경우에 문화는 어떻게 될 것인가? 더 말할 것 없이 모든 비非독일적인 문화를 구축하고 그 자리에 순수, 청결한 독일적인 민족 문화를 육성한다던 나치 독일의 문화 정책이 과연 어떠한 결과를 가져왔느냐가 무엇보다도 증거다. 문제는 오직 조선에도 과연 이 같은 파시즘의 위험이 있느냐 어떠냐에 달렸을 뿐이다. 그러나 이 점에 대한 우리의 대답은 간단하다.

첫째 식민지 내지 반식민지의 피압박 민족이 그들의 압제자의 손아귀에서 해방될 때 이들의 대부분이 국수주의적 방향으로 달리기 쉽다는 것은 심리적으로도 그럴 법 하거니와 역사적으로도 지적할 수 있는 뚜렷한 사실이다. 1차 세계대전 후의 폴란드 독재주의자 피우수트스키Józef Piłsudski에 의하여 영도된 폴란드의 경우는 그 좋은 예의 하나다. 하다면 이 점에서 조선은 과연 예외일 수가 있는가? 예외일 수 있을 자신이 있는가?

둘째로 후진 사회에서의 정치 투쟁은 폭력에 의한 파쇼적인 해결에 귀착되기가 거의 십중팔구라는 사실을 알아야 한다. 스페인의 프랑코, 태국의 피분Luang Songgram Phibun, 중국의 장제스 장군 등은 그 성공한 자의 예지만 아직도 라틴 아메리카에서는 폭력에 의한 정권 탈취, 쿠데타에 의한 라틴적인 혁명이 끊일 줄을 모르는 현상이다. 하다면 조선은 과연 이들에 비해서 얼마나 선진국일 수가 있는가.

후진 사회일수록 파쇼적 폭력 정치가 지배적인 것은 아무도 부정 못할 엄연한 사실일 것이다. 이것은 두말할 것 없이 민주주의적 훈련이 부족한 탓이다. 하물며 아직도 봉건 유제의 대부분이 그대로 남아 있고 자본주의라 하더라도 겨우 기형적으로밖에 발달 못된 조선, 더구나 일제의 식민지라 민주주의는 고사하고 아무러한 이렇다 할 정치적 훈련의 기회조차 가져보지 못한 조선이 아니냐. 파시즘의 유혹에 대해서 과연 어느 정도의 용의와 준비가 있을 것인가. 진실로 이렇게 보아 오면 조선이야말로 파쇼의 번식을 위하여서는 절호의 토양일 것이다. 우리에게는 아직도 이지理智의 근대화도, 감정의 민주주의적 훈련도 아무것도 되어 있지를 않다. 무엇을 가지고서 그 휘황찬란한 파쇼의 유혹에서 자기를 지켜낼 도리가 있을 것인가.

미소 양군만 없다면 통일은 염려 없다는 말은 의미심장할 말이다. 왜냐하면 물론 통일은 될는지도 알 수 없을 것이다. 그러나 그 경우의 그 소위 통일이란 십중팔구는 민주주의적 통일의 반대물인 파쇼적인 통일, 비민주주의적인 통일일 것은 명약관화기 때문이다. 연합군의 감시 하에 있음에도 불구하고 민주주의 공부는 뒷전으로 밀고 테러와 전제專制가 여하히 계속되어 부끄러울 줄 모르는 조선이 아니냐. 그렇지 않아도 아시아의 해방 지역에는 독립은 상조尙早라는 의견이 아직도 미국 정계의 일부에는 있다는 말을 들은 일이 있지만 진실로 슬픈 일이나 이유 없는 일은 아닐 상 싶다. 왜냐하면 식민지 투성인 아시아에서 그 동안 그래도 독립 국가로서 겨우 버티어 내려온 나라라고는 일본, 중국, 태국의 삼국에 지나지 않았지만 이 세 나라의 국정國情은 과연 어떠했을까. 모두가 파쇼가 아니면 독재 국가가 아니었던가.

누가 정말로 파시스트인가는 용이하게 식별하기가 어려운 것이 보통이다. 히틀러도 자기는 국가 사회주의자이지 파시스트는 아니라고 말했다. 자기는 파시스트가 아니라 사회주의라는 말이다. 나는 강도요, 나는 야만이요, 하고 명함에 찍어 가지고 다니는 사람이 없는 것처럼 내가 파시스트라고 광고하고 다니는 사람은 없다. 그러니만치 어렵다. 허나 만약 우리들 사이에서 조선 사람은 천손天孫이며 세계에 으뜸가는 민족이라든가 우리글과 문화가 덮어놓고 세계에 제일이라고만 주장하여 외국 문화의 자유롭고 활발한 섭취를 방해하는 자가 있다면 어떨까. 더 말할 것 없이 이가 바로 국수주의자인 것이다. 또 이 같은 국수주의적 정신의 발판 위에서 민족 감정에 불을 질러서 정치적 야심을 만족시키려는 자가 있다면 어떨까. 더 말할 것 없이 이가 정히 별다른 게 아니라 파시스트인 것이다. 하거늘 아직도 입으로는 민주주의를 외치면서도 이 같은 파시스트의 꽁무니만 따라다니는 자칭 민주주의자가 많다는 것은 어찌된 일일까. 다른 것일 수는 없다. 즉 이들은 아직은 '덜된' 민주주의자이든가 그렇지 않으면 민주주의는 간판뿐이고 기실은 파쇼의 주구이든가 이 둘 중의 하나일 수밖에는 없는 것이다. 파시즘을 지지하는 민주주의란 예상할 수조차 없는 모순이기 때문이다.

문학자가 제작製作은 뒷전으로 정치 문제에 참관參觀한다는 것은 문학하는 사람으로서의 문학자의 입장으로서는 확실히 소모적인 월경임에 틀림은 없다. 그러나 한 개의 정치 문제가 문학자 개인의 일신상의 문제인 성질을 띠고 나타나는 경우에는 문제는 자연 달라져야 한다. 이 경우에 문학자는 문학하는 한 사람의 '인간'의 입장에서 자기를 변호하며 방어하며 주장해야 하며 또 이렇게 하는 것은 문학자로서 당연한 권리가 아니면 아니 된다. 동시에 이러한 성질의 정치 문제가 일국一國 문화의 부침소장浮沈消長과 지대한 관계를 갖게 되는 경우라면 문학자는 단순히 일신상의 변호나 방어를 위해서만이 아니라 국가 민족의 문화의 수호와 발전을 위해서 모름지기 용감하게 전선에 나서지 않으면 아니 된다. 이것은 문화의 사도使徒로서의 문학자의 엄숙한 한 개의 의무인 것이다. 파시즘 및 그 온상인 국수주의에 대한 투쟁이야말로 이러한 성질의 문제일 것이다. 이제 파시즘의 협위脅威야말로 문학하는 모든 사람에게 있어서는 벌써 한 개의 남의 문제일 수는 도저히 없기 때문이다. 파시스트 국가에서의 문학자와 문학이 경험한 피 비린내 나는 생생한 기록이 무엇보다도 여기에 대한 웅변적인 재료다. 파쇼 대두의 위험을 앞두고 문학자가 자기와 문학 내지 문화를 위해서 이것과 정면으로 싸운다는 것은 그러므로 자신을 위해서나 문화를 위해서나 지극히 당연한 일이 아니면 아니 된다. 하다면 이 경우에 문학자는 과연 어떻게 싸울 수 있으며 또 싸워야 할 것인가.

파시즘의 궁극적인 철학적 적敵은 합리주의, 합리정신이다. 문학자는 그러므로 무엇보다도 먼저 모든 종류의 전前논리주의, 반논리주의, 감상주의, 역리逆理의 논리, 신비주의 등등 이 같은 모든 비합리주의적인 것에 대한 가책苛責 없는 자기비판을 거쳐야 한다. 동시에 이 같은 모든 비합리주의적인 조류에 대해서 이들을 적으로 내세우고 합리주의의 사상 진영陣營과도 굳게 손을 잡고 끈기 있는 투쟁을 전개하지 않으면 아니 된다.

다음 정치적인 현세顯勢로서의 파시즘의 당면 적은 민주주의임은 말할 것도 없다. 문학자는 그러므로 한 사람의 민주주의자로서 자기를 급속히 훈련하는 동시에 민주주의 전선에 적극적으로 참가해야 한다. 자본주의적 민주주의든 사회주의적 민주주의든, 여기에서는 조금도 개의할 것이 없다. 파시즘에 관한 한, 모든 민주주의의 공동전선이야말로 절대의 요청이 되기 때문이다. 제2차 세계대전은 그 좋은 한 개의 예를 보여주고 있다.

더구나 조선의 현실에 비추어 본다면 사태는 한결 더 간단해질 것이다. 왜냐하면 정치적으로만이 아니라 경제적으로 사회적으로 문화적으로 진정한 민주주의 노선만 따라만 간다면 어떤 주의의 민주주의든 간에 당연히 그리고 반드시 결국은 근로 민주민족 전선이라고나 불릴 수 있을 그러한 유일 최종의 일로一路에 합치고야 말 것은 필연적인 순서기 때문이다. 인간으로서의 일대일만 보증된다면야 최대 다수의 최대 행복을 위한다는 민주주의 부동의 원칙에 비추어 조선의 민주주의가 이러한 것이 되어야만 할 것은 이理의 당연한 자者이기 때문이다. 따라서 모든 민주주의자는 그가 진실로 양심으로부터 민주주의자이고자 하는 한, 안심코 반파쇼 깃발 아래로 모일 수 있으며 또 모여야 할 것이다. 더구나 파시스트가 가장 두려워하는 자는 이들 근로 인민이며 근로인의 단결이다. 근로자의 분열 없이 파시즘이 성공한 예라고는 없다. 문학자는 그러므로 이들 속에 들어가서 이들과 굳게 단결될 때에만 문화 조선을 파쇼적 협위에서 구출할 수 있을 가장 바르고 넓은 승리의 대조를 발견할 수 있으리라는 사실을 잊어서는 아니 될 것이다.

국수주의의 파시즘화를 경계하자!
비합리성의 원리를 분쇄하자!
합리성의 원리로써 무장을 하자!
합리주의 사상 진영과 손을 잡자!
감정을 민주주의적으로 훈련하자!
민족 신비주의의 유혹에 속지 말자!
민주주의 계몽 운동에 적극 참가하자!
국제 파시즘의 뿌리를 뽑자!
반파쇼 깃발 밑으로 모든 민주주의자는 단결하자!

6. 指導者論 ‖ 신남철

(-高邁한 精神과 創造的 政治-)

一, 科學과 詩의 統一

地球는 크고 太陽은 작다고 하면 누구나 抗議할 것이요 書冊은 푸르고 空氣는 싱겁다고 하면 모다들 코웃음 칠 것이다. 그러나 事實에 있어서 우리의 肉眼은 地球가 太陽보다 크다고 일러주고 우리의 瞑想은 푸른빛 平和에 잠긴 書冊의 寶庫를 恍惚히 眺望하고 우리의 味覺은 허파의 活動을 싱거운 冷水 한 사발같이 입맛을 다시며 生命을 씹어 사미는 것이다.

사람은 科學의 眞正한 眞理로서 確認하면서도 卑俗의 眞理를 또한 生活에서 體認하는 것이다. 兩者가 根本的으로 다른 두 개의 世界가 아니라 實은 一者로 還元되는 人間의 實體인 것이다. 이 두 개의 眞理는 本質的으로 다른 것이라고 생각함은 잘못이다. 前者는 그 該博, 統一, 精緻, 永遠이라는 點에 그 適用의 普遍性이 있는 것이고 後者는 實用, 主觀, 便利, 機會라는 點에 그 現象의 一時性이 있는 것이다. 實際生活과 敎育的 見地에서 보면 大端한 差異이고 또 言語的 表現에 注意를 要하는것이다.

科學의 眞理는 學者가 말하는 바이고 卑俗의 眞理는 閭巷의 生活者가 지저귀는 卽興的 表現이다. 學者의 觀察은 外見과 表象을 通하여 本質과 內奧를 透視하여 事物의 참된 本性을 統一的으로 提示하는 것이나 그렇다고 반드시 微妙複雜한 人間的 關係에서 빚어내지는 反映된 自然과 社會를 實用的으로 表示하지 못한다. 顯微鏡을 通하여 『덱글라스』를 들여다보는 嚴密한 눈동자도 依然히 人間의 눈이다. 그 嚴肅한 눈동자는 日常의 肉眼보다 綿密히 擴大된 많은 것을 보지만 그렇다고 우리의 肉眼이 보는 바와 같이 시원하고 生動的인 具體的 常識的 生活은 아니다.

學者는 自然, 人間, 社會에 對하여 그 複雜無變한 關係를 因果的으로 系列있게 整理 分類하여 法則을 세우기는 하지만 글 있어왔고 있으며 또 있을 歷史의 必然性과 雜多한 社會的 現象關係를 조금도 變更하지 못한다. 學者는 凡俗의 生活者가 깨우치지 못하는 現象의 因果關係를 說明하고 體系化하기는 하지만 그 現象이 왜 그렇게 되느냐하는 質問의 究極的인 說明은 閭里의 四夫와 같이 모르는 바이다. 『왜』 『왜 그러냐』를 자꾸 椎窮해 가면 나종에는 할 수 없이 막히고 마는 것이 實態가 아닐까. 不可知論의 막다른 골목에서 헤매다가 필경에는 街頭로 튀어나오는 「파우스트」가 되고 말 것은 뻔한 일이다. 科學-自然科學的 科學은 그 不可知論의 九重官闕에서 自己飛躍을 하지 않으면 아니 된다. 豪華絢爛한 精神世界의 魔術性을 가진 人間은 具體的 人間生活의 飢餓, 飽腹이 빚어내는 利念과 念願 憎惡와 鬪爭 信賴와 建設의 도가니 속에서 한 개의 道德을 찾어내서 高次의 對人關係를 設定하고 平和의 無搾取鄕을 마련해 보겠다고 악바디하는 꼴을 따뜻하게 凝視할 必要가 있다. 더욱이 學者 —科學者에게 그러한 必要가 있다고 생각한다.

白髮의 「파우스트」가 靑春과 建設을 찾으며 硏究室에서 뛰어나와 「메피스트펠레스」에게 휘둘리며 苦悶하는 그 聖스러운 姿態를 보아야 한다. 高邁한 人間性을 奪還하기 爲하여 詩와 散文을 肉膚로써 體認해 보기 爲하여 盛衰과 拮抗의 戰野로 뛰어든 神像을 보아야 한다. 科學과 詩의 統一이 滅却된 社會에서 未冷屍의 人間大衆을 科學이나 政策만으로 다시 起死回生케 하려고 한댓자 不可能한 일이다. 人間的인 苦悶을 體驗하지 못하고 思想的인 哲學을 부질기게 뚜들려 깨쳐보지 못한 數많은 科學者 政治家 立法家에게 모슨 애틋한 情味와 푸군한 知性을 期待하랴. 따라서 統一도 建設도 바라는 편이 無理다. 苦悶과 抱擁의 哲學的遂行! 이 두 가지는 서로 滾滾히 샘솟음이 그치지 않는 地球의 美의 源泉이다. 慈母인 이 나라의 大地 위에 버티고 서서 바라볼 때 왜 이렇게 어수선하고 발이 저린가!

二, 苦悶者의 斷乎한 忿怒

人間에 價値를 주는 것은 하나도 빼지 않고 다 苦悶에서 말미암아 온다. 價値가 實現될 때 사람은 感激에 사모쳐 自身과 抱擁하고 家族과 抱擁하고 友人과 抱擁한다. 平和와 建設은 偉大한 價値인 것이다. 同時에 그것은 도한 偉大한 抱擁인 것이다. 戰爭과 破壞는 反價値요 離叛이다. 政治는 그 反價値와 離叛을 根滅芟除하는 創造的 苦悶이다. 그러한 高邁한 創造的 苦悶이 아니면 아니 된다. 地球는 太陽보다 작으면서도 크다. 이 矛盾이 實際에 있어서 우리 人間에게는 統一的으로 可能하다. 地球가 宇宙의 無窮한 太陽系의 沙漠 속에서 一粒의 모래알이라는 科學的 眞理가 우리의 肉眼에는 太陽이 쟁반만하게밖에는 보이지 않는 矛盾統一的인 生生한 事實을 볼 때 제아무리 政治路線이 다르다하더라도 우리는

高邁한 抱擁的 謙虛와 矛盾統一的 轉換이 可能하다고 보지 않을 수가 없다. 苦悶의 精神에 徹하여 創造的 氣魄에 鮮血이 뿜을 때 事實로 直接的으로 太陽은 地球보다 작다고 밖에는 보이지 않을 것이다. 苦悶이 이 땅덩이 위에 있다고 하면 이 땅덩이는 爾餘의 모든 世界－宇宙보다도 偉大한 것이다. 「아나몰・푸랑스」가 地球上에 있어서의 苦悶의 道德의 創造性을 探奧한 比喩로 말하여 가르쳐 주는 것을 우리는 그냥 읽어내버릴 수는 없다. 詩의 世界는 現實의 世界요 轉用된 政策의 世界다. 宇宙보다 더 큰 이 땅덩이 위에는 惡德・反逆者・死刑囚를 그득하게 지니고 있으나 또한 道德과 天才도 있어야 하지 않겠는가. 그 道德과 天才가 그 惡德・反逆者・死刑囚를 蠱惑시키며 自滅하게는 政治的 手腕을 發見케 하여야 할 것이다. 政策과 戰術이 偉大할수록 그는 詩의 世界에 사는 것이다. 偉大한 苦悶은 「에르네・루낭」과 같이 微笑를 띠이며 科學的 道德의 꿈을 꾸며 새 誕生의 明日을 計劃하리라. 政治는 勿論 路線의 科學性을 가져야 하며 可能하다면 그 위에 詩와 꿈을 꾸는 苦悶이며 抱擁이어야 한다.

人間的 苦悶의 歷史的 自覺을 遂行한 사람은 政治的 天才이다. 孟子와 毛澤東, 「카미유・데무랑」과 「레-닌」은 이 偉大한 歷史的 自覺의 天才이었다. 흘러넘치는 熱情的 苦悶을 가지고 荊棘의 荒蕪地를 開墾한 世界史的 個人－英雄이었다. 世運의 苛酷한 進步는 偉大한 道德的 苦悶者이어야 할 政治家를 亞流의 技術者로 低下시켜가지고 무거운 負擔을 課하며 얼른 成果를 거두라고 채찍질한다. 帝國主義의 日本的 毒素가 아직도 餘燼을 뿜고 있는 속에서 살고 있는 三八線 以南이기 때문에 科學的 道德을 苦悶하는 꿈의 所有者를 따뜻한 人間的 抱擁 속에서 待望한 지 벌써 半年이다. 괴로움이 많은 故로 질거움이 貴하며 그리운 것이요 惡이

强한 故로 善이 더욱 빛난다. 親日派 民族反逆者 謀利輩가 三八線 以南으로 모였고 또 本來부터 있어서 북새질을 하는 꼴이 지린내나기 때문에 도리어 貴하고 强한 거룩한 識見 該博 圓融 濶達의 政治的 苦悶者가 그립기 짝이 없다. 私慾 孤高 獨斷 君臨의 모든 側面을 捨象하고 괴로우니 한번 으앙하고 어린애같이 우는 純眞高潔의 設計家 理想家가 그립기 限이 없다. 縱橫의 才華를 슬기롭게 驅使하여 全靈을 이 땅덩이 위에 내던지는 꿈꾸는 苦悶者가 보고지이다. 그가 있다면 참으로 苦行의 聖者이며 民族의 慈父이며 革命의 先驅이리니 모든 惡漢 醜類는 自然히 해돋자 사라지는 이슬이 되리라.

苦悶은 辨證法을 內包하고 있다. 革命의 前夜이다. 飛躍의 危機이다. 새 誕生의 陣痛의 絶頂이다. 創造의 出發이다. 歡喜의 十字架다. 殉敎的 精神의 集中的 表現이다. 이 苦悶의 哲學의 現實的 適用이 政治面에 實現될 때 高邁한 淸廉과 人民大衆의 狂信的 感激的 行列이 大道上에 展開되리라.

希臘語의 『아고니아』(苦悶)는 闘爭을 意味한다. 『나는 죽지 않으므로 나는 또한 죽는다』고 하는 熱烈한 祈願을 가지고 政治問題와 情死를 하는 自己同一的 矛盾의 主體的 表現이다. 偏見을 없애고 政權慾을 拒否하고 그리고 또 裡面策略을 짓밟아 내던지고 勇敢히 부닥뜨리는 不滅의 精神이 設或 悲劇의 墓地에서 꽃다발의 靜寂을 呼吸하게 할지라도 그 偉大한 闘爭의 論理學은 永遠히 民族의 解放史上에서 焚香의 煙氣를 피우리라.

듀비타-레(懷疑한다)와 듀엘룸(闘爭)이라는 두 글자는 다같이 數字『듀오』(둘-二)에 같은 語根을 가지고 있다. 이 두 側面을 統一的으로 가지고 있는 것이『아고니아』이다. 苦悶은 回議하며 闘爭하는 自己同一的 勞作(라이스퉁그)이다. 懷疑는 파스칼的인 冥想의 懷疑인 同時에 데칼트的

인 方法的 懷疑이다. 自己沈潛의 反省的 高潔과－(파스칼에 있어서와 같이)－明白하고 判然한 無誤謬의 計劃的 具體性에 到達하려는－(데칼트에 있어서와 같이)－論理的 正確에 對한 思念의 두 가지를 統一的으로 自覺하고 鬪爭하는 것이 이 苦悶의 巨像인 것이다. 自己自身과 싸우고 政敵과 싸우고 不合理한 社會制度와 싸우고 惡漢醜類와 싸우고 侵略·强力·市場化와 싸우고 또 自然과도 싸우는 否定의 論理學이 苦悶의 論理學인 것이다. 勇敢히 過去와 追憶을 淸算하고 現實의 理性者로서 人民으로서 友人으로서 新建設의 바벨塔工事場에 모래 한 알이라도 가져다 보태겠다고 熱願하는 人間이 그 論理學의 把持者인 것이다. 그러한 詩人이 보고 싶은 것이다. 實現되지 않을런지도 모를 絢爛한 明日을 가슴에 안고 懷疑하며 鬪爭하는 苦悶의 戰士-그는 新世界를 創造할 政治家의 새로운 類型이 아니면 아니 된다. 그의 志操는 두 개의 아랫니를 보이며 웃는 돌 지난 애기같이 純眞無垢하고 그의 行動은 窮谷林泉에서 서답을 빨고 있는 當婚의 處子같이 人間的이나 聖스럽고 그의 思想은 十字架에 못 박히는 基督같이 斷乎하며 高邁한 것이다. 但知其一의 革命家群과 未知其二의 政治家集團을 볼 때 쓰라리고 답답함을 어찌할 수 없다! 忿怒와 恐怖가 交至하여 輾轉反側하며 잠 못 이루는 밤이 하도 많구나!

三, 祝福받는 偉大한 苦悶者

白堊舘의 뿔루-룸(푸른방)에는 政略縱橫의 民主國의 帝王 하-딍 大統領이 科學의 恩人을 잔치하는 多彩한 豪華版이 展開되었다. 政府 外交界 學術文化의 綺羅星이 堵列한 가운데에 라듸움의 發見者 큐-리 夫人이 사랑하는 두 딸을 데리고 들어왔다. 수선하던 방안은 갑짜기 五月의 花園

그대로 비길 데 없이 고요하고 燦爛하였다. 中央에는 푸른 비단보로 싸고 黃金의 잠을쇠로 잠근 아담한 작은 箱子를 恭遜히 얹은 花柳長方 테-불이 양키的 彫刻으로 아로새긴 線을 빛내이며 의젓이 놓여 있었다. 盛大한 記念品進呈式이 바야흐로 擧行되려고 하는 것이다. 一九二0年의 晴朗한 五月太陽은 바람결 하나 없이 外塵巷街를 내려 비치고 있었다.

큐-리 夫人의 百折不屈하는 科學에의 情熱과 그 苦鬪의 偉大한 發見을 讚揚祝賀하기 爲한 全國的인 儀式이었다. 한 벌밖에 없는 社交服-男便 죽은 뒤에 고이고이 장겨두었던 한두 번밖에 입지 않은 검은빛의 質素한 社交服을 입고 북두갈구랑이가 된 두 손으로 공손히 든 流行에 뒤떨어진 검은 핸드빽도 滿場의 注目을 글기에 充分하였다. 그 箱子 속에는 한 그람의 라듸움 模造品이 들어 있었고 그 위에는 寄贈目錄證書가 얹혀 있었다. (그 한 그람의 라듸움이라 할지라도 非常히 高貴한 元素이고 그 갑만해도 한 그람에 그때 돈으로 十萬弗 以上이었다. 또 放射線을 放射하기 때문에 危險하므로 工場 金庫 속에 넣어 두었었다.)

그런데 그 寄贈目錄 證書를 미리 夫人에게 提示하여 諒解를 求하였을 때 夫人은 이같이 말하였다.

『이 證書는 고쳐 쓰지 않으면 아니 됩니다. 美國이 나에게 提供하여 주는『라듸움』은 永久히 科學에 屬하는 것입니다. 萬一 내 個人에게 준다고 하면 한 時間 後라도 죽을지 모르는 나에게는 곧 내 딸들의 個人財産이 되고 맙니다. 그러므로 내 硏究所에의 寄贈品으로 해주지 않으면 아니 됩니다.』

高邁한 聖者 崇嚴한 神像이다. 私利와 獨樂을 罪惡視하고 個人譽辱을 超越한 그 淸澄한 心魂은 永遠히 人類의 師表 民族의 精華로써 빛날 것이다. 이러한 偉大을 낸 波蘭의 大地와 人民 위에 永遠한 光榮이 있을지

어다. 이러한 人間의 高尙한 知性과 强靭한 意志는 人間性을 刻刻으로 推進創造하는 永遠의 搖籃이요 不滅의 港口이다. 强한 放射線 때문에 타고 무뚝뚝해진 손구락으로 精神과 肉體의 苦惱를 指彈 拒否 轉換한 이 偉大한 修道者의 心境이 革命黨員 革命鬪士 組織指導者에게 있다면 倭奴 覆滅 後의 頑冥한 이 政局이 辨證法的으로 揚棄 展開되었을 것이다. 人民民衆은 愛知高潔의 指導者를 大望한 지 이미 오래다.

歷史의 創造者는 人間이다. 그 人間의 指導者는 이 땅－朝鮮의 땅을 「머더 · 어-트」(慈母인 大地)로서 부둥켜안고 우는 崇高한 愛國者이어야 하며 「헤클레이토스」가 『호이 · 폴로이』(多數者)라고 하여 數만 많다고 업수이 여긴 『포풀루스』(人民)를 積年의 苦役에서 解放하여 安息과 平和를 주는 革命的 犧牲的 前衛이어야 한다. 元老院 멤버나 國務大臣을 꿈꾸며 秘密結社를 組織한 것이 아니었고 投獄과 逃避의 連續線上에서 아슬아슬하게 찾아진 感激의 날이었다. 數만 많다고 업수이 여길 大衆이 아니니 反逆者 內應者의 斬首가 어째서 躊躇될 것이냐. 先驅的인 世界史的 個人은 犧牲의 嚴肅性을 覺悟하고 決斷의 白刃을 들지 않으면 아니 된다. 抱擁의 白刃이며 無慈悲의 銳劍인 것이다. 이 矛盾的 自己統一이 苦悶의 革命家요 創造의 政治家인 것이다. 그 個人은 自己自身의 犧牲도 覺悟하지 않으면 아니 된다. 歷史審判이 自由를 實現하는 데에 있어서 그 手段으로서 使用되는 것이 世界史的 個人의 運命인 것이다. 自己와 그 同僚의 榮譽와 名利를 爲한 것이 아니라 이 땅의 運命的인 苦悶의 義俠的 實踐者로 自身을 認識하지 않으면 아니 될 때 질겁도다! 朝鮮의 歷史는 새 展開를 하리라!

어떤 美國의 婦人記者가 巴里의 라듸움 硏究所를 찾아 『당신의 硏究所에는 라듸움이 많이 있겠지요 또 專賣特許라도 얻어 돈도 많이 벌으

셨겠지요』하고 물었을 때 夫人은『아무도 라듸움을 만들어가지고 돈벌이를 해서는 아니 됩니다. 그것은 한 개의 元素입니다. 萬人의 所有物입니다. 個人이 私有할 것이 아닙니다. 누구나 만들 수 있습니다.』고 대답하였다. 아무리 生産費가 많이 들어도 한 그람에 數百萬푸랑을 하는 元素이니 專賣特許를 얻자고 周圍에서 봇챘다. 그때에 그는 人間의 魔性에 誘惑되어 懷疑하였다. 그러나 懷疑는 鬪爭이므로 苦悶하며『再探求』를 決意하였던 것이다. 事實懷疑는『듀비타-레』인 同時『스켑시스』이다. 希臘語『스켑시스』는 再探求를 意味하는 것이었다.『또그마』(獨斷)에 對하여 再探求 再發見을 通한 創造를 爲하여 一步 後退하고 躊躇하며 苦悶하는 聖스러운 鬪爭的 犧牲者를 우리는 歷史發展의 새 理念 새 原理로서 設定하자!

四, 暴風 속의 苦悶的 創造

政治는 苦難, 痛切, 矛盾, 相剋의 世界에서 實現遂行되는 人間正義의 基本要件이다. 歷史的 正義의 社會的 正義가 現在點에서 交叉되어 지금과 이 땅의 特殊性이 攝取되어 있는 苦悶의 世界의 勘定作業이다.「플라토-ㄴ」의 理想國家도 滿足과 歡喜에 찬 安易한 樂園이 아니라 苦痛과 艱難에 充溢하나 그것을 넉넉히 뚫고 참아내는 犧牲的 精神에서 成立되는 意志의 世界이었다. 그의 國家論 속에는 抛棄되어야 할 殘滓要件(階級奴隷의 是認等等)이 많이 있다. 그러나 그의 意圖한 叡知者의 統治에 對한 憧憬과 情熱은 高遠한 眞理를 敬虔한 言語로써 論述하고 있는 것이다. 그가 그때의 社會가 理想과 隔絶되어 있기 너무도 甚한 것을 義憤에 불타며 直截簡明히 敍述한 대목을 볼 때에는 謙虛하게 머리가 숙여짐을 어찌할 수 없다. 그는 國家論(共和國)에서 哲學者의 資格과 國家統治者로서의 任務와 使命을 說明하고 있다. 그의 國家學設은 單純한 現實的인 計劃案이 아니라 當爲로서의 理念이고 精神이었다. 이것을 우리가 理解하고 본받아 볼 수가 있다고 하면 이 混亂의 政局에는 다시 없는 淸凉劑가 되고 去勢手術이 되지나 않을까 생각한다. 名譽와 勸力과 地位를 얻고 그리하여 支配의 快感을 滿足시켜 보려고 날뛰는 個人의 跳梁과 그 背後의 反逆層-利慾의 權化 日帝的 現狀維持派를 掃蕩根絶시키는 當面의 所願과 要求는 이 「폴라토-ㄴ」의 精神을 들려주고 가르쳐주고 싶은 衝動이다. 千萬의 會合 會議 委員會 聲明도 다 失敗에 돌아가리라! 容許된다면 實力의 發動이 切實히 待望되나 四圍의 情勢는 그것이 不可能하다. 外力에 依하여 온 선물이니 또한 外力에 依하여 收拾되어야 한다는 것은 슬픈 일이다. 精神的 說教가 何等의 效果를 내지 못함은 잘 알면서도 精神主義者의 獨語같은 이 글이 행여나 三思의 契機라도 된다면 다시없이 기쁜 일이겠다. 참으로 政治的 創造는 풀라토-ㄴ的 叡智者의 典雅 明敏 謙虛 犧牲의 精神에서 이 땅에 苦悶的 創造의 遂行을 보이리라.

모-든 偉大한 것은 暴風 속에 聳立하나니(풀라토-ㄴ·폴리테이아) 우리는 知者를 부르는 喇叭소리에 따라 내닫는 創造的 苦悶에 북바쳐 嚴肅한 犧牲을 覺悟한 鬪士-世界史的 個人의 出現을 바라마지 않는다. 정치ㄱㄴㄷ도 모르는 政治家는 自然히 根滅되리라. 歷史發展의 方向과 必然性도 모르고 現實組織의 分析과 綜合도 모르며 科學的 知識의 究極的 勝利는 알면서도 現實的 戰術의 伸縮性을 考慮하지 않는 政治家『委員代表』의 群像이어! 詩도 苦悶도 再探究도 計劃도 永遠性도 「파우스트」도 모르는 저 많은 政治家『聲明部長』의 羅列이여!

(一九四六, 七, 「新世代」)

부록 B 임화 편

1. 조선신문학사론 서설(序說)*

-이인직(李仁稙)으로부터 최서해(崔曙海)까지

전언(前言)

이 글은 신경향파문학의 역사에 대한 전혀 부당한 수삼(數三)의 논문을 비판의 대상으로 하는 국한된 목적으로 기초된 것이 의외의 방면으로 벌어지고 길어져서 전혀 발표의 사정에 의하여 불손한 제목을 붙이게 된 것이다. 그러므로 이곳에서 '사론(史論)'에 상응하는 풍부한 내용을 기다린다면 적지 않은 실망을 가질 것을 미리 말해두는 바이다. 필자 병와(病臥)한 지 연여(年餘)에 하등의 자료도 없이 단지 낡은 수첩 일개의 힘을 빌려 이 소설(小說)을 여지(旅地)에서 적었으므로 독자는 충분한 양해 밑에 보아주기를 바란다. 오직 우리들의 문학사 연구에 대한 필자 연래(年來)의 소회(所懷)의 일단을 기술할 기회를 얻은 바이니 독자의 연구에 자(資)함이 있으면 만행(萬幸)이라 생각한다.

---

* 『조선중앙일보』, 1935. 10. 9~11. 13.

1. 문학사적 연구의 현실적 의의

오늘날에 있어 우리 조선문학사상(朝鮮文學史上)의 모든 사실에 대하여 엄밀한 과학적 평가를 내리고 그 복잡다단한 역사적 발전의 전노정(全路程) 가운데서 일관한 객관적 법칙성을 찾아내어 한 개의 정확한 체계적 묘사를 만든다는 것은 실로 곤란한 사업이면서도 또한 가장 존귀한 일의 하나이 아니면 아니 된다.

그러나 지금 이 문학사적 노력의 가치와 의의에 관하여 오늘날에 있어서란 한 개 특별한 시대적 관심을 가지고 이야기하게 됨은 이 오늘날이란 시기가 가지고 있는 바 제 내용이, 그 가치와 결과하는 바 의의를 다른 여하한 시기보다도 실로 고유의 것을 만들기 때문이다.

무엇보다 그 절박한 필요에 있어 또 비상히 높고 큰 의의에 있어 다른 시기에 있을 문학사적 사업과 스스로 구별되어야 한다.

따라서 우리가 문학사적 사업에 요구하는, 과학적 엄밀성은, 일층 가혹하고, 또 고도의 것이다. 왜 그러냐 하면, 오늘날에 있어서 처해지는, 근소한 과학적 부정확성은, 명일(明日)에 볼 수 있는 우리의 문학적 창조에 있어 실로 금일에 앉아 상상키 어려운 심대(甚大)한 결과를 초래할, 출발점이 되는 때문이다. 마치 두 개의 직선이 일점상(一點上)에서 상교(相交)함에 있어, 그 일점상(一點上)을 통과한 직후에 두 선의 거리란 무난히 협소한 것이나, 드디어는 영원히 상합(相合)치 않을 무한대의 방면으로 발전하는, 기하학상의 범례(範例)와 같이, 금일의 시기란 우리들의 문학적 발전상에 있어 정히 중대한 일점(一點)인 때문이다.

현재 우리 조선의 프롤레타리아문학이 어떠한 조건 하에 있으며, 또 그 외의 건전한 문학 전반이 미증유의 심각한 역사적 국면 위에 서있다는 것은 다언(多言)을 요치 않을 것이다.

비단 한 개 프롤레타리아문학의 운명에 관한 사태가 아님도 또한 역연(歷然)한 것이다.

이미 몇 사람의 양심 있는 문학자의 입으로부터 이대로 가면 조선문학은 멸망할 것이다! [3행 삭제] 라는 비통한 부르짖음이 발해진 것도 1, 2차가 아니다.

그리고 이러한 위기적 곤혹(困惑)을 가장 우심(尤甚)히 받고 있는 문학은 일반적인 조선문학의 영역 가운데서도 자연주의문학의 쇠미(衰微) 이후 올 민족적 문학의 진실한 길을 걷고 있던 그 유일의 예술적 사상적 지주인 프롤레타리아문학이라는 것은 과거 프로문학에 관하여 부당한 평가를 내리고 있던 일련의 맹안자(盲眼者)류에게 정히 두상(頭上)의 일봉(一棒)이 아니면 아니 될 것이다.

지금에 있어 이들 맹안자들이 문학상의 한 개 광포(狂暴)한 좌익적 이단자의 조류로 보아오던 문학 위에 가하여진 침통을 극한 시대적 압력이 파급하는 범위의 넓음을 감지하지 못하는 자가 아직도 이 나라 문학계 가운데 남아있다면 그것은 전혀 예술적으로 사유하고 인식할 하등의 자질을 갖지 않은 자뿐일 것이다.

그리하여 이곳에 가장 육체적인 절박성을 가지고 만인의 가슴에 전해지는 사실은 우리 조선문학이란 ××××××생활과 함께 있다는 것, 다시 말하면 조선의 문학적 성쇠(盛衰)의 운명과 불가분의 관계 하에 서있다는 사실의 일층의 확인이 아니면 아니 된다. 이 압력이란 오늘날에 와서는 여하히 두터운 피부가 신경체계의 작용을 무디게 하던 인간의 피부이라도 용이히 감각(感覺)할만한 노골적이고 강렬한 형태를 가지고 작용하고 있다.

그러므로 만일 어떠한 형태로이고 금일 우리의 문학이 위기 하에 서 있다면 [2행 삭제] 는 것이다. 따라서 문학적 위기의 극복은 또한 생활적 위기의 타개 그것과 한 장소, 한 시기에서 수행될 것이며 문학상의 위기현상이란 ×××××× 한 개의 정직한 반영에 불과하다.

우리가 문학이 생활적 진실의 반영자·구현자이고 그 토대 위에서 자기가 자유스러운 창조적 세계를 개척하는 것이 진리라고 하면 문학이 그 자신의 위기를 타개치 못하고 기피하거나 좌절한다면 그것은 곧 생활적 현실로부터 격리되는 것이다.

또는 이 위기현상의 구체적 인식을 그르친다고 하면 이것 역시 문학이 그것 위에 서서 발전해나갈 토양으로부터 자기를 뽑아내는 비참한 결과에 도달한 것도 논리의 지극히 명확한 순서이다.

따라서 생활로부터 유리되는 문학의 곧 진정(眞正) 의미의 예술성으로부터 떠나게 되는 것이라면 이 또한 자기를 예술적 파멸의 길로 인도하는 결과에 도달할 것이다. 따라서 오늘날의 있어서의 조선의 문학사적 연찬(硏鑽)이란 이 위기현상에 정확한 인식과 또한 그의 극복의 엄밀한 과학적 기초가 되는 의미에 있어 특별히 중대한 현실적 의의를 갖는 것이다.

그러므로 위선(爲先) 현재의 문학사적 노력은 결코 일반의 상식으로써 이해되는 단순한 '학구적' 의미로부터는 훨씬 거리가 먼 것이다.

이곳에서 취급되는 문학적 대상은 결코 단순한 평화스러운 '학문적' 연구와 그 흥미의 대상이기에는 너무나 절박한 현실적 필요의 대상이다. 다시 말하면 이 과제는 우리들 앞길에 산같이 쌓인 잡다한 현실적 난관을 극복할 문학적, 창조적인 실천의 생×[산]적 문제와 밀착되어 있다.

정말로 이것 없이는 우리들의 문학이 현재 가지고 있는 예술적 세계관적 제결함을 보정(補正)할 수 없고, 동시에 이곳에서 일보를 그르친다면 이 위기 가운데서 자기를 전일적으로 완성하면서 ××적으로 위기를 초극하여서 이것을 자기의 일층의 비약적 발전의 계기로 만드는 대신, 일직선적으로 쇠망의 길로 이끌고 말 역사적 실천의 운명을 좌우하는 중대한 계기이다.

현실생활의 역사적 운동의 조류 위에서 자기 스스로를 전방(前方)으로 이끌 통일된 예술적 ×[정]치적인 실×[천]적의 절박한 육체적 필요만이 문학사적 제 문제를 정당히 취급하고, 또 평가할 수 있는 것이다.

그러므로 우리는 진실한 문학적 전진이 지극히 곤란한 조건 하에 놓인 금일, 다난한 전진 운동의 급류로부터 자기를 어떤 안일한 장소로 이끌어가기 위한 한 개의 방편으로서의 역사적 반성의 휴식소를 구하는 기도라든가, 또는 문학적 실천의 복잡한 과정 위에 과학적 조명을 던지려는 하등의 적극적 열의도 없는 아카데미안의 무미건조한 해석적 분석으로부터 이 사업을 구별하지 않으면 안 될 것이다. 금일에 있어 문학사적 문제란 실로 완전한 한 개의 실천적 과제이다.

2. 근대문학의 형성과 신경향파

특히, 지금 내가 수언(數言)을 소비하려는 신경향파문학 발생의 역사를 천명하는 데 있어서는 이 고유의 의의는 일층 더 첨예하게 나타나며, 문학운동의 예술적 ×[정]치적 ×[실]천과의 관계는 백배 더 긴요해지는 것이다.

이것은 의심할 것도 없이 프로문학의 예술적 ×[정]치적인 전발전의 단초이고, 그 전공과(全功過)의 비판적 해명의 기초인 때문이다. 동시에 신경향파문학 대두 이후 카프 문학의 십년은 그 형태의 변이와 공과 모두가 이 시대의 제 내용의 각개의 연장이고 또 지금으로부터 먼 미래로 향한 조선 프롤레타리아문학과 그것에 의하여 제약될 조선의 민족문학 전반도 어떤 의미에서 본다면 이것의 특정한 의미에 있어서의 구체적이고 발전이라 할 수 있기 때문에, 특히 이 중요성은 배가하는 것이다.

따라서 신경향학파문학의 역사적 검토의 결론은 곧 조선의 프로문학 운동 전반의 평가의 기준이 되는 것이며 아울러 현재로부터의 창조적 실천의 행로와 방향을 지시하는 한 개 행동적 기간(基幹)이 되는 것이다.

이러한 의미에 있어 필자는 일찍이 현재의 시기에 있어 금일까지의 신문학의 전 역사에 관한 과학적인 역사적 반성을 요망한 것이고, 특히 프롤레타리아문학이 선행한 신문학으로부터 계승한 제유산과 부채를 과학적 문예학의 조명하에 밝힐 것을 희망한 것이다. 이것은 곧 프로문학의 십년간에 긍(亘)한 예술적 정치적 실천이 자기의 쌍견(雙肩) 위에 지워진 예술사적 임무를 정확히 자각하고 실천하였는지 그렇지 못하였는지를 알게 하는 것이며 또 그것의 학과적인 비판은 곧 장래할 우리들의 문학의 역사적 진로를 조명하는 예술적 강령의 범위를 지시하는 것이다.

그러므로 비록 희귀하고 실로 완전치 못하나마 이러한 문학사적 반성의 맹아에 접할 수 있는 것은 이러한 귀중한 관심의 앙양으로서 반가워해하야 할 현상이다.

그러나 금일까지 우리가 통독할 수 있는 이 문제를 위하여 쓰여진 몇 개의 노작을 살펴볼 때 우리들의 이러한 원칙적인 요구의 방향과는 전혀 무연(無緣)한 어떤 일관된 경향의 견해를 발견할 수가 있다. 뿐만 아니라 현재까지 발표된 거의 전부의 논문의 필자들이 약속이나 한 듯이 이러한 경향의 대표자들이란 데는 일경(一驚)을 불금(不禁)할뿐더러 한 개 중대한 사태의 표현으로써 우리들은 확고한 태도와 방침으로써 이것과 대립하지 않으면 실로 슬퍼할 결과에 도달하고 말 것이다.

이 유행되는 문학사적 사상이란 별 것이 아니라 신경향문학과 프로문학의 비판상에 나타난 문학과 생활의 이원적 분리의 관념론이다. 동시에 이 이원론적 사관은 문예 급(及) 예술의 역사적 발전의 선명(鮮明)에 있어 프리체적 상대주의의 아류자(亞流者)들로서 일(一) 시대의 문학과 그 전과 후의 시대의 문학적 발전의 내적 관련의 설명에 있어 완전히 무력할뿐더러 자기류의 독특한 기계론을 가지고 모든 시대의 문학을 수화(水火)와 같이 절단(絶斷)하는 데 높은 기술을 가진 사가(史家)들이다.

오직 이곳에는 하등의 문학적 또는 예술사적 교양을 상반(相伴)치 않고 관념형태와 생산관계와의 복잡다기한 관계를 죽은 변증법과 경화(硬化)한 유물사관의 공식을 가지고 요리하는 독단론의 칼이 준비되어 있는 데 불과하다. 그리하여 문예예술상의 계급적 상극과 창조적인 실천의 이해는 안일한 몇 개 공식에 의하여 교묘히 대치되고 만다. 뿐만 아니라 이러한 이원사관은 과거 카프의 조직적 와해를 촉진시킨 변질주의(變質主義)의 이론적 무기였다는 것을 날카롭게 기억하지 않으면 아니 된다. 다시 말하면 신경향파문학의 형성으로부터 이기영(李箕永)의 소설 『고향』을 생산한 높은 수준에 이르는 십년간에 긍(亘)한 고난에 찬 행로를 걸어온 프로문학의 전존재가 그것으로 말미암아 성립하고 또 발전해온 예술상의 ×[당]파적 견지를 파괴하려는 데 이 이원사관은 실로 효과적이었다.

그러나 박영희(朴英熙), 이형림(李荊林)에 의하여 대표되는 신장(新裝)한 예술지상주의 이론!(명기하라! 이것은 카프해산론이었다!)은 금일에 와서 아무도 거기에 공연한 찬의를 표하는 자를 발견할 수는 없을 만큼 이 이론의 가치와 명예는 똑똑하다.

그러면 우리들 진보적 문학의 영역에 있어 이러한 이론의 여훈(餘薰)은 완전히 묵살되고 소청(掃清)되어 있는가 하면 결코 그렇지 않다. 몇 사람의 작가들이 창작상에서 서서(徐徐)한 퇴각을 실천하는 데 이 고마운 교설(教說)은 진리가 되어있고, 프로문학의 사적(史的) 평가란 과학적 노력의 형태를 통하여 이 경향은 복잡한 과학적 논리의 외모를 갖추어 재생산되고 있다.

이 종류의 견해는 9월 『신동아』지에 실린 근대 조선문학의 사상적 천이(遷移)의 연구를 위하여 쓰여진 신남철(申南澈), 이종수(李鍾洙) 양씨의 논문과 좀 멀리는 작년 『신동아』에 실린 김기진 씨의 「조선문학의 현계단과 수준에 관한 제론(諸論)」에서 그 한 개 기초적인 요소를 발견할 수 있다.

특히 홍미 있는 것은 박영희적 이론에 대하여 정면의 비판자로 등장한 김기진 씨는 말할 것도 없거니와 신남철, 이종수 양씨가 다 박영희적 이원론의 비판자라는 점에서 한 개의 공통점을 가지고 있다는 점이다.

이렇게 본다면 박영희, 이형림 등과 그 비판자인 제씨들을 지금 한 개의 이론적 계열하에 놓는다는 것이 모순하는 것 같으나, 그러나 우리들의 이해할 요점은 이 비판자나 비판당하는 자가 모두가 동일한 이론적 기간(基幹) 위에서 출발한 두 개의 지엽(枝葉)이란 요점이다.

이 문제의 가장 적당하고 또 종합적인 자료를 제공하는 대상은 신남철 씨의 '신경향파의 대두와 그 내면적 관련에 대한 한 개의 소묘'란 긴 부제가 붙은 「최근 조선문학사조의 변천」이란 일문(一文)이다. 이하 주로 이 논문이 가지고 있는 문제의 비판을 따라 문예사관의 신이원론

(新二元論)을 해명코자 한다.

주지하는 바와 같이 '신경향파'는 프로문학의 역사적 단초이고 그가 가진 문학적 사상적 이상은 금일까지의 프로문학운동의 창조적 비평적 제 활동을 지배하온 것이라고 보아도 대범한 의미에서 별로 사실과 모순치 않을 것이다.

즉 문학은 현실생활에 의존한다는 견지에 있고, 동시에 문학은 생활현실에 일정한 정도로 봉사하는 것이라고 주장한 것이다.

우리는 신경향파문학의 창시자들의 대단히 오랜 논문 가운데서 다음과 같은 말을 발견할 수가 있다.

"다만 현실을, 우리의 생활을 ××하여야만 우리의 문학을 ××할 수 있고, (…중략…) 예술 이것을 해방시키고 생명의 본질을 찾고자하자면 우리는 우리의 생활을 ××하지 않으면 아니 된다."(『개벽』 대정(大正) 13년 2월호 「금일의 문학 · 명일의 문학」, 김기진)

혹은 "시대마다의 위대한 생활의 발견이 위대한 예술을 출생시킨다", "그런고로 문예가 생활에 영향이 있다느니보다 생활이 문예에 영향을 주는 것이다"(『개벽』 12월 「조선을 지나는 비너스」, 박영희)는 일견 소박하나 그러나 명확한 사적 유물론의 견지 위에서 자기들의 예술적 출발을 비롯한 것이다.

물론 어느 시대의 문학도 대부분 그러한 것과 같이 '신경향파' 시대에 있어서도 실제의 창조적 활동과 비평의 이상과는 상당한 거리가 있었다. 즉 이러한 비평가들의 이상적 욕구에 상응하기에는 신경향파 문학의 예술적 정치적 수준은 비교적 얕은 곳에 있었다. 허나 그렇다고 해서 신경향파의 원칙적 욕구가 작가들의 창조×[실]천에 맞지 않았다든지 공허한 것이라든지 하는 관찰은 가능치 않은 것이다.

그때나 지금이나 비평의 요구는 항상 비평과 문학 그것이 의존한 ×[계]급의 현실적 ×[실]천의 이상적 요구를 가장 높게 집결적으로 표현한 것으로 문학상의 창조적 ×[실]천이 현실적 제 과정에 비하여 후행적(後行的)이었다는 것은 신경향파 이후 전(全) 프로문학의 공통의 약점이면서도 또한 역사적인 한 개 개연성을 가진 것임을 이해해야 한다. 그것은 사회생활의 현실적 과정이 도달한 이상의 고처(高處)를 문학이나 예술이 걸을 수 없다는 단순한 관계로부터 귀납되는 것이다. 특히 조선과 같이 근대 근로층의 자각적 ××가 옅은 계단에 있는 곳의 유소(幼少)한 문학의 맛보는 제 곤란이란 특히 큰 것이다.

그러나 신경향파문학의 이 원칙적 욕구는 금일에 이르기까지 프로문학의 전×[실]천을 일관한 프린시플이었다. 허나 이 유소한 문학적 세대들은 이러한 원칙을 강조하는 나머지 문학상에서 내용 편중주의라고 하는 한 개의 마이너스를 가졌었다. 그리하여 문학상에 있어 그 사상성과 예술성에 대한 통일된 과학적 견지를 가지는 대신, 예술의 형식의 의의에 관한 유명한 김기진 대 박영희의 역사적 논쟁을 거쳐 문학적 창작과 그 운동과 공히 정치의 우위성이란 것을 곧 정치 급(及) 사상에의 직접의 봉사주의라는 방향을 가지고 최근까지에 이르도록 지배적 원칙으로서 통용된 것이다.

그러나 먼저도 말한 바와 같이 이 땅의 사회적 제 조건에 의하여 이러한 결함은 거의 불가피의 것으로써 문학 자신이 혼자 다른 유력한 현실적 힘의 명확하고 정당한 지도를 떠나 자기의 정로(正路)를 찾을 수는 없었다.

실로 이러한 경향은 신경향파나 프로문학 자신만이 생각해낸 방향이 아니라 조선의 새로운 층의 유약한 ×[실]천이 이러한 문학상의 결함을 시정할 능력을 갖지 못했을 뿐만 아니라 때로는 이 그릇된 방향을 시인하고 또 조장, 요구까지 하고 있었다는 중요 사실이 이 가운데 개재되어 있는 것이다.

그러나 이러한 역사적 사회적인 제 결점이 박영희, 이형림을 두목으로 하는 일련의 이원론적 당파성 해체론자들의 교설(敎說)과 같이 그 전 체계를 일률로 부정할 기초가 되어야 할 것이냐 하면 천만의 말이다. 이것은 조선의 유소(幼少)한 근로층이 성장의 통고(痛苦) 가운데서 지불한 불가피의 ××적 희생이고 이것에 수반하는 경험 없고 나이 어린 문학예술의 대오(隊伍)가 역사적 과정 가운데 내놓지 않을 수 없는 실로 아픈 공물(貢物)이었다.

왜 그러냐 하면 우리들의 현실적 제 과정이나 문학예술의 운동이 이러한 희생을 지불치 않으려고 아끼었다면 그보다 몇 백배 귀중한 본질적인 것을 희생의 제단에 내놓아야 했을 것임으로서이다.

다시 말하면 이 부차적인 조그만 희생을 아끼었다면 모든 것은 태초로부터 존재하지 않았으리라는 것이다. 더구나 신경향파문학이 그 제일보를 내놓을 때는 세계의 어느 나라에서도 근로층의 문학적 창조와 그 운동의 정당한 경험을 섭취할 지주(支柱)와 실례가 없었다는 역사적 약점을 더 한번 고려하지 않으면 아니 된다. 소련에 있어서는 시민전쟁 시대의 초연(礎煙)이 스러질락말락한 때로, 겨우 프로작가의 단일적 운동이 형성된 직후이고, 일본 내지(內地)에 있어서도 겨우 『신흥문학(新興文學)』, 『파종인(播種人, 씨뿌리는 사람)』 등의 연소한 운동이 조선과 대차(大差) 없는 형태로 출발한 때였다는 국제적 사정은 그들로 하여금 금일에 생각하는 것과 같은 고도의 예술적 수준으로부터의 반성을 불가능케 하였다.

그러면 과연 오늘날 신경향파문학에 대하여 거의 지배적 평가로 되어있는 것과 같이 "비상히 유치한 수법, 졸렬한 취재, 미숙한 문장, 초보적인 자각 의식을 가지고 시를 쓰고, 소설을 지었음에 불구하고, 그것이 이광수 등의 개인적 상인적(商人的) 문학작품보다 낫다는 것은 그 수법, 그 문장, 그 취재(取材)에 있어서가 아니라 사회적인 소위 '목적의식적' 개조운동과의 관련과에 있어 우의를 가졌다."(『신동아』 9월호, 전게논문, 신남철)는 것 불과한 것일까?

3. 춘원(春園)문학의 역사적 가치

이것은 보다 평이한 말로 바꾸면 신경향파문학이란 대체로 문예, 예술적으로는 이광수 기타의 부르주아적 문학에 비하여 뒤떠러져지면서도 그것이 후자보다 우월하다는 유일한 근거는 그들이 '소위 목적의식적 개조운동'과 연결되는 '초보적인 자각의식'을 그 내용으로 하였기 때문이라는 의미이다.

즉 세계관상의 진화에 대하여 예술적 발전은 상부(相符)치 않았다는 것, 다시 말하면 우위적 발전적 상태에 있는 것은 사상상의 현상뿐이고 예술상으로는 퇴화되었다는 말이다. 이것은 곧 누구의 눈에도 명료한 것과 같이 문화사상에 있어 세계관적 과정과 예술적 과정의 내적 관련을 설명치 않고 문학적 발전상에 있어 사상과 예술성을 만리(萬里)의 장성(長城)을 가지고 분리하는 이론이다.

이 분석이 고의의 독단적 판단이 아님을 이야기하는 것보다 근본적인 견해는 상기의 인용 중에 표시된 씨의 이른바 '초보적인 목적의식'과 '목적의식적 개조운동과의 관련'이란 전일적(全一的) 내용의 개념을 두 개 상이한 것으로 취급한 역사 이해의 방법으로부터 유래한다.

주지하는 바와 같이 사적 유물론은 한 개 관념형태로서의 '자각 의식'의 '초보성'을 '목적의식적 개조운동' 그 자체의 '초보성'으로부터 연역하고 후자가 가진 현실적 '초보성'의 정신적 반영으로 그것으로 말미암아 제약된 필연적 결과로서 파악하는 것이다.

이 일점(一點)은 역사의 현실적 토대와 그 상부구조와의 내적 관련에 대한 신씨의 파악 방법이 사적 유물론의 원칙, 그것과는 상당히 먼 거리의 것임을 이야기하며, 아울러 문학 현상의 사상성(현실운동과의 관련의 표현으로서의)과 예술성의 '내적 관련'에 대한 그릇된 이해의 사상적 핵심이 무엇임을 알게 하는 가장 명확한 표시이다.

이곳에서 우리는 신씨의 자랑하는바 내적 관련의 이론이 결국은 양자의 분리의 이론이며, 동시에 이 이원론은 결코 한 개의 우발적 현상이 아니라 씨가 모든 현상과 그 역사적 관계를 이해함에 있어 체계적 방법으로서 가지고 있는 수미일관한 것임을 이해케 하다.

역사적 이해에 있어 이러한 입장은 문학사 서술의 국면에 있어서, 종(從)으로는 각 문학적 유파의 사적 소장(消長)의 일관한 법칙적 발전의 연락을 절단하고, 횡(橫)으로는 동시대에 존재한 제 작가와 유파 경향의 복잡한 교호관계 중의 과거적인 것과 융흥적(隆興的)인 것의 역사적(이것은 필연적으로 당파적 평가에 도달한다) 사회적인 분석과 구별을 불가능케 하고 문학적 비평에 있어서는 내용과 형식의 분리로써 표현된다.

그러므로 신씨의 여사(如斯)한 문학사관은 제일로 신경향파문학 평가에 있어 그 종적(從的) 표현인 그 전시대의 신문학과의 복잡한 제 관계를 사상(捨象)하고 시대 구별의 안일한 개념으로써 대치하는 낡은 역사학의 관용(慣用)된 방법으로부터 출발한다. 우리는 씨의 논문의 서두적(緖頭

的) 부분에서 다음과 같은 주목할 만한 일절(一節)을 인용할 수가 있다.

> 이광수의 『무정』, 『개척자』 등에 있어는 사실 진보적 경향적 요소를 간취할 수 있다. 그러나 이것은 끝끝내 개인 인간의 생활개선의 역(域)을 탈각치 못하였다. 그것은 상당의 사회적 계급분화의 개인주의적 상인적 유물주의적 표현에 불과하였다. 이것이 조만간 새로운 세력의 성장과 함께 대두한 소위 '신경향파문학'과 대립하게 된 것은 아주 자연적인 이로(理路)이었으니 그것은 각기 사회적 지반을 달리하고 있었기 때문이었다.
>
> —『신동아』 9월호, 신남철, 상게 논문

이것은 씨의 이론적 출발로서 지극히 당연한 순서이다.

장황한 인용문 가운데 곧 간취할 수 있는 바와 같이 이곳에는 해(該) 논문에 있어 씨의 기도(企圖)의 주요방향이 되어있는 문학적 세대교체의 의 사회사적 측면에 있어서도 씨는 심히 부정확한 개념밖에 못 가지고 있음을 위선(爲先) 알 수가 있다.

신경향파문학이 형성되지 않으면 아니 될 사회적 계급적 근거와 이광수 등의 문학이 과거의 문학으로서 역사의 국면으로부터 퇴거(退去)치 아니하면 아니 될 동일한 근거의 분석을 볼 수 없고 또 그때의 대립된 근거의 역사적 관련의 필연성의 석명(釋明)이란 가장 중요한 사업이 결여되어 있다.

뿐만 아니라 씨의 논문의 대상이 아무리 사조(思潮) 변천(變遷)의 묘출(描出)에 있다 하여도 그것이 문학사를 대상으로 하는 한 반드시 해명해야 하고 또 사실상 이것 없이는 문학 사조의 추이를 이해하기 불가능한 불가결의 것인, 이광수 이래 신경향파문학 이전에 개재하였던 문학 현상에 대하여의 고구(考究)를 피한 것은 불가사의(不可思議)의 일이다.

신경향파가 그 자체를 문학적으로 형성함에 있어 직접으로 관계한 것은 기미(己未) 이후에 개화된 자연주의와 데카당이즘, 낭만주의 등의 문학이었다.

이 조류는 신문학사상 가장 화려 융성한 시대를 대표하는 것으로서 춘원 이후의 문학 발전과 시대정신의 찬란한 축도(縮圖)이었다는 것을 잊어서는 안 된다.

이때 비로소 조선의 신문학은 문단이란 것을 가졌고 유치하나마 비평이 생기고 시와 소설이 근대적 형태의 터를 잡아 마치 황혼을 맞는 하늘과 같이 어린 문학 조선의 하늘은 미증유의 성관(盛觀)을 정(呈)하였다.

프로문학의 영아(嬰兒) '신경향파문학'이 이 가운데서 자기의 정신적 문학적 영양을 섭취하고 그들이 해결치 못한 잡다한 사상적 문학적 부채를 계승하면서 차등(此等) 문학의 부정적인 제점(諸點)에 화살을 던지고 생활적 역사의 새로운 요구에 조응하면서 시대의 전면에 일어선 것이다.

이곳에는 춘원으로부터 신경향파문학에 이르는 문학적 발전의 역연(歷然)한 법칙과 사실이 아울러 가로놓여 있는 것이다.

그럼에도 불구하고 신남철 씨에 있어서는 춘원에 대한 부정확한 추상적 평가와 차등(此等)의 선행적 문학과 신경향파문학을 대등의 균형론상에서 취급하는 무원칙적 대립의 이론이 지배하고 있을 뿐으로 구체적 사실과 그 제 관계 급(及) 발전에 대한 과학적인 배려는 완전히 무시되어 버렸다.

첫째 춘원의 『무정』 등을 신경향파문학의 직접의 선행자로서의 위치상에 놓고 아울러 그 '많이 간취할 수 있다는 진보적 경향적 요소'를 '당시의 사회적 계급 분화의 개인주의적 상인적 유물주의적 표현'이란 간단한 추상적 개념을 가지고 처리하고 오히려 그것이 '개인의 생활 개선의 역(域)을 탈각'치 못한 데 '불과'하다고 불만을 피력하는 것은 일견 그럴 듯하면서도 기실(其實)은 아무것도 의미하지 않은 무의미한 말이다.

춘원이 대표하는 문학이 신경향파문학 직접의 선행자가 아님은 말할 것도 없거니와 그 진보성 경향성이란 신씨의 평가와 같이 그다지 '많은' 것도 아니며, 또 그것은 당시의 사회계급의 분화 과정에서 생산된 상인적 사상!(씨의 표현을 빌면 개인주의와 유물주의)의 본래적 의미의 표현도 아니었으며, 그것이 '개인적 생활 개선'의 한계 밖을 나가지 못함은 결코 '불과하다'고 볼 것이 아니다.

오히려 상인적 사상이란 본래에 있어 개인주의에 입각하고 또 그것의 최대의 고려점(考慮點)이 개인의 산업상 · 상업상의 수리(受利), 그것임은 당연한 것이고 필연의 결과이다.

그러므로 만일 당시 춘원의 문학이 이 상인적인 요구를 완미(完美)한 의미에서 자기의 예술상에 표현 반영할 수 있었다면 문학사적 견지에서는 최대의 찬사를 가지고 대접받아야 할 것이다.

씨는 레닌이 그 톨스토이평 가운데서 "레오 톨스토이 제 견해에 있어서의 모순은 근대 노동자운동 급(及) 근대의 사회주의의 견지에서 평가할 것이 아니라(그것은 물론 필요한 것이나 그러나 그것으로는 불충분하다) …… 운운"의 논문 가운데서 지시한 유명한 교의(教義)를 기억케 해야 할 것이다.

이곳에는 과학적 사회주의의 추상적 지수를 가지고 척도할 것이 아니라 문학사의 구체적 사실과 그 문학을 낳은 사회적 현실로부터 출발하는 것이 진정한 과학적 ××[사회]주의의 발전이라는 것을 명시한 것이다.

그러므로 일리치는 고정화된 프롤레타리아×× 견지에서가 아니라 러시아 역사의 부르주아 데모크라시의 과정 가운데 문제 해명의 제 기점(提起點)을 든 것이다.

이러한 착오·혼란된 견해는 구체적 현실의 무시와 역사 현실의 계루(繼累) 과정에 대한 부정확한 이해, 즉 발전의 사상의 결핍으로부터 유래하는 것이다.

춘원의 문학은 위선(爲先) 그 자신 소위 '발아기(發芽期)를 독점'하는 존재일 뿐 아니라 이해조, 이인직으로부터의 진화의 결과이고 동시에 동인, 상섭, 빙허 등의 자연주의문학에의 일 매개적 계기였다는 변증법(진실로 초보적인!)의 견지에서 이해되어야 하며, 다음에는 그의 사회적 역사적 의의를 구체적 현실과의 의존 관례의 법칙에 의하여 평가하여야 할 것이다.

이러한 견지에서 본 『무정』 등의 문학적 가치란 동인, 상섭 등에 비하여 뒤떨어지는 것이고 또 그의 선행자 이해조, 이인직의 수준보다는 높은 것일 수 있는 것이며 또 그 사실에 있어 그러한 것이다.

허나 이곳에 춘원이 관계한 전후의 문학적 세대와의 차이에 있어 약간의 특수한 고려를 필요로 한다.

그것은 『무정』 등이 이인직 등에 비하여 갖는 문학적 우월성이란 이인직의 작품이 그의 선행 시대에 있던 구(舊)투의 신구소설류에 대하여 가지고 있는 진보적 의의에 비하여 그리 높지 못한 것이다.

당초 이인직의 창조적 성과란 과거 한 시대의 소설과 대비한다면 비록 금일에 보는 것과 같이 완미(完美)한 것이 아니라 하더라도 그 내용(內容)하는 사상과 제재에 있어 또 언어 문장, 특히 재래에 보지 못하던 정밀한 묘사에 있어 개척한 바 사업에 있어서는 실로 혁신적인 것이었다.

허나 춘원이 이인직으로부터 구별되는 본질적인 것은 그 형태에 있어 실로 평화적이다. 물론 제재의 범위, 그 근대성, 묘사의 일층 풍다화(豊多化)・정밀화와 시대적 정신을 일층 명확히, 지극히 한정된 의미에서나마! 반영하였다는 점에서 커다란 진보이나, 동인(東人) 씨가 『춘원연구』 가운데서 지적한 바와 같이 '이러라', '이로다', '하더라', '하노라' 등 구시대의 문어체의 유물이 그대로 잔존해 있을 뿐만 아니라 세계관상에 있어서도 이인직의 그것(불철저한 근대정신)의 단순한 연역・부연(付椽)의 역(域)을 넘지 못하고 제재를 구성하는 데서도 낡은 권선징악 소설의 여훈(餘薰)을 채 탈각치 못하였었다.

이 모든 조건은 춘원의 이인직에 대한 문학적 우월이란 것을 심히 조건적인 것으로 만드는 것으로서 이인직의 구(舊)시대 문학에 대한 관계에 비하여 춘원의 이인직에 대한 그것은 상대적으로 보아 전자에 뒤진다는 것이다.

이것들이 모두 현재(現在)안저 『무정』이란 소설을 볼 제 엄밀한 의미에 있어서 근대문학의 형태를 갖춘 예술작품으로서 평가하기에 약간의 주저를 삽입케 하는 점이다.

그러나 필자는 결코 춘원이 독행천리(獨行千里)의 기개로써 신문학 발전의 공고한 기초를 쌓아올린 존귀한 업적을 추호라도 과소하게 평가하려는 자는 아니다.

오히려 신씨의 논법에 보는 바와 같이 『무정』이나 『개척자』가 그 예술적 가치에 있어서보다 그것이 당시 발전하고 있던 새로운 시대정신을 반영한 내용적 사상성에서만이나, 혹은 이종수 씨의 소론에서 보는 것과 같이 '봉건도덕에 대항한 자유를 부르짖은 점에 있어서' 겨우 '진보적이라고 할 수 있다'는 그러한 일면적 비평으로부터 완강히 그 문학적 진보의 가치를 주장, 옹호하는 자(者)이다.

왜 그러냐 하면 이곳에는 비단 논리상뿐만 아니라 사실로 문학적 예술적 발전·진화의 확호(確乎)한 달성이 존재한 때문이다.

이러한 편안적(片眼的) 비평이란 과거의 젊은 좌익적 비평이 범한 일이 있는 공식주의적 과오의 확대 재생산이 있을 뿐외(外)라 문화상의 아나키즘으로 과학적 문학비평의 현명한 관찰과는 무연(無緣)의 것이다.

차등(此等)의 사실은 우리들이 이인직의 『치악산』이나 『혈누(血淚)』를 읽으면 곧 알 수 있을 것으로 그 디테일스의 시대적 정확성에 있어, 또 예술적 묘사의 높은 달성에 있어, 심지어는 문장·어휘에 있어서까지 그 진화·발전을 해득(解得)할 수가 있다.

이 점은 춘원이 그 전시대의 문학에 비하여 가진 바 세계관의 우월성과 한 가지 그의 작품이 당연히 제약 반영할 예술적 발전을 이론적으로 긍정하기에 충분한 것이다.

오랜 작가 김동인 씨는 그의 논문 『춘원연구』 가운데서 이 문제에 관한 시사 깊은 견해를 서술하고 있다.

김동인 씨는 조선 신문학 발달사에 있어 『무정』의 특필(特筆)할 가치에 대하여 그 내용이 갖는 바 '새로운 감정' — 김씨에 있어 '감정'의 개념이란 감정 이상의 광범한 사상성의 일부까지를 포함한 듯하다! — 을 효시적으로 표현한 점을 들고 뒤이어 이 소설이 문장상에 있어 낡은 문어체적 구투(舊套)를 일소치 못하였음에도 불구하고 "조선 구어체로서 이만치 긴 글을 쓴 것은 조선문학 발달사상 특필할 만한 가치가 있다"고 부언되었다.

그리하여 이것이 『무정』이 이인직 시대의 문학에 대하여 우월한 지위를 차지할 뿐더러 이것이 또한 『무정』이 대중에게 애독된 이유라고 말하였다.

지금 김동인 씨의 『무정』 비평에 대한 우리들의 모든 의견을 이곳에서 보류하더라도 몽롱하나마 김씨가 가진 일 작가(一作家) 일 시대(一時代)의 문학의 내용상, 세계관상의 진화와 병존하는 예술적 발전을 동일 계열에서 설명하는 태도를 간취하기에 족하다.

이곳에서 우리 과학적 문예사가의 추상적 이론에 있어서보다 훨씬 명확한 균일(均一)된 실증사상의 편린(片鱗)을 발견할 수가 있다.

그러나 결코 이것은 동인 씨 등의 비평안(批評眼)이 우리 과학적 학도들보다 이상의 과학적이라든지 혹은 보다 정확한 사관(史觀)을 파지(把持)하고 있다는 것을 의미하지는 않는다.

반대로 신남철 씨나 이종수 씨 등에게 비하여 하등 과학적인 비평안이나 구체적 사관의 방법을 가지고 있지 못함에 불구하고 사소한 정도에 있어 역사적 사실에 충실하였다는 한미(寒微)한 일 점(一點)이 추상화된 과학적 방법보다 때로는 정확한 부분을 가질 수 있는 것을 강조하기 위함이다.

『무정』 등의 소위 '특필한 가치'라든가 '진보적 경향적 요소'의 한계 급(及) 내용의 분석에 이르러는 우리는 보다 더 정확・엄밀을 기하지 않으면 아니 될 것이다.

『무정』 등에서 표현된 다분히 톨스토이적인 인도주의적 이상주의란 현실적으로 보아 그 진보적 경향성에 있어 당시의 민족재벌적(民族財閥的) '상업적 또는 겨우 머리를 든 산업적인' 제층(諸層)이나 또는 그 지적(知的) 대변자로서의 지식청년층의 급진성과 정치적 사회적 욕구의 내용에 비하면 신씨의 해석같이 그리 '많지'도 못하고 또 이종수 씨의 말씀같이 '상공업 진흥과 신조선 건설의 정신이 가득 차 있지도' 못한 협애・애매한 것이 있다.

하물며 이씨의 『무정』평과 같이 이 건전한 근대 부르주아지의 전진적(前進的) 열정이 춘원의 주의와 사상이라고 하는 견해는 한 개 호의(好意)에 의한 과장적 독단임을 면치 못할 것이다.

당시 뒤늦게서야 겨우 머리를 들고 성장하기 시작한 토착의 산업적・상업적 부르주아지는 자기의 본래의 욕구로서의 정상(正常)한 자본주의적 발전을 다른 세력에 의하여 저지당하고 부자연한 노선을 밟고 있었으며, 농민의 대부분도 그들을 봉건적 관계로부터 자유롭게 할 상기(上記)의 기본적 조건의 변형 때문에 근대적 민주적인 제 욕구를 억류당하고 있었다. 이 전토(全土)에 긍(亘)한 부자연한 현실적 조건은 모든 영역에 있어 그 순조로운 발전을 저해하여 한 개 전일적인 공기가 전토(全土)의 상공을 덮고 있었다. 그러나 이런 모든 근대적 숙제는 본래 민족 부르주아지가 해결할 역사적 임무를 가진 것임은 물론이다.

그러나 이곳에 있어서의 자본주의적 발전의 특이한 부자연성은 토착 부르주아지로 하여금 한 개 역사적 운명적인 십자로상에 서게 하였다. 이 딜레마는 다른 것이 아니라 이 옹색한 자기 발전의 활로를 타자에게 예속되어 기생하는 데 구할 것인가, 혹은 모든 역사적 숙제를 해결할 행동선상에 진출할 것이냐 하는 오뇌(懊惱), 그것이었다.

허나 이미 명확한 바와 같이 그의 힘은 너무 약했고, 또 그들을 타력본원(他力本願)에 의귀(依歸)케 함에는 이여(爾餘)의 사회적 민족적인 하부의 압력은 지나치게 큰 것이었다.

즉 토지 문제의 근대적 해결을 요구하는 농민의 팽창된 열망과 아직 객관적으로 자각되지는 아니하였을망정 자본주의적 발전 그것과 같이 급격히 성장하고 있는 하층 민중의 잠재된 세력, 그리고 낡은 봉건적 속박과 자본의 전진(前進)하에 고통을 감(感)하고 있는 지적 소시민 등의 급진된 정신은 이 딜레마를 일층 심각케 하였다.

이 하부의 압력이 영향하는 심각성은 이중의 것으로, 하나는 토착 부르와 그들 간에 있는 복잡한 계급적 이해의 모순이 전자의 행동에의 진출을 곤란케 하는 것이고, 둘째는 하부 제층의 전일화(全一化)된 행동에의 열망이 전자들 밑에서 행동에의 광장으로 추진시키는 것이다.

그러나 이 후자의 힘이 당시에 있어 우세로 된 원인은 위선(爲先) 당시의 계급 분화가 그 대립을 정면에서 상극케 할 만큼 성숙되지 않았고 또 토착 부르가 좌우간의 연명을 위하여 일응(一應) 행동해보지 않으면 아니 될 절박한 정황 등이 종합되어 실로 복잡하고 급한 정치적 정신의 분위기를 가지고 기미(己未)에로 흐르고 있던 것이다.

정히 이러한 정신사적 공기 가운데서 춘원의 『무정』 등은 제작된 것이다. 이러한 현실적 정황은 곧 소설 『무정』 가운데 여하한 형태로이고 반영되지 않을 수 없었다.

그리하여 주로 자유연애, 개인의 도덕상・윤리상의 권리의 요구, 부권(父權)에 대한 부인 등의 형태로서 표현되었다. 그러나 이것은 이것으로부터 벌써 명확한 것과 같이 거의 토착 부르의 소극적 반면(反面)의 표현과 더 많이 소시민들의 정신적으로 왜곡된 자유의 표현이었다.

이곳에는 자유의 전체의 자태가 아니라 그 한정된 반분(半分), 즉 기본적인 사회적 정치적 현실성을 사상(捨象)한 불구의 정신이 일면적으로 과장되어 표시되었다.

즉 당시 조선 사람이(토착 부르까지도!) 생활적 현실 가운데서 한 개 통일적 목표로서 요구하는 자유로부터 윤리상・도덕상의 개인의 자유를 분리하여 마치 그것이 전부와 같이 과장한 그 '사상적 과장'이 춘원의 낭만적인 이상주의의 기초이다.

동시에 춘원의 문학에 있는 '전(全) 허위'의 핵심으로서 이것은 그의 예술적 묘사의 사실성을 날카롭게 제한하였다.

그러나 물론 이러한 형태의 자유라는 것이 낡은 봉건적 구속으로부터 근대 시민이 요구한 역사적 욕구의 하나라는 점에서 갖는 진보적 가치를 부정하는 것은 결코 아니다.

허나 이것을 가리켜 우리가 한정된 반분(半分)이라고 평가하는 사유는, 이러한 영역에서 요구되는 자유의 권리란 본래에 있어 근대 시민계급이 중세적인 정치와 경제의 지배에 대한 정치 경제적 발전의 보장 요구와 함께 되든지, 적어도 그와의 밀접한 관련 하에서 수행되어야 하는 때문이다.

이러한 기간적(基幹的)인 것으로부터 분리된 형태란 전혀 반분(半分) 이하로 제한된 한낱 무력한 기도에 불과하다. 왜 그러냐 하면 모든 개인의 자유란 이 토대적인 것의 해결 없이는 철저적(撤底的)으로 자기를 관철키 불능(不能)한 때문이다.

그러므로 춘원의 문학이 갖는 경향성의 불철저함은 조선 부르주아지의 행동적 불철저성과 병존하는 것이나, 그 사상이 문학적 표현을 입은 시기가 상기한 바와 같이 아직 그들의 계급이 다소간이나마 행동적 조류 가운데 섰을 때에 미리 자기를 제한하였다는 의미에서 그 진보성이 '심히 적음'을 지적할 수 있는 것이다.

그렇지 않고 현재와 같이 전혀 그들의 행동의 권외, 혹은 대립자의 입장으로 전락하였을 때는 경향성이나 진보성이란, 문제로부터 성립하지 않는다.

이 세계관상의 자기 제한은 먼저 말한 사실성의 한계를 저하시킨 데만 작용한 것이 아니라 춘원의 인간적 형상의 창조에 있어 각개 인물의 개적(個的) 성격의 불확실, 전형적 보편성의 결여라는 중요한 결함으로 표현되어 통렬한 예술적 보복을 여(與)하였다.

즉 『무정』에서도 『개척자』에 있어도 춘원은 이 나라의 현실생활 가운데 있는 '자유를 희구하는 인간군(人間群)'의 사회적 개인적 양면을 종합적 통일적 형상 가운데서 보편적 전형화의 수준에까지 자기의 창조적 사업을 진전시키는 대신 근근 '자유연애쟁이'나 '부권에 대한 불효자식' 청년의 소극적 반항의 자태를 심하 일면적인 묘사를 통하여 소묘한 데 불과하다. 이것은 서정적인 것의 문학적 형상화를 위하여서만 가능하다는 옛날 아리스토텔레스 이후의 묵은 원리에 충실치 않은 한 개 인업(因業)일지도 모른다.

당시 인간의 종합된 전형화를 위하여는, 그 인간이 생활하는 현실적 사태・정황에 대한 이해와 묘사 없이는 불가능한 것이었음에 불구하고, 춘원의 세계관상의 약점은 그 사태 정황의 정확한 인식을 그르치고 그 것으로 인한 사실성의 제한으로 말미암아 전형적인 인간적 형상의 창조는 일면적인 것이 되고 말았다.

이것은 예술창작에 있어 직관력의 과도한 평가에 대한 일개(一個) 훌륭한 반박이다. 왜 그러냐 하면 우리가 곧 상상할 수 있는 것과, 춘원의 그만한 상상력과 직감력(直感力)을 가지고, 만일 그의 세계관상의 제한이 저만치 큰 역할을 연(演)하는 것이 아니라면, 이러한 전형화의 길을 발견키에 그리 곤란을 느끼지 않았을 것이다.

그러나 세계관의 힘은 직관력을 훨씬 능가하는 것으로서, 당시 현실에 대한 비전형적 인식은 곧 전형적 사태 급(及) 정황의 묘사에 있어 확고부동의 제한으로서 나타나, 드디어 세계관상의 약점은 그 예술적 창조의 힘을 파괴하고, 그 가치를 저하시킨 지배력 요인으로서 작용한 것이다.

이것은 의심할 나위도 없이 문학적 창조와 예술적 형상화의 영역에 있어 세계관의 지배적 역할이란 심히 높다는 한 개 중요 사실을 증좌(證左)하는 생생한 교훈이다.

더욱이 나는 춘원의 작품이 내용하고 있는 세계관적 요소라는 것의 본질이란 그 작품이 씌어진 시대의 이상에 비하여 뒤떨어질 뿐만이 아니라, 이 뒤떨어졌다는 것의 성질이 민족 부르주아지가 그 역사적 진보성을 포기한 기미(己未) 이후, 이 계급이 가졌던 환상적 자유와 대단한 근사점을 가지고 있다는 구체적 이유에 의하여 이 시대의 춘원의 작품의 진보성을 그리 높게 평가하는 데 항의하는 자이다.

즉『무정』등이 가진 사상으로서의 이상이란 구체적으로 보아 기미(己未)의 대풍(大風)이 일과(一過)한 후 한 개 연화(軟化)된 공기로서의 '문화열(文化熱)'적 이상 그것이 아닌가 하는 점이다. 사실 이 시대에 있어 기미(己未)전의 고조되었던 정치열(政治熱)은 급작히 문화열 내지 산업열(産業熱)이란 것을 변형되어 전후 양자의 차이는 실로 당목(瞠目)할 바 있었다.

이곳에는 단지 조선 사람의 문화적 성각(醒覺)이란 피상적 관찰을 불허하는 한 개 본질적 내용의 것이 있다. 그것은 기미(己未) 대풍(大風)을 중심으로 민족 부르계급이 역사적 도정 가운데서 연(演)하는 바 역할과 차지한 위치의 근원적인 변화가 내재한다. 다름 아니라 그것은 기미(己未)에 이르기까지 이 계급은 다소간이나 진보적이었고 전진운동의 일우(一遇)에 처하여 있었음에 불구하고 대풍(大風)은 그들을 곧 이 반대자로 전화시킨 것이다.

문화열이란 다른 일체의 관련을 불구하고 기본적으로는 정히 이 변화의 산물임에 불외(不外)한다.

즉 그들은 정치상의 욕구를 제한하고 오직 관념상의 자유=문화의 획득이란 방향으로 변전(變轉)한 것이다. 이러한 굴욕적인 자기 제한이 일시적으로나마 통일적 표지(標識)로서의 효과를 수득(受得)할 수 있었느냐 하는 현실적 이유로서 농민과 노동자층의 계급적 자존(自尊)의 불충분이란 사실이 조응한다.

이곳에 정치적 사회적인 일면을 제거한 문화적 자유의 반신상(半身像)이 성립하며 춘원의 사상적 세계란 것 또한 이 반신상의 문학적 축도(縮圖)에 불외(不外)하는 것이다.

그러므로 나는 일찍이 춘원을 조선 부르주아지의 약한 반면(半面)의 정신적 표현자라고 부른 것이다.

동시의 이 약점이란 한 개 숙명적 형태로서 춘원 이후 신문학의 지위 전부를 일관한 특질로 된 것도 당연한 일이다.

4. 자연주의로부터 낭만주의에의 과도(過渡) - 조선문학의 전후적(戰後的) 개화기

일찍이 나는 지나온 부분 가운데서 신경향파문학과 이광수 시대의 그것을 연결하는 매개적 계단의 무시를 비난한 일이 있다. 그러나 우리는 신·이 양씨의 논문 가운데서 이 시대의 문학에 대한 상당히 자세한 논술을 발견할 수 있음을 잊어서는 아니 된다. 그러면 상기의 비난은 근거 없는 고의에 의함이냐 하면 결코 그러한 것이 아니다. 요점은 양씨의 논술의 내용과 방법에 있어 공통적으로 인정할 수 있는, 사실의 단순한 무질서적 나열과 그것을 발전과 매개의 입장에서 파악하지 않았다는 그것이다.

그러므로 이 시대의 다기(多岐)한 문학현상은 이광수 시대와 신경향파 문학과의 전체적 발전적 연결의 관절(關節)로서 설명되지 않고, 교과서류의 소박(素朴)을 가지고 연대상의 순서를 따라 점철되어 있다. 그리고 이 논자들의 이원사관의 공식에 의하여 문학적 발전과 세계관상의 진화가 분리되어 자연주의문학을 단지 약간의 문학 기술상의 진보가 있을 뿐 사상적으로는 춘원 시대보다도 저하하다는 간편한 평가를 내리었다.

이종수 씨는 그의 논문 「신문학 발생 이후의 조선문학」 가운데서 이 시기(그의 구분을 빌면 제2기)를 다음같이 결론하였다.

> 이와 같이 제2기는 제1기에 비하여 문학수법 기술상으로는 일단의 진보가 있다고 할 수 있다. 그러나 그 문학사상에 있어서는 도리어 혼돈상태에 있는 무이상시대라고 하여도 과언이 아닐 줄 안다.

위선(爲先) 이 견해는 신남철 씨의 '현상의 잡다성(雜多性)의 바다' 운운의 소론과 김기진 씨의 '모색 시대' 운운의 규정과 본질적으로 구분할 수 없는 공통성을 인정하기에 어렵지 않을 것이다.

그리고 이 주인(主人)의 이론적 공통성에 보는 특색은 이들이 소위 이 무이상적 혼란 시대 문학을 비평함에 있어 그들 자신까지 무이론적(無理論的) 혼란상을 정(呈)하고 있다는 점이다.

즉 비판자들은 이 시대의 문학이 그들도 설명한 바와 같이 전대의 그것에 비하여 별반 사상상의 진화가 없음에 불구하고 문학상의 발전을 인정할 수 있다는 일견 모순하는 현상에 대하여 한 사람도 이론적 해명을 가하지 않았다.

'혼란'이라든가, '무이상'이라든가, '잡다성의 해양(海洋)'이라든가, '모색 시대의 호수(湖水)'라든가 등등의 표현은 모순하는 현상의 단순한 긍정적 설명의 형용사이지 결코 모순되는 원인과 관계를 분석 비판하는 이론적 개념은 아니다.

요컨대 삼 논자가 각기 관찰의 심도나, 문학사적 교양에 있어 발견할 수 있는 약간의 우열에 불구하고 문학적 현상의 흥망 소장(消長)을 일관한 계열 하에 선 '발전의 견지'에서 평가함에 무력하였다.

위선(爲先) 춘원의 문학 가운데 관류하고 있던 기본적 약점인 현실 인식 급(及) 파악의 일면성은 그대로 대부분이 차대(次代)의 문학 위에 계승되었다.

이 시대의 문학적 주류이었던 자연주의문학이나 낭만적 데카당적 시인 작가들의 취재의 범위 및 방향 위에 '유전된 제한'으로 작용된 것으로 상기 삼 논자들의 일치한 견해와 같이 사실 이 영역에 있어 본질적인 진화를 인정키 어렵다.

그러나 조선 신문학을 한정하는 이 특질은 춘원의 시대에 그 맹아가 움텄다고 한다면 기미(己未) 이래에 현황한 국면에 이르러서는 정히 성숙한 개화기의 구체화를 볼 수 있다.

이것의 첫째의 이유는 역사적 사회적으로 보아 기미 후 새로운 성관(盛觀)을 정(呈)한 문학적 제상(諸相)이란 본원적(本源的) 의미에서 전대의 문학의 한 개 연장에 불과하였는 데 기인한다.

즉 상기의 삼 논자와 또 이 시대를 이야기하는 대부분의 비평가들의 설명과 같이 사실 그 내용으로부터도 실로 단순치 않은 잡다한 경향으로 복잡화되어 있었음에 불구하고 그들 제경향의 문학이 존립하고 있는 사회적 토양이란 춘원 시대에 그것과 사회적으로 일치되는 때문이다.

그러나 자연주의적 문학이나 데카당스의 문학이 예술적 용모라든가 내용상에 불소(不少)한 상이(相異)를 가진 것은 필자가 일찍이 춘원의 문학을 이야기할 제 논술한 바와 같이 기미(己未)라는 한 개의 분수령을 중심으로 조선 사람의 역사적 생활의 용모와 내용이 현저히 변화한 때문이다.

즉 차등(此等) 제경향의 문학은 기미(己未) 이후 새롭게 추이(推移)된 조선의 역사적 · 사회적 생활의 소산이었다. 허나 이 시대의 문학이란 그 유파 경향에 있어 일찍이 보지 못하던 잡다성을 대(帶)하였었음에 불구하고 보통으로 '신문학'이란 개념으로서 개괄되고 보다 명확한 용어법을 쓰는 이에게 있어서는 '민족문학'의 시대라고 불러진다.

다시 말하면 기본적으로 보면 아직 한 개 통일적 개념 하에 포괄될 수 있었고, 사회적으로 보면 조선의 사회적 계급분화가 아직 기본적 성질의 대립을 생활의 전(全) 표면상에 현현치 않았었다.

그러나 지금 이미 누구에게 있어서나 명확한 바와 같이 이 시기는 신경향파문학 탄생의 진통기, 혹은 사상 급(及) 생활의 혼돈을 그 특징으로 한 역사적 전형기(轉型期)=과도기라고 불러짐을 주의해야 한다.

물론 이러한 평가는 모두가 다소의 비판될 제점(諸點)을 가졌을지라도 당대의 문화적 · 사회적 현상을 충실히 묘사한 것으로 보아 틀리지 않는다.

이 시대의 사상이나 문학상의 급격하고 또 다양한 변화 현상의 혼돈, 모순은 전혀 이 문화적 · 역사적 전형기의 생활적 모순의 한 개 적확한 반영이다.

그러나 이 상호모순하는 것의 병존이라든가, 무질서한 교류라든가, 상극이라든가, 또 현란한 소장(消長)은 결코 단순한 혼돈이나 모순의 무질서한 운동은 아니다.

차등(此等) 혼탁한 외면을 정(呈)한 배후에는 역사적 · 사회적 상극과 발전의 일관한 객관적 법칙이 관류하고 있었으며 문학예술은 그 현실적 토대로부터 제약되는 관념형태 특유의 법칙성(法則性)상에 소장 · 명멸(明滅)한 것이다.

위선(爲先) 전기 춘원의 민족주의적 외피를 입은 인도적 이상주의문학과 직접으로 연락되는 것은 『창조』와 『폐허』 등에 의거한 자연주의문학이었다는 사실을 상고(想考)하여야 한다.

이것이 첫째로 영향받은 것은 일본 내지의 자연주의 소설이며 모파상류의 단편형식이다.

사실 엄밀한 의미에 있어 조선 신문학상의 단편의 형식을 수입한 것도 이들이며 또 그것을 건설한 것도 자연주의문학이다. 뿐만 아니라 이 시대 문학의 대표적 작품도 역시 장편보다는 동인(東人), 빙허(憑虛), 상섭(想涉)의 단편이었다.

이 사실은 조선문학 발달사 중 양식사적 고구(考究)상에 심히 시사적인 현상으로 자연주의문학이 가진 바 문학 사상과 세계관의 한 개 구체적 표현이다.

주지와 같이 자연주의문학은 무이상(無理想)이라고 한다. 오직 객관의 충실을 제일로 한다고 한다.

물론 특수한 구별은 있을지언정 조선의 자연주의도 이 사상적 근원으로부터 전연 자유로운 것은 아니다. 그리하여 현실의 전(全) 개괄을 필요로 할 것 아니라 그 한 개 단편(短片) 가운데도 진(眞)은 있다. 그러므로 생활의 일(一) 단편의 충실한 묘사는 능히 문학일 수 있다. 이것은 단편(短片)의 형식을 흥융케 하는 일 요인임을 면(免)치 못할 것이다.

뿐만 아니라 조선 자유주의 위에는 위에서 말한 바와 같이 춘원 이래의 고유한 현실 파악의 일면성이 유전되어 있다. 이것은 자연주의의 무이상성, 객관편중성으로 인하여 일층 그 인식적 한계를 협소케 한다. 결과로 역사적 현실의 전면적 개념보다도 안일한 단편습색(斷片拾索)과 세부묘사의 한계로 자기를 한정한다.

이것은 단편형식으로 작가들을 집중케 하는 또 한 개 요인이 아닐 수 없다.

이렇게 말한다면 자연주의문학이 갖는 상당히 훌륭한 장편의 생산을 설명치 못할뿐더러 이 시대의 문학이란 춘원으로부터 일반적으로 퇴화하였다는 결론을 낳을 것이고 동시에 그들의 현저한 묘사의 진화 등은 아무 곳으로부터도 해명할 수 없는 것으로 될 것이다.

그러나 이 모든 것을 일거에 해명하는 한 개 중요한 사실은 당시의 역사적·사회적 과정 중에 점거한 이 문학의 지위 급(及) 성질이다.

필자는 일찍이 춘원을 조선 부르주아지의 약한 일면의 반영자, 또 이 계급의 전진기에 있어 더 많이 그 정치적 전진이 정지한 기미(己未) 직후적 정황 하의 '자유'의 표현자로 평가한 일이 있으며 한편 춘원은 대체로 이 민족 자벌(資閥)의 '약한 일면'을 체현하면서 소시민적 제 요소를 다분히 혼유(混有)하고 있었다고 말하였다.

그러면 이 소시민성이란 무엇일까? 흔히 운위되는 바와 같이 막연한 중간적 무기력자를 말함이 아니라 당시의 조선의 사회계급적 생활 가운데 소시민과 지식층 그것이었다.

당시 소시민의 상태란 물론 노동자도 아니고 농민도 아니며 민족 자벌에 위(位)하지도 못하면서 이들과 공통적으로 외래적 힘의 중압 하에 있으며, 특히 전기 4계층 중 민족부르층을 제(除)한 3개층과 함께 '외력'

과 '민족부르'의 이중의 압력 하에 서 있었다.

뿐만 아니라 이 계층의 특색은 그 소(小)소유적인 경제의 와해에 의하여 부절히 전이자(前二者)의 영역으로 전락(轉落)하면서 한편으로는 외력과의 경쟁에서 전락되는 '민족 부르'의 정류소이었다.

그러므로 그 이데올로기적 특색으로는 붕괴 과정 중에서도 아직 소유적 발전을 꿈꾸고, 한편 소시민화하면서 '자본가'이려는 원망(願望)을 함께 가지고 있었다. 그러나 이들이 노농 이자(二者)로부터 구별되는 점은 이들이 후자에 비하여 대체로 한 개의 근대적인 사회적 자각을 포지(抱持)하고 있었다는 것이다. 교육을 받았고 그것을 가지고 낡은 봉건적인 것에 대항하였으며, 그러므로 이 시대의 소시민이란 조선의 제 사회 계급 중 그 경제적 와해와 정치상 지위의 상실을 가장 통렬히 경험한 부분의 하나이었으며 그 경험을 가장 아프게 자각한 부분이었다.

그러나 이 시대에 있어서의 소시민의 자각이란 소위 근대적 자각에 불과한 것으로 아직 부르주아이려는 욕망에 결련(結聯)되어 있었다. 인텔리겐차 혹은 몰락하는 소시민이 그 자신을 해방할 본래의 불가피의 길로서의 노농 이자(二者)와의 연결을 발견하기에는 역사적 계단을 너무 일렀었다. 즉 그들 앞에 이 길의 유일의 지주(支柱)인 신흥층이 자각적 행동의 국면에 나오지 못했었고, 따라서 농민은 분산 상태에 놓였었으며 오직 그의 눈에는 '민족 부르'의 요구하는 '특수한 길'만이 반영되었었다.

그러므로 이들은 조선이 갖는 특수적 사정에 의하여 자기의 곤혹을 마련하는 기본적 요소가 아직 내외 이자(二者)인 줄을 모르고 '외(外)'의 한 개(個)로 인식하여 그 자신의 방법을 가지고 민족적 운동의 조류 가운데로 뛰어든 것이다.

소소유지(중간층적)로 더욱 특유(特有)한 소시민의 한계의 협애성은 '민족 부르'를 자기와의 대립자로 보지 못하는 그것으로 인하는 일층 혼란되고 강화되어 관념상의 해방이 모든 것을 가져오것야 같이 생각하고 현실의 자기의 인식과 자각의 한계를 넘을 때 곧 애매한 관념적 방법으로 이상화·낭만화한 것이다.

이곳에서 춘원의 인도주의와 이상주의적 귀결의 낭만적 환상은 구성된 것이다.

그러나 기미(己未) 이후의 '민족문학' — 자연주의 — 으로부터는 이 환상성이 소멸되었다. 이것은 무엇보다도 그들이 기대하던 '민족 부르'가 이것은 아무것도 그들에게 주지 못하고 오히려 전진적 경향으로부터 떠나 그들 소시민의 공연(公然)한 대립자로서 산업 흥융(토산 장려)를 위하여 비싸더라도 우리 상품을 사라(토산 애용)는 후안적(厚顔的) 행위를 감행함에 의존하는 것이다.

당시 춘원의 소위 정치적 경론(經論)이라는 '민족개조론'이 여하(如何)한 사회적 민족적 '환대' 중에서 영접되었으며, 그의 작품이 여하히 불평판(不評判)이었음을 상기하면 족하리라.

소시민의 문학으로서의 자연주의문학은 '이곳 민족자별'을 자기의 대립자로 인식하고 그것에 등[背]을 돌이켰었다.

그러므로 "이것이 생활이냐? 모두 뒤어져버려라! 무덤이다! 구더기가 끓는 무덥이다!" 하고 자연주의의 대표적 작가 염상섭으로 하여금 그의 장편 『만세전(萬歲前)』 가운데서 절규케 하였다.

갈수록 혼돈해가고 모순만을 보해주는 듯한 어두운 현실에 대한 고조된 혐오는 그들로 하여 모든 생활과 현실은 가석(可惜)히 생각할 아무것도 없는 것으로 그것을 대담 무자비하게 폭로하라고 외친 것이다. 이곳에 조선 자연주의의 현실 폭로는 단순한 외국의 모방이 아닌 사회적 정신적 기초를 발견했고 부정적 리얼리즘의 문학은 발달되어 그들로 하여금 사실상 조선 사실주의의 건설자의 영예를 갖게 한 최대의 요인이었다.

동시에 정(正)히 차일점(此一點)이야말로 춘원에 비하여 진보된 사회적 정신에 존재케 한 것이며 또 예술적 달성의 수준에 있어 일단(一段)의 고처(高處)를 걷게 한 것이다.

동인, 상섭, 빙허 등의 작가는 춘원의 수준보다 소설문학의 생명으로서의 묘사상 확실히 일보 전진한 것이다. 현실을 폭로하려면 적확한 묘사를 통하여 그것을 정시(呈示)해야 하겠으므로!

이곳에는 민족자별의 경제적 압력과 그것에 의한 자기의 경제적 와해를 방어하려는 노력과 그것이 환기라는 강한 부정적 반항의 정신이 물결칠 것이다.

그러나 이 '암흑한 무덤'에서 그들은 전진할 길을 지시하는 광명을 발견치 못하였다. 역사적 발전의 필연적 도정에 대한 그들의 무이해와 무자각은 이 반항의 정신을 단순한 소극적 부정에 억류하고 이른바 '무이상성(無理想性)'의 제약 앞에 정돈(停頓)케 하고 말았다.

이 커다란 조건은 곧 그들로 하여금 그 이상의 예술적 발전을 불가능케 제약하고 그들 소시민 고유의 협애성과 전대(前代)로부터 유전된 예의 일면성 등에 의하여 이 약점은 일층 확대되어 편중주의화한 불구적인 객관성에의 집착을 낳아 내종(乃終)에는 명확히 트리비얼리즘 가운데 침전(沈澱)케 한 것이다.

그러므로 그들은 외국의 자연주의문학과 동양(同樣)으로 현실의 단편과 지엽에 집착함에도, 일층 축소되고 정신화된 세계의 형상을 묘사하는 데 시종케 하고 말았다.

이것이 이 나라의 자연주의문학으로 하여금 졸라 등의 수준에까지 도착(倒着)치 못하게 한 한 개 주요(물론 이외에도 기개(幾個)의 원인이 있으나, 그것은 부차적이며 또 이곳에서 매거(枚擧)치 않는다)한 원인이다.

그럼에도 불구하고 그들이 조선 문학사, 특히 그 예술적 발전의 간선(幹線)을 이루는 리얼리즘의 발전상에서 점령하는 바 높은 지위는 움직이지 않는 것이다.

그리하여 이들 가운데 가장 재능이 풍부하고 높은 생활적 관심과 정열을 가진 소수의 작가는 단편소설 「제야」(상섭)에서 보는 것과 같은 성격 급(及) 심리 묘사의 높은 리얼리즘을 획득하였으며 비록 지극히 제한된 범위에서나마 그 이외의 어느 작가도 가능치 않았던 당대 지식청년의 심리, 사상, 생활을 그때의 역사적 사회적 분위기 중에서 묘사 개괄할 수 있었던 것이다. 상섭의 장편소설 『만세전』은 정(正)히 우리가 당대에서 발견할 수 있는 유일의 기념비적 작품이다. 사실 상섭은 프로문학 10년의 고투사(苦鬪史)가 『고향』의 작자 이기영을 발견하기까지 조선 문학사상 최대의 작가이었다.

이곳에는 또한 우수한 단편 「태형」(김동인)에 보는 것과 같은 당시의 옥(獄)내 생활을 상당히 정확한 수법으로 지적한 아름다운 역사적 풍경화의 일폭(一幅)이 있다는 것도 잊어서는 아니 된다.

이 모든 것은 20년대 조선 자연주의문학이 소유하는 예술적 보옥(寶玉)으로서 그 뒤에 올 프로문학에 물려준 최량(最良)한 문학적 유산에 속하는 것들이다.

그러나 상기한 바와 같은 자연주의문학의 이미 트리비얼리즘화한 예술적 약점은 곧 형식주의와 예술지상주의로 발전할 길을 열었다.

이것은 곧 조선 고유의 제 사정으로 말미암아 풍부화된 예의 협애성에 기인하는 것으로 – 현실의 지엽과 현실의 단편을 현실의 전체로 확대하는 재생산된 환상에 이르렀다.

그리하여 내종에는 문학을 한 개 언어, 문장의 기술로 환언시키는 형식주의, 예술을 위한 예술의 경지로 전화된 것이다.

일찍이 이들 작가의 대부분이 연애를 '생' 그것으로 확대하였다는 것을 상기하여 연상한다면 그다지 이해에 곤란함이 적을까 한다.

자연주의의 후기 혹은 그 와해 쇠미기(衰微期)에 생산된 대부분의 작품은 이 경향의 틀림없는 반영이었다.

그러나 자연주의의 부정의 태도는 비평적 정신과 연결되어 수입된 실증사상과의 결합 위에 미미하나마 문학비평적 관심이 대두하고, 사실상 조선 문학사상 비평의 배태는 이때에 구할 것이라는 일점(一點)을 암시함에 그치고자 한다.

이다음에 오는 소위 낭만적 세기말의 잡다한 경향은 — 허무주의, 다다이즘, 낭만주의, 유미주의, 악마주의, 감상주의 등등 — 이 암담한 현실감과 무이상의 일층의 확대 발전이었다.

그러므로 이 혼란한 현상의 표면만을 관찰할 제, 단순한 혼돈(이종수), 단순한 검색(팔봉)으로 표현되며 혹은 이어한 피상관(觀)을 비판함에 이 시대 작가 시인들이 각기 자기의 생각을 한 개 '주의'에까지 형성하였는지를 의문(신남철)에 부(付)하는 데 그치고 만다.

이곳에는 이미 우리가 개관해 온 바와 같이 문학적 발전의 역연(歷然)하고 일관된 법칙성이 가로놓여 있는 것이다.

그런데 이곳에서 '다음' 온다는 시대적 구분을 가지고 이 조류를 관찰할 때는 어느 의미에서 보면 부당하다는 비난을 살지도 모른다. 자연주의와 이들 제경향의 문학은 사실 동시대의 공서자(共棲者)로 아니 볼 수가 없다. 그러나 비록 지극히 근소한 차이나마 약간 선후가 있었고, 그보다 자연주의문학의 하향적 피곤 가운데 있었을 때 이들의 번영이 왔었다. 뿐만 아니라 이 과히 크지 않은 사실을 가지고 한 개 문학현상의 세대교체적 입장에서 취급하면은 춘원 이후 전(全) 신문학 발달상(發達上) 예술사적 또 정신사적 발전이 객관적 법칙성에 의하여 이것은 엄연한 존재 사실일 뿐더러 지극히 필요한 사실이므로 필자는 이 시간적 구분의 의견을 갖는 것이다.

허나 이 조류가 자연주의 하향기에 본류(本流)로서 번영하였다는 즉 한 개 주의를 요하는 것으로 그것은 이 시기야말로 자연주의가 신문학사에서 그 갖는바 진보적 역할의 종언과 신경향파문학이 교체되는 황당(荒唐)한 과도적 국면이었다는 그것이다.

한데 자연주의가 주로 단편의 양식에 의거하였으면 이 조류는 자기표현의 주요양식으로 시를 찬(撰)하였다. 이것은 전자에서와 같이 그 본래의 세계관적 성질상 당연한 것이었다.

자연주의가 호불호간(好不好間) 사실과 직접 관계하였다면 이 조류는 암담한 현실 가운데서 발생하는 절망의 '감정'과 '정서'를 취급하였다.

바야흐로 조선문학은 이 조류(이상화, 회월, 홍노작, 박월탄, 임노월, 나도향 등등 『백조』를 중심으로 한 시인, 소설가)에 이르러 사실상 '현실의 부정'으로부터도 '폭로의 열정'을 경주할 '현실의 단편, 지엽'에서까지 격리하여 오로지 감상하고, 탄식하고, 절망하고, 고민하면서 '허무'라든가 환상적 혼미(昏迷)라든가의 세계로 승화하여 버린 것이다. 일방(一方) 자연주의문학의 형식주의 예술지상주의적 변이의 격렬한 도정이 산문의 세계에서 이와 보조를 합하여 진행되었다.

이리하여 신문학은 잡다한 형태의 예술지상주의에로 변화되며 이때까지 '민족적'이란 사상적(분위기만으로라도!) 특질 가운데서 물러서는 '신문학'의 통일적 개념은 와해되었었다. 사실 그들을 민족적이란 개념 가운데 포괄하기엔 너무나 많이 비민족적이었다. 즉 그들은 현실 생활의 무엇을 위하여 자기의 문학을 준비한다느니보다는 더 많이 예술상(藝術上) 자체를 위하여 존재하려던 것이었다.

이곳 와서 조선의 신문학은 현실로부터 떠나 자기의 묘굴(墓窟)을 파기에 급하였고 통일된 방향은 방기되었다.

『백조』, 『영대』 등, 이 경향을 대표하는 간행물이 족출(簇出)되고 『폐허이후』, 『개벽』 기타에서 후기 자연주의는 잔존하여 보들레르, 베를레느, 와일드 등이 수입되어 세기말적 경향의 각색(各色) 조류가 범람하였다.

그러나 이 조류는 조선 신문학사상 희유(稀有)의 시적 예술의 융성기를 초래한 원동력이었음을 기억해야 한다.

이 시대는 사실 조선 신문학발달사상 낭만주의의 황금기라고 부를 수 있을 만치 낭만적 정열이 창일(漲溢)하던 때도 젊은 시인들이 소리 높여 부르는 낭만적 훈향(薰香) 높은 시가로써 조선 문학계의 하늘은 화려하게 장식되었다.

이것은 육당, 춘원의 발아기 이후, 자연주의문학 시대에 와서 그 기초를 잡은 근대 조선시의 일(一) 개화이었다.

이곳에서 우리는 잠깐 붓을 멈추어 자연주의가 공헌한 커다란 업적에 대하여 정당한 평가를 경의와 함께 던져야 할 것이다.

자연주의는 소설에서뿐만 아니라 시가에 있어서도 김석송, 주요한, 김소월, 춘원, 김억 등의 사업 위에 강한 영향을 주어 언문일치의 구어시(口語詩)의 언어적 음률적 개척을 보게 하였으며 근대시상(近代詩上)에 사실적 경향을 발전케 한 것이다.

이들은 다 조선 근대시상 진정한 의미의 창시적 건설자의 명예를 차지해야 할 것이다.

물론 『백조』를 중심으로 한 세기말적 낭만시인들은 이들의 귀중한 업적 — 주로 언어적 — 의 계승 위에서 출발한 것이다. 그러나 그들의 절망의 어두운 동혈(洞穴)을 사(死)의 신음같이 노래하였음에 불구하고 시적 발전상 일정의 공헌을 한 것은 당시 현실이 전하는 깊은 고민을 기분간(幾分間)이라도 정확히 노래하였고 그 참을 수 없음을 표현하였다는 일점(一點)에서 유래하는 것이다.

시집 『흑방비곡(黑房秘曲)』의 작자 박월탄(朴月灘)이나 양(洋)시집 『오뇌(懊惱)의 무도(舞蹈)』에서 서구의 데카당스를 소개한 김억(金億)이나, 그 특유의 고혹(蠱惑)인 장시형으로 「나의 침실로!」 기타의 시편에서 암담한 고민을 넣은 낭만적 정열을 가지고 노래한 이상화(李相和) 등은 실로 이 시대가 생산한 최량(最良)의 시인들이다.

더욱이 이상화에 있어서는 긴 시를 조금도 리듬의 저조 · 이완에 빠짐이 없이 조선어를 강한 열정의 표현의 조금도 부족함이 없는 시어로 창조하는 데 일(一) 전형을 여(與)한 가장 높게 평가될 시인이다. 이 시인의 유산으로부터 그 뒤 프롤레타리아 시가 받은 경향은 적지 않은 것이다.

사실 이들의 시는 감상에 울고 절망에서 넘어지려 하고 탄식에서 한숨지으며 이것을 바로 못 부르고 상징(象徵)하고 허무(虛無)에서 얼굴을 가리고 공포에 떨었음에 불구하고 일반적으로 비통한 고민(苦悶)의 시가였다.

그러므로 가장 우수한 시가들이 격렬한 낭만적 리듬을 가지고 노래되었음은 당연한 것이다.

그러므로 보통 '상징주의' 시인으로 불려지는 낭만주의의 대표적 시인의 하나 박월탄은 1922년 1월 잡지 『개벽』에 실린 어떤 논문 가운데서 이렇게 말하였다. 아니 이렇게 부르짖었다.

> 앞으로 우리가 가져야 할 예술은 '역(力)의 예술'이다. 가장 강하고 뜨거웁고 매운 힘있는 예술이라야 할 것이다. 헐가(歇價)의 연애문학, 미온적인 사실문학 그것만으로는 우리의 오뇌를 건질 수가 없으며 시대적 불안을 위로할 수 없다. 만(萬) 사람의 뜨거운 심장 속에는 어떠한 욕구의 피가 끓으며 만 사람의 얽혀진 뇌 속에는 어떠한 착란(錯亂)의 고뇌가 헐떡거리느냐? 이 불안, 이 고뇌를 건져주고 이 광란의 핏물을 눅여줄 영천(靈泉)의 파지자(把持者)는 그 누구뇨? '역(力)의 예술'이며 '역(力)의 시'를 읊는 자이다.

이곳에는 그들이 침통한 고민으로부터 도피하지 않고 그곳에 즉철(卽撤)하려는 태고와 그들이 벌써 춘원의 인도주의나 자연주의의 자유연애·현실주의 등의 안티테제로써 자기를 확인하려는 한 개 적극적 정신을 찾을 수가 있다. 요컨대 이 논문의 필자도 정직하게 지적한 바와 같이 귀존(歸存)한 제 문학으로 만족하기에는 그들의 '오뇌'나 '시대적 불안'은 보다 더 심대(深大)했던 것이다.

그러므로 연애의 자유는 '헐가(歇價)'의 것이고 '인권사상', '현실 폭로' 등은 '미온적'인 것이었다.

비록 관념적 방법으로나마 그들의 시가, 소설에는 전대(前代) 문학이 표현한 그것보다는 더 심각한 것을 탐구하려는 열정과 시대의 불안과 오뇌를 해결할 그 무슨 '역(力)'을 검색 발견하는 성실한 노력과 고민이 있었다. 그러므로 그들은 일개(一個)의 노선에서가 아니라 각양각색의 방향에서 자기의 길을 발견하려 노력하고 또 그 몸을 맡긴 것이다. 이곳에 소위 세기말적 조류의 다양성은 원인(原因)한다.

이 '역(力)의 예술'을 고민 가운데서 찾는 곤란한 암중모색의 정열의 일단이 신경향파문학에로 통한 것은 수긍할 수 있는 일이다.

박영희, 이상화 등의 시인, 특히 박영희는 이 조류 가운데로부터 신경향파문학 건설의 가장 영예 있는 창시자의 길을 개척한 것은 조선 낭만주의가 갖는 최대의 명예이어야 할 것이다.

이러한 적극적 요소를 다분히 함유하면서 그 요절로 말미암아 길을 끊긴 재능 있는 작가로서 우리는 낭만주의 시대의 거의 유일의 소설가인 도향 나빈(稻香 羅彬)을 들 수가 있다. 도향은 낭만주의 시대가 갖는 유일의 소설가일 뿐만 아니라 근대 소설가 가운데 희유의 재질을 가진 작가이었다.

허나 그의 소설, 특히 이 시대에 씌어진(그의 초기의) 장편『환희』, 단편「옛날의 꿈은 창백하더니」,「별을 안거든 우지나 말걸」등의 그 제명(題名)이 표시하는 것과 같이 낭만주의적 감상적인 것으로 그의 만년의 작품과는 약간 달라 소설로서는 너무나 시적인 작품이었다.

이와 같이 그들의 소설적인 것보다는 더 시적이었고 자기표현의 주요 양식으로 시를 고른 이유는 외국의 영향(주로 불란서 데카당스가 많이 시적이었다는 것과 구체적으로는 보들레르, 베를레느 등등)도 있지만 당시의 시의 대부분이 서사적인 것보다 서정적이었다는 사실로써 일층 명확해진다.

즉 이 시인들이 서사적인 여기는 '자기의 사실'을 가리지 않고 오직 감상, 비애, 절망하고 고민하며 모색하는 흥분된 감정과 상기된 기분만을 가지고 있었다는 이것이 그들을 시의 세계로 인도한 것이다.

이들은 모두 당시 급격히 몰락하는 소시민과 지식청년의 시대적 불안, 모색의 고민 등의 부정적 반면(反面)을 반영하며 한편 하자(何者)이고 미래와 현실의 이상(以上)을 환상(幻想)하는 정열이 배태되어 있었다.

그러므로 이때의 조선문학을 그 표면의 무질서와 혼돈, 방향이 상실된 비참한 상태라든가 후기 자연주의의 예술지상주의, 형식주의적 퇴화만을 보고, 예술사적 발전의 객관적 본질 운동을 파악치 못하는 것은 일개(一個) 무력한 피상론이다.

5. 신경향파문학의 사적 가치

물론 이때의 상태는 사실 무질서, 혼돈 그것이고, 통일된 방향이 상실된 참상을 정(呈)하였음은 필자도 지적한 바이며 또 이대로 방치되고 그대로 진화된다면 조선문학의 사멸 그것이리라.

그러나 모든 역사적 문화적 달성은 그대로 역사 도정 가운데 유기(遺棄)되는 법은 없다. 반드시 자기의 쇠망 가운데는 그 대립자, 자기 부정적 요소를 내포하여 계기적(繼起的)으로 생성하는 정당한 사적 계승자 위에 적극적인 모든 것이 재생 발전되어 가는 것이다.

이것이 문화사상(上) 사적 소장(消長)의 자기 발전의 변증법이며, 역사 도정 일반의 객관적 법칙성이다.

이것의 이해를 결(缺)할 제 예술사의 각개(各個)의 계단은 편편히 분리되며, 이러한 과도기를 그 본질적 견지에서 파악하지 못하고, 현상론적 견지에서 표면의 무질서한 나열 소묘에 시종하고 마는 것이다.

이러한 '혼돈'을 일층 '혼란'(?)케 하는, 격화시키는 한 개 문학적 조류가 자기의 존재를 강렬히 주장하며 출현하였다.

이 문학적 조류란 지금까지 보아온 여러 가지 신문학상(上) 유파 경향의 소장성쇠와는 한 개 본질적 차이를 가지고 자기를 과거의 일체의 문학유파로부터 구별하는 당시 신경향파문학이라고 불려지던 프롤레타리아문학 그것이다.

당시 여사(如斯)한 무질서와 혼돈의 교류 가운데서 '신경향파문학'의 대두와 함께 제기된 훤소(喧騷)와 파문은 능히 상상하기에 족할 것이다.

그러나 일층 격화된 혼돈이란 실상, 진정한 의미로 본다면 혼란이라느니보다 신세계의 영아(嬰兒)가 탄생키 위한 구(舊)세계의 통고(痛苦) 그것일 것이다. 그러므로 이 혼란하는 신경향파문학이 자기를 확립하는 영웅적 도정에서 표현된 구(舊)문학의 유상무상의 저항으로서 특징화되었다.

이러한 저항이란 문학적 현상의 세대교체 급(及) 유파 대립에 있어 문학사가 항상 경험하고 또 번복(飜覆)하는 바이나, 신경향파문학의 형성과정 가운데서 당면한 저항이란 조선의 신문학사상 최초의 심각하고 또 본질적인 상극의 표현 그것이다. 위선(爲先) 신경향은 현존한 문학 전부를 그 적으로서 가졌었다. 춘원류의 낡은 이상주의도 상섭・동인의 자연주의, 세기말적 데카당스 모두가 신시대의 문학적 표현자의 출발을 방해하려 하였다.

즉 이제까지 무질서, 혼돈, 무(無)방향적 현상 가운데 있던 '신문학'은 그 수습(收拾)된 통일적 방향으로 한 개 적대자를 택한 것이다.

이것이 그 '저항'의 특징이다.

다음으로는 이들은 마치 문화 급(及) 예술의 침해자(侵害者)를 대하는 것과 같이 예술 급(及) 문학의 옹호하는 이름 아래 일치한 것이다.

즉 예술은 예술 그것을 위하여 존재하는, 순수히 신성한 그것이고,

하등 실생활적인 무엇과 관계를 맺으며 그것에 봉사할 것이 아니라는 구호로써 새로운 계급 연행(沿行)하며, 예술에 문학은 현실생활의 반영 표현이어야 한다는 신경향파문학에 도전한 것이다.

이곳에서 지금까지의 우리가 읽어온 문학적 발전의 논리로부터 한 개 반성적 질문을 제기해야 할 것이다.

즉 민족적이라든가, 근대적이라든가 연애 급(及) 인권의 자유라든가의 현실적 목적을 추구하던 춘원(春園)적 문학은 어떻게 되었는가?

혹은 암담한 현실을 부정하고 그것을 폭로하며, 소시민, 지식적(知識的)의 연애, 학문, 기타 자유를 절규하며 묘장(墓場)과 같은 현실을 증오하던 자유주의의 현실에 대한 깊은 관심, 또 고민하고 감상하고 발버둥치며 '오뇌를 건지고 시대적 불안을 위로'라도 할 '역(力)의 시'를 열구(熱求)하던 낭만파는 어디 갔는가?

그러나 벌써 신경향파문학에 대한 예술지상주의적 통일××[전선]에서 '이상', '폭로', '역(力)' 등의 형태로서 표현되는 일체의 현실적(진보적) 정신은, 일편(一片)의 공문(空文)으로서 역사적 도정 중에 방기되었다. 춘원, 자연주의, 낭만파 등이 가졌던 일체의 관념적 비현적인 요소는 이곳에서 자기의 사적 결론을 맺은 것이다.

그리하여 지금까지 우리가 해(該) 시대의 문학적 현상을 일관한 발전 도정 가운데서 성찰하여 온 데서 그 부정적 반면(反面)과 함께 그 역사적 변천의 연선(沿線)을 따라온 적극적인 요소의 일체는 그 새로운 계승자 신경향파문학 위에 상속된 것이다.

춘원으로부터 자연주의문학에 자연주의로부터 낭만주의문학에로 그 근소한 일맥(一脈)을 보전해 내려온 현실의 역사적 유동(流動)에 한 성실성과 진보적 정신은 한 개 비약적 계기를 통과한 것이다.

그러므로 춘원으로부터 낭만파에 이르기까지의 각 시대의 제경향이 전대의 단순한 대립표(對立表)로서 일면적으로 이것을 계승하였다면 신경향파문학은 그 모든 것의 전면적 종합적 계승표(繼承表)이었었다.

이것은 신경향파문학이 의존하는 바 사회적 계급의 역사적 지위의 전체성, 종합적 통일성에 유래하는 것이나 문학적 발전에 있어 그것은 심히 명확한 형태로 표시되어 있다. 물론 이곳에는 우리 많은 사가(史家) 급(及) 논객, 학도들이 모순, 혼란, 무질서로 이해할 만큼 정치 사회사에 보는 것 같은 그런 소박한 직선(直線)을 그을 수는 없다.

문화 급(及) 예술사의 발전에는 원칙적으로는 토대적인 것에 제약을 수(受)하면서 일응(一應) 그것과는 구별되는 관념형태 그것이 갖는 고유의 객관적 법칙성을 갖는 것이다.

신경향파문학은 국초, 춘원에서 출발하여 자연주의에서 대체의 개화를 본 사실적 정신과 동일하게 국초, 춘원으로부터 발생하여 자연주의의 부정적 반항을 통과한 뒤 낭만파에 와서 고민하고 새로운 천공(天空)으로의 역(力)의 비상을 열망하던 진보적 정신의 종합적 통일자로 계승된 것을 무한(無限)의 발전의 대해로 인도할 역사적 운명을 가지고 탄생된 자(者)이다.

낡은 문예학의 개념을 빈다면 이것은 신문학이 가지고 있던 '고전적인 것'과 '낭만적인 것'의 역사적 종합, 통일이다.

그리고 이것은 금일까지의 문학사가 가지고 있던 이러한 형태의 종합, 통일 가운데 최초, 최대의 것이다.

그러나 흔히 볼 수 있는 소박한 두뇌가 상상하는 것과 같이 신경향파문학은 자연주의의 사실적 요소와 낭만파의 정신의 단순한 계승자이거나 혹은 신경향파문학이란 전혀 이 양자 가운데서 생탄(生誕)된 것은 아니다.

그것은 전기(前期)의 모든 문학 현상이 그리하였던 것과 같이 조선의 경제적 발전의 토대 위에서 연행(沿行)하는 사회계급적 분화와 그 투쟁이란 현실적 제 도정(諸道程)으로부터 형성된 것이다.

위선(爲先) 이러한 제 사정 가운데 최초로 매거(枚擧)해야 할 기본적 특질은 조선에 있어서의 자본주의적 발전이 필연적 소산인 근대 노동자계급의 자각과 그 정치적 사상적 영향력의 증대 그것이다.

기미(己未)를 치르고 20년대의 소위 윌슨류의 민족사상을 대신하여 노도와 같이 우리 청년들의 두뇌를 점거한 '××[사회]주의 사상'의 분류(奔流)와 이 땅 노동자운동의 최초 계단의 형태였던 '사상단체'의 족생(簇生)은 이 기본적 사실의 사상적 정치적 표현이다.

그러나 주지하는 바와 같이 이 '자각'의 수준이 얕은 상태는 이 운동의 성질 급(及) 형태를 제약하였다는 것을 망각하지 말아야 한다.

허나 이 역사적 사실의 예술상 반영인 신경향파문학은 겨우 대정(大正) 12, 3년경에 근근이 형성된 것으로 전기(前記)의 토대적인 제(諸)운동보다 상당히 후행적(後行的)이었다.

이곳에는 항상 문학에 대하여는 선행적인 사회의 사정의 우위성과 또 그 시간적 상거(相距)의 양은 이 계급적 '자각'이 저도(低度)한 데 기인한 한 개 개연적(蓋然的)인 것이었다.

뿐만 아니라 이러한 것은 일면 조선 프로문학의 전(全) 역사적 약점으로서 금일까지 문학이 현실에 뒤떨어진 장면이었음도 역시 기억될 사실이다.

이것이 다 주관적 세력에도 의존하지만 그 생활시(生活時)부터 가졌던 기초적 사정의 '저도(低度)의 자각'이란 조선적인 특수성이었음도 아울러 명기해야 한다.

그러므로 신경향문학이 자기의 적에게 공연(公然)한 도전의 화살을 던지기 전 이미 문학 외의 일 논객에 의하여 낡은 세대의 문학이 비판의 조상(俎上)에 올랐음은 심히 시사 깊은 사실이다.

『개벽』 1923년 7월호로부터 9월호까지 2회 연재된 임정재의 「문사제군에게 여(與)하는 일문(一文)」은 신경향파의 선구자들이 겨우 클라르테운동을 소개하고(팔봉[八峯]) 혹은 비참의 예술, 생활의 문학을 이야기하며, 새로운 이상을 도입하려는 검색적(檢索的)이고 소극적인 한계에 머물렀을 때, 최대의 명확, 직절(直截)한 말로(당시의 수준을 보아) 그는 예술이 대중의 것이어야 하며 인간사회의 진화 발전에 공헌해야 한다는 의미의 긴 원칙을 논술한 다음,

> 그러나 우리 조선의 유산계급의 문사나 무산계급의 문사는 부르주아 경제학의 발달과 귀족생활의 형식상 발달로 현대생활 요식(要式)을 조성하고, 각 방면으로 성숙하고 고착하며 민중의 생활을 무시하는 자본가의 사익(私益)으로 지배당하며 중간계급의 자유주의적 사상으로 민족적 자유주의 사상과 혼란하여 생활의식을 무의식간에 형성하고 통일을 실(失)하는 동시 중간계급의 자유주의 사상의 동요, 지배되는 상태에 재(在)하여 필연적으로 세기말적 절망의 데카당적으로 되었다. (…중략…) '문화사' 일파의 데카당적 경향과 '문인회' 일파의 저널리즘적 경향과 사상적으로 초월하려는 중간계급적 사상 경향은 조선 사회 사정의 적나(赤裸)한 산물이다.

라고 당시 『백조』를 중심으로 낭만주의적 작가 시인을 망라하고 있던 '문화사' 그룹과 후기 자연주의 작가들로 말미암아 구성되었던 '문인회' 그룹을 비판하면서 모든 것으로부터 초월하려는 '지상주의'적 조류

를 정당히도 그때 사회적 혼란의 산물로서 평가하였다.

그런 다음 동(同) 논자는 다시 하등 '사회성' 또 현실생활에 대한 '총의(總義)'적 책임도 없는 단순한 '낭만적 비애의 독백기(獨白記)'에 대(代)하여 '참으로 시대의식과 계급의식에 자아를 확립시킬 것은 조선 문사(文士)의 급박한 문제'라고 무사상성과 형식주의적 전화(戰華)의 노상에서 헤매이는 조선문학이 나아갈 한 개 길을 지시한 것이다.

뿐만 아니라 상기의 인용에도 약간 암시되었지만 다시 그 다음 구절에서 이 준비된 새로운 예술적 노선을 다음과 같이 관망하고 있다.

> …… 이 운동 내(무산운동……인용자)에 일부인 계급예술은 이러한 참담한 생활을 하는 무산 문사(無產文士)가 부르주아 계급 급(及) 예술에 대항하며, 모순의 사회현상을 타파하며, 신(新)인생의 광명을 욕(浴)하려는 것이 피등(彼等)의 운동이며 예술이다.

이곳에는 우리들이 감지할 수 있는 것과 같이 실로 소박하고 기다(幾多)의 논리적 불분명, 불충분을 가졌음에 불구하고 전체 운동의 일환으로서 예술운동 그것을 규정하였으며 운동의 전사상적 핵심으로 당파적 원칙을 설정한 것이다.

이 짧고 소박한 일문(一文)의 가치라든가 의의에 관하여 이 이상 머무름을 피(避)코자 한다. 오직 당시 그들의 전(全) 운동에 속한 시대적 이제약 때문에 비록 문제를 전면적으로 제기하고 정확한 표현을 가지고 구체(具體)인 제 부분을 밝히지 못했음에 불구하고 이 일(一) 소논문은 신경향파문학의 창시자들이 아직 완전 명확한 역사적 자각의 계단에 이르기 전, 예술적인 그것에 선행된 부분에 의하여 표시된 문화 예술상의 의견으로서 심히 가치 있는 것이다.

실로 이 견해란 우리 조선의 문학예술에 관한 노동자 운동의 높은 관심을 이야기하는 것으로 명기할 논문이다.

모든 부르주아적 예술가, 문학자들의 악의에 찬 선동과 '비방'에 불구하고 조선의 신흥계급과 그 운동은 다른 어느 나라의 그것에 지지 않게 높은 예술적 관심을 가진 가장 문화적인 것이었다.

사실 신경향파문학은 그들이 의재(依在)해 있는 바의 사회적 토양인 현실적 매뉴팩추어적인 분산된 사상운동의 초보계단으로부터 자기를 전(全) 목적 통일의 고처(高處)로 발전시키고 그 궁극적 이해를 가장 정련된 방법으로 집약하는 바 정치적 행동의 통일적 핵심이 형성된 그때 비로소 그 최초의 계몽적인 제일보를 내어 디딘 것이다.

이 가운데는 시간적으로 보아 약 3, 4년의 선후를 갖는 것으로 근로자층이 경제적 욕구의 영역에서 자연성장적이고 분산적인 제일보를 내디디기 비롯한 1920년 전후로부터는 말할 것도 없거니와, 그들의 운동을 명확한 일개(一個) 사상체계를 가지고 통일을 기도하고 광범한 계몽사업을 비록하던 잡지 『공제(共濟)』(조선노동공제회의 기관지로 1920년 4월 창간), 『신생활』(1922년 3월 창간), 『조선지광(朝鮮之光)』(1922년 9월 창간) 등의 발간으로부터 약 2, 3년의 간격을 갖는다.

물론 이 3, 4년 혹은 2, 3년이란 세월은 심히 짧은 것이고 또 시간적 장단의 표준이 될 신경향파의 문학적 출발 연대(年代)도 엄밀한 의미에서는 약간 고구(考究)의 여지를 남기는 것이나 이 가운데 시간적 선후의 존재는 위선(爲先) 부동의 것이므로 먼저 낭만주의문학을 말할 때와 같이 곧 이에도 필자는 연대적 선후를 인정하는 것이다.

뿐만 아니라 당시 조선의 2년 내기 3년의 시일이란 그 의미하는 바 사회적 내용에 있어 타 시대의 기십 년에 해당하는 풍부한 내용의 것이므로 이 시간적 차이의 평가란 2중으로 조선의 문화 발전의 특질을 이해함에 지극히 필요한 것이다.

조선의 근로자운동은 상술한 바와 여(如)히 문학 급(及) 예술상에 있어 자기의 자각된 행위의 출발을 보기에는 '약간의' 시간을 필요한 것이다.

이 '시간'은 사회적 모순이 원생적인 초보 계단으로부터 명확히 '적대'관계의 형태를 가지고 전국적 규모에까지 발전할 그 동안, 다시 말하면 자기의 정치적 사상적 영향을 상당히 광범위의 인민생활 중에 확대시킬 만큼 ××적인 성숙을 이루었을 그때 비로소 자기층(自己層)의 문학예술의 대오(隊伍)를 정리할 수가 있었던 것이다.

이러한 사실을 이해하기 위하여는 신경향파문학적 시발기로서 보편화된 연대인 1924년(大正 13년)대의 조선의 사회 정황을 살펴봄이 가장 유의의(有意義)할 것이다.

이 해(1924년)의 가장 중요한 사회적 내용의 특질로는 우리는 위선(爲先) 근로자운동이 분산된 계몽적 사상운동으로부터 ××[정치]행동의 전국적 통일의 방향으로 발전하고 있었다는 것과, 한편 민족주의의 민족개량주의에의 급격한 전화와 그 통일적 전진에의 기운의 대두를 들 수가 있다.

이것은 곧 조선의 ××[계급]적 모순이 그 전형적인 대립에로 발전하였음을 알 수 있으며 '기미(己未)' 전후에까지 식민지적 특수성에 의하여 은폐되었던 ××[계급]적 모순이 비로소 본래의 성질을 가리고 기본적 국면에서 상극하게 된 것이다.

즉 모든 사회적 모순은 일체의 은호물(隱護物)의 암영(暗影)으로부터 자기의 ××[계급]적 본질을 드러내어 ××[계급]적이란 개념이 모든 과거적 개념에 대신한 가장 명확하고 최종적인 인간적 개념으로서 조선사람의 생활 가운데 확립된 것이다.

이 해 4월에 '노총(勞總)'이 노동조합운동과 농민운동의 통일적 기관으로 성립하고 청년운동의 통일적 조직으로 '청총(靑葱)'이 창립되었다. 그 뒤 얼마 안가 '민중운동자대회'가 소집되며 또 그 '××대회'가 소집되어 조선사람의 사회적 생활 위에는 일찍이 보지 못하던 신사상을 가진 ××적 운동의 격랑(激浪)이 밀려왔다. 이 속에서 조선 근로층은 비로소 불충분하나마 자기의 운동을 한 개 통일된 정치적 핵심 결성의 고처(高處)에까지 끌고 갔으나 또 처음으로 그 자기를 국제의 결뉴(結紐)의 일우(一遇)에 붙잡아 매인 것이다.

이것은 의심할 것도 없이 근로층의 사적(史的) — 가장 높은 자로적(自勞的) 표현이며, 현실적 제 문제를 가장 철저한 해결의 길 위에서 종합한 것이다.

이때(24)까지 대부분의 사람의 정치적 사상적 대변자로 자타가 인정해 오던 신문 『동아일보』 1924년 신년호에는 과거 전(全) 민족을 대표한다는 부분의 심히 의의 깊은 정치적 의견이 발표되었다.

『동아일보』는 이해 1월 1일부터 수삼(數三)일 연재하던 장문소설(長文小說) 「민족적 경륜」이란 것 중의 하나인 '정치운동과 결사' 가운데서 그들은 "우리는 조선 내에서 허(許)하는 광범위 내에서 일대(一大) 정치적 결사를 조직하라" 주목할 제안을 하였다.

이 단소(短小)한 언구(言句)는 일견 우스운 듯도 하나 그러나 곧 이해할 수 있는 것과 같이 이 가운데는 과거 민족주의 운동의 한 개 간과치 못할 행동상의 전향이 있음을 알 수가 있다.

그들이 노자(勞資)의 평화적 협조를 말해옴도 짧지 않으나, 그러나 이러한 민족적 운동, 그것의 제한을 기도한 일은 없었다. 이러한 정치적 공기 가운데는 명확한 민족주의 운동의 합법주의화와 철저한 욕구 대신에 개량주의적 정견이 '당면 목표'라는 명목(名目)하에 대치된 것이다.

당시 이 의견에 대하여 민중은 여태까지 붙어오던 신망(信望)을 방기함은 물론, 사면팔방에서 의혹의 시선은 집중한 것이다.

모든 사람들은 그해 3월경 소위 '각파유지연맹(各派有志聯盟)'이란 데모인 국민협회, 소작인상조회, 청림교(青林敎), 대정(大正)친목회, 유민회(維民會), 동문회(同門會), 유도진흥회, 동민회(同民會), 조선경제회, 상애회(相愛會), 교풍회(矯風會) 등 잡다한 세력이 '관민일치', '대동단결', '노자협조' 등 3대 표지(標識)하에 성(盛)히 움직이고 있던 사실과 전자(前者)의 신경향 그것을 전연 분리해서 생각할 수는 없었던 때문이다.

이렇듯 불분명하던 과거의 사회적 제 관계가 특이한 역사적 긴장 가운데서 한 개 전기(轉機)를 넘는 해에 신경향파문학은 명확히 자기의 깃발을 올리었다.

이 시기는 또한 전술한 자연주의문학의 퇴화와 세기말적 혹은 데카당적인 낭만파주의문학 등의 분화 발전과 신경향파문학과의 세대교체기에 해당한다.

이 시간적 간격은 현실적 발전이 상층구조 위에 그 발전의 질도(質度)를 반영하는 전달의 소요시간이었으며, 한편 새로운 사회적 세대가 자기의 문화 예술을 형성함에 있어 과거적인 그것과의 간에 잔재(殘滓)한 역사적 재산관계를 정리하는 시간이었다고 볼 수 있는 것이다.

여하한 역사상의 신세대도 평부지(平蕪地)로부터 자기의 문화 예술을 만들어 낼 수는 없는 것이다.

근소한 시간적 차이를 지리(支離)함을 무릅쓰고 장황히 말하는 연유가 전혀 이곳에 있다.

주지와 같이 신경향파는 1923년경부터 팔봉의 논문 「금일의 문학과 명일(明日)의 문학」이나 불란서 '클라르테운동'의 소개, 박영희의 논문 「조선을 지나는 비너스」 등을 위시로 거의 잡지 『개벽』을 근거로 하여 예술과 생활의 불가분의 관련과 생활적 현실에의 예술의 종속을 강렬한 구조(口調)로 절규하면서 낡은 문학에 도전한 것이다.

말할 것도 없이 신경향파문학의 이러한 태도는 사회경제적 사정의 추이의 반영일 뿐만 아니라 위에서도 약간 논술한 것과 같은 자연주의문학과 낭만주의문학의 퇴화가 직접으로 이것과 연결되는 것이다.

그러므로 점차로 생활로부터 유리하고 예술지상주의로 전화하는 퇴화된 자연주의나 관념적인 비관과 절망의 독백으로 시종하고 마려는 낭만파적 시가에 대하여 그들이 투쟁자의 입장에 선 것은 필연의 순리이었다.

그들은 문학예술에 대한 극히 초보적인 유물론적 계몽을 전개하고 한편 소설, 시가에 대하여 새로운 사회적 기준을 가지고 성(盛)히 비평활동을 가(加)하는 것으로써 그들의 출발점을 장식한 것은 과거적 문화에 대한 철저한 역사적 비판자로서의 그들의 본질에 조응하는 것이었다.

사실 신경향파문학의 가장 주요한 활동영역은 계몽적 혹은 비평적인 이론활동으로서 조선문학사상(上) 최초로 비평다운 비평이 씌어진 것도 이 시기이며 잘되나 못되나 문학이론이라는 것이 체계를 가진 사상으로 말해진 것도 이때이었다.

이것도 먼저도 말한 바와 같이 신경향파문학 본래의 성질에 의존하는 것이나 한편 이 사실은 조선 근대문학의 특질, 특히 시민문학의 발전이 얼마나 얕(底)고 빈약한가를 설명하는 주목할 현상의 하나이다.

다른 대부분의 나라의 시민적 문학은 각각 다 체계적인 문학이론과 비평을 봉건적 중고문학(中古文學)과의 ××[항쟁] 과정에서 수립한 것이었음에 불구하고 조선의 시민문학은 여사(如斯)한 정상한 발전의 노선을 걷기에는 너무나 특이한 과정 가운데서 고갈된 빈약한 것이다.

다시 말하면 조선의 근대문학은 언어, 양식, 내용, 이론 등 전(全) 영역에 있어 봉건적인 문화에 대한 철저한 비판자가 되지 못했던 것이다.

그러므로 신경향파문학이 던진 문학사적 파문은 일찍 경험한 바가 없던 심각한 것이었고, 또 가장 통렬, 철저한 것이었다.

조선문학은 비로소 한 개 ××[혁명]적인 세대교체를 경험한 것이었다. 봉건적 소설류로부터 이인직에 이르는 계기나, 또 이인직으로부터 춘원, 춘원으로부터 자연주의, 자연주의로부터 낭만주의에 이른 전(全) 과정은 역사 도정에 본업(本業)의 성질로 보면 한 개 문화혁신적 선풍(旋風) 가운데 성숙되는 격렬한 도정이었음에 불구하고 그럴듯한 현상을 발견키 우리는 곤란하다.

단지 봉건적 문학과 한문학의 전통으로부터 이인직에 이르는 사이가 한 개 르네상스적 형태의 그것이라고 부를 것이다. 그러나 우리는 이인직의 모든 업적을 최대한으로 평가한다고 하더라도 그 빈약, 불철저, 중도반단성(中途半端性)을 들여다볼 때, 오오! 무엇이라고 말할 초라한 르네상스인가! 하고 탄식하지 않을 사람이 없을 것이다. 조선의 시민과 그 문학은 이렇게 역사적으로 초라한 것이었으며 또 빈약, 불철저한 것이었다.

이 발전의 전(全) 도정은 당목(瞠目)할 비약 대신에 지지(遲遲)한 점진성의 완만한 곡선이 그어져 있을 뿐이다.

그러므로 신경향파문학이 그 전의 시대에 버금하여 교체하는 형태란 실로 한 개 르네상스이었다.

신경향하는 사실상 문화사상의 순서로 당연히 조선의 시민적 문학이 선결해야 할 것을 미해결 채로 남긴 과제까지도 계승받아 실로 모든 영역의 개척자로서의 운명을 가지고 출발한 것이다.

이것은 저 가련한 조선의 시민문학이 채 자기의 과제도 해결할 능력을 가지고 있지 못했던 것과 또 프롤레타리아문학의 본래의 역사적 본질에 의존하는 것으로 어떤 의미로 본다면 조선의 프로문학은 과거의 문학으로부터 적극적인 문학적 재보(財寶)에 속하는 유산보다도 오히려 부채를 더 많이 계승하였다고 보아도 과언이 아닐 것이다.

부르주아문학의 비평을 한 것이 역사적 순서로 보아 중세적인 것과의 항쟁에서 수립될 것임에 불구하고 반대로 프롤레타리아문학과의 대립에서 급급(急急)히 작조(作造)되었다는 고소(苦笑)할 사실을 우리는 가지고 있지 않은가? 그러나 신경향문학이 과거한 문학의 모든 적극적인 유산 가운데서 형성된 것은 확호(确乎)한 것이다.

그들의 유물론적 문학정신, 그것은 이인직 등의 초기 시민문학과 주의(主義) 문학이 단적으로 내포하고 있던 실증사상의 연장 계승이라는 것은 단순히 긍정할 사실일 뿐만 아니라 신경향파와 프로문학이 갖는 한 개 역사적 명예이다. 그뿐만 아니라 그들의 치열한 비평정신, 그것도 이인직의 봉건적 문학에 대한 춘원의 이인직에 대한, 또 자연주의의 춘원에 대한, 낭만주의의 그 전의 모든 것에 대한 칼날 같은 비판적 사상의 장구한 발전 가운데서 형성되어온 것이며 그 한 개 비약적 종합이었다.

구체적으로는 자연주의문학이 가졌던 적극적인 것으로서의 자연과학적인 실증사상=실험실적 태도와 낭만주의가 가진 관념화된 전체성에로 지향된 비판정신의 한 개 역사적 종합인 동시에 그것은 이 단순한 종합으로부터 본질적으로 구별되는 일층 고도계급으로의 비약적 일(一) 고양이었다.

그러므로 신경향파의 이론적 비평적 활동의 기초에는 이 두 조류에서는 전연 발견할 수 없는 높은 사적 유물론의 세계관이 기초가 되어 있는 것이다.

신경향파문학이 그들의 직접의 선행자의 문학세대와의 관계를 표시하는 최대의 사실로서 우리는 신경향파문학 가운데 두 개의 상이한 경향을 발견할 수가 있다.

이것은 신경향파문학의 창작적 실천상에서 구분할 수 있는 박영희적 경향과 최서해적 경향 그것이다.

이때까지의 대부분의 논자들은 프로문학의 자연성장적 계단이라든가, 혹은 빈궁문학, 기아와 개인적 복수의 문학이라든가, 관념의 문학이라든가 하는 잡다한 규정을 가지고 이 차이를 무시하여 왔다.

물론 이러한 유상무상(有象無象)의 형용사가 신경향파문학의 반면(半面) 내지 일부분을 설명치 않는 것은 아니다. 그러나 이곳에는 문학현상의 구체적 인식의 견지가 결여되어 있거나, 전체적 통일적 파악이 망각되어 있는 것이다.

더구나 이 시대를 전체적으로 규정한다는 '자연발생적 계단'(신남철)이나 '관념의 문학론'(팔봉) 등은 전체를 본다고 너무 성급히 규정하는 데만 망살(忙殺)되어 중요한 구체적 제 사실을 인공적(人工的) 방법으로 재단하고 있는 것이다.

더구나 이러한 반분적(半分的) 관찰이나 추상적 규정에는 신경향파문학을 그 사상성의 진보에서만 평가하려는 저주할 만한 이원론이 사상적 핵심을 이루고 있음을 잊어서는 아니 된다.

그들은 자기의 논리에 적응하도록 문학적 현상의 구체적 특이성, 차별 등을 왜곡 개조하여 한 개 추상적 개념과 규정을 만드는 데만 급급한 것이다.

그러므로 세계관상의 발전 그것과 동양(同樣)으로 신경향파문학의 전개와 예술적 달성의 구체적인 관찰과 분석에 노력을 지불치 않는 것은 그리 이해키 어려운 일이 아니다.

전기(前記) 박영희의 「지옥순례」, 「사냥개」 등과 최서해의 「홍염」, 「기아와 살육」 등이 갖는 명백한 예술상의 차이, 그리고 신경향파의 최초의 비평적・창작적 활동가들이 주로 팔봉, 조명희, 박영희이었으며, 그들의 경향이 서해의 그것에 비하여 약간 선행하였다는 제 사실은 일률화(一律化)되어 무차별적인 것이 되고 말았다.

위선(爲先) 전술한 바와 같이 신경향파의 작가 비평가로서의 박영희, 김기진은 가장 먼저이고 또 지극히 큰 존재이었음은 주지하는 바이다.

그리고 그들이 전부 과거의 시인이었고, 또 『백조』 중심의 낭만적 문학으로부터의 전향자이었다는 것도 명백한 것이다.

사실 그들은 낭만주의로부터 신경향파에로, 이상화 그 외 몇 시인들을 이끌고 투신하여 그 창설자의 명예를 차지한 것이다.

이곳에는 과거 조선 낭만주의 가운데 있던 전진적 열정과 진보적 정신의 명확한 발전을 볼 수가 있는 것인 동시에, 신경향파문학 중 박영희적 경향이라고 부를 수 있는 한 개 창작경향을 낳았다.

이 창작경향이란 그들의 과거가 시인이었음에 불구하고 이 시대에 와서는 전혀 소설 양식상에 표현된 그것이었음을 이곳에서 주목해야 한다.

그들은 낭만파적 시인으로부터 비평가로 그리고 소설가로 전이해 온 것이다. 그리고 그 중심계기로는 그리의 세계관상의 비약이 개재(价在) 한다. 이것은 의심할 나위도 없이 실로 명확한 한 개 필연적인 현실적 이유를 가지고 있는 것으로 그들이 시인으로부터 소설가, 비평가가 된 것을 개인적 우연사로 돌릴 수는 없는 것이다.

그들의 이러한 전이는 한 개 세계관적으로는 신경향파문학의 역사적 본질에 의하여 해석된 현상이다.

신경향파뿐만이 아니라 전(全) 프로문학의 창작적 역사는 거의 소설사라고 해도 과언이 아닐 만큼 그들의 주요한 문학적 표현의 양식으로 의거한 것은 시가보다 소설이었다.

그러나 신경향파나 프로문학이 주로 소설 형식에 의거하였다는 것은 자연주의문학이 소설을 취한 것과는 본질적으로 구별된다.

프로문학은 결코 시나 기악(奇樂)을 배제하는 ××의 예술은 아니다. 그러나 낭만주의와 같이 감정하고 체읍(涕泣)하는 시를 원하는 문학도 아니다.

이곳에는 자연주의문학이 접근치 못한 현실생활의 전면의 역사를 예술적으로 개괄할 장대한 소설과 그 영웅적 사업과 쓰라린 희생을 기념하고 부절(不絶)히 이상과 전진에의 열의를 노래하는 서사적 또 정서적인 시가를 누구보다도 많이 열구(熱求)하는 자이다.

그러나 자연주의문학의 지상주의적(至上主義的) 퇴화와 낭만적 시가의 관념적 승화의 혼탁한 교류 가운데서 신경향파문학이 소설을 통하여 그의 사실주의를 건설한 것은 지극히 당연한 일이었다.

어떤 의미에서 보면 신경향파문학의 소설은 시와 소설의 혼효라고도 말할 수 있으매 이러한 상정(想定)은 신경향파문학 중에 있는 양구(兩舊) 경향에서 그 예술상 표현을 발견할 수도 있는 것이다.

이러한 견지로 보아가기를 계속한다면 박영희적 경향은 보다 시적인 소설이었으며, 서해적 경향은 보다 소설적인 소설이었을지도 모르는 것이다.

그러나 이러한 지극히 상식적인 판단은 일견 우스운 것 같으면서도 그대로 모시(侮視)하기 어려운 점이 다분히 있다.

소위 박영희적 경향이라고 볼 소설 「사냥개」라든가, 「지옥순례」를 보면 과거의 낭만주의문학의 고철(古轍)을 소박하게밖에 해설치 못한 역력한 유적(遺蹟)을 발견할 수가 있다.

이곳에는 낭만주의의 '악(惡)한 전통'의 하나인 구체적 현실의 안일한 관념적 이상화의 방법이 신경향파의 세계관적 또 예술적 미숙과 상반(相伴)하여 문학 가운데 나타난 세계관의 생경한 노출이란 결과를 초래하였다. 이것은 낭만주의로부터 받은 신경향파문학의 한 개 약점이면서도 반면에는 현실에 대한 전면적 파악의 지향이라든가 이상적 의욕에 대한 예술작품의 통일적 구성이라든가 하는 점은 낭만주의문학이 자연주의의 무사상성에 비판자로서 가졌던 바 그 장점의 발전임은 또한 부정할 바가 아니다.

그러므로 이 박영희적 경향이란 저도(低度)의 실진성과 주제의 적극성=사회성과 높은 세계관에 의하여 특징화되어 있는 보다 낭만적인 예술이었다.

그러나 최서해적 경향이라고 부를 「홍염」이라든가, 「기아와 살육」이라든가는 보다 더 많이 상섭, 동인 등의 자연주의문학의 사실적 정신과 관계하고 있는 것으로 이인직 이후의 조선적 리얼리즘의 전(全) 발전이라고 볼 수 있다. 사실 자연주의문학에서 그 최고의 절정을 이룬 조선의 사실주의는 한설야, 이기영의 고도의 종합적 사실주의의 계단에 이르는 중간적인 도정적(道程的) 존재이었다.

사실 신경향파문학의 이러한 경향을 가진 초기의 이기영, 김영팔, 최승일 등등의 작가 중에서 최서해의 존재는 자못 거대한 것이었다. 서해를 우리는 신경향파가 가진 최대의 작가, 또 그것이 달성한 예술적 수준의 최고점이라고 보아도 그리 과장이 아닐 것이다.

서해의 명예에 의하여 대표되는 이 경향은 자연주의문학으로부터의 확고한 예술적 전진으로, 개인적 관찰의 시각으로부터 사회적인 광도(廣度)로 확대된 사실주의, 또 서해의 소설 「갈등」에서 보는 것과 같은 자기박탈과 추구의 강한 객관적 정신은 문학의 저류(低流)로서의 세계관과 더불어 문학 자신 가운데 표시된 예술적 진화의 정통적인 현상이었다.

물론 이 경향을 '개인적 복수의 문학'이라는 규정을 내릴 만큼 생활적, 혹은 현실상의 제 모순을 개인적 돌발 행위로 결과케 한 작품이 불소(不少)한 것이나, 그러나 신경향파문학이 낡은 문학으로부터 프로문학에 이르는 한 개 과도적 문학이었다는 점을 이해한다면, 이 한 점을 가지고 예술적으로는 퇴화했으나, 사상적인 일점(一點)으로 그것은 우월하였다는 예술적 규정을 끌어내지는 않을 것이다.

이러한 결함은 신경향파문학이 과거 자연주의문학으로부터 받은 악한 유산의 하나임을 이해하여야 한다. 신경향파문학은 자연주의문학의 낡은 제 영향을 완전히 벗어난 순수한 자기를 형성하기에는 역사적으로 너무나 유소(幼少)하였었다.

전자는 낭만적인 것을 정확한 과학적 사실성 위에 통일하기엔 아직도 완전한 예술적 성숙의 지점에 이르지 못했었고, 후자는 광범한 현실생활의 잡다한 제 모순을 완미(完美)한 사회적 노선 위에서 그의 이상적인 수준의 중(中)에서 해결하기에는 이 역시 너무나 지나치고 젊었었다.

그러나 조선문학은 한 번도 자기의 '낭만적인 것'을 신경향파의 그것과 같이 정당한 역사적 필연의 길에서 체현한 일이 없었으며, 또한 자연주의의 여하한 작가도 신경향파=서해에 있어서와 같이 인간생활의 광대한 영역으로 자기의 사실적 세계를 전개한 일이 없고 또 그 객관성에 있어서도 서해에 있어서와 같이 자기 추구, 모든 가면의 박탈에 있어 철저치 못했으며 개인으로 사회적 전체성의 견지에서 파악하지는 못했었다.

이곳에 신경향파문학이 모든 것에 관절(冠絶)하는 조선문학의 최량의 종합·통일자된 특색이 있는 것이며 또 그들의 새로운 세계관이 예술적 발전을 실현케 한 역연(歷然)한 성과가 가로 놓여 있는 것이다.

신경향파의 사상적 본질만을 평가하고 그 예술적 진화 달성을 방기하는 모든 이론은 무엇보다도 최서해의 문학에 대하여 정당한 평가를 내릴 줄 모르는 편안자(片眼者)들이다.

이것은 프로문학의 고난에 찬 십년을 통하여 한설야, 김남천, 송영, 윤기정, 조명희 등의 제(諸)작가를 지나 『고향』의 작자 이기영에 와서 프로문학의 본래적 달성의 최고의 수준을 보인 것이다.

일반으로 보아 신경향파의 문학은 조선의 신흥계급이 계급 그 자신으로부터 그 자신을 위한 계급으로 성장할 자각적인 과도기의 예술적 반영이었다.

그러므로 신경향파문학은 그 예술성에서가 아니라 그 사상 내용에서만 과거의 문학에 대하여 우월하였다는 이원적인 모든 평가는 완전히 사실과 부합치 않는 한 개 추상적 허상이며 이러한 평가는 곧 김기진씨에 있어서와 같이 프로문학의 예술적 발전을 비역사적인 애매한 상대적인 것으로 설명하기 쉬운 것이다.

즉 프로문학은 과거의 전(全) 문학의 발전이라고 설명하지 않고 일면적으로 프로문학 자신의 '미미하나마의 발전'을 인정하여 겨우 박영희적 이원론에 대립(?)하고 만다. 신남철, 이종수 씨 등의 신경향파의 이원론적 평가는 직접으로 '문학'의 예술 역사적 프로를 부정하는 견지로서 "얻은 것은 이데올로기요 잃은 것은 예술이라!"는 박영희적 멘셰비즘과 동일한 결론에 도달하는 것이다.

이 현저(顯著)한 자(者)를 우리는 신남철 씨의 상기 논문의 신경향파문학 이후, 방향전환기, 유물변증법적 창작방법, 사회주의적 리얼리즘에 이르는 프로문학의 창작적 실천을 기술한 심히 불분명한 논술에서 일관된 경향으로 발견할 수 있는 것으로 씨 등은 결코 박영희적 이론의 진정한 비판자는 아니었다.

문학의 예술성과 사상성을 이분하는 이원론, 신경향파문학에서 과거(過去)한 모든 문학의 예술적 진화를 관찰치 못하고 그 세계관적 일면만을 평가하려는 모든 종류의 기도는 필연적으로 "잃은 것은 예술이요 얻은 것은 이데올로기이라" 하는 유명한 박영희적 멘셰비즘과 일치하고 또 그의 사상적 발상지가 아니면 아니 된다.

왜 그러냐 하면 부르주아적 문학이 프로문학에 비하여 그 내용 사상에는 뒤떨어지더라도 문학적 기술적으로는 아직도 우월하다는 이론은 결국 예술과 정치에 있어서 전혀 이원적인 분리의 사상으로 일관되는 것으로 프로문학 십년의 역사에 있어서 이데올로기와 함께 상반(相伴)하여 발전하는 예술을 이해하지 못하는 자이며, 드디어는 『고향』에까지 도달한 예술적인 고도의 수준을 마치 사상과는 무연(無緣)한 것으로 관찰하든가, 그렇지 않으면 『고향』에까지 이른 도정에서 사상적인 발전만을 간취하고 그와 함께 진화해올, 그리고 그것 없이는 불가능한 예술적인 발전을 전연 무시하는 이론이기 때문이다.

이러한 점에 있어서 박영희적 이론의 비판자로 자처하는 김기진 씨나 혹은 그의 새로운 대변자인 신남철, 이종수 양씨나 모두가 박(朴)씨의 이론과는 종이 한 장 상이(相異)로 결국 한 가지 이원론 사관의 모태(母胎)에서 자라난 쌍아(雙兒)에 불과한 것이다.

더구나 신남철 씨에 있어서는 전게(前揭) 『신동아』지의 씨의 논문을 가지고 퍽이나 문헌학적인 연구로 자처하고 그곳에서 표시된 씨의 철학적 교양을 조선 지고(至高)의 것으로 자신하고 있는 모양이나 우리들이 보는 바는 한 개의 속학서생(俗學書生)의 이원적인 사관에 의하여 재단된 비참한 죽은 역사의 형해(形骸)뿐이어서 하등의 '높은 교양'도, '엄정한 과학적 태도'도, 또한 '풍부한 문헌'도 발견할 수는 없는 것이다. 그리하여 우리들은 이러한 이원적인 프리체적 상대주의로부터 끝까지 신경향파문학과 그의 계승자인 신흥(新興)문학 10년의 역사를 지키려는 자이며 동시에 이러한 평가 밑에서 현재의 문학을 발전시켜 나가려는 것을 다시금 명언(明言)하는 자이다.(大尾)

을해(乙亥) 10월 마산 병석에서

2. 신문학사의 방법

1. 대상

신문학사(新文學史)의 대상은 물론 조선의 근대문학이다. 무엇이 조선의 근대문학이냐 하면 물론 근대정신을 내용으로 하고 서구문학의 장르를 형식으로 한 조선의 문학이다.

그러나 신문학 연구가 자기의 대상을 명확히 하는 데 있어 처리하지 아니하면 아니될 문제는 일반으로 무엇이 조선문학이냐 하는 문제다.

연전(年前) 모 잡지가 이러한 질문을 각 방면의 문학자에게 발(發)하여 회답을 받은 일이 있고, 춘원(春園)이 구인회(九人會) 강좌를 비롯하여 1~2처(處)에 조선문학관(朝鮮文學觀)을 발표한 일이 있다. 가까이는 『문장』 신년호 좌담회에서도 한문문학을 조선문학사에 편입할 것이냐 여부를 문제삼은 일이 있어, 이 문제는 기회 있을 적마다 되풀이되고 있다. 문제의 발원(發源)은 조선인의 문학 생활이 자기의 어문(語文)으로 표현 형식을 삼아온 역사가 극히 짧은 데서 비롯한다. 주지(周知)와 같이 훈민정음이 생긴 이후 비로소 조선인은 자기의 문학을 자기의 문자로 표현할 수 있었다. 그 전에는 음(音) 혹은 훈(訓)을 좇아 한자로 조선어를 기록한 이두(吏讀)나 그렇지 않으면 순 한문으로 선대인(先大人)은 공사(公私)의 용무를 변처(辨處)하고 사상 감정을 표현해왔다. 순전한 유학(儒學)이 아니라 한시(漢詩)라든가 기행(紀行)이라든가 감상(感想)이라든가 소설이라든가 모두 한문으로 씌어졌으니, 그것은 한자를 문자만 따서 조선어를 기록한 이두와는 전연 다르다. 그러면 이두도 문제가 아니요, 오직 한문으로 된 문학적 작물(作物)만이 문제가 될 따름이다. 이것을 조선문학의 범주 안에서 축출하라고 한 사람은 춘원이다.

사실 라틴어로 씌어진 중세문학을 자기의 국민문학사(國民文學史)에서 제외한 서구의 약간국(若干國)의 예를 보더라도 이 견해는 일리가 없지 않다. 그러나 이두문학과 언문문학(諺文文學)만을 연결하여 조선문학사를 생각한다면 우리는 약 천년에 긍(亘)하여 조선인의 영위한 문학적 작품을 자기의 역사로부터 포기해야 한다. 이 결과 문학사는 거의 중단되다시피 한다. 이 사실은 곧 한문에 의한 조선인의 문학 생활이 조선인의 정신사상(精神史上) 불발(不拔)의 중요서을 가짐을 의미한다. 약 40년 이래로 비로소 언문이 조선의 문학 생활의 기본적 표현 형식이 된 점으로 보아 더욱 그러하다. 문학은 언어 이상의 것, 하나의 정신문화인 점을 생각할 때, 한문으로 된 문학은 조선인의 문화사의 일 영역인 문학사 가운데 당연히 좌석을 점령치 아니할 수가 없다. 그러나 한문문학사는 조선의 유학사(儒學史)와는 별개의 것으로 조선문학사의 한 특수 영역일 따름이다. 일본문학사에 비하여서도 더 다른 이와 같은 조건이 조선문학사에 용인됨은, 조선에서 고유 문자의 발명이 극히 뒤늦은 점과 거기에 따라 한문에 의한 문화 표현이 어느 곳보다도 압도적이었던 특수성 때문이다.

그러나 신문학사의 대상 가운데는 물론 직접으로 한문문학이 들어가지는 않는다.

그렇지만 신문학사는 그 전의 문학과의 접촉을 연구하고 나아가서는 그 정신적 또는 형태적 교섭을 천명(闡明)함에 있어 한문문학은 초대(初代)의 언문문학과 더불어 신문학사와 곧 연결된다.

그러므로 신문학사는 상대(上代)의 이두와 그 다음에 오는 언문문학과 한문문학의 병존의 시대와 교섭되는 것이다.

더욱이 이 연구 대상 문제에 있어 전대(前代)의 언문문학과 더불어 한문문학을 적당한 위치에 설정해둘 필요는 신문학의 정신적 토대가 될 전대의 정신적 전통과 문화적 유산을 고구(考究)함에 있어 언문문학만을 돌아봄은 중도반단(中途半端)에 떨어지기 때문이다. 한문문학을 무시하고는 전대 조선의 전통과 유산을 전체로 문제삼기 어려울뿐더러 어느 의미에선 전혀 알기 어려울 때가 있기 때문이다.

우리는 조선에 있어서 근대정신의 선구인 실사구시(實事求是)의 학문(과학 사상)이 한학자들에 의하여 씌어지고, 언문소설의 선구가 역(亦) 지나(支那)의 한문소설의 수입이나 또는 전래 설화를 한문으로 소설화한 데서 비롯함을 볼 제, 신문학사가 제 대상의 한 영역으로 당연히 한문문학을 고려하여야 할 것을 강조하지 아니할 수 없다. 직접의 대상은 아니라도 간접의 대상으로서…….

2. 토대

신문학은 새로운 사회경제적 기초 위에 형성된 정신문화의 한 형태다. 다시 말하면 다른 여러 가지 문화와 더불어 물질적인 토대를 가지고 있다. 신문학이 생성하고 발전한 배경이 되고 기초가 되고 나아가선 그것의 존립을 제약한 근본적인 동력을 아는 의미에서 물론 물질적 토대라는 것은 중시되어야 하고 그것과의 상호관련에서 신문학은 부단히 고구되어야 할 것이나, 또 한 가지 중요한 것은 다른 정신문화와의 교섭과 관계를 천명함에 있어 이 토대는 극히 중요한 의의를 갖는다.

왜 그러냐 하면 다기(多岐)에 긍(亘)한 여러 가지의 정신문화가 물질적 토대를 같이하고 있기 때문이다. 이 토대의 연구 혹은 토대와의 상관적 고구 없이는 각개의 문화 형태의 근원적인 동일성을 이해할 수 없다. 동시에 이 근원적인 동일성을 발견치 못한다면 형태적 차이라는 것을 보기 어렵다. 헤겔(Hegel)류로 말하면 문화 형태라는 것은 정신이 자기를 표현하는 고유한 형식에 불과하지 않는가? 또한 형식은 정신이 항상 보편적인 대신 개성적이다. 개성 가운데 은닉된 일반성, 이것의 발견이 문화과학의 임무이며 문화사의 목적인 만큼, 토대의 연구는 그것의 달성을 위한 거의 유일의 관건이다.

그러므로 신문학사는 조선의 근대 사회사의 성립을 토대로 하여 형성된 근대적 문화의 일 형태인 만큼 신문학사는 조선 근대문화사의 일 영역임을 부단히 의식하면서 독자적으로 근대 사회사와 관계를 맺고 교섭한다.

그러기 위하여는 신문학사의 토대로서의 근대 조선사회사라는 것이 따로 의식되어야 한다. 이것은 신문학사 연구에 있어 문학작품 이외의 가장 큰 대상의 하나이며 최중요(最重要)한 보조적 분과다.

이 가운데는 자연히 경제사, 정치사, 농업사 등의 자본주의 발달사와 민중운동사 내지 각 계급의 관계사, 더욱이 시민의 역사가 근간이 될 것이나, 또한 교육사라든가 종교사 혹은 언론 문화사라든가 기타 일반

문화사가 상당히 고려되어야 한다. 그것 없이는 조선에 있어서 새로운 시대정신의 표현 형태의 하나로서 신문학사를 예상할 수 없게 된다.

토대에의 관심은 그러므로 신문학을 새로운 정신문화의 일 형태로 이해하기 위한 기초다. 주지한 바와 같이 새로운 시대정신의 형성 없이 신문학은 형성되었을 리 만무하며, 새로운 시대정신은 봉건적 사회관계의 와해와 시민적 사회관계의 형성을 표현하는 관념 형태다. 이 시민적 사회관계를 토대로 하여서 근대문화가 생성되며 서구적인 장르의 문학이 형성되었음을 생각할 제, 신문학이란 조선에 있어 근대정신만이 착용(着用)할 수 있었던 정신적 의장(依裝)이라 할 수 있다.

그러므로 토대에의 관심은 단순히 사회사에 대한 배려라든가 혹은 문학과 사회와의 교섭에 대한 공식적인 연구가 아니라 시대정신의 역사란 것을 매개로 택하게 된다.

만일 사회사라는 것이 토대라고 할 것 같으면, 정신사라는 것은 신문학사의 배경이라고 말할 수가 있다. 그런데 정신사라고 할 것 같으면, 우스운 말 같지만, 역시 그것은 문화사와 구별되는, 즉 앨써 말하자면 문화사 전반을 관류(貫流)하는 에스프리의 역사라 할 수 있다. 이 정신사가 토애의 역사의 정수(精髓)요 관념적 집약이라고 할 것 같으면 신문학사는 먼저도 말한 것처럼, 그것을 배경으로 한 각반(各般)의 문화사의 일 영역이 된다.

그러므로 우리는 막연한 시대정신이란 것과 구별하여 조선에 있어서 근대정신의 생성과 발전이란 것을 안중(眼中)에 두지 아니할 수 없다.

시대정신이란 것은 시대 시대의 고유한 정신이라 할 수 있다. 즉 사회사나 문학사에서 장(章)이나 절(節)로 세분할 수 있는 시대의 고유한 체험과 분위기와 목표 등을 종합한 지적 혹은 정신적 상태라 할 수 있으나, 근대정신은 이런 각 시대의 개성적 차이를 초월하여, 그러면서도 각 시대의 공유(共有)한 근원으로 연결되어 있는 것이다. 그러므로 간단히 말하면 근대정신이란 조선의 근대사회가 형성된 이래 오늘날까지의 정신 내용을 의미한다. 이것은 구(舊) 시대와는 근본적으로 구별되면서 또한 최근 3~40년간의 여러 가지 시대적 차이를 넘어 공동한 핵심이 될 수 있는 것을 아직껏 함유하고 있는 정신 형태다.

이런 것들이 토대를 중심으로 하여 고구할 문제다.

3. 환경

환경이라고 할 것 같으면 우리는 곧 테느(A. H. Taine)의 미류를 생각한다. '영문학사'나 '예술철학' 등에서 그것은 벌써 고전적 학설이다. 자연주의문학이나 실증철학과 더불어 환경이란 벌써 독특한 내용을 가진 개념이다. 그러나 테느의 환경은 먼저 이야기한 토대 가운데 포섭될 것이다. 사회적 혹은 국민적인 풍토라는 것은 곧 물질적 토대 혹은 정신적인 배경에 불외(不外)한다. 이러한 의미에서 우리가 사용하는 개념은 미류보다 훨씬 명확하다. 그러므로 환경이란 말을 우리는 토대와 배경에서 분리하여 한 나라의 문학을 위요(圍繞)하고 있는 여러 인접 문학이란 의미로 쓰고자 한다.

즉 문학적 환경이다. 문화 교류 내지는 문학적 교섭이란 것이 환경 가운데서 연구될 것이다. 이것은 따로 비교문학 혹은 문학사에 있어서의 비교적 방법으로 별개로 성립할 수도 있는 것이다.

그러나 신문학사의 연구에 있어 문학적 환경의 고구란 것은, 신문학의 생성과 발전에 있어 부단히 영향을 받아온 외국문학의 연구다.

신문학이 서구적인 문학 장르(구체적으로는 자유시와 현대소설)를 채용하면서부터 형성되고, 문학사의 모든 시대가 외국문학의 자극과 영향과 모방으로 일관되었다 하여 과언이 아닐 만큼 신문학사란 이식문화(移植文化)의 역사다. 그런 만치 신문학의 생성과 발전의 각 시대를 통하여 영향받은 제(諸) 외국문학의 연구는 어느 나라의 문학사 상의 그러한 연구보다도 중요성을 띠는 것으로, 그 길의 치밀한 연구는 곧 신문학의 태반(殆半)의 내용을 밝히게 된다.

일례로 신문학사의 출발점이라고 할 육당(六堂)의 자유시와 춘원(春園)의 소설이 어떤 나라의 누구의 어느 작품의 영향을 받았는가를 밝히는 것은 신문학 생성사(生成史)의 요점을 해명하게 되는 것이다. 그들의 문학이 구(舊) 조선의 문학 특히 과도기의 문학인 창가(唱歌)나 신소설에서 자기를 구별하기 위하여 필요한 것은 내지의 명치(明治), 대정(大正) 문학이었음은 주지(周知)의 일이다. 그러나 그때 혹은 그 뒤의 신문학이 내지문학에서 배운 것은 왕년의 경향문학(傾向文學)과 최근의 단편소설들을 제외하면 극소(極少)한 것이다. 그러면 직접으로 서구문학(西歐文學)을 배웠느냐 하면 그렇지도 아니했다. 그럼에 불구하고 신문학은 서구문학의 이식과 모방 가운데서 자라났다. 여기에서 이 환경의 연구가 이미 특히 서구문학이 조선에 수입된 경로를 따로이 고구하게 된다. 외국문학을 소개한 역사라든가 번역문학의 역사라든가가 특별히 관심되어야 한다. 여기서 우리가 봉착하는 것은 서구문학의 직접 연구보다도 일본문학 내지 명치(明治) 대정(大正) 문학사의 상세한 연구의 필요다.

신문학이 서구문학을 배운 것은 일본문학을 통해서 배웠기 때문이다. 또한 일본문학은 자기 자신을 조선문학 위에 넘겨준 것보다 서구문학을 조선문학에게 주었다. 그것은 번역과 창작과 비평 등 세 가지 방법을 통해서 수행되었다.

소화(昭和) 초년(初年)까지 성서를 제외하고는 대부분의 번역이 화역(和譯)으로부터의 중역(重譯)이었고, 대정(大正) 초년에 성행하던 가몽(柯夢), 일제(一齊), 우보(牛步) 등의 번안소설(翻案小說)도 모두 일본문학 혹은 화역으로부터의 중역이다. 그리고 창작의 영역에 있어서 맨 먼저 조선인에게 서구 근대문학의 양식을 가르쳐준 것이 일본의 창작과 번역이다. 단편소설이 그러하고 시가 그러하고 희곡이 그러하고 장편소설이 그러했다. 더욱 단편소설은 먼저도 말한 것처럼 어느 서구의 단편 양식보다도 일본의 단편소설의 양식을 그대로 이식해온 것은, 우리의 단편과 서구의 단편을 비교하여 생기는 막대한 차이를 보아 명백하다. 서구의 중편에 해당할 스케일과 내용을 가진 긴 단편은 전(專)혀 모다 문학의 독특한 산물로, 지금에 거의 동양 신문학에만 특성이 되어 있다.

이뿐 아니라 우리가 특히 유의할 것은 신문학의 생성기에서 가장 중요한 문제였던 언문일치의 문장 창조에 있어 조선문학은 전(專)혀 명치문학의 문장을 이식해왔다.

다음으로 문학이론과 비평 급(及) 평론은 최근까지 일본의 그것의 민속(敏速)한 이식으로 살아왔으며, 앞으로도 막대한 영향을 받아갈 것이라고 믿는다. 우리의 외국어 지식의 부족뿐만 아니라 일본문학의 외국문학에 대한 관심과 조선문학의 그것의 근사성(近似性)으로 더욱 그러했다. 원서에 접하는 편의가 우리보다 훨씬 좋기 때문이기도 하다. 그런 의미에서 전체로 일본문학 위에 가장 많은 영향을 준 노문학(露文學), 영불문학(英佛文學) 등이 역시 우리 문학의 환경으로서도 특히 중요성을 띠게 될 것이다.

4. 전통

인접 문학의 압도적 영향에 생성되어 발전한 신문학사, 다시 말하면 이식문화사(移植文化史)로서의 신문학사가 조선의 고유한 전통과 교섭을 가졌다는 것은 일견 심히 기이한 일 같다. 그러나 문화의 이식, 외국문학의 수입은 이미 일정 한도로 축적된 자기 문화의 유산(流産)을 토대로 하지 않고는 불가능하다. 그러므로 일찍이 토대를 문제삼을 제, 물질적 토대와 아울러 정신적 배경이 문제된 것이다.

정신적 배경이란 곧 문화적 유물(遺物)을 의미한다. 새로운 정신문화나 문학이 생성 발전하는 데 여건의 하나로서 제출되는 유산이라는 것은 좀더 객관적으로 생각하면 문화적 문학적인 환경의 하나로 생각할 수가 있다. 즉 새로운 것의 형성을 둘러싸고 있는 소여(所與)의 조건의 하나다. 그러한 의미에서 유산은 항상 객관적의 것이다. 그러나 자기의 과거 유산이라는 것은 이식되고 수입되는 문화와 같이 타자(他者)의 여(汝)의 것은 아니다. 유산은 그것이 새로운 창조가 대립물로서 취급할 때도 외래문화에 대하여 주관적으로 향한다. 그러한 때에 유산은 이미 객관적 성질을 상실한다. 즉 단순한 환경적인 여건의 하나가 아니라, 그 가운데서 선발되며 환경적 여건과 교섭하고 상관(相關)한 주체가 된다. 이러한 것이 항상 한 문화 혹은 문학이 외래의 문화를 이입하는 방식이며, 새로운 문화의 창조는 좋은 의미이고 나쁜 의미이고 간에 양자의 교섭의 결과물로서 제3의 자(者)를 산출하는 방향을 걷는다.

그러나 외래문화의 수입이 우리 조선과 같이 이식문화, 모방문화의 길을 걷는 역사의 지방에서는 유산은 부정될 객체로 화하고 오히려 외래문화가 주체적인 의미를 띠지 않는가? 바꿔 말하면 외래문화에 침닉

(沈溺)하게 된다. 또한 그러한 것이 완전히 수행되기는 문명인과 야만인과의 사이에서만 가능한 것이다. 동양 제국(諸國)과 서양의 문화 교섭은 일견 그것이 순연한 이식문화사를 형성함으로 종결하는 것 같으나, 내재적으로는 또한 이식문화사 자체를 해체하려는 과정이 진행되는 것이다. 즉 문화 이식이 고도화되면 될수록 반대로 문화 창조가 내부로부터 성숙한다.

이것은 이식된 문화가 고유의 문화와 심각히 교섭하는 과정이요, 또한 고유의 문화가 이식된 문화를 섭취하는 과정이다. 동시에 이식문화를 섭취하면서 고유문화는 또한 자기의 구래(舊來)의 자태를 변화해 나아간다.

이 경우에 있어 고유문화라는 것은 외래문화에서 부정되고 있는 과거의 문화, 그 유산이다. 그런데 여기에서 우리가 주의할 것은 외래문화와 고유문화의 유산의 교섭이 인간을 매개체로 하고 있다는 점이다. 즉 행위에 의하여 매개된다. 그런데 행위자의 지향은 문화 의향(意向)만이 아니다. 그들의 계층적 성질, 혹은 그들의 실질적 기초가 제약한다. 다시 말하면 그들의 물질적 지향이 외래문화와 고유문화와의 문화 교류, 문화 혼화(混和)에서 새로운 문화 창조의 형태와 본질을 안출(案出)한다. 그러므로 문화 교섭의 결과 생겨나는 제3의 자(者)라는 것은, 그 실(實) 그때의 문화 담당자의 물질적 의욕이 방향을 좇게 된다. 그 의욕은 곧 그 땅의 사회 경제적 풍토다. 여기에서 유산은, 더욱이 외래문화와 마주서는 데서 표현되는 상대적인 주관성에서도 떠나 순전한 여건의 하나인 '유물(Übereste)'로 돌아가고 과거의 고유의 문화는 다시 '전통(Traditiun)'으로서 부활된다.

처음에 그것은 의식하지 아니한 사이에 새 창조 가운데 들어오고, 나종에는 명확히 파악되고 표상(表象) 가운데 들어오는 대상으로 나타난다. 신문학의 성생(成生)과 발전에 있어 조선 재래의 문화가 정히 이러한 형식으로 신문학의 창조와 관계한 것이다. 그것은 신문학을 외국문학으로부터 구별하는 형식이 되고 또한 내용도 되는 것이다. 신문학은 고유한 가치를 새로운 창조 가운데 부활시키는 문화사의 한 영역이다. 신문학이 한문으로부터의 해방에서 출발한 것은 동시에 언문문화에의 복귀에서 출발했음을 의미한다. 그것은 단지 언어로서의 언문문화에 그치는 것이 아니라 정신으로서의 언문문화로 살아나는 데 신문학사가 전통을 간과할 수 없는 이유가 있다.

5. 양식

개개의 작품은 좋건 그르건 그 자체가 모두 완성된 것이다. 비평에 있어서와 마찬가지로 문학사도 작품 가운데 몇 개의 눈에 띄는 관념을 줍고 다녀서는 안 된다. 문예작품의 진정한 내용은 언제나 형식이라고 불러지는 문학적 형상의 조직으로 은폐되어 있다. 혹은 형상이 되므로 내용은 비로소 진정히 실재적(實在的)이라고 말할 수가 있다. 형상의 조직(형식)은 형체 없는 내용(사상)을 비로소 형체 있게 만든다. 형체를 갖추면서 비로소 사상은 자기를 완성한다.

그러므로 어떠한 연구에서이고 문예작품은 개개의 독특한 형상의 조직(형식)으로 나타난다. 바꿔 말하면 연구자 앞에 나타나는 대상은 모두 다른 형식으로 나타난다. 그러나 문학사가 형식의 역사도 아니요, 문예비평이나 연구가 형식의 비평이나 연구에 그치는 것도 아니다. 형식을 통하여 내부에 존재하는 것을 알기 위하여 형식이 먼저 대상으로 취급되는 것이다.

그러나 또한 문학사나 비평은 형식을 벗겨버리고 내용과 사상을 연구하는 것도 아니다. 그러한 형식으로밖에 표현될 수 없는 내용 혹은 그러한 내용을 가질밖에 없는 형식을 연구하는 것이다. 바꿔 말하면 형식과 내용의 통일물(統一物)로서의 문학작품을 연구하는 데 궁국(窮局) 목적이 있다. 한 개 한 개의 작품의 이런 것을 연구하는 것은 비평이요, 한 사람의 작품을 연구하는 것은 작가론이나 평전(評傳)이나, 한 시대를 연구하는 데서부터 벌써 문학사에 접근한다. 그러나 그것도 아직 문학사이기보다는 비평이다.

문학사는 여러 가지 시대를 연속적으로 일관한 것으로 연구하는 것이다. 거기에서는 필연적으로 한 작품 한 작품이 문제가 아니요, 한 작가 한 작가가 문제가 아니다. 모든 역사 연구가 다 그러한 것처럼 문예사(文藝史)에 있어서도 시대란 것이 단위가 된다. 시대란 것이 연구의 단위가 될 때에는 또한 자연히 개개의 작품, 개개의 작가는 각 시대 가운데로 편입되며 그들의 개성이란 것은 또한 시대의 특색이란 가운데로 해소되지 아니할 수 없다. 그러므로 자연히 한 작품의 형식이든지 한 작가의 형식상 개성이란 것은 시대의 그러한 특색 가운데로 들어가서 그 시대의 고유한 어떤 문예상의 개성이란 것으로 재생되지 아니할 수 없다.

문예학에서는 이러한 것은 형식으라고 부르기를 피하여 예(例)하면 고전주의 혹은 낭만주의라 하듯이, 그것은 문학에 있어서는 시대적 양식이란 개념으로 불러온 것으로, 문학사는 이러한 몇 개의 특색 있는 양식을 발견하는 게 언제나 큰 임무다.

그러한 과제의 수행을 위하여 역사적 연구는 비평에서 얻는 바가 크다. 비평의 역사는 작품이나 작가의 역사를 연구하는 데 그 중 중요한 안내자다. 그것은 마치 비평이 문학사의 선구(先驅)인 것과 마찬가지다. 그러므로 양식의 설정은 비평의 최후의 과제이면서 문학사의 최초의 과제라 할 수 있다.

그러나 시대의 양식이란 것은 단순히 그것이 하나의 특이한 양식에 그치는 것이 아니라, 그 시대인(時代人)의 고유한 체험과 생활에서 형성된 시대정신이 자기를 표현하는 형식에 지나지 않는 것이다. 그것은 한 작품이나 작가의 경우와 변함이 없다. 이리하여 한 양식의 발견은 곧 여러 가지 양식의 발견으로 진전하는 것으로, 여러 가지 양식의 발견은 또한 양식의 역사란 것을 형성한다.

문학사는 외면적으로는 언제나 이 양식의 역사다. 모든 통속적 문학사가 이 양식의 역사를 기술하고 있다. 그러나 양식의 역사는 그실(實) 정신의 역사의 형식에 지나지 않는다. 양식의 역사를 뚫고 들어가 정신의 역사를 발견하고 못하는 것이 언제나 과학적 문학사와 속류 문학사와의 분기점이다.

문학사는 예술사의 대상일 뿐만 아니라 실로 사상사 정신사의 대상이기도 하기 때문이다.

우리 신문학사에선 양식의 창안 대신에 양식의 수입으로 여러 시대가 시작한 것은 주지의 일이나, 새 양식의 수입은 새 정신의 이식임을 의미한다. 여러 가지 양식의 수입사(輸入史)는 그러므로 곧 여러 가지 정신의 이식사(移植史)다. 문학사적 연구는 실상 이 연구가 결정적이다.

6. 정신

정신은 비평에 있어서와 같이 문학사의 최후의 목적이고 도달점이다. 양식의 역사를 통하여 하나의 정신의 역사를 발견함으로써 문학사는 정신문화사(精神文化史)의 한 분과로서의 확고한 지위를 차지한다. 문학이란 그 존재를 들어 — 형태에 있어서나 기능에 있어서나 — 하나의 문화였기 때문이다. 또한 문학을 하나의 문화로서 정착시킴으로 문학은 명확한 역사의 한 영역이 된다. 문화사가 일반 역사의 한 분과인 의미에서다.

그러나 양식 가운데 정신이 나타나는 것은 결코 단일하고 간단하지는 않다.

양식사(樣式史)가 그러한 것처럼, 한 문학사 가운데는 여러 가지 정신의 시대가 존재한 것이며, 그것의 표현이 먼저 양식사를 이야기할 때 언급한 것처럼 여러 가지 시대의 양식이다.

그러므로 문학사 가운데, 구체적으로는 양식의 역사 가운데 나타나는 몇 가지 정신사는 그실은 여러 가지 시대의 역사다. 그것은 감수(感受)의 양식에서만이 아니라 사고의 방법까지를 지배하는 물건의 발전과 변천이다.

문학사는 무엇보다 이 모든 문학적, 양식적 운동과 변천의 근원이 된 정신의 역사를 일관성에서 이해하는 일에 착수하지 아니하면 아니 된다. 무엇 때문에 시대를 따라 감수의 양식이나 사고의 방식 내지는 체계의 구조가 다른다? 또한 그렇게 서로 다른 구조를 가진 정신이 어떠한 동인(動因)으로 변천하였는가를 구명하지 아니하면 아니 된다. 그것을 위하여는 역시 인접문화, 예(例)하면 철학, 과학, 기타의 역사가 대단히 중요한 연구 거점을 제공한다.

그런데 여러 가지 시대의 정신을 연구하는 목적은 어디 있느냐 하면, 우리는 그 가운데서 서로 다른 정신이 어떤 한계를 나아가면 근사(近似)한 중심으로 통합될 가능성을 예상하기 때문이다.

예하면 19세기 문학사는 그 양식사와 같이 정신사에 있어서도 몇 개의 커다란 계단을 획(劃)하고 있음에 불구하고 우리는 지금 그것을 통틀어 19세기 문학이라든가 전세기(前世紀)의 정신이라고 하여 통칭(通稱)할 수 있듯, 개성적인 차이를 초과한 어떤 보편적 동일성을 발견할 수가 있다.

그것은 마치 한 시대 내의 개인 개인의 작가가 모두 그 개성에 있어 다름에 불구하고 시대의 양식이나 정신이란 곳으로 통합될 수 있듯이, 각개의 시대는 더 큰 역사적 한계에서 동일(同一)될 수 있다. 그런 의미에서 우리는 르네상스 이후를 전부 하나의 정신문화로 볼 수 있고, 문학사에선 그것을 또한 르네상스로부터 현대까지를 일관하는 문학정신이라고 볼 수도 있다. 여기선 19세기와 20세기 혹은 18세기의 차이도 사상(捨象)된다. 이것은 문학사를 정신문화의 역사로 이해하는 데는 불가결의 것이다.

그러면 그러한 한계에까지 정신의 역사를 확대할 수 있다면 양식사도 과연 그러한 점까지 확대할 수 있을까.

만일 양식의 역사를 그러한 점에까지 확대할 수 없다면 문학사에 있어 이러한 의미의 정신사적 문제는 제기되지 아니한다.

양식에 있어서도 실로 거대한 전(全) 시대를 포섭할 수 있는 보편적 특징이라는 것이 존재한다.

그것은 하필 외국의 예를 구할 필요가 없이 우리 신문학사를 보아도 명백하다. 신문학사 이전과 이후를 구별하는 양식상의 차이는 실로 며확하다. 자유시, 근대소설, 우선 이런 장르의 형성이 하나[의] 양식사적 문제다.

우리가 커다란 시대의 단일한 정신을 문제삼는다는 것은 결국 커다란 시대의 단한 양식이 존재하기 때문이다.

이것은 양식의 사회학이라고도 할 법칙을 우리가 세울 수 있기 때문이다.

이러한 점에서 문학사는 실로 문예학과 연결되어 있으며 또한 일반사상사 가운데 문학사 연구가 중요한 좌석을 차지하게 되는 것이다.

신문학사가 되나 안 되나 추구해야 할 문제는 대략 이러한 몇 가지의 것이다.

3. 조선 민족문학 건설의 기본과제에 관한 일반보고

1.

모든 영역에서 조선 민족의 독자적 발전과 자유로운 성장을 저해하고 있던 일본제국주의의 붕괴는 문학의 영역에 있어서도 독자적 발전과 자유로운 성장의 새로운 전기를 만들어내었다.

우리 민족의 모어(母語)로 표현되고 우리 민족의 사상·감정을 내용으로 한 조선문학이 제국주의의 지배 하에서 순조로이 발전할 수 없었음은 불가피한 일이었다. 생활을 지배하는 자는 문학을 지배하고 생활에서 예속된 민족은 문학에서도 예속되는 것이다.

더구나 뒤늦게 자본주의적 발전의 도상에 오르고 황급히 제국주의적 계단으로 돌입하지 아니할 수 없었던 일본 제국주의 자신의 후진국이었다는 사정은 그 밑에 예속된 조선 민족의 불행을 한층 더 깊게 하였다.

일본의 조선 통치는 근대 제국주의국가의 식민지 지배라느니보다도 고대에서 볼 수 있는 강한 민족에 의한 약한 민족의 정복의 성질을 다분히 가지고 있었다.

로마에 침입한 게르만족이나 폴란드에 나타난 몽고족과 같이 일본은 통치자이기보다 정복자에 가까웠다.

첫째로 일본이 전래의 문화수준에 있어 조선보다 높지 못했던 것.

둘째로 자기의 문화를 가져오지 못하고 제3자의 문화를 매개(媒介)한 것.

셋째로 그런 때문에 조선을 통치하는 대신 민족적으로 동화시키고자 한 것.

이러한 몇 가지 점에서 조선 민족은 일본 제국주의에 지배되어 있었다느니보다 차라리 정복되어 있었고 일본 제국주의의 후진성은 일관하여 36년간 조선 민족의 전 생활에 작용하고 있었다.

합병 이후 10년을 계속한 소위 무단정치의 광폭한 행동 가운데 또 일차대전 뒤 10여 년 동안 이른바 문치(文治)시대를 피로 물들인 반일투쟁에 대한 중세기적 공격을 통하여, 그러고 만주침략 이후 태평양전쟁 기간 중 무모하게도 강행한 동화정책 속에 후진(後進)한 제국주의 국가의 비(非)근대적인 식민지 약탈정책인 군국주의는 그 잔인한 본성을 유감없이 발휘하였다. 그러므로 근대적 제국주의국가의 지배 하에 사는 다른 식민지 제국(諸國)이 향유하고 있는 피압박 민족의 사소한 권리까지도 우리 조선에 있어서는 허용되지 않았다.

조선어와 조선문학, 조선의 산천과 조선 민족이 받은 수난의 역사에 비하면 '큐리부인'전은 오히려 행복된 기록이라 할 수 있었다. 조선 민족은 이 미개한 침략자의 채찍 아래 오직 노예가 될 자유밖에 아무 자유도 가지지 못했던 것이다. 이러한 유래없이 가혹한 조건 하에서 조선의 민족생활이나 문학이 여하한 의미에서고 발전할 수 있다는 것은 상상키 어려운 일이 아닐 수 없다.

거기에 또 한가지 불리한 조건은 조선 민족 자체가 극히 후진한 민족이었다는 불행한 조건이 첨가되어 있었음을 잊어서는 안 된다. 조선 민족은 오래인 역사와 전통을 갖고 있었음에도 불구하고 그 구할 수 없는 아세아적 봉건사회의 장구한 꿈을 미처 깨우기 전에 영맹(獰猛)한 침략자의 독아(毒牙)에 물린 바 되고 만 것이다.

모든 의미의 근대적 개혁과 민주주의적 발전의 제(諸) 과제를 어느 한 가지 수행하지 못한 채 사멸하고 있는 봉건왕국으로 식민지화의 운명을 더듬었다.

그리하여 민족생활 가운데 광범하게 남아 있는 봉건적 제 관계는 제국주의적 착취의 호개(好個)의 지반이 되고 난폭한 비(非)근대적 약탈의 편의한 온갖 수단을 제공하였다. 이리하여 봉건적 잔재는 일본 제국주의가 조선을 지배하는 데 불가결한 발판이 되고 조선의 근대화와 민주주의적 개혁은 일본 제국주의의 극히 싫어하는 바가 되어 조선에 있어서 민족 독자의 발전의 기초가 될 민주주의 개혁은 일본 제국주의가 조선을 지배하는 한 영원히 달성될 수 없는 죽은 과제로 화하고 있었다.

그러므로 조선에 있어 반봉건적 투쟁은 일본 제국주의에 대한 투쟁이 되지 아니할 수 없었고 일본 제국주의에 대한 투쟁은 또한 언제나 내부에 있어 봉건잔재에 대한 투쟁과 연결되지 아니 할 수가 없었다. 조선에 있어 일본 제국주의 지배의 철폐야말로 조선의 근대화와 민주주의적 개혁의 유일한 전제였던 것이다.

일본에 대한 연합국의 승리에 의하여 비로소 조선 민족 앞에 이 전제가 만들어진 것이다.

우리가 일본 제국주의의 패망을 가리켜 조선문학의 독자적 발전의 길을 여는 전제를 창조하였다고 하는 것은 이 때문이다.

2.

그러므로 구(舊)조선 개국 이래, 일제 하의 36년간 불소(不少)한 노력이 경주되어 왔음에도 불구하고 진정한 의미의 조선 민족문학 수립의 과제는 이 전제의 실현 위에서 처음으로 근본적 해결의 계단으로 들어서는 것이다.

왜 그러냐 하면 먼저도 말한 것과 같이 민주주의적 개혁을 수행하지 못하고 일본의 식민지가 된 조선은 근대적인 의미의 민족문학을 형성할 시간과 조건을 한 가지로 갖지 못했었기 때문이다. 민족문학은 한 민족을 통일된 민족으로 형성하는 민주주의적 개혁과 그것을 토대로 한 근대 국가의 건설 없이는 수립되지 아니할 뿐 아니라 조선과 같이 모어(母語)의 문학이 외국어 — 한문 — 문학에 대하여 특수한 열등지위에 있었던 나라에서는 정신에 있어 민족에 대한 자각과 용어에 있어 모어로 돌아가는 '르네상스' 없이 민족문학은 건설되지 아니하는 것이다.

주지와 같이 우리나라에서는 천 년 이상 중국의 문자로 표현된 한문문학에 대하여 모어의 문학은 종속적 지위에 떨어져 있었다. 이 원인이 동양문화사 상에서 점하는 중국문화의 탁월한 지위와 우리의 고유한 문자의 발명이 지연된 곳에도 있다고 하지만, 이 명예롭지 못한 역사를 20세기 초두에 이르도록 청산하지 못한 것은 전혀 조선의 봉건왕국이 과도하게 장수했던 때문이다. 민주주의적 개혁, 근대국가의 건설만이 한문과 국문, 혹은 한문문학과 모어문학의 부자연한 위치를 고칠 것이요, 이것을 고쳐야 조선 민족은 비로소 자기의 진정한 민족문학을 건설할 수가 있는 것이었다. 한문 대신에 국문이, 한문문학 대신에 국어문학이 지배적인 위치에 서려면 당연히 한문을 숭상하고 국문을 천시하던 문화적 사대주의의 물질적 기초인 봉건사회가 파괴되지 아니하면 안 될 것은 물론이다.

그러므로 부당한 지위에 있던 국어문학을 정당한 지위로 회복시키고 그것을 질적으로 근대적인 민족문학에까지 발전시키자면 조선 민족 생활 전반에 호해서 민주주의적 개혁이 수행되어야 하는 것이었다.

이 혁명은 주지와 같이 역사적으로 조선 시민계급의 손으로 실천될 것이었다. 그러나 이 과제를 수행할 시민계급의 연령은 극히 어리고 이 혁명이 실천될 희망은 먼 장래에 상상할 수밖에 없는 시기에 조선은 일본에 예속되고 말았다. 동시에 이 개혁의 실천과 그 임무를 담당한 시민계급의 손으로만 건설될 수 있는 조선 민족문학은 미쳐 건설의 기도(企圖)가 착수되기도 전에 일본 제국주의의 문화적 지배 밑으로 예속되고 만 것이다.

요컨대 문학 상에 있어서도 민주주의적 개혁을 통과하지 않고 조선문학은 일본 제국주의 지배 하에서 근대문학의 수립과정을 걸어 나오게 되었다는 변칙적이고 기이한 운명의 길을 더듬게 되었다.

봉건사회의 문학으로부터 일약(一躍)하여 제국주의 치하 식민지 민족의 근대로서의 비약, 이것이 오늘날까지 우리가 영위해 오던 온갖 문학생활의 본질이었다.

그러므로 조선 신문학의 40년 역사는 단순히 제국주의 치하에서 식민지 민족이 영위한 문학이었다는 의미에서만 특이한 것이 아니라 문학사적 발전의 법칙으로 보아서 민족적으로는 민족문학 수립의 역사적 계기요, 문학적으로 보면 근대문학 성립의 현실적 계기였던 근대적·시민적 개혁의 과제를 해결하지 아니하고 고유한 봉건적 문학과 외래한 근대적 문학이 기계적으로 연결 접합되었다는 사실에서 변칙적인 것이다.

조선 신문학사 상에 나타나는 온갖 부자연성, 비법칙성은 모두 여기에 기인하는 것이다. 결국 제국주의에 의하여 유린된 문학의 혼란과 황폐의 한 표현에 불과한 것이었다. 그러므로 신문학의 전사(全史)를 장식하는 여러 가지 유파와 각양(各樣)의 사조가 혹은 교체되고 혹은 서로 추쟁하였음에 불구하고 문학사 상에 있어 민주주의적 개혁의 과제의 해결은 그대로 보류되어 있었고, 이 과제가 보류되어 있는 한 모든 문학 유파와 사조의 변천은 견실한 민족문학으로서의 성격을 형성하기 어려웠다. 우리는 신문학사의 각 유파와 사조의 변천이 유행의 변화와 같았고 모두가 모방과 같은 감을 주었음을 역력히 기억하고 있다. 신문학의 역사가 이러한 감을 준 원인은 물론 여러 곳에 구할 수 있으나, 근본적인 이유는 민주주의적 개혁에 의하여 신문학 전체가 민족생활 가운데 충분히 뿌리를 박고 있지 아니했기 때문이다.

3.

이러한 현상은 결국 우리 민족의 기구한 운명과 변천적인 역사생활의 소산이나 그와 동시에 신문학은 또 조선 민족이 변칙적으로나마 근대화의 길을 걸어가고 있었다는 사실의 표현임은 움직일 수 없는 일이다.

이조 말엽 이래 귀족의 문학으로부터 점차로 중인과 평민의 문학으로 옮겨오던 시조라던가 새로운 시대의 문학적 주인공이 되면서 결하지세(決河之勢)로 일반화되던 '이야기책'의 발전이 벌써 미미하나마 이조 봉건사회 가운데서 머리를 들기 시작한 시민계급의 문학적 생활을 표현한 것이요, 개국 이래 일한(日韓)합방에 이르기까지 문학계의 주인공이 된 신소설과 창가가 역시 이 시대의 시민계급의 급격한 성장을 말하는 문학이었다.

다른 기회에도 여러 번 지적한 바와 같이 신소설과 창가는 낡은 형식에다 새로운 정신을 담은 문학이었다. 이 새로운 정신이란 일본과 기타 외국으로부터 흘러 들어온 근대사조의 영향임은 물론이나 이 가운데는 또한 조선 시민계급이 조선의 민주주의적 개혁과 근대국가를 수립하자는 역사적 욕구가 표현되어 있음도 부정해서는 안 된다.

이러한 역사적·사회적 조건 가운데서 이인직(李人稙)·이해조(李海朝) 등의 신소설과 유명무명한 작가의 손으로 된 다수(多數)한 4·4조의 창가가 쓰여졌고, 이러한 문학적 시험을 통해서 초기의 소설과 신시가 만들어졌다. 신소설과 창가가 구시대문학의 연장이었다면, 새로운 소설과 신시는 형식·내용이 다같이 신시대에 적합한 문학이었다. 이러한 형태의 문학이 일본의 영향과 또 일본을 통하여 수입된 서구문학의 직접적인 모방에서 나온 것은 부정할 수 없는 사실이었다. 그러나 이러한 영향을 받고 또 그것을 모방한 동기 속에는 조선 시민계급의 문학적 이상이 반영되어 있었다. 그들이 비록 사회적으로나 문학적으로 일체의 봉건적인 것을 타파하고 명실 공히 시민의 문학을 수립할 계단에 이르지 못하였다 하더라도 외래한 서구문학을 대하자 그것이 자기 계급의 이상(理想)하는 문학적 형태임을 직각(直覺)한 것이다. 일한합병 전후를 통하여 생산된 시와 소설은 조선 시민계급의 이러한 상태를 여실히 반영하고 있었다.

유치한 내용, 졸렬한 형식이 비록 서구적 소설이나 시의 형식은 모방했다 하더라도 신소설과 창가로부터 그다지 먼 거리를 떠난 것은 아니었다. 솔직히 말하면 이 시대의 문학은 겨우 조선 근대문학 건설의 한 단초에 불과하였다.

이러한 시기에 조선은 일본 제국주의의 식민지로 정복되고 3·1봉기가 일어난 1919년까지 조선 민족의 전(全) 생활은 헌병정치의 야만스런 마제(馬蹄)하에 유린되고 말았다. 문학 역시 미문(未聞)의 참담한 운명 가운데 침묵하지 아니할 수 없어 완전히 암흑한 10년간이 계속하였다.

이동안 쓰여진 한두 개의 작품이 우리 신문학사 상에 아직도 기억될 수 있는 것은 그전에 쌓여온 약간의 문학적 시험과 일본 제국주의에 대한 조선 민족의 반항의식을 근대문학의 형식 가운데 담았기 때문이다.

이러한 가운데 1차 대전이 종식하고 3·1의 대봉기가 일어나자 조선인의 민족적 자각은 전면적으로 앙양되고 세계를 풍미하던 약소민족 해방운동의 혁명적 파조(波潮)는 조선 전토를 휩쓸었다.

실로 현대 조선문학의 토대가 된 본격적 신문학운동은 이와 같은 일본 제국주의에 대한 반항운동의 일익으로 파생하여 문단정치의 폐지와 문치(文治)로 표현된 일본 제국주의의 소량의 양보를 틈타서 급격히 발전하기 비롯하였다.

형태적으로는 조선문 신문잡지의 허가와 약간한 언론활동의 완화를 이용하여 문학은 가능한 온갖 방법으로 조선 민족의 의견을 표시하려 하였고 문학적 형식의 최대한의 발달을 도모하였다.

이 사업의 영도적 세력이 된 것은 물론 시민계급이요 그것을 대변하는 소시민들이었다. 따라서 1920년대 전후의 신문학 가운데는 약간의 반봉건성과 반제성이 표현되어 인권의 자유라던가 인성(人性)의 해방 등에 대한 기초적 요구가 들어 있었다.

그러나 계급으로서 유약한 조선의 시민은 신문학의 진보성을 철저히 추진시키지 못했다.

그들은 일본 제국주의에 대하여 철저하게 반항할 수 있을 만큼 혁명적이지 못하였고 이미 지도적 시민층의 일부는 봉건적 지주와 야합하여 일본 제국주의와의 타협의 길에서 활로를 개척하기 비롯하고 있었다.

여기에서 3·1봉기 후 불과 2, 3년이 못가서 신문학은 조선 시민계급의 정신적 반항이기보다도 더 많이 조선현실에 대한 소시민층의 비관적 기분과 급진적 반항의식의 표현수단으로 화하고 말았다. 이것이 1922~24년 전후 조선문학의 주조를 이룬 자연주의문학의 특색이다. 그리하여 이 시대의 문학의 급진적 일면은 새로이 대두하는 노동자계급의 문학운동과 봉착하면서 그 자신의 역사적 사명을 끝막는 순간에 도달하지 아니할 수 없게 되었다.

바꿔 말하면 신문학의 급진성은 프롤레타리아문학의 혁명성과 결부되든가 그렇지 아니하면 '데카다니즘'과 절망의식의 심연으로 전락되었다.

이 과정을 통하여 조선의 시민계급은 조선의 민족문학 건설에 있어 기여할 수 있는 역량과 시간이 얼마나 적고 짧다는 것을 유감없이 표시하였다.

4.

이러한 조선 시민계급의 문학적 단명과 더불어 새로이 대두한 프롤레타리아문학은 그것 역시 일본의 직접의 영향과 일본을 통해서 들어온 소련(蘇聯)의 간접적 영향을 받은 것은 물론이나, 원칙적으로는 조선에 있어 근대적 노동계급의 발생과 그 계급적 자각의 정신적 표현이었다. 그러므로 조선의 프롤레타리아문학은 조선의 노동자운동의 영향 하에 그러고 그 일익으로서 발생한 것이다.

그런데 3·1봉기를 계기로 전개되었던 민족운동이 1923, 4년경 노동자운동의 대두로 말미암아 교체되다시피 퇴조한 것은 문학의 발전 위에서도 중대한 의의가 있다. 왜 그러냐 하면 민족해방운동에 있어 노동자 운동의 대두가 민족운동의 혁명성의 상실과 시기를 같이하였던 것과 마찬가지로 문학의 영역에서 거의 동일한 현상이 나타나 있기 때문이다.

민족운동의 혁명성의 상실은 말할 것도 없이 조선 민족해방운동에 있어 시민계급의 진보성의 상실이다. 그와 반대로 노동자운동이 민족해방운동 가운데서 영도적 위치에 서게 되었다는 것은 사회주의 사상이 수입된 때문이 아니라 조선의 노동자계급은 시민계급이 탈락한 뒤 민족해방운동 가운데서 불가피적으로 중심적 역할을 늘지 아니할 수 없었기 때문이다.

그러므로 1924, 5년대로부터 10년간 프롤레타리아문학이 이론적·창조적으로 문학계의 주류를 이룬 것은 단순히 외래사조나 문학적 유행의 결과도 아니며 조선문학이 이미 역사상에서 민족문학 수립의 과제가 해결되었거나 과거의 일로 화했기 때문도 아니다.

조선의 시민이 힘으로 미약하고 그 진보성이 역사적으로 단명하였다 하더라도 근대적인 민족문학 수립 과제는 의연히 전(全)민족 앞에 놓여 있는 것이었다.

그럼에도 불구하고 민족문학 수립 운동이 계급문학운동으로 바뀐 것을 이 시기에 있어 문학적 진보와 민족해방의 정신이 계급문학의 형식으로밖에 표현될 수 없었기 때문이다. 바꿔 말하면 타협화하고 있는 시민에 대한 반대투쟁을 추진하면서 노동자계급은 자시의 반제국주의투쟁을 계급적 형식으로 전개한 것이다.

그리하여 속칭하는 바와 같이 계급문학과 민족문학의 대립시대가 출현하였다.

그러나 이 시대가 단순한 양파(兩派)의 분열시대로 조선의 민족문학 발전은 정체되었느냐 하면 그렇지 아니했다.

양파의 분열과 대립에도 불구하고 조선문학의 발전은 의연히 쉬지 않았고 오히려 조선의 민족문학 수립에 필요한 여러 가지 문제가 이 대립투쟁을 통하여 밝혀졌다.

첫째로 프로문학은 종래의 신문학 위에 몇 가지 중요한 예술적 기여를 했다. 내용에 있어 미약한 진보성과 계몽성을 혁명성과 대중성의 방향으로 발전시켰고 형식에 있어 '리얼리즘'을 확립한 것은 큰 공적에 속하는 일이었다. 더욱이 중요한 사실은 프로문학은 협애한 소수자로부터 문학을 민중에게 해방하였다.

둘째로 대립투쟁을 통하여 종래의 민족문학 가운데 있는 반봉건성과 국수주의적 일면이 노정되었다. 이 두 가지 요소는 옳은 의미의 민족문학 수립과정에 있어 분명히 배제되어야 할 비(非)근대적 요소였음에도 불구하고 초창기 이래 일관해 신문하게 부수되어 오던 요소이다. 이 점은 신문학의 비(非)진보적 측면이며 조선 시민의 경제적 후진성과 정치적 약점의 반영으로 프로문학 측의 공격이 주로 여기에 집중되었음은 정당하였다. 더구나 1920년대만한 진보성도 가지지 못한 당대의 시민문학이 프로문학 측의 공격을 받아 격렬히 반발하면서 드러낸 측면도 이것이었다.

셋째로 프로문학은 수입된 사조의 모방으로 기인되는 공식주의적 약점을 드러내었다. 종래의 신문학 가운데 들어있는 긍정될 요소와 새로이 대두할 수 있는 예술문학 가운데 들어있는 좋은 의미의 민족성을 부르주아적이라고 하여 부정하는 과오에 빠졌다. 반제국주의적이요 반봉건적인 민족문학 수립의 과제가 역시 장래에 있다는 사실도 그자디 고려되지 아니했고 문학유산의 계승이라든가 예술적 완성이라든가 하는 문제도 적당히 취급되지 아니했다. 통틀어 민주적인 민족문학의 수립이 부단히 현실적 과제로 살아있고 그것을 수행할 주요한 담당자로서의 역사적 사명에 대한 자각이 부족했음은 반성되지 아니하면 아니 된다.

이러한 문학적 · 정치적 분열의 과정을 통해서 프로문학은 자체 가운데 내포된 결함을 인식할 수 있을 정도로 예술적 · 정치적으로 성장해 갔고 그와 대립한 진영에서 초기의 신문학과는 확실히 구별되는 신선한 작가와 시인이 성장하였다.

만일의 프로문학의 정치적 공식주의와 그 밖에 문학의 국수적 잔재와 예술지상주의를 청산할 수 있었다면 넓은 의미의 예술적 협동과 높은 의미의 민족문학의 수립이란 과제로 접근할 수 있는 지점에 도달하고 있었다.

그러나 불행히 우리나라의 모든 경향의 문학은 문학에 있어서의 민주주의적 개혁과 진보적인 민족문학의 수립이란 역사적 과제에 대한 충분한 이해와 자각을 가지고 있지 못했다.

5.

그러는 사이에 양심있는 조선의 작가와 시인에게 협동을 촉진시킨 정치적 변화가 생기(生起)하였다. 일본 제국주의는 드디어 세계전쟁의 막을 연 것이다. 우선 1930년에 만주침략을 개시하면서 가장 일반적인 계급운동과 프로문학운동을 공격하고 중국에 대한 일층 대규모의 약침(掠侵)전쟁을 시작하면서 모든 종류의 진보적 운동과 진보적 문학에 더 한층 가혹한 압박에 착수하였다. 실로 이때로부터 조선민족의 희생을 토대로 하여 침략전쟁을 성취시키자는 일본 제국주의의 야망은 노골적으로 조선반도에서 실행되고 민족생활은 미증유의 도탄 가운데로 들어간 것이다.

조선의 문학은 일제히 공포와 위협과 가속화하는 박해의 와중으로 몰려 들어가면서 대략 다음의 세 가지 지점에서 공동전선을 전개하는 태세를 취하였다.

첫째 조선어를 지킬 것.

둘째 예술성을 옹호할 것.

셋째 합리정신을 주축으로 할 것.

조선어의 수호는 우리나라의 작가가 조선어로 자기의 사상, 감정을 표현할 자유가 위험에 빈(瀕)하고 있었던 것이 당시의 추세였을 뿐만 아니라 모어의 수호를 통하여 민족문학 유지의 유일의 방편을 삼고 있었기 때문이다.

예술성의 옹호를 통하여 모든 종류의 정치성을 거부할 자세를 갖춘 것은 일견 민족주의를 내용으로 삼던 종래의 민족문학이나 '맑시즘'을 내용으로 삼던 종래의 프로문학의 본질과 모순하는 것과 같으나 이 시기의 특징은 문학의 비(非)정치성의 주장이 하나의 정치적 의미를 가지고 있었다. 바꿔 말하면 일본 제국주의의 선전문학이 됨을 거부하는 소극적 수단이었었다.

합리정신의 문제는 주로 평론활동에 국한되었었으나 비합리주의로 무장한 '파시즘'이 동아(東亞)에서 일어나고 있던 당시 조선문학은 비교적 마찰이 적은 논리적 측면에 이것과 대립한 것이다.

이 기간 동안의 협동 가운데서 조선의 문학자들이 남긴 업적은 결코

적은 것이 아니었고, 또 하나 기억할 것은 조선의 문학자들이 신문학 이래 처음으로 공동노선에서 협동했다는 사실이다.

그러나 세계 '파시즘'의 발광에 끊일 줄 모르는 침략정책은 조선문학의 이러한 상태를 오래 지속치 못하게 하였다.

태평양전쟁은 전(全) 영역에서 조선 민족의 생활을 근저로부터 뒤집어놓았다. 봉건적 지주층과 대부분의 자본가들은 즐겨 일본 제국주의의 도구로 화하고 민중은 사(死)와 기아의 구렁으로 내몰렸다. 조선민족의 생과 사의 시기가 드디어 도래하고 만 것이다. 그리하여 문학 위에도 철추(鐵鎚)가 내려 조선어 사용의 금지, 내용의 일본화에 의해서만 조선인의 문학생활은 가능하게 되었다. 몇 사람의 문학자는 주지와 같이 이 길을 선(選)하고 그 길만이 조선의 문학이 살 수 있는 것이라고 말하였다.

조선인을 일본 제국주의의 노예를 만드는 운동의 일익으로서의 국민문학, 이것이 태평양전쟁 개시기로부터 작년 8월 15일에 이르는 동안 조선을 지배(支配)한 유일의 문학이었다.

그리하여 종래에는 민족적이냐 계급적이냐 또는 진보적이냐 반동적이냐 하는 방법으로 생각되던 문제가 이 시기에 이르러서는 민족적이냐 비민족적이냐 혹은 친일적이냐 반일적이냐 하는 형식으로 제기되기에 이른 것이다.

그러므로 친일문학은 존재하였고 반일문학은 존재할 수 없었던 것이다. 그러나 유감스러운 일은 우리 문학이 용감한 반일문학의 가치를 높이 들고 싸우지 못한 사실이다.

이러는 동안에 일본 제국주의의 운명의 날은 돌아와서 전쟁은 종식되고 조선 민족은 자동적으로 일본 제국주의의 기반(羈絆)을 떠났다. 그리하여 먼저도 말한 바와 같이 정치적·문화적으로 독자적 발전과 자유로운 성장의 가능성이 전개되자 문학에 있어서도 문제는 친일적이냐 반일적이냐 하는 데로부터 다시 한번 전회(轉迴)하여 근본적인 지점으로 돌아오게 되었다. 바꿔 말하면 해방된 조선 민족이 건설할 문학은 어떠한 성질의 문학이어야 하느냐를 자문해야 할 중요 국면에 서게 된 것이다.

계급적인 문학이냐?

민족적인 문학이냐?

우리는 솔직히 문제를 이러한 방식에서 주관적으로 세웠던 사실이 있음을 인정하지 않으면 안 된다. 어떤 사람은 계급문학이어야 한다고 주장한 것도 사실이요 민족적인 문학이어야 한다고 말한 것도 사실이다.

그러나 이만치 중대한 문제는 항상 객관적으로 제기되어야 하는 법이다.

그러면 조선문학사의 가장 큰 객관적 사실은 무엇이냐? 하면

첫째로 일본 제국주의 문화지배의 잔재가 남아 있는 것.

둘째로 봉건문화의 유물이 청산되지 아니한 것.

등등인데 어째서 이러한 유제(遺制)가 아직도 잔재해 있는가 하면 조선의 모든 영역에 있어 민주주의적 개혁이 수행되어 있지 않기 때문이라는 것은 여러 번 말한 바와 같다.

조선문학의 발전과 성장의 가장 큰 장애물이었던 일본 제국주의가 붕괴된 오늘 우리 문학의 이로부터의 발전을 방해하는 이러한 잔재의 소탕이 이번엔 조선문학의 온갖 발전의 전제조건이 되는 것이다. 그러므로 이것의 제거 없이는 어떠한 문학도 발생할 수도 없고 성장할 수도 없는 것이 현실이다. 그러면 이러한 장애물을 제거하는 투쟁을 통하여 건설될 문학은 어떠한 문학이냐? 하면 그것은 완전히 근대적인 의미의 민족문학 이외에 있을 수가 없다. 이러한 민족문학이야말로 보다 높은

다른 문학의 생성, 발전의 유일한 기초일 수가 있는 것이다.

이것이 우리가 이로부터 건설해 나갈 문학의 과제이며 이 문학적 과제는 또한 이로부터 조선 민족이 건설해나갈 사회와 국가의 당면한 과제와 일치하고 공통하는 과제이다.

여기에 문학 건설의 운동이 조선사회의 근대적 개혁의 운동과 조선의 민주주의적 국가 건설의 사업의 일익이 될 의무와 권리가 있는 것이다.

문학자는 재능과 기술과 그리고 인간으로서 성실과 예술가로서의 양심을 가지고 우리나라의 민주주의적인 민족문학의 건설을 위하여 노력하고 그보다 더 큰 노력과 희생으로써 조국의 민주주의적 국가건설을 위하여 싸워야 한다.

이상이 나의 생각에 의하면 조선문학 건설의 기본과제에 대한 문학자와 문학가동맹의 임무라고 믿는다. 이 임무의 수행을 위하여 우리 문학자는 개인의 노력을 동맹의 노력으로 집중하고 동맹의 노력을 또 민주주의적 국가수립에 관한 전국적 사업에 집중하지 아니하면 안 될 것이다.

4. 민족문학의 이념과 문학운동의 사상적 통일을 위하여

1.

이로부터 세워나가야 할 문학이 민족문학이어야 한다는 데 대하여서는 이제 별로 이론(異論)이 없어졌다. 제1회 전국문학자대회의 결정과 조선문학가동맹(朝鮮文學家同盟)의 강령은 이론적 실천적으로 이 노선을 확립하였다. 그러나 민족문학의 건설을 주요 목적으로 하는 우리 동맹의 창조적 실천에 있어서 대회의 결정이나 동맹의 강령이 충분하게 이해되어 왔다고 말할 수는 없었다. 대부분의 동맹원들에게 있어 대회의 결정이나 동맹의 강령은 문학창조의 실천적 지침이라고 생각되기보다는 더 많이 문학운동의 정치적 성격을 표현한 문서라고 이해되어 왔다고 봄이 사실에 가까울 것이다. 이러한 사실은 우리 동맹의 정치적 행동과 무학적 실천이 완전하게 조화되어오지 못한 데서도 충분히 엿볼 수 있었던 것이며, 또 개개의 동맹원에 있어서 정치적 이념과 예술사상이 충분하게 통일되지 못하였던 사례에서도 볼 수 있었던 것이요, 전체의 운동에 있어서 때로 지도부와 일반 동맹원 사이에 완전한 사상적 통일이 부족하였던 경우에도 표시되어 온 것이다. 동맹의 정치방침과 동맹원들의 예술행동은 마치 서로 관계없는 두 가지의 다른 체계를 가진 것처럼 생각되어온 흔적이 없지 아니하였다. 심한 경우에는 문학가동맹에 가입한 것과 자기의 작품 실천은 아무 상관이 없는 것처럼 생각하여 온 사람조차 없지 않았다.

그러나 우리 동맹은 근사(近似)한 정치이념을 가진 문학가들의 단순한 정치단체는 물론 아니요, 그렇다고 문학가들의 무원칙한 동업단체는 더욱 아니다. 민족문학의 창조적 실천을 통하여 조선의 민주주의 건설에 이바지하려는 문학운동 단체인 것이다. 이러한 단체 안에서 전체나 개인을 물론하고 정치적 행동과 창조적 실천, 또는 정치적 이념과 예술사상이 일치하지 못하는 경우가 있다는 것은 괴이한 사실이라 아니할 수 없다. 대회의 결정이나 동맹의 강령이 집약적으로 표현하고 있는 민족문학의 건설이란 말 가운데 동맹 급(及) 동맹원들의 정치행동과 창조적 실천 또는 정치적 이념과 예술사상은 당연히 통일적으로 결합되어 있었을 것이다. 그럼에도 불구하고 어찌하여서 이러한 현상이 일어났는가 하는 것이 우리의 알고자 하는 문제다. 생각하기에 따라서는 문학가동맹을 먼저도 말한 바와 같이 비슷한 사상을 가진 문학가들의 정치단체라고 보기 때문에 그런 일이 생겼다고 볼 수도 있는 것이며 혹은 모든 문학가가 덮어놓고 뭉친 동업단체라고 생각하였기 때문에 일어난 착각이라고 말할 수 있으나, 결국은 문학가들이 민족문학이란 것을 제 마음대로 해석하고 있는 데서 결과한 사실이라고 보는 것이 진상에 가까울 것이다.

조선말로 쓰면 모두가 민족문학이 되는 것이며, 조선말로 쓴 것이면 죄다 민족문학이라고 생각하는 단순한 견래가 의외로 널리 퍼져 있는 것이 지금의 부정할 수 없는 현상이다. 그러므로 누구나 붓대를 잡으면 민족문학의 창조자라고 생각하고 있으며, 심지어는 여항(閭巷)의 야담사(野談師) 류까지가 스스로를 민족문학의 작자라고 착각하고 있는 형편이다.

말하자면 민족문학은 규정할 수 없는 막연한 개념으로서 모든 사람의 자의적 해석에 일임되고 말아버린 셈이다. 그런 때문에 민족문학의 건설을 자기의 사명으로 뚜렷이 내걸은 문학가동맹의 대회결정이나 강령의 제(諸) 규정은 일종의 정치적 구호로밖에 보지 않고, 기껏해야 문학에 대한 정치적 한정(限定)으로 해석하게 되는 것이다. 다시 말하면 민족문학의 사상적 · 예술적 본질에 대한 이론적 규정으로서가 아니라 자유분방한 민족문학을 외부로부터 한정하는 속박의 조건으로서 느끼게 되는 것이다. 그리하여 민족문학은 문학가동맹과 거기에 속한 작가들이 창조하여 나가는 예술적 실천의 대목표가 아니라 동맹의 조직의 편의상 다수한 작가들을 포용하기 위하여 선택된 구호라든가, 혹은 다른 목적을 가진 문학자들이 — 예하면 계급문학자 — 일시의 방편을 위하여 차용한 개념처럼 생각하는 경향조차 없지 않았다. 이러한 경향은 동맹의 사상적 · 예술적 노선에 대한 인식의 부족과 문학운동의 실천 목표인 민족문학 건설사업에 대한 철저한 자각이 부족한 데 기인함은 물론이다. 그러나 이와 같은 견해가 동맹의 사업과 문학운동 위에 얼마나 큰 지장을 주고 있는가는 동맹의 적들이 이와 동일한 견지에서 우리 동맹의 사업과 문학운동을 비방, 공격하고 있는 사실을 볼 때 일경(一警)을 끽(喫)하지 아니할 수 없다. 동맹의 하잘 것 없는 적들은 우리 동맹이 전혀 민족문학 건설에 종사하고 있지 않다고 비방하고 있는 것이다. 그리하여 저속 야비한 정담(政談), 야사의 강술(講述)을 가리켜 진정한 민족문학인 것처럼 과시하려는 자기들의 유치한 기도를 합리화하고

자 한다.

그러나 민족문학이라는 숭고한 개념은 편의에 따라서 선택되는 구호도 아니며, 일시의 방편으로 차용될 수단도 아니다.

더구나 진부한 문학적 반동가 류의 견해를 합리화시키기 위한 구실은 더욱 될 수 없는 것이다. 민족문학은 우리 민족의 당면한 역사적 현실 가운데서 생성 발전하여 나아갈 대문학(大文學)의 사상적·예술적 본질이 통일적으로 표현된 개념이며, 그 목적의 달성을 위하여 전(全) 노력을 경주하고 있는 문학가동맹의 움직일 수 없는 실천 목표일 따름이다.

2.

일시의 방편이나 수단으로서가 아니라 우리가 진심으로 그것의 건설에 전력하는 민족문학이 이와 같은 여러 가지 오해와 자의적 해석 가운데 방치되어온 원인이 동맹 내부의 이해 부족과 동맹의 적들의 곡해에 있었음은 전술(前述)한 바와 같거니와, 이들 동시에 민족문학에 대한 이념적 규정이 근본적으로 주어져 있지 못한 데 주요한 이유가 있었음을 또한 지적하지 아니할 수 없다. 대회의 결정이나 동맹의 강령, 또는 거기에 연(沿)하여서 부여된 몇 가지의 논책이 원칙적으로 민족문학의 내용을 정당 규정하였음에 불구하고 저와 같은 이론적 혼란을 방지하지 못한 것은 그 문서들이 민족문학의 내용을 주로 정치적 각도에서 규정지었기 때문이다. 우리는 이제 민족문학에 대하여 구체적인 이념의 규정을 부여하지 아니하면 안 될 시기에 이른 것이다. 그리하여 동맹의 정치적·예술적인 전(全) 실천의 사상적 통일을 완성하고 우리의 문학의 예술적 높이만 아니라 사상적인 깊이를 더하여가기 위하여 민족문학의 이념 내용을 발겨놓아야 하며, 민족문학의 개념 가운데 자의로 쓸어 넣고 있는 온갖 불순한 관념을 청산하고 민족문학의 뚜렷한 이념의 원칙을 수립할 필요가 있다.

우리 민족의 자유와 행복을 실현하는 이념만이 민족문학의 이념임을 구체적으로 해명하고 그것을 공연히 선언하지 않으면 안 된다. 그러면 어떠한 이념이 민족의 자유와 행복을 실현하는 이념인가? 그것은 민족을 있는 그대로 이식하는 이념이다. 그러면 있는 그대로의 민족이란 어떠한 것인가? 그것은 구체적으로 보아진 민족이요, 구체적인 민족이란 것은 또한 역사적・현실적으로 보아진 민족임은 물론이다. 바꾸어 말하면 민족은 폐왕(廢王)도 아니요, 자본가도 아니요, 지주도 아니요, 어느 외국관서의 속리(屬吏)도 아니요, 바로 인민 그 자신이란 개념이다. 백년이나 천년 전의 찬란한 내력을 가진 조상도 아니요, 바로 헐벗고 굶주리며 살아가고 있는 우리들 자신이란 이념이다. 즉 우리들이 민족인 것이다. 그러므로 민족의 자유와 행복을 실현하기 위한 이념을 폐왕이나 자본가나 지주나 어느 외국관서의 속리들의 권세와 복리를 실현하기 위한 이념이 아니라, 노동자와 농민과 월급쟁이와 삯일꾼의 자유와 행복을 실현하는 이념인 것이다. 그러면 폐왕이나 자본가나 지주나 외국관서의 속리들의 권익을 실현하기 위한 이념은 민족의 이념이 아닌가? 그것은 민족의 이념이 아니다. 어찌하여서 그런 것이 민족의 이념이 될 수 없는가 하면 그런 것은 인민의 이념이 아니라 소수 특수자들의 이념인 때문이다. 그러면 이러한 특수의 소수자들은 우리와 같은 조선인임에도 불구하고 민족이 아니란 말인가? 그렇다. 민족이 아니다. 그러한 사람들은 우리와 같은 용모를 쓰고 우리와 다름없는 언어를 이야기함에 불구하고 인민은 아닌 때문에 민족이 아닌 것이다. 그러면 어찌하여서 인민만이 민족이요 인민 아닌 사람은 민족이 아닌가? 여기에서 우리는 삼천만이란 조선 인구 가운데 조선인의 탈을 쓴 조선 민족의 적이 섞여 있다는 주지의 사실을 생각할 필요가 있다. 같은 종족으로서 민족의 범주로부터 제외되는 인간이 존재한다는 것이 우리에게는 중요한 의미가 있다. 민족은 혈족과 달라서 역사적·사회적인 범주이기 때문에 같은 동족 가운데 어느 분자가 일정한 표준에 의하여 민족으로부터 제외되는 것이다. 이 표준은 친일파라든가 민족반역자와 같이 정치적으로 규정되는 수도 있으나, 원칙적으로는 역사적·사회적인 것이다. 자연적 존재인 혈족으로서의 종족으로부터 역사적·사회적으로 규정된 비(非)민족적인 것을 제외하고서 성립된 것이며, 또한 그러한 것들의 제외를 위한 투쟁을 통하여 민족은 형성되어온 것이다. 이러한 민족의 형성과정은 주지와 같이 두 가지 경우밖에 없다. 하나는 봉건사회로부터 자본주의사회로 넘어오는 근대의 경우요, 또 하나는 이러한 과정을 통하여 독립한 민족국가를 완성하기 전에 제국주의 제국(諸國)의 식민지가 된 제(諸) 민족의 해방투쟁으로 표현된 현대의 경우다. 결국 봉건주의로부터의 해방과 외래의 제국주의 급(及) 자기나라의 봉건잔재로부터의 해방이란, 두 가지의 투쟁과정을 통하여 사람들은 민족으로서 자기들을 의식하고 그 의식 밑에 결합하여 민족을 형성하는 것이다. 그러면 이 두 가지 경우의 민족형성 과정 가운데서 사람들은 자기들의 기왕(既往)한 혈족 인간군으로부터 어떠한 종류의 인간을 제외하였는가? 그것은 말할 것도 없이 자유 평등한 인간의 집합체인 민족의 구성원리에 위반되는 인간, 즉 보통사람이 아닌 인간, 다시 말하면 특권층이 제외되었음은 말할 것도 없다. 첫째의 경우, 즉 봉건사회로부터 자본주의사회로의 전환기에는 봉건 왕과 귀족, 영주, 승려들이 제외되었다. 봉건사회

가운데서 보통사람이 아니었던 모든 사람, 즉 모든 특권계급이 제외되었다. 자본주의사회의 성립을 가리켜 평민의 시대의 탄생이라고 부르는 것은 이 때문이다. 평민이란 것은 시민(부르주아지) · 농민 · 소시민의 여러 계급을 총칭한 것으로 봉건사회에서는 비(非)특권계급, 즉 피압박 · 피착취의 인민들이었다.

다시 말하면 인민 이외의 사람 — 왕후 · 귀족 · 영주 · 승려들을 제외함으로써 봉건사회로부터 자본주의사회로의 과도기는 민족이라는 새로운 인간 집합체를 형성한 것이다. 이 시대의 민족이 시민을 영도자로 한 농민, 소시민 등의 인민전선이었음은 물론이다. 그러한 인민전선만이 봉건적인 지방 분권을 타파하고 민족통일국가를 수립하였으며, 왕후의 전제지배를 넘어뜨리고 민주주의사회를 건설하였으며, 저도(低度)한 농업경제를 청산하고 고도한 생산성을 가진 자본사회를 전개시켜 사회를 새로운 단계로 추진시킨 것이다. 그리하여 봉건주의를 타도한 뒤의 자본주의사회를 시민사회라고 하는 것과 같이 시민사회는 왕후나 귀족, 영주, 승려의 특권자가 없어진 보통 시민들, 즉 인민적인 사회가 된 것이다.

둘째의 경우, 즉 상기한 바와 같은 전환을 미처 자기들의 힘드로 수행하기 전에 제국주의 국가에 의하여 정복된 나라의 주민들에 있어서는 주지와 같이 자기들의 사회 내부에 남아 있는 봉건잔재와 외래 제국주의 세력이란 두 가지 속박으로부터의 해방을 위하여 민족으로 결속하는 것이다. 그러면 이러한 결속을 통하여 형성되는 민족의 구성요소는 무엇인가? 말할 것도 없이 제국주의에 반대하고 봉건유제(遺制)의 청산을 주장하는 인민층들이다. 그러면 구체적으로 누가 제국주의에 반대하고 봉건유제를 청산코자 하는가? 형식적으로 보면 제국주의 세력이란 본래 외국으로부터 들어온 타민족이기 때문에 전(全) 민족이 거기에 반대할 것 같고, 봉건유제란 전(前) 자본주의적인 것이기 때문에 지주 이외의 전 계급, 즉 자본가·노동자·농민·소시민들이 모두 다 그것의 청산을 주장할 것 같다. 그러나 실제의 현실은 이와 다른 것이다. 제국주의는 토착 자본가와 봉건지주들을 식민지 지배의 유력한 수단으로 이용하고, 그들은 또한 제국주의가 자기 동족으로부터 수탈한 이윤 분배에 참여하고 있기 때문에 현실적으로는 제국주의에 반대하지 않는다. 그러므로 토착 자본가와 지주는 반제국주의 투쟁에 있어 식민지 민족의 편이기보다 더 많이 외래 제국주의의 편에 서 있다. 동시에 식민지 사회 내부에서 전개되는 반봉건투쟁에 있어서도 토착 자본가는 지주들과 긴밀하게 결합되어 있는 제국주의를 매개로 하여 지주들과 결부되어 있기 때문에 봉건 유제의 완전한 청산에 동의하지 않는 것이다. 그러므로 반제·반봉건적인 인민전선을 기초로 한 식민지의 민족형성과정에 있어 자본가와 지주들은 스스로 인민으로부터 이탈하며, 동시에 민족으로부터 제외되는 것이다. 식민지 민족의 해방투쟁을 통하여 형성되는 민족의 구성요소는 결국 노동자·농민·소시민에 지나지 않는 것이며, 그것은 전(前) 세기의 경우에 있어서와 같이 민족 내부의 모든 특권층을 제외한 인민들의 인민전선적 집합체인 것이다. 요컨대 현대에 있어서도 민족은 인민이요, 인민만이 민족인 것이며, 민족의 이념은 인민의 이념이요, 인민의 이념만이 민족의 이념이 될 수 있는 것이다. 그러므로 인민의 이념을 이념으로 한 문학만이 민족문학이 될 수 있는 것이요, 인민의 이념을 이념으로 하지 않은 문학은 민족문학이 될 수 없는 것이다. 영(英)·불(佛)·독(獨) 등 르네상스 이후의 전(全)근대문학은 모두 이러한 인민의 문학이었다. 실로 인민만이 민족의 형성자요 인민만이 민족문학의 진정한 건설자인 것이다.

3.

그러나 이렇게 하여서 건설되는 문학이 서구의 근대문학과는 판이한 문학이 될 것은 자명한 일이다. 왜 그러냐 하면 현대의 식민지에서 형성되는 민족이나 그들에 의하여 건설될 사회는 근대 서구의 그것과 근본적으로 다를 것이기 때문이다. 그러면 같은 인민들의 인민전선적 결합체로서 형성되는 민족들이 만들어내는 사회나 문학이 어찌하여서 그렇게 구별되는가? 그것은 민족을 형성하는 인민층의 구성 내용과 그것을 영도하는 세력이 다르기 때문이다. 근대 서구에 있어서는 시민계급이 노동자·농민·소시민들을 인솔하고 반봉건투쟁을 영도한 전형적인 자본주의국가 건설운동이었기 때문에 시민계급이 민족을 대표하였고, 시민계급의 이념이 곧 민족 형성의 이념이 될 것이다. 그러나 현대 식민지에 있어서는 시민계급 대신에 노동계급이 농민과 소시민들을 인솔하고 반제·반봉건투쟁을 영도하는 민주주의적인 독립국가 건설운동이 되기 때문에 노동계급이 민족을 대표하고 노동계급의 이념이 곧 민족 형성의 이념이 되는 것이다. 그러므로 근대 서구와 현대 식민지의 민족 이념의 차이는 결국 시민계급과 노동계급의 사회적 본질과 역사적 역할의 차이요 그들이 제각기 체현하고 있는 세계관의 차이인 것이다. 근대 서구문학의 기초가 된 시민계급의 본질과 역할은 역사가 이미 증시(證示)하고 있으며, 그러한 세계관의 표현인 이념의 성질도 우리가 벌써 숙지하는 바이나, 그러나 이로부터 형성되는 현대 식민지의 민족과 그들의 문학의 기초가 될 이념에 대한 이해를 밝히기 위하여 요약하면 대략 다음과 같다.

첫째로 시민계급은 봉건사회에 대한 투쟁 가운데서 분명히 혁명적 계급이었으나 혁명의 승리와 더불어 그들은 혁명성을 포기하고 보수적인 계급으로 변화하였다.

둘째로, 시민계급은 혁명기에 있어 인민의 대표자였으며 민족의 형성자였으나, 혁명의 종료와 더불어 인민의 지배자로, 민족의 참칭자로 전락하였다.

셋째로, 시민계급은 혁명기에 있어 노동자·농민·소시민 등과 함께 인민전선을 결성하여 민주주의를 건설하였으나 혁명의 승리와 더불어 인민전선을 파기하고 민주주의를 포기하였다.

넷째로 시민계급은 혁명을 통하여 사회를 저도(低度)한 계급으로부터 고도(高度)한 계단으로 발전시켰으나 혁명의 승리와 더불어 그것을 중지하였다.

이러한 사실들은 시민계급의 본질이 근본에 있어서는 봉건 귀족과 마찬가지로 다른 계급의 수탈과 지배를 토대로 하여서만 존재할 수 있는 비(非)인민계급임을 말하는 동시에 그들의 역사적·사회적 역할이 극히 조건적이요 일시적인 데 불과함을 말하는 것이다.

그러므로 시민계급의 이념을 토대로 한 근대 서구문학자는 시민들이 건설한 자본주의사회가 그러한 것과 같이 문학의 역사상의 새로운 시기를 창조하였으나, 위대한 작가와 작품들은 대개로 시민계급이 혁명적이었던 르네상스기에 탄생한 데 불과하였으며, 또한 그 시기의 문학들만이 진정으로 인민의 문학이요 민족의 문학에 해당하였다. 시민계급이 한번 혁명성을 상실하자, 각 나라와 각 민족 가운데서는 위대한 작가와 작품은 나오지 아니하였고 문학의 발전은 정지되었으며, 문학들은 인민의 문학으로부터 특권자의 문학으로, 민족의 문학으로부터 민족의 지배자의 문학으로 변질하여 버린 것이다.

그러나 노동계급은 모든 점에 있어서 시민계급의 그것과 반대이다. 노동계급은 혁명의 시기에만 아니라 승리 후에 있어서도 혁명성을 버릴 수가 없는 것이며, 그들은 농민보다도 소시민보다도 인민이며 민주주의자이기 때문에 일관하여 인민의 영도자로, 민족의 형성자로서 강고한 인민전선을 유지하여 나갈 필요가 있는 것이다. 이러한 인민전선을 그대로 가지고 노동계급은 민족과 국가와 사회를 건설하여 나가는 것이다. 왜 그러냐 하면 노동계급은 시민계급과 달라서 어떠한 시기에 이를지라도 다른 인민들을 수탈할 필요가 없고 지배할 필요가 없기 때문이며, 자기의 이익과 다른 인민들의 이익이 모순할 염려가 없기 때문이다. 동시에 노동계급의 역사적·사회적 역할은 시민계급의 그것과 같이 조건적·일시적이 아니라, 무조건적이요 항구적이다. 노동계급은 실로 농민과 소시민들을 영도하여 자기의 나라로부터 제국주의를 구축(驅逐)하고 봉건 유제를 일소할 뿐만 아니라, 다른 나라의 인민들과 더불어 부패하여가는 자본주의를 극복하고 자기 민족과 인류사회를 더 높은 계단으로 발전시킬 사명과 임무를 가진 계급인 때문이다. 그들은 영구히 진보적이며 무한히 인민적인 것이다. 그러므로 노동계급에게 영도되는 현대의 민족형성과정은 시민계급이 영도하던 전(前) 세기의 그것과 달라서 민족 내부의 새로운 인간적 대립과 투쟁 — 계급대립과 투쟁 — 을 초래할 염려가 없는 것이며, 내 민족과 다른 민족, 내 국가와 다른 국가와의 대립과 투쟁 — 제국주의적 대립과 전쟁 — 을 야기할 우려가 없는 것이다. 이것이 현대의 민족이념이며 동시에 현대의 민족문학의 이념이 될 것이다. 그러면 이러한 노동계급의 이념을 토대로 한 현대의 민족문학은 어떠한 성격의 문학이 될 것인가? 그것은 무엇보다도 철저한 인민적 문학일 것이다. 특권자의 사상이나 감정을 표현한 것이 아니라 광범한 인민의 사상과 감정을 집약적으로 표현하고, 그들 모두에 의하여 애독되는 문학일 것이다. 그것은 또한 진정한 의미의 민족적 문학일 것이다. 지배자의 이익이나 필요에서 만들어진 문학이 아니라 민족의 이익과 민족의 필요에서 창조되는 문학이요, 전(全) 민족에 의하여 친애되는 문학일 것이다. 동시에 이 문학은 여태까지의 문학과 역사를 새로운 계단으로 높이는 문학일 것이며, 수많은 위대한 작가와 작품들로 대표되는 문학일 것이요, 그 발전과 번영이 정지되지 않는 문학일 것이다. 그 높은 민족성에도 불구하고 이 문학은 다른 나라의 인민과 다른 곳의 민족들에게 이익과 유락(愉樂)을 주고, 모든 나라의 인민과 모든 곳의 민족의 문화 위에 커다란 재산을 기여하는 문학일 것이다.

4.

그러나 이러한 문학은 민족문학이 아니라 계급문학이 아닌가? 왜 그러냐 하면 이러한 문학의 토대가 될 이념은 민족의 이념이라기보다도 인민의 이념이며 인민의 이념이라기보다도 더 많이 노동계급의 이념이라고 말할 수 있기 때문이다. 그렇다. 현대의 민족문학은 분명히 노동계급의 이념에 기초하여 있고, 노동계급은 또한 자기의 이념이 인민의 이념으로 될 것을 주장하고 인민의 이념이 또 민족의 이념이기를 요청한다. 그러나 노동계급이 자기의 이념을 인민의 이념으로, 민족의 이념으로 요청함은 시민계급의 경우와 같이 자기가 인민과 민족의 특권적 지배자가 되기 위하여서가 아니라 자기와 더불어 모든 인민층이 목적

의식을 가지고 통일전선으로 결합하는 것을 돕기 위함이다. 이 도움이 없으면 농민과 소시민은 제국주의와 봉건유제를 청산하고 민족을 해방하여 민주국가를 건설하는 전선에 자각적으로 결합되어 오기가 어려운 때문이다. 그러므로 민족형성의 기초인 이 인민전선에 있어 노동계급의 이념은 모든 인민이 자각적으로 결합되는 매개자인 것이다. 다시 말하면 이러한 경우의 노동계급의 이념은 계급적 자각의 매개자이기보다도 인민적 자각의 매개자인 것이다. 그 강렬한 반제국주의성에 있어서, 그 심오한 반봉건성에 있어서, 또 철저한 민주성에 있어서 노동계급의 이념은 진실로 민족적인 것이다. 그러면 어찌하여서 천성으로 세계적인 계급인 노동계급이 민족성을 매개하며, 본질에 있어서 사회주의적인 계급인 노동계급이 민주성을 매개하는가? 사람들은 여기에서도 노동계급의 이념에 기초한 문학이 민족문학이 아니라 계급문학이라고 의심한 것처럼 그것을 믿기 어려울 것이다. 그러나 식민지의 노동계급은 먼저 자기 민족을 제국주의와 봉건유제의 속박으로부터 해방하지 않으면 자기 자신이 해방되지 않는 계급임을 알아야 한다. 즉 민족해방은 계급해방의 불가결한 전제요, 그 제일보인 것이다. 그러므로 민족해방투쟁은 농민과 소시민들의 과업인 동시에 노동계급 자신의 과업이며, 식민지 노동계급에 있어 민족형성과 민주국가의 건설은 자기에게 부과된 피할 수 없는 임무의 일부분인 것이다. 이리하여 노동계급의 이념은 인민들의 반제국주의적 결합의 유대이며, 반봉건적 결합의 유대이며, 민주주의적 결합의 유대이며, 민족적 결합의 중심이 됨으로써 민족의 이념이 되는 것이다. 다시 말하면 인민들의 민주주의적 결합인 민족형성의 정신적 기초가 되는 것이다. 이러한 이념을 기초로 한 문학이 한 계급의 문학이 될 수 없는 것은 물론이다. 현상에 있어서 한 계급의 이념을 기초로 하였다 할지라도 본질적으로는 전(全) 인민의 문학이 되는 것이요, 따라서 전(全) 민족의 문학이 되는 것이다. 이러한 사실을 결코 현대에 비롯하는 것이 아니라, 먼저도 말한 바와 같이 근대 서구문학의 형성기에도 그대로 존재하였던 것이다. 그때에 있어서는 시민계급의 이념을 기초로 한 민족문학이었는 데 반하여 현대에 있어서는 노동계급의 이념을 기초로 한 문학이 민족문학이 될 따름이다. 단지 하나는 민족의 지배자가 민족을 참칭한 문학이었고, 다른 하나는 민족의 영도자가 민족을 대표하는 문학으로서 서로 다를 뿐이다. 그러나 이 차이가 근본에 있어 거대하게 다르다는 것은 먼저도 언급한 바와 같거니와 비겨볼 수 없이 상이한 두 가지의 민족문학을 서로 혼동하여서, 전(前) 시대의 민족문학이 건설되던 방법으로 현대의 민족문학을 건설하여 보려는 무모한 기도에 우리는 특별한 관심을 기울이지 않아서는 안 된다. 그것은 노동계급의 이념 대신에 토착 자본계급의 이념을 기초로 하여 식민지의 민족문학을 건설하여 들기 때문이다.

그러나 현대에 있어 토착 자본계급의 이념을 토대로 하여서는 민족문학이 수립될 수 없다는 사실은 다음의 몇 가지 이유에 의하여 자명한 것이다.

첫째로 토착 자본계급의 이념은 인민의 이념이 될 수가 없다. 왜 그러냐 하면 토착 자본계급은 인민이 아니기 때문이다. 따라서 그들은 민주주의적이 아니다. 둘째로 토착 자본계급의 이념은 민족적이 아니다. 그들은 민족의 일원이기보다도 더 많이 외래 제국주의의 매판이기 때문이다. 따라서 그들의 이념은 반제(反帝)적이 아니다. 셋째로 토착 자본계급은 직접으로 지주이고, 간접으로 제국주의를 통하여 지주들과 연락(連絡)되어 있기 때문에 그들의 이념은 반(反)봉건적이 아니다. 넷째로 전체로서 그들의 이념은 노동자와 농민과 소시민 등의 이익을 반영하고 있는 것이 아니라, 특권층의 이익을 반영하고 있는 것이다. 요컨대 어느 한 점에서도 현대의 민족문학의 이념과 공통성이 없다. 이러한 이념이 민족문학의 건설원리가 될 수 없는 것은 중언(重言)할 필요가 없을 것이다. 그럼에도 불구하고 토착 자본가들의 이념은 무엇을 빙자하여서 민족문학의 기초이려고 주장되는 것일까? 그것은 지나간 역사적 사실이 있을 따름이다. 즉 일찍이 전(前) 세기에 있어 시민계급의 이념이 민족문학 건설의 기초였던 일이 있었다는 사실이다. 이것은 전(前) 세기에 있어 민족형성의 영도자가 시민계급이었기 때문에 현대에 있어서도 시민계급이 그 임(任)에 당(當)하여야 한다고 주장하는 사상의 표현임은 물론이다. 그러나 먼저도 누언(縷言)한 바와 같이 자본가들이 민족형성을 영도하고, 자본가들이 민족을 대표한 시대는 역사상에서 영구히 소멸하였다. 문학의 역사 위에서도 역시 이러한 시대는 다시 오지 않을 것이다. 그럼에도 불구하고 단순히 역사상에 있었다는 간단한 사실을 빙자삼아 시대와 현실에 맞지 않는 사업을 기도함은 무슨 까닭일까? 그것은 인민들이 결합됨으로써 이루어지는 진정한 민족의 형성과 그것을 기초로 하여 건설될 진실로 민주적이요 자주적인 독립국가 대신에, 특권자들의 결합으로 이루어지는 허위의 민족과 그것을 토대로 하여 수립되는 조금도 민주적이 아니요 자주적이 아닌 괴뢰국가를 수립하여, 제국주의의 주구요 인민들의 원수인 특권층이 지배를 누리고자 하기 때문이다. 그러므로 이러한 계급의 이념을 기초로 한 문학은 사이비의 민족문학, 즉 민족문학 같으면서도 조금도 민족문학이 아닌 문학, 본질에 있어서는 외국 제국주의와 내통한 자들의 문학이요 인민들의 원수의 문학이며 민족의 적의 문학인 것이다. 국수주의나 민족주의나 기타 온갖 방법으로 자기들의 민족성·우국성(憂國性)의 가면을 요란하게 이색(移色)하는 갖가지의 반동문학이야말로 모두 이러한 범주에 속하는 문학들이다. 우리는 진실로 인민적이요, 민족적이요, 애국적인 민족문학의 원칙을 뚜렷이 내세움으로써 이러한 허위의 사이비 민족문학의 기도를 구축(驅逐)하여야 한다. 또한 우리는 노동계급의 이념을 기초로 한 인민의 문학이야말로 진실로 민족적이요 애국적인 민족문학임을 공공연히 구명(究明)해야 한다. 일찍이 전(前) 세기의 서구 민족문학이 봉건사회에 대한 계급과 그들에게 영도된 인민들의 치열한 투쟁 가운데서 생성된 것 같이, 현대의 민족문학은 제국주의와 봉건유제에 대한 노동계급과 그들에게 영도된 인민들의 열렬한 투쟁 속에서만 발전할 수 있다는 사실을 고조(古調)하고, 인민들의 자유와 행복의 실현을 위한 고매한 노력 가운데서만 성장할 수 있다는 사실을 강조하지 않아서는 안 된다. 이 모든 투쟁과 노력으로 인민들을 결합시키는 이념으로서, 그 투쟁과 노력 가운데서 창조되는 우리의 민족문학 위에 풍부한 사상성과 높은 예술성을 부여하는 가치 높은 이념으로서 노동계급의 이념의 고귀한 의의를 고조하여야 한다. 우리는 결코 조직의 방편이나 운동의 수단으로서 민족문학의 구호를 내걸고 있는 것이 아니다. 민족문학의 외형 속에서 계급문학의 건설을 기도하고 있는 것도 아니다. 우리는 열렬한 애국심에서, 민족에 대한 진정한 충성에서, 진실로 민족적인 애국적인 민족문학 건설에 종사하고 있는 것이다. 문학가동맹은 이것의 실천을 주요 목적으로 하는 단체다. 그러므로 우리 동맹은 단일한 목적에 대한 공통한 자각에 의하여 모든 성원들이 결합되어 있는 단체가 되지 아니하여서는 안 된다. 문학운동의 사상적 통일과 그 수준으로 높이기 위하여 새로운 노력을 경주할 필요가 있는 것이다. 이러한 목적은 전(全) 인민의 이념으로서의 노동계급의 이념, 전(全) 민족의 이념으로서의 노동계급의 이념, 민족문학의 이념으로서의 노동계급의 이념을 한층 더 깊이 파악함으로써만 달성될 것이다. 현재의 단계에 있어서의 노동계급의 이념은 노동계급만의 이념이 아니라 인민 가운데 포함된 모든 계층의 공동한 이념이기 때문이다. 그것을 과학적 세계관, 진보적 세계관의 확립의 문제와 동일한 것이 되는 것이다.

저자 김 윤 식(金允植)

1936년 경남 진영 출생. 문학평론가. 서울대 명예교수. 저서로 『이상소설연구』(문학과비평사, 1988), 『이상연구』(문학사상사, 1989), 『이상문학 텍스트 연구』(서울대 출판부, 1998) 등이, 편저로 『이상문학전집(2~5)』(문학사상사, 1999~2001)이 있다.

임화와 신남철

경성제대와 신문학사의 관련 양상

초판 인쇄 2011년 12월 20일
초판 발행 2011년 12월 30일

지은이 김윤식
펴낸이 이대현
편　집 이소희
펴낸곳 도서출판 역락
서울 서초구 반포4동 577-25 문창빌딩 2층
전화 02-3409-2058(영업부), 2060(편집부)
팩시밀리 02-3409-2059
이메일 youkrack@hanmail.net
등록 1999년 4월 19일 제303-2002-000014호

ISBN 978-89-5556-957-5 93810
정　가 32,000원

* 잘못된 책은 교환해 드립니다.